La libération animale

Peter Singer

La libération animale

Traduit de l'anglais par
Louise Rousselle

Traduction relue par
David Olivier

Présentation
de Jean-Baptiste Jeangène Vilmer

Petite Bibliothèque Payot

Note de l'éditeur. Une précédente version de ce livre a paru en 1993 aux éditions Grasset. La présente édition comporte, outre la présentation inédite de J.-B. Jeangène Vilmer, une préface inédite de l'auteur.

TITRE ORIGINAL :
Animal Liberation

À Richard et Mary, à Ros et Stan, et – tout particulièrement – à Renata.

Cette édition revue est également dédiée à vous tous qui avez changé votre vie pour faire avancer la cause de la libération animale. Grâce à vous, il est permis de croire que la force du raisonnement éthique peut l'emporter sur l'intérêt égoïste de notre espèce.

PRÉSENTATION

L'éthique animale de Peter Singer

par Jean-Baptiste Jeangène Vilmer[1]

Ce livre est un classique. Peter Singer, philosophe australien né en 1946, titulaire de la chaire de bioéthique à Princeton University (États-Unis), est régulièrement cité comme étant le philosophe vivant le plus influent dans le monde[2]. Et *Animal Liberation* (1975), son best-seller vendu à près d'un million d'exemplaires dans une vingtaine de langues, l'un des livres les plus influents du XXe siècle[3].

---

1. Je remercie chaleureusement Martin Gibert, Estiva Reus et Enrique Utria qui ont bien voulu relire une version précédente de ce texte. Toute erreur dans ces pages n'est bien sûr imputable qu'à moi-même.

2. Il est « le philosophe vivant le plus efficace » selon *The Independent* (13 novembre 1995), « le plus controversé, et l'un des plus influents » selon *The New Yorker* (6 septembre 1999), « le plus connu et le plus lu » selon sa collègue H. Kuhse (*Unsanctifying Human Life*, New York, Blackwell, 2002, p. 2), etc. Il figure dans la liste 2005 des cent personnes les plus influentes dans le monde de *Time Magazine* et est élu l'année suivante parmi les dix intellectuels australiens les plus populaires (*The Australian*, 4 octobre 2006).

3. Il figure dans la liste de *Time Magazine* des cent livres de non-fiction les plus influents depuis 1923 (*Time*, 30 août 2011).

Auteur prolifique d'une quarantaine d'ouvrages, sur des sujets aussi divers que la mondialisation, la bioéthique, Hegel, la pauvreté, l'éthique de George W. Bush, le handicap, Marx ou la démocratie, il considère lui-même *La Libération animale* comme « le livre le plus important qu'il ait écrit[1] ». C'est en tout cas le plus important de l'éthique animale contemporaine, celui qui a structuré le débat dans les années 1970 et à partir duquel tous les autres se sont positionnés.

Pour autant, on ne peut pas dire qu'il a « créé » un mouvement mondial ou qu'il est le « père » des droits des animaux, contrairement à ce qu'on lit souvent, car le mouvement est millénaire et les thèses défendues par Singer se trouvaient déjà au stade embryonnaire chez Lewis Gompertz (1824), Jeremy Bentham (1789) et Jean-Claude de La Métherie (1787), par exemple[2]. Le succès de son livre est dû à plusieurs facteurs, dont le contexte, puisque le mouvement s'accélère à cette époque, en réaction à l'indignation croissante suscitée par l'élevage industriel[3], et grâce au réseau de plus en plus dense des associations de protection animale.

La Libération animale est aussi l'un des premiers livres de philosophie exclusivement consacré au statut moral des animaux[4]. Le plus connu de ses prédécesseurs est Bentham, qu'on cite beaucoup mais qui n'y

---

1. P. Singer, interview, ABC1, « TalkingHeads », 28 mai 2007.

2. Voir J.-B. Jeangène Vilmer (dir.), *Anthologie d'éthique animale. Apologies des bêtes*, Paris, PUF, 2011.

3. Voir, par exemple, R. Harrison, *Animal Machines. The New Factory Farming Industry*, Londres, Vincent Stuart, 1964.

4. Si l'on exclut la littérature antique sur le végétarisme, comme le *De esu carnium* de Plutarque (Ier siècle) et le *De Abstinentia* de Porphyre (271), qui portent moins sur le statut moral des animaux en général que sur la question de savoir si on peut les manger.

consacre en vérité qu'une note de bas de page. Il y a quelques précédents aux XVIIIe et XIXe siècles[1], mais aucun exposé aussi complet et systématique. Une autre raison du succès de ce livre est d'ailleurs sa grande clarté, ses qualités analytiques et pédagogiques. Singer s'adresse au plus grand nombre et réussit à développer des argumentations complexes d'une façon absolument limpide. C'est une caractéristique de la philosophie anglophone en général qui, contrairement à la tradition française, n'a pas le goût de l'ésotérisme, ni du style ampoulé. Seule compte l'efficacité du propos et, à ce titre, Singer est un maître absolu.

Le revers de la médaille d'une telle accessibilité est que les spécialistes pourront toujours reprocher à ce livre d'être trop grand public. Singer explique lui-même avoir résisté à la tentation d'enrichir son texte : « Quand je me mis à écrire la seconde édition de *La Libération animale*, je savais qu'il y avait alors toute une masse de littérature philosophique sophistiquée sur la question qui n'existait pas quand j'écrivis la première édition. Je pensai tout d'abord y répondre, mais je me rendis rapidement compte que dans ce cas, il s'agirait d'un tout autre livre, bien moins facile à lire. Et cela, je ne le voulais pas[2]. » Ceux qui veulent approfondir le débat peuvent se rapporter à ses articles spécialisés ; ce livre a un autre objectif.

Il se distingue également par l'enquête empirique sur laquelle s'appuie la réflexion : au moins la moitié

1. Notamment H. Primatt, *A Dissertation on the Duty of Mercy and Sin of Cruelty to Brute Animals* (1776) ; A. Baston, *Le* Banian *ou la défense des animaux contre l'homme* (1777-1779) ; H. Daggett, *The Rights of Animals* (1791). Voir J.-B. Jeangène Vilmer (dir.), *Anthologie d'éthique animale*, *op. cit.*

2. P. Singer, « Réponse à D. DeGrazia », *Cahiers antispécistes*, 6 mars 1993, en ligne.

de l'ouvrage est descriptive, avec de nombreux chiffres et même des images – ce qui est plutôt rare en philosophie. Il est aussi très pragmatique, c'est-à-dire que, visant l'action, il donne de nombreux conseils pour changer les choses, notamment « devenir végétarien », comme le titre un chapitre. À mi-chemin, donc, entre l'essai philosophique et le guide pratique, c'est un livre militant qui n'a qu'un objectif : avoir un impact. Et, de ce point de vue, il a parfaitement rempli sa mission, en contribuant à une prise de conscience globale.

Depuis 1975, la sensibilité à la condition animale s'est développée, le nombre de végétariens a augmenté ; la loi protège davantage les animaux, grâce au renforcement de la législation pénale et à la reconnaissance du statut d'être vivant sensible dans certains textes, dont des Constitutions ; certaines pratiques, dans l'expérimentation animale ou l'élevage notamment, ont été abolies ou sont en voie de l'être ; et l'éthique animale est devenue une véritable question de société, qui n'est plus réservée à une élite de philosophes et s'invite régulièrement dans les médias grand public. Mais, en même temps, l'élevage intensif s'est considérablement développé, la consommation de viande ne cesse d'augmenter dans les pays émergents et la résistance s'organise autour des puissants lobbies des exploitants des animaux.

On comprend dès lors que, malgré son succès, ou plutôt à cause de lui car on craint son influence, ce livre et son auteur – que ses adversaires considèrent comme « l'homme le plus dangereux du monde[1] » – soient très controversés. Surtout en France, où on a mis près de vingt ans pour le traduire[2]. Singer estime que

1. *The Guardian*, 6 novembre 1999.

2. P. Singer, *La Libération animale*, trad. de la 2e édition (1990) par L. Rousselle, relue par D. Olivier, Paris, Grasset, 1993.

« ce n'est d'ailleurs pas une coïncidence si *Animal Liberation* a été traduit en italien, espagnol, allemand, hollandais, suédois, finnois et japonais avant de l'être finalement en français [1] ». Pas une coïncidence non plus si cette traduction tant attendue, rapidement épuisée, devenue presque introuvable, n'a pas été rééditée jusqu'aujourd'hui, encore vingt ans plus tard.

Cette mise à l'index n'a pas suffi à gêner ceux qui le connaissaient déjà, ces quelques chercheurs et militants qui de toute façon lisent l'anglais, voire traduisent et diffusent eux-mêmes sur Internet les textes des auteurs anglophones [2]. Mais elle a incité les autres à parler de lui sans l'avoir jamais lu, et elle a donc nui à la compréhension de la pensée de Singer en France, où il est souvent caricaturé, voire diabolisé. Il faut dire que sa philosophie est à l'opposé du terreau de l'humanisme français, puisqu'elle refuse de sacraliser la vie humaine.

Le grand public dit cultivé et les journalistes le présentent alors comme « un défenseur de l'infanticide et de l'eugénisme » (une caricature de ses positions en matière d'avortement et d'euthanasie), voire comme quelqu'un « qui a des parentés avec la pensée d'extrême droite » et « le grand Reich [3] ». Un comble quand on sait que Singer, issu d'une famille juive autrichienne ayant fui Vienne lorsque les nazis ont pris le pouvoir en 1938, a perdu trois grands-parents dans les camps et qu'il reste profondément marqué par cette histoire à laquelle il a même consacré un ouvrage [4]. De gauche

---

1. P. Singer, préface à J.-B. Jeangène Vilmer, *Éthique animale*, Paris, PUF, 2008, p. 1.

2. Voir notamment le site des *Cahiers antispécistes*.

3. A. Algoud dans « La partie continue », *France Inter*, 8 mai 2000.

4. P. Singer, *Pushing Time Away. My Grandfather and the Tragedy of Jewish Vienna*, New York, Ecco Press, 2003.

libérale, il était candidat des Verts au Sénat australien en 1996.

Dans ce procès grotesque, les philosophes ne sont pas en reste, et pas seulement ceux qui, tel Luc Ferry, sont connus pour être des opposants à la cause animale[1]. Même Élisabeth de Fontenay, qui défend les droits des animaux, trouve que Singer est un « philosophe dangereux » qui « manque de civilité », et qu'il propose « une thèse véritablement extrémiste[2] ».

L'un des objectifs de cette introduction est de dédiaboliser un auteur plus souvent cité que lu, et dans tous les cas insuffisamment compris. La réédition, en poche, de ce livre historique enfin mis à la portée du plus grand nombre est de ce point de vue fort bienvenue.

Je suis d'autant plus honoré de le présenter que c'est lui et pas un autre qui m'a fait découvrir l'éthique animale et devenir végétarien. Lorsque quelques années plus tard je publiais à mon tour sur le sujet, après l'avoir rencontré à Oxford, c'est encore lui qui m'a fait l'amitié d'une préface[3]. Un honneur à double tranchant puisque nos caricaturistes nationaux ont tôt fait d'en déduire qu'il était mon « maître[4] », et donc que j'étais d'accord avec tout ce qu'il avait jamais écrit sur tous les sujets, ce qui est faux et constitue un double sophisme (*ad hominem* et généralisation hâtive)[5]. J'aurai l'occasion

1. Qu'il confond avec l'écologie dans *Le Nouvel Ordre écologique*, Paris, Grasset, 1993. Voir É. Hardouin-Fugier, E. Reus et D. Olivier, *Luc Ferry, ou le rétablissement de l'ordre*, Lyon, Tahin Party, 2002.

2. É. de Fontenay, « Pourquoi les animaux n'auraient-ils pas droit à un droit des animaux ? », *Le Débat*, n° 109, 2000, p. 142.

3. J.-B. Jeangène Vilmer, *Éthique animale*, *op. cit.*, p. 1-3.

4. F. Wolff, « La vaine rhétorique des avocats des taureaux », *Libération*, 7 septembre 2010.

5. J.-B. Jeangène Vilmer, « Corrida et argumentation : réfutations sophistiques », *in* J. Porcher, C. Perreira (dir.), *Toréer sans la mort ?*, Paris, Quae, 2011, p. 176-188.

dans les pages suivantes de dire ce qui me semble discutable dans l'éthique animale de Singer. Mais, globalement, je partage en effet son approche.

Éthique animale

La spécialité de Singer, dont on a un excellent aperçu dans *Practical Ethics*[1] (1979), un autre best-seller, est l'éthique appliquée. L'éthique est la science de la morale, ou la philosophie morale, qui a pour objet ce que nous considérons comme bien ou mal, et les obligations morales que ce jugement implique. Elle est donc à la fois savoir et action, théorie et pratique, connaissance des dilemmes moraux et art de diriger sa conduite parmi eux.

Dans la tradition anglophone, l'éthique est habituellement divisée en trois branches : la *métaéthique* (les concepts fondamentaux à l'origine de nos jugements moraux), l'*éthique normative* (les principes généraux qui devraient guider nos jugements et nos actions) et l'*éthique appliquée*, qui applique l'éthique normative à des situations concrètes, des cas pratiques particulièrement controversés, ce que l'on appelle couramment des questions de société. Cette dernière est donc sectorielle, et Singer est actif dans plusieurs de ses champs, en particulier la bioéthique, l'éthique économique et sociale, l'éthique des relations internationales et l'éthique animale, dont relève *La Libération animale*.

L'éthique animale, qui peut être définie comme l'étude de la responsabilité morale des hommes à l'égard des animaux, consiste notamment à se demander quel est leur statut moral, si nous avons des devoirs envers

1. P. Singer, *Questions d'éthique pratique*, Paris, Bayard, 1997.

eux, s'ils ont des droits, si le fait de les exploiter est moralement acceptable, si nous pouvons les tuer et les faire souffrir pour nous nourrir, nous vêtir, tester nos médicaments et nos cosmétiques, ou même nous divertir[1]. Des questions que les philosophes antiques se posaient déjà (la revendication en termes de « droits des animaux » ne date en revanche que du XVIIe siècle).

Singer n'est pas le premier à utiliser l'expression « libération animale » – on la trouvait par exemple dans un livre américain de 1839 qui rapporte les débats d'une « animal liberation society » fictive dont le but est de libérer des animaux sauvages détenus[2] – mais c'est bien lui qui lui donne son sens contemporain lorsque, après l'avoir d'abord introduite en couverture de la *New York Review of Books* en 1973[3], il publie deux ans plus tard le livre éponyme. L'expression assume explicitement la filiation avec l'abolition de l'esclavage : les premières lignes de son article de 1973 placent la libération animale dans la foulée de celles des Noirs, des homosexuels et des femmes. L'éthique animale est dans une logique extentionniste : elle souhaite élargir le cercle de la considération morale par-delà la frontière de l'espèce.

---

1. Pour une présentation générale de l'éthique animale, voir J.-B. Jeangène Vilmer, *L'Éthique animale*, Paris, PUF, coll. « Que sais-je ? », 2011.

2. Anonyme, *Retroprogression*, Boston, J. Burns, 1839, p. 63.

3. « Animal Liberation » est le titre d'une recension que Singer fait de S. et R. Godlovitch, J. Harris (dir.), *Animals, Men and Morals* (Londres, Victor Gollancz, 1971) dans la *New York Review of Books* du 5 avril 1973. Sur la couverture de ce prestigieux magazine figure le titre *« Animal Liberation ! »* et le dessin d'un lapin tirant au canon. Voir P. Singer, *Comment vivre avec les animaux ?*, trad. J. Sergent, Paris, Les Empêcheurs de tourner en rond / Seuil, 2004, qui traduit cet article et deux autres.

Utilitarisme

L'éthique normative se divise à son tour en trois familles : le conséquentialisme, le déontologisme et l'éthique de la vertu. Les deux premières ont en commun d'évaluer rationnellement les actions, tandis que l'éthique de la vertu évalue davantage le caractère moral de l'agent (ce qu'Aristote appelait son *ethos*)[1]. Le conséquentialisme pose qu'une action est bonne lorsqu'elle produit les meilleures conséquences. L'utilitarisme, dont Singer est le plus fameux représentant contemporain, en est une version, une approche d'origine anglaise selon laquelle une action est bonne lorsqu'elle maximise le plaisir (utilitarisme hédoniste des pères fondateurs, Bentham et Mill) ou la satisfaction des préférences (utilitarisme des préférences de Hare et Singer) de l'ensemble des individus concernés.

On l'oppose en général au déontologisme (du grec *deon*, « devoir »), une approche dont le paradigme est kantien, selon laquelle une action est moralement bonne si elle est universalisable, et une volonté est moralement bonne si elle est accomplie par devoir ou par respect pour une norme. Le déontologiste suppose l'existence *a priori* de certaines obligations morales universelles et pense que les actes ont une valeur intrinsèque : ils sont bons ou mauvais en eux-mêmes, indépendamment des sujets et des conséquences. L'utilitariste, qui est conséquentialiste, soutient au contraire qu'une action n'est pas bonne ou mauvaise en elle-même, mais en fonction de ses conséquences.

Pour l'utilitariste, la vie n'a pas de valeur intrinsèque. « Un organisme doit être plus que seulement vivant pour avoir un droit de continuer à vivre, explique par exemple William Frankena. Sa vie doit avoir, ou

---

1. Aristote, *Rhétorique*, I, 2, §III, 1356a.

être capable d'avoir, certaines autres qualités, comme la conscience, le plaisir, etc.[1]. » La vie en tant que telle n'est rien d'autre que le support, le réceptacle des capacités qui, elles, produisent l'intérêt à vivre. C'est précisément ce qui permet aux utilitaristes de défendre l'avortement et l'euthanasie dans certaines situations : lorsque les individus concernés n'ont pas encore ou plus d'intérêt à vivre. Et c'est ce qui pose problème à certains déontologistes – pas tous, car tous ne font pas du respect de la vie un principe absolu (sans quoi ils ne se permettraient pas de tuer beaucoup d'êtres « seulement » vivants, comme les plantes, et même dans certains cas des humains, par exemple à la guerre).

En éthique animale, la prémisse des utilitaristes est l'existence d'une sensibilité animale : si frapper un arbre n'est pas moralement problématique mais que frapper un chien l'est, c'est parce que le second a la capacité de souffrir. Le critère de la considération morale n'est pas le simple fait d'être vivant ; il n'est pas non plus la rationalité, la conscience de soi ou ces autres qualités dont l'homme se sert habituellement pour se distinguer des autres animaux, mais la capacité de sentir. Rousseau le comprend lorsqu'il écrit que « si je suis obligé de ne faire aucun mal à mon semblable, c'est moins parce qu'il est un être raisonnable que parce qu'il est un être sensible : qualité qui, étant commune à la bête et à l'homme, doit au moins donner à l'une le droit de n'être point maltraitée inutilement par l'autre[2] ». Bentham renchérit dans ce passage bien connu : « La

---

1. W. Frankena, *in* A. Bondolfi, *L'Homme et l'Animal : dimension éthique de leur relation*, Fribourg, Éditions universitaires, 1995, p. 123.

2. J.-J. Rousseau, *Discours sur l'origine et les fondements de l'inégalité parmi les hommes,* Paris, Aubier, 1973, p. 59.

question n'est pas "peuvent-ils *raisonner* ?", ni "peuvent-ils *parler* ?", mais "peuvent-ils *souffrir*[1] ?". »

Nul besoin d'être utilitariste, en vérité, pour avoir ce point de départ. Bentham l'est, pas Rousseau. Dire que la souffrance est un critère nécessaire de considération morale est aujourd'hui très consensuel en éthique animale. Les utilitaristes affirment qu'il est non seulement nécessaire mais aussi suffisant, c'est-à-dire que, comme l'explique Singer, « pour défendre les conclusions qui sont argumentées dans [son] livre, le principe de réduction maximale de la souffrance suffit[2] ». Mais ils ne sont pas les seuls : Gary Francione, par exemple, est un déontologiste qui lui aussi affirme que « la sensibilité est le seul critère pertinent de considération morale[3] ». Les autres déontologistes ajoutent généralement d'autres conditions, comme ce que Tom Regan appelle le fait d'être sujet-d'une-vie *(subject-of-a-life)*[4].

Tous les animaux sont égaux

Le point de départ de Singer, comme l'indique d'ailleurs le titre du premier chapitre de *La Libération animale*, est la thèse de l'égalité animale. Il n'est pas le premier à l'exprimer : « Une loi du droit de nature est l'égalité de chaque individu, disait déjà La Métherie en 1787. Un animal est l'égal de son semblable [...]. L'intérêt personnel a étouffé dans le cœur de l'homme

1. J. Bentham, *Introduction aux principes de morale et de législation*, Paris, Vrin, 2011, p. 325.

2. *Infra*, p. 96.

3. G. Francione, « Prendre la sensibilité au sérieux », *in* H.-S. Afeissa, J.-B. Jeangène Vilmer (dir.), *Textes clés de philosophie animale*, Paris, Vrin, 2010, p. 219.

4. T. Regan, *Les Droits des animaux*, Paris, Hermann, 2012, p. 479.

le sentiment qui lui disait qu'il n'est qu'un animal comme un autre[1]. »

Cela ne veut pas dire, bien entendu, que tous les animaux, humains ou pas, ont les mêmes capacités, mais qu'« il n'y a pas de raison logique qui impose de faire découler d'une différence de fait dans les capacités que possèdent deux personnes une différence quelconque dans la quantité de considération que nous devons porter à la satisfaction de leurs besoins et intérêts[2] ». C'est, entre les hommes, la base du refus du racisme et du sexisme. Singer étend ce raisonnement aux animaux non humains, en refusant ce qu'il appelle le *spécisme*, la discrimination selon l'espèce. Ce néologisme, créé en 1970 par Richard Ryder, un psychologue britannique, est repris par Singer et de nombreux autres auteurs.

Singer définit le spécisme comme un « préjugé ou une attitude de parti pris en faveur des intérêts des membres de sa propre espèce et à l'encontre des intérêts des membres des autres espèces[3] ». Mais on peut élargir cette définition : le spécisme est une discrimination selon l'espèce, pas nécessairement entre notre espèce d'un côté et toutes les autres espèces animales de l'autre. Celui qui dit « les humains d'abord ! » n'est pas tant spéciste qu'anthropocentriste ou humaniste. Le spécisme sert autant à discriminer entre les humains et les autres animaux qu'entre les animaux entre eux. Il est cette « schizophrénie morale » que dénonce Fran-

1. J.-C. de La Métherie, *Principes de la philosophie naturelle dans lesquels on cherche à déterminer les degrés de certitude et de probabilité des connaissances humaines*, Première partie, Genève, 1787, p. 204-206.

2. P. Singer, *L'Égalité animale expliquée aux humain-es*, Lyon, Tahin Party, 2007, p. 13.

3. *Infra*, p. 73.

cione, qui nous conduit à élever certains animaux pour les aimer, et d'autres pour les tuer[1].

L'antispécisme de Singer, cette conviction que l'appartenance à l'espèce n'est pas un critère pertinent de considération morale, le conduit à se poser la question suivante : « Si le fait pour un humain de posséder un degré d'intelligence plus élevé qu'un autre ne justifie pas qu'il se serve de cet autre comme moyen pour ses fins, comment cela pourrait-il justifier qu'un humain exploite des êtres non humains[2] ? »

Il défend alors une « égalité de considération des intérêts ». Les intérêts se valent : « Un intérêt est un intérêt quelle que soit la personne dont il est l'intérêt[3]. » En d'autres termes, ce n'est pas parce que mon chien n'est « qu'un animal » que son intérêt à ne pas souffrir est moindre que celui d'un homme, et que je devrais donc lui accorder moins de considération. Et ce n'est pas parce que ce cochon n'est « qu'un cochon » que son intérêt à ne pas souffrir est moindre que celui de mon chien. Comme le disait l'écrivain espagnol Antonio Zozaya en 1910, « faire souffrir une bête c'est provoquer une souffrance. Quelle que soit la victime de cette cruauté inutile, c'est toujours une cruauté. [...] L'important n'est pas de savoir qui est-ce qu'on martyrise ; l'essentiel est de ne point martyriser. [...] Il n'y a dans le monde qu'une seule cruauté, la même pour les hommes et pour les bêtes[4] ». C'est elle que je dois combattre, plutôt que hiérarchiser son impact présumé

1. G. Francione, « Prendre la sensibilité au sérieux », *op. cit.*, p. 196.

2. P. Singer, *L'Égalité animale expliquée aux humain-es*, *op. cit.*, p. 13-15.

3. P. Singer, *Questions d'éthique pratique*, *op. cit.*, p. 32.

4. A. Zozaya, in *En faveur des êtres sans défense. ¡ Pauvres Bêtes ! Anthologie zoophile espagnole*, Bayonne, Imprimerie du Courrier, sans date, p. 25-31.

sur tel ou tel individu, en fonction de critères aussi arbitraires que son apparence physique, ou le fait que je le trouve « mignon » ou pas.

Cette thèse de l'égalité animale étant souvent déformée, il faut d'emblée prévenir d'au moins deux confusions. La première est que l'égalité de considération n'est pas l'égalité de traitement. Les caricaturistes accusent Singer de vouloir traiter les animaux comme les hommes, alors qu'il dit exactement le contraire : « Le principe d'égale considération des intérêts n'exige pas que nous traitions les animaux non humains comme nous traitons les humains [1] », tout simplement parce que certains intérêts des animaux sont différents, et que considérer également des intérêts différents implique des traitements différents. Considérer également les intérêts du cochon et ceux de l'homme, par exemple, n'implique pas d'apprendre à lire au cochon, mais de le « laisser en compagnie d'autres cochons dans un endroit où il y a une nourriture suffisante et de l'espace pour courir librement [2] ». Ce qui condamne de fait l'élevage industriel.

La seconde confusion est que l'égalité de considération des intérêts n'est pas l'égalité des vies. Ce point exige un développement plus précis.

Toutes les vies ne se valent pas

Toutes les souffrances similaires se valent, puisque l'intérêt à ne pas souffrir est *a priori* le même chez tous les individus ayant la capacité de souffrir. Le fait

1. P. Singer, « Libération animale ou droits des animaux ? », *in* H.-S. Afeissa, J.-B. Jeangène Vilmer (dir.), *textes clés de philosophie animale*, *op. cit.*, p. 143.

2. *Infra*, p. 72.

que vous soyez globalement plus intelligent, rationnel et cultivé que le cochon ne rend pas votre souffrance plus importante ou digne de considération que la sienne si l'on vous plante à l'un et l'autre un couteau dans la cuisse, par exemple. En revanche, ces qualités intellectuelles comptent lorsqu'il s'agit d'évaluer vos intérêts à vivre respectifs. Singer pense que « la vie d'un être possédant la conscience de soi, capable de penser abstraitement, d'élaborer des projets d'avenir, de communiquer de façon complexe, et ainsi de suite, a plus de valeur que celle d'un être qui n'a pas ces capacités[1] » puisque le tuer reviendrait à lui faire perdre *plus* que la vie.

Si l'on refuse maintenant de réduire la personnalité à l'humanité et de postuler arbitrairement que tous les humains et seulement eux sont des personnes, si l'on pose plutôt que les personnes sont des êtres rationnels et conscients d'être des entités distinctes possédant un passé et un futur, alors les humains ne sont pas tous des personnes (il existe des cas marginaux) et certains animaux sont des personnes (une idée déjà développée au XIXe siècle)[2]. Parce que « prendre la vie de personnes est en soi plus grave que prendre la vie de non-personnes [...], il semble donc, par exemple, que tuer un chimpanzé est pire que tuer un être humain qui, du fait d'un handicap mental congénital, n'est pas et ne sera jamais une personne[3] ».

C'est ici que Singer est attaqué de toutes parts. D'un côté, par ceux qui lui reprochent d'être extrémiste : les humanistes qui l'accusent d'eugénisme, comme s'il appelait à l'élimination massive des handicapés men-

---

1. *Infra*, p. 94.
2. Voir J.-B. Jeangène Vilmer (dir.), *Anthologie d'éthique animale*, *op. cit.*, p. 168, 212 et 263.
3. P. Singer, *Questions d'éthique pratique*, *op. cit.*, p. 120.

taux – alors que le but de cette expérience de pensée n'est évidemment pas de dire que l'on pourrait tuer certains humains, mais que l'on ne devrait pas tuer certains chimpanzés. Il s'agit « d'élever le statut des animaux, non d'abaisser celui des humains[1] ».

De l'autre, par ceux qui lui reprochent au contraire de n'être pas assez radical puisque, en défendant l'idée qu'une vie puisse avoir plus de valeur qu'une autre, il estime « que s'il nous faut choisir entre la vie d'un être humain et celle d'un autre animal nous devons sauver celle de l'humain[2] ». David DeGrazia arrive à la même conclusion lorsqu'il demande : « La mort nuit-elle davantage à certains animaux sensibles (dont les humains) qu'à d'autres ? » Il y répond par l'affirmative et en déduit qu'il faut rejeter l'égalitarisme qui n'accepte pas « que les humains normaux perdent davantage, lorsqu'ils meurent, que les poissons, les amphibiens et les reptiles par exemple[3] ».

Ceux qui défendent une théorie égalitariste des droits[4] ne voient pas en quoi le fait d'être conscient de soi, d'avoir des projets et d'autres qualités intellectuelles donne un intérêt supérieur à vivre : ils reprochent donc à Singer d'être spéciste, puisque sa position revient à préférer les humains, et à permettre l'abattage de certains animaux, dans l'hypothèse où ils n'en souffriraient pas.

Si, en effet, la vie n'a pas de valeur intrinsèque, qu'est-ce qui m'empêche de tuer ? Tuer de manière indolore un individu (animal humain ou pas) peut-il se justifier par le fait d'en faire naître un autre, comme

1. *Ibid.*, p. 83.

2. *Infra*, p. 95.

3. D. DeGrazia, *Taking Animals Seriously*, Cambridge, Cambridge University Press, 1996, p. 251.

4. Par exemple J. Dunayer, *Animal Equality*, Derwood, Ryce, 2001 et *Speciecism*, Derwood, Ryce, 2004.

on le fait dans l'élevage ? Non, répond Singer, « tuer un individu qui préfère continuer à vivre n'est pas justifié par le fait de créer un nouvel individu doté d'une préférence de continuer à vivre ». En revanche, le problème ne se pose pas pour « les cas dans lesquels les individus n'ont pas de préférence de continuer à vivre », c'est-à-dire ceux dont la vie est tellement misérable qu'ils ont perdu tout intérêt à vivre et « ceux qui sont incapables d'avoir de telles préférences parce qu'ils ne sont pas conscients d'eux-mêmes, et donc incapables de concevoir leur propre vie comme soit se continuant, soit touchant à sa fin [1] ». D'où sa défense de l'euthanasie.

L'utilitarisme des préférences est donc subjectiviste, dans le sens où on ne peut violer que ce qui est vécu comme un intérêt (une préférence) par le sujet. Si la vie n'est pas vécue comme un intérêt, par exemple, on n'ôte rien en tuant. C'est ce que lui reprochent certains déontologistes et il a raison, ici, de tenir bon. De la même manière, puisque, selon Martha Nussbaum, il définit la préférence comme un choix conscient, elle lui reproche de n'avoir rien à dire sur « les privations dont l'animal ne prend jamais conscience en tant que telles », comme les mauvaises conditions de vie auxquelles il est habitué, faute de connaître ou de pouvoir imaginer des conditions meilleures. Le fait que les animaux « ne sauront jamais que leur manière de vivre n'est pas celle qui était la plus susceptible de les épanouir » ne fait pas moins de cette manière de vivre, selon elle, une privation [2].

---

1. P. Singer, « Libération animale ou droits des animaux ? », *op. cit.*, p. 151.

2. M. Nussbaum, « Par-delà la "compassion" et l'"humanité" », *in* H.-S. Afeissa, J.-B. Jeangène Vilmer (dir.), *Textes clés de philosophie animale*, *op. cit.*, p. 237.

Ce n'est pas tout à fait exact. Singer ne dirait pas, par exemple, qu'il ne pose aucun problème d'élever un enfant dans un placard puisque, n'ayant jamais connu autre chose, il ne peut pas « préférer » sortir. L'enfant se sentira mal, comme la truie se sent mal dans sa stalle, ou la poule pondeuse dans sa cage, parce que leur environnement n'est pas adapté à leurs capacités corporelles, et l'utilitarisme des préférences permet de dire qu'ils préféreraient se sentir mieux, c'est-à-dire sortir de leur placard, leur stalle ou leur cage, et ce, même s'ils ignorent ce qui se trouve au-dehors.

En revanche, il a fait entre 1975 et 1990, entre la première et la deuxième édition de *La Libération animale*, une concession sur la question du tort causé à un être inexistant. Les détracteurs de la « libération animale » reprochent souvent à ceux qui veulent mettre fin à certaines activités, comme la corrida ou même l'élevage, d'empêcher ainsi de vivre des milliards d'animaux. Henry Salt notait déjà en 1914 qu'« on dit souvent, comme pour excuser le massacre des animaux, qu'il vaut mieux pour eux vivre et être charcutés que ne pas vivre du tout ». Mais cet argument, qui présume que c'est toujours « un avantage pour un animal d'être porté au monde[1] », est un sophisme. Salt, qui défend la thèse dite du point de vue de l'existence préalable *(prior existence view)*, pense que « ne comptent comme patients moraux[2] que les individus qui existent déjà ». S'y oppose le point de vue total *(total view)*, selon lequel il faut prendre en compte « les intérêts de tous

1. H. Salt, *in* T. Regan, P. Singer (dir.), *Animal Rights, Human Obligations*, Prentice Hall, 1976, p. 185-189.

2. Le patient moral est celui dont le traitement peut être sujet à une évaluation morale. Il se distingue de l'agent moral, dont le comportement peut être sujet à une évaluation morale (ses actions peuvent être qualifiées de bonnes ou mauvaises).

les individus qui existeront ou qui pourraient exister si nous prenons certaines décisions[1] ».

Singer, qui appliquait à l'origine le point de vue de l'existence préalable aux personnes et le point de vue total aux non-personnes, finit par rejeter le premier, car il permettrait de justifier qu'il n'y aurait par exemple rien de mal à faire naître un enfant qu'on sait pourtant condamné par une maladie génétique à avoir une vie de souffrance[2]. Il y a toutefois une différence entre reconnaître, comme le fait Singer, qu'on peut causer du tort à un être inexistant en le faisant exister, et prétendre, comme le font les détracteurs de la libération animale, qu'on lui cause du tort en *ne* le faisant *pas* exister. D'autant plus si la vie qu'on lui promet, celle d'un animal d'élevage, est aussi courte et misérable que celle que l'on voulait éviter à l'enfant malade.

Welfarisme et abolitionnisme

Dans ses conséquences pratiques, l'éthique animale se divise en deux grandes familles : ceux qui s'opposent au *fait* d'exploiter les animaux (abolitionnistes) et ceux qui s'opposent à la *manière* de le faire (welfaristes). Le but des premiers est d'abolir l'exploitation, celui des seconds est d'améliorer le bien-être animal. La position de Singer est plus complexe qu'elle n'y paraît. Car, d'un côté, il milite pour l'abolition de l'exploitation de certains animaux, ceux qu'il considère comme des personnes, en premier lieu les grands singes

1. E. Reus, « Utilitarisme et anti-utilitarisme dans l'éthique contemporaine de l'égalité animale », *Cahiers antispécistes*, n° 32, mars 2010, note 28, en ligne.

2. Comme il l'explique *infra*, p. 399-400. Voir sa correspondance avec K. Karcher, « Les animaux, la mort, et l'acte de tuer », *Cahiers antispécistes*, n° 9, janvier 1994, en ligne.

– pour lesquels il demande l'extension de trois droits fondamentaux jusqu'ici réservés aux humains (droits à la vie, à la protection de la liberté individuelle et à ne pas être torturé)[1] – mais probablement aussi les cétacés et d'autres mammifères. De l'autre, il ne condamne pas l'exploitation des non-personnes tant qu'elles n'en souffrent pas, et milite pour l'amélioration de leur bien-être.

Mais cette condition de ne pas faire souffrir est tellement exigeante qu'elle peut, dans les faits, conduire à l'abolition de certaines pratiques : pour que la pêche, par exemple, ne fasse pas souffrir, il faudrait que le poisson soit délicatement ramassé avec un seau, placé dans un vaste récipient rempli de suffisamment d'eau, et tué le moment venu d'un coup net sur la tête. Qui pêche ainsi ? Pour que l'élevage ne fasse pas souffrir, il faudrait qu'il ne restreigne pas la liberté de mouvement et les interactions des animaux, qu'il ne sépare pas le petit de sa mère, que le transport ne crée pas de stress, et l'abattage aucune douleur. La pêche et l'élevage heureux sont des possibilités théoriques, pas des réalités.

C'est pourquoi, dans sa préface à la présente réédition, Singer écrit que « le but reste d'abolir l'exploitation commerciale des animaux », en l'occurrence l'élevage. Le problème est que le mot « exploitation » est équivoque. Singer le comprend comme une utilisation sans considération des intérêts de ceux utilisés[2]. On peut utiliser quelqu'un sans l'exploiter : un plombier, par exemple, s'il est payé. L'esclavage ne commence pas avec le simple fait d'utiliser une personne comme moyen – ce que nous faisons tous chaque jour, c'est la

1. P. Cavalieri, P. Singer (dir.), *Le Projet grands singes*, Nantes, One Voice, 2003.

2. Discussion privée avec l'auteur, juillet 2012.

condition même de la vie en société – mais en le faisant sans considération de ses intérêts. Reste à savoir à partir de quand on ne « considère » plus ces intérêts, comment ils sont eux-mêmes définis et comment nous les connaissons – des questions difficiles qui expliquent que le terme « exploitation » (donc la dichotomie abolitionnisme / welfarisme qui repose sur lui) soit intrinsèquement vague.

D'autres, comme Francione, conçoivent l'exploitation comme le simple fait de considérer l'animal comme une *res propria* (une chose dont on peut se rendre propriétaire), quelle que soit la manière dont on le traite : ces abolitionnistes anti-welfaristes sont persuadés que réformer l'exploitation la rend plus acceptable et réduit donc les chances de pouvoir un jour l'abolir. Ne pratiquent-ils pas « la politique du pire » qui consiste à « maintenir un grand mal pour obtenir un grand mieux[1] » ?

Singer, pour sa part, assume le fait que « depuis *La Libération animale*, [il] est devenu davantage "échelonniste[2]" : nous devons réduire la souffrance animale où nous pouvons, même par de petites étapes [car] elles ne nous empêcheront pas d'atteindre de plus grands objectifs par la suite ». Il pense que les militants seraient plus efficaces s'ils étaient moins « fanatiques en insistant sur le fait de mener une vie purement végan [c'est-à-dire qui ne consomme aucun produit animal] ». Étant conséquentialiste, l'important pour lui n'est pas la pureté personnelle, mais la capacité à produire de bonnes conséquences, en l'occurrence en faisant

1. E. Reus, « Welfarisme. De l'expérience d'Henry Spira à la situation d'aujourd'hui », *Cahiers antispécistes*, n° 24, janvier 2005, en ligne.

2. L'anglais *incrementalist* renvoie à une politique de changements mineurs échelonnés sur le long terme, pour produire une évolution plutôt qu'une révolution.

changer les choses. Et celui qui donne l'image d'un intégriste aura moins d'impact positif sur son environnement. « Je suis impur », ironise-t-il, en revendiquant une « flexibilité[1] ». La philosophie de Singer est profondément pragmatique. C'est ce que doivent comprendre ceux qui, en France, le considèrent comme un extrémiste : dans le milieu de l'éthique animale, on lui reproche au contraire souvent d'être trop modéré.

Sa défense du végétarisme n'est pas justifiée par une position de principe – selon laquelle, par exemple, il serait toujours mal de tuer un animal pour le manger – mais par une raison pragmatique : parce que nos modes de vie ne nous permettent pas de vérifier que chaque animal que nous mangeons a été élevé et tué sans douleur. Il distingue donc deux niveaux : celui de la morale théorique, où il n'est pas impossible d'imaginer un élevage et un abattage absolument exempt de souffrance, donc de dommages, tandis qu'« au niveau de la morale pratique, il vaudrait mieux rejeter en bloc l'abattage des animaux pour en faire des aliments, sauf dans les cas de survie [...]. [L]e mieux est sans doute de poser comme principe simple qu'il faut éviter de les tuer pour en faire des aliments[2] ». De la même manière, il évite de consommer les produits animaux dont on sait qu'ils impliquent de la souffrance animale (les œufs, le lait, le cuir par exemple) et se définit lui-même comme un végan flexible.

Compte tenu de ses réserves sur l'exploitation des animaux qu'il considère comme des personnes, et de ses conclusions sur l'élevage, on ne peut pas considérer Singer comme un pur welfariste : il est aussi, dans une

1. P. Singer, interview sur son livre *The Way We Eat* (Emmaus, Rodale, 2006), *Satya*, octobre 2006, en ligne (pour toutes les références de ce paragraphe).

2. P. Singer, *Questions d'éthique pratique*, *op. cit.*, p. 135.

certaine mesure, abolitionniste. La manière dont il articule les deux relève à la fois de la philosophie et de la stratégie : l'important pour lui est d'être efficace, et il pense l'être davantage en étant aussi welfariste, c'est-à-dire en défendant des réformes intermédiaires et en faisant preuve de flexibilité, plutôt qu'en étant intransigeant.

Les limites de la rationalité

S'il fallait maintenant formuler quelques critiques à l'éthique animale de Singer, on pourrait relever les éléments suivants. Premièrement, une confiance peut-être un peu trop grande dans la capacité humaine à surmonter le spécisme. Il me semble que le parallèle systématiquement fait par Singer et beaucoup d'autres entre le projet de « libérer » les animaux et les libérations historiques de certaines catégories d'humains (les Noirs, les femmes, les homosexuels, etc.), l'abolition de l'esclavage en particulier, ne fonctionne pas pour au moins deux raisons.

D'une part, les esclaves ont participé à leur libération, parce qu'ils avaient les moyens (cognitifs, linguistiques, sociaux) de le faire, tandis que nous ne pouvons pas attendre des animaux qu'ils participent à la leur. Ils résistent pourtant à leur exploitation, objecte Florence Burgat, et « la résistance que les animaux opposent à leur saisie appartient pleinement à la lutte pour la reconnaissance du droit le plus fondamental : le droit à poursuivre sa vie [1] ». Le problème est qu'ils ne formalisent pas cette résistance en revendication, qu'ils ne s'organisent pas et que nous ne les entendons pas.

---

1. F. Burgat, *Une autre existence. La condition animale*, Paris, Albin Michel, 2012, p. 25.

On pourra toujours dire qu'en théorie cette argumentation n'est pas nécessaire pour donner droit à, sans quoi d'ailleurs tous les humains n'ayant pas les moyens de lutter n'auraient pas droit à, mais en pratique cela fait une différence de taille et aucune de ces libérations précédentes n'a eu lieu sans la participation d'au moins une partie des individus concernés. Singer le sait et, puisque « les animaux sont incapables d'exiger eux-mêmes leur propre libération », il écrit que « le mouvement de libération animale exigera des êtres humains un altruisme plus grand que tout autre mouvement de libération[1] ». C'est bien le problème : je suis moins optimiste que lui sur notre capacité à faire preuve d'un altruisme plus grand. Cette formulation est d'ailleurs curieuse puisque, d'habitude, Singer croit en l'altruisme familial, l'altruisme réciproque et l'altruisme de groupe, mais est plus sceptique quant à la capacité humaine de sympathiser avec les non-humains : c'est pourquoi il préfère l'argumentation rationnelle aux approches par la compassion, comme nous le verrons dans un instant.

D'autre part, si les esclaves étaient traités comme le sont encore les animaux, c'est précisément parce qu'ils étaient considérés comme des animaux. Et si l'esclavage a pu être aboli, c'est parce que l'on a finalement accepté le fait qu'ils n'étaient pas des animaux. Autrement dit, c'est le spécisme, la préférence pour les siens, qui a permis l'abolition de l'esclavage, au nom d'une communauté « humaine ».

Il est important de reconnaître nos intuitions spécistes[2]. Comme le dit Nussbaum, « la norme de l'espèce est pertinente en ce qu'elle définit le contexte, la communauté politique et sociale, dans laquelle les

1. *Infra*, p. 428.
2. T. Zamir, *Ethics and the Beast*, Princeton, Princeton University Press, 2007.

individus s'épanouissent ou pas[1] ». D'où l'approche relationnelle de Donaldson et Kymlicka, qui proposent une théorie des droits différenciés : nos obligations à l'égard des animaux dépendent des relations historiques, géographiques et politiques que nous entretenons avec eux. En l'occurrence, ils distinguent les animaux domestiques qui vivent dans nos sociétés (« les citoyens »), les animaux liminaux qui dépendent des sociétés humaines (les « résidants ») et les animaux sauvages (« les autres nations souveraines »)[2]. Sans partager la terminologie de cette théorie qui est politique, non éthique, le principe de l'approche relationnelle et différenciée me semble être une bonne alternative à un antispécisme « pur », qui d'ailleurs n'est pas réaliste.

Cela ne veut pas dire qu'il ne faut pas tenter d'être antispéciste dans la mesure du possible : il est important de prendre conscience de l'arbitraire de nos préférences pour tel ou tel individu en fonction de son appartenance à une espèce qui dans notre imaginaire social ou personnel a certains attributs plus ou moins agréables. C'est un effort d'impartialité que l'on doit faire, et qui nous conduira, par exemple, à nous demander s'il est bien légitime de trouver abominable que les Chinois mangent des chiens mais tout à fait normal que nous mangions des cochons.

Deuxièmement, et c'est lié au point précédent, on pourrait reprocher à Singer une confiance un peu trop grande en la rationalité humaine. Les utilitaristes comme lui et les déontologistes comme Regan divergent sur la position philosophique et sur les consé-

1. M. Nussbaum, *Frontiers of Justice*, Cambridge, Harvard University Press, 2006, p. 365.

2. S. Donaldson, W. Kymlicka, *Zoopolis. A Political Theory of Animal Rights*, Oxford, Oxford University Press, 2011.

quences pratiques, mais ils ont en commun de procéder par argumentation rationnelle, comparaison et déduction : leur but est de montrer qu'il est injuste de traiter les animaux comme nous ne traitons pas des humains similaires. C'est l'approche par la justice, que certains trouvent trop froide. De Fontenay, par exemple, critique le « logicisme » et la « confiance dans la déduction, voire dans le syllogisme » de Singer, auquel elle oppose son approche de la « sagesse de l'amour » et sa préférence pour les « fragments de pensée non démonstrative[1] ».

Le problème de l'amour, et de la compassion, est qu'ils peuvent se donner mais ne s'exigent pas. Ils ne permettent pas de rendre compte du fait que le respect des animaux leur est *dû*. Dans sa préface à l'édition originale de *La Libération animale*, Singer raconte sa rencontre avec l'une de ces « amies des animaux » qui, tout en mangeant un sandwich au jambon, disait combien elle « aimait » son chien et son chat. « Nous n'"aimions" pas les animaux, commente Singer. Nous voulions simplement qu'ils soient traités comme les êtres sensibles indépendants qu'ils sont[2]. » Une grande partie de ceux qui font l'éthique animale n'« aiment » pas nécessairement les animaux (ou en tout cas ils ne basent pas leur argumentation éthique sur cet amour lorsqu'ils en parlent, comme Regan et Francione), de la même manière qu'il ne s'agit pas d'« aimer » les Noirs ou les femmes pour combattre le racisme et le sexisme. Il s'agit d'une exigence de justice.

Sans donc parler d'amour, on peut fort bien s'opposer au rationalisme de ceux qui, comme Singer, adoptent une approche par la justice, en leur reprochant de

---

1. É. de Fontenay, « Pourquoi les animaux n'auraient-ils pas droit à un droit des animaux ? », *op. cit.*, p. 146 et p. 149.
2. *Infra*, p. 57.

négliger au moins deux choses : les émotions et l'intuition. De nombreux auteurs ont basé leur position sur ce « sentiment intérieur » qui dictait par exemple à Gavoty de Berthe en 1776 de ne pas tuer les bêtes pour les manger. « Il n'est pas question ici de savoir et d'approfondir si les bêtes ont une âme », expliquait-il, nul besoin d'un raisonnement élaboré, de cette « orgueilleuse philosophie », pour *sentir* qu'il est mal de détruire les animaux sauf en cas de nécessité absolue et de légitime défense [1]. Deux siècles plus tard, Clark dira aussi que « ceux qui battent les chiens à mort font quelque chose que la société devrait condamner sans attendre de savoir si le chien a des droits abstraits et métaphysiques [2] ».

Le problème, répond Singer, est que ces sentiments sont inégalement partagés. Il « ne pense pas que le seul appel à la sympathie et à la bonté du cœur suffise à convaincre la plupart des gens de l'immoralité du spécisme [3] ». Il réduit les intuitions aux préjugés et rappelle que, durant la majeure partie de l'histoire de l'humanité par exemple, le sexisme (l'infériorité des femmes) était intuitif. Le spécisme aussi, et l'antispécisme de ce point de vue n'est pas autre chose qu'un raisonnement qui tente de réfuter une intuition.

En dépit de ces réserves, il pratique pourtant les deux : l'efficacité de *La Libération animale* dépend autant du *pathos* (les descriptions méticuleuses de cruauté et les photos qui les accompagnent) que du *logos* (le raisonnement proprement dit). Et toutes les approches par la justice sont basées sur l'intuition morale fondamentale qu'il faut traiter de manière simi-

---

1. J.-F. Gavoty de Berthe, *État naturel des peuples*, t. III, Paris, Servière, 1786, p. 63-67.
2. S. Clark, dans un dépliant de la RSPCA, *On the Side of the Animals*, non daté.
3. *Infra*, p. 421-422.

laire les cas similaires (ce que certains auteurs appellent le principe de justice).

Ce que montre ce paradoxe est que Singer est profondément pragmatique. Davantage une attitude qu'un véritable courant en éthique animale [1], le pragmatisme se caractérise par le dépassement de toute disjonction exclusive – comme celles qui opposent le welfarisme à l'abolitionnisme, la justice à la compassion, la raison à l'intuition – car son objectif n'est pas la pureté doctrinale, mais l'efficacité, c'est-à-dire l'action dans la société.

L'exception française

Pourquoi Singer disait-il tout à l'heure que ce n'était « pas une coïncidence » si son livre avait tant tardé à être traduit en français ? Car, avant même qu'il ne l'écrive, il avait déjà compris que les végétariens – sa femme et lui le sont depuis 1971 – n'étaient pas les bienvenus en France : « Contrairement à l'Angleterre, où les végétariens étaient encore inhabituels mais tolérés comme de simples originaux, en France notre demande de plats sans viande ni poisson était accueillie avec une hostilité ouverte. C'était, nous l'avons réalisé progressivement, parce que nous tournions le dos à ce que les Français regardent comme l'une des grandes gloires de leur culture : la cuisine. C'était comme si nous avions craché sur le drapeau tricolore [2]. »

La dimension identitaire de la gastronomie est effectivement l'une des raisons susceptibles d'expliquer ce

1. En dépit des efforts d'A. Light et E. McKenna (dir.), *Animal Pragmatism*, Bloomington, Indiana University Press, 2004.

2. P. Singer, préface à J.-B. Jeangène Vilmer, *Éthique animale*, *op. cit.*, p. 1.

que l'on pourrait appeler l'exception française – le fait que la réflexion sur le statut moral des animaux soit moins développée en France que dans la plupart des pays occidentaux. Il y a d'autres raisons culturelles, comme les « exceptions » que sont la corrida, que la Catalogne a proscrite, et le foie gras, dont non seulement la production mais aussi la vente viennent d'être interdites en Californie.

Le cas de la corrida illustre bien une autre limite de l'approche souvent trop quantitative de l'utilitarisme. Militant pour son abolition, j'en parlais un jour à Singer. Sa première réaction a été de dire que cette cause ne lui semblait pas prioritaire puisque les taureaux de combat sont si peu, comparés aux dizaines de milliards d'animaux de consommation que nous tuons chaque année. C'est vrai, mais la question n'est pas seulement celle du nombre d'individus tués : c'est aussi celle des raisons et de la manière de le faire. La corrida est un spectacle, gratuit pour les enfants de moins de dix ans, dont la finalité n'est pas de manger, mais de divertir. Tant que les gens trouveront normal de torturer un bovin pour s'amuser, on ne les convaincra pas qu'il est problématique de tuer un autre bovin pour manger. C'est en cela que la corrida peut être un combat prioritaire : pas pour la quantité d'individus concernés, mais pour le symbole. Elle est un verrou qu'il faut faire sauter.

En plus de ces raisons culturelles, il y a aussi en France des raisons politiques – l'influence des lobbies défendant les intérêts des exploitants des animaux (élevage, chasse, corrida, expérimentation), qui explique par exemple que, pour représenter seulement 2 % de Français chasseurs, les parlementaires prochasse constituent respectivement 27 % et 23 % de l'Assemblée nationale et du Sénat[1] – et, surtout, des raisons philosophiques.

1. Calcul fait avant les législatives de juin 2012 : les groupes

Il est important de comprendre que l'humanisme, dont l'esprit français est imprégné depuis des siècles, n'est pas seulement la défense sympathique des droits de l'homme avec laquelle tout le monde est d'accord, mais aussi le fait de mettre l'homme au centre de tout, lui soumettre son environnement et réaliser en quelque sorte le projet cartésien de se rendre « comme maître et possesseur de la nature[1] ». On place alors les hommes et les animaux dans des vases communicants et l'on se convainc qu'accorder davantage de considération aux uns implique forcément moins de considération pour les autres. Comme si l'homme n'était pas aussi un animal, comme s'il ne partageait pas avec les autres animaux un certain nombre d'intérêts – en premier lieu celui de ne pas souffrir – et comme si l'accepter ne le rendait pas plus *humain*, précisément, au sens figuré que l'on donne habituellement à ce mot. Si l'éthique animale a pu se développer tellement dans le monde anglophone, c'est parce qu'on n'y a jamais considéré que s'intéresser aux animaux était commettre un crime de lèse-humanité.

Ce retard français est néanmoins en train d'être comblé. Les lignes bougent, depuis la fin des années 2000, grâce au travail sans relâche des associations, à une inflation éditoriale sans précédent et un intérêt médiatique qui a rendu le sujet « à la mode ». Le débat s'est déverrouillé mais la partie, pour autant, n'est pas gagnée. Prenant acte de l'importance des considérations morales pour la population, les exploitants des animaux abusent désormais du label « éthique » pour se donner une bonne image et donner bonne conscience

---

d'études parlementaires prochasse comptaient alors 158 membres à l'Assemblée et 79 au Sénat, pour 1,3 million de chasseurs en France (record européen).

1. Descartes, *Discours de la méthode*, 1637, VI.

au consommateur. Maintenant que l'on peut manger une viande « éthique » et acheter un manteau de fourrure « éthique », n'est-il pas plus difficile de remettre en cause le fait même de tuer pour notre plaisir gustatif ou esthétique ? C'est l'effet pervers du welfarisme, qui pérennise une exploitation injuste tout en rassurant les gens : ils n'ont plus besoin de changer, puisque tout est « éthique ».

L'important, face à ce risque, est de conserver un esprit critique. C'est précisément ce à quoi nous invite Singer dans ce livre qui, presque quarante ans après son écriture, n'a rien perdu de son actualité. Le danger n'est pas de lire ce formidable agitateur d'idées, contrairement à ce que voudraient faire croire les conservateurs qui se servent de lui comme d'un épouvantail, pour que surtout rien ne change. Le danger est de ne pas le lire.

Jean-Baptiste JEANGÈNE VILMER [1]

1. Philosophe et juriste, chercheur à la faculté de droit de McGill University (Canada), auteur de *Éthique animale*, Paris, PUF, 2008 ; *Textes clés de philosophie animale* (avec Hicham-Stéphane Afeissa), Paris, Vrin, 2010 ; *L'Éthique animale*, Paris, PUF, coll. « Que sais-je ? », 2011 ; et *Anthologie d'éthique animale. Apologies des bêtes*, Paris, PUF, 2011.

PRÉFACE À L'ÉDITION DE POCHE [1]

(2012)

Je suis ravi qu'*Animal Liberation* soit à nouveau disponible en français. Avec le reste de l'Europe, la France a joué un rôle important dans les progrès de la cause animale depuis quarante ans [2]. J'espère que cette édition encouragera une nouvelle génération de militants français à la défendre et permettra à de nombreuses personnes de voir que la philosophie a une réelle importance. L'argumentation philosophique n'a pas à être obscure et éloignée de la vie quotidienne. Au contraire, elle peut se rapporter à une chose aussi directe et immédiate que ce que nous mangeons, et elle peut changer notre vie. J'en sais quelque chose, car il est arrivé souvent, lorsque je parle en public, que des gens viennent me voir et me disent que ce livre a changé la leur.

---

1. Ce texte de Peter Singer est inédit. L'éditeur remercie Jean-Baptiste Jeangène Vilmer de l'avoir traduit et annoté.

2. Singer fait bien entendu référence ici aux personnes qui, en France comme ailleurs, militent en faveur de la cause animale ; et pas au gouvernement français qui, pour satisfaire les puissants lobbies de la chasse, de la corrida et des industries agro-alimentaire et pharmaceutique, s'illustre au contraire par son rôle de frein aux niveaux national et européen. Comme le montrent les notes suivantes, la France est l'un des plus mauvais élèves de l'Europe. *(N.d.T.)*

En 1971, alors que j'étudiais à l'université d'Oxford, je distribuais dans une rue passante avec d'autres étudiants des tracts contre les cages en batteries des poules pondeuses. La plupart de ceux qui prenaient le tract ignoraient que leurs œufs venaient de poules enfermées dans des cages si petites que ces oiseaux ne pouvaient ni étendre ni agiter leurs ailes, qu'ils ne pouvaient jamais déambuler librement ou pondre dans un nid.

À cette époque, aucune organisation majeure ne faisait campagne contre l'élevage industriel. En Grande-Bretagne, la Royal Society for the Prevention of Cruelty to Animals (RSPCA), la mère de toutes les organisations de protection animale, avait perdu son radicalisme d'autrefois. Elle se concentrait sur des cas isolés de maltraitance, et échouait à remettre en cause les manières bien établies de maltraiter les animaux dans les fermes ou les laboratoires. Il a fallu un effort concerté des nouveaux radicaux de la cause animale dans les années 1970 pour sortir la RSPCA de sa complaisance à l'égard des cages en batteries et des autres formes d'élevage intensif.

Dans les années 1980, sous la pression du mouvement animaliste, les entreprises de cosmétique ont commencé à financer des recherches sur des alternatives à l'expérimentation animale. Le développement de telles méthodes a désormais le vent en poupe dans la communauté scientifique, et est en partie responsable de la baisse du nombre d'animaux utilisés [1].

Il n'en demeure pas moins que la grande majorité

1. Cette baisse est discutable, en tout cas en Europe : selon les rapports statistiques de la Commission européenne, les nombres varient entre neuf et douze millions d'animaux par an entre 1996 et 2008, avec des baisses et des hausses, donc sans tendance nette. D'une manière générale, on utilise moins de grands animaux (primates, chiens), mais davantage de rongeurs, notamment des souris génétiquement modifiées. *(N.d.T.)*

des animaux maltraités par les humains sont des animaux de ferme : on estime que soixante milliards de mammifères et d'oiseaux sont tués pour l'alimentation chaque année dans le monde. La plupart d'entre eux étant élevés dans des fermes industrielles, leur souffrance dure aussi longtemps que leur vie. Des millions de consommateurs, ayant appris de quelle manière ils sont traités, et trouvant cela inacceptable, ont commencé à éviter les produits de cette cruauté et des chaînes de supermarchés ont cessé de vendre des œufs de poules en batteries[1]. Dans de nombreux pays européens, le bien-être animal est devenu une question politiquement importante et la pression sur les gouvernements s'est accentuée. L'Union européenne a établi un comité scientifique pour enquêter sur les problèmes de bien-être animal dans les élevages et il a recommandé la suppression des cages en batteries et d'autres formes d'enfermement trop étroit des cochons et des veaux.

Comme le montrent les pages suivantes, les veaux de l'élevage industriel, délibérément anémiés, privés de litière en paille et confinés dans des stalles individuelles tellement étroites qu'ils ne pouvaient pas se retourner, faisaient partie des animaux de ferme les plus misérables. Cette manière de les élever était déjà abolie en Grande-Bretagne lorsque j'ai revu le texte de ce livre pour l'édition de 1990 (qui est celui qui suit cette préface). Aujourd'hui, les stalles pour les veaux sont interdites dans toute l'Union européenne[2].

---

1. Au Royaume-Uni, en Allemagne, en Belgique et aux Pays-Bas notamment, mais pas encore en France, où l'association L214 fait campagne dans ce sens. *(N.d.T.)*

2. Depuis le 1er janvier 2006, l'enfermement des veaux de plus de huit semaines dans des cases individuelles est interdit. Cela ne veut pas dire, toutefois, qu'ils ont beaucoup plus d'espace puisque chaque animal de moins de 150 kilos n'a que 1,5 m^2. *(N.d.T.)*

En 2012, les cages en batteries pour poules pondeuses sont devenues illégales dans toute l'Union européenne. Les poules doivent désormais avoir plus d'espace, des boîtes à nid et un grattoir[1]. On a ensuite banni les stalles des truies gestantes, trop étroites pour qu'elles puissent se retourner, et encore moins pour faire quelques pas : elles deviennent illégales en Europe à partir de 2013, exception faite des quatre premières semaines de gestation[2].

Ces changements sont des signes importants de progrès et justifient ce que les défenseurs des animaux réclamaient il y a déjà plusieurs décennies. En 1971, nous étions quelques jeunes idéalistes s'attaquant à une

---

1. En réalité, les cages en batteries ne sont pas devenues illégales et elles constituent toujours la très grande majorité des élevages : elles doivent simplement être modifiées. La directive 1999/74/CE du Conseil de l'Union européenne interdit à compter du 1er janvier 2012 les cages non aménagées d'une surface de 550 cm^2 par animal : elles doivent désormais être aménagées (nids de ponte, espace de perchoir de 15 cm par poule, litière permettant le piquage et le grattage et accès illimité aux mangeoires) et la surface par animal passe à 750 cm^2 – mais cet espace inclus celui nécessaire aux nouveaux équipements et la directive n'exige que 600 cm^2 de surface « utilisable ». L'amélioration est donc timide : chaque poule avait jusqu'alors la surface d'une feuille A4, on lui ajoute celle d'une carte postale, ou plutôt d'un paquet de cigarettes pour ce qui est de la surface utilisable ; la plupart des élevages ignorent l'obligation d'une litière (le sol est toujours grillagé) ; les nids sont des lamelles de plastique et le perchoir est à 3 cm du sol. Contrairement au Royaume-Uni qui s'est préparé à la transition depuis des années, une dizaine de pays européens, dont la France, n'ont toujours pas appliqué ces nouvelles normes dans tous leurs élevages. La Commission européenne a entamé contre eux une procédure d'infraction. *(N.d.T.)*

2. C'est la directive 2008/120/CE, qui là encore risque fort de n'être pas respectée par tous : le Royaume-Uni a déjà banni les stalles depuis 1999, mais une quinzaine d'États membres,

industrie géante qui semblait avoir le pouvoir et l'argent pour broyer toute opposition. Heureusement, les idées du mouvement animaliste se sont avérées suffisamment puissantes pour changer la manière dont des centaines de millions d'animaux vivent et meurent.

Cela étant dit, le mouvement pour le bien-être des animaux n'accepte pas, et ne doit pas accepter, que cette nouvelle manière d'élever les poules pondeuses ou les cochons en Europe soit autre chose qu'une mesure temporaire. Le but reste d'abolir l'exploitation commerciale des animaux. Tant que les gens voudront manger des créatures sensibles, ou leurs œufs ou leur lait, et qu'il y aura un marché compétitif pour fournir des produits animaux au plus bas prix possible, le système de production récompensera ceux qui satisfont cette demande. La plupart du temps, cela veut dire maltraiter les animaux, et cela voudra toujours dire perpétuer l'idée que les animaux ne sont rien d'autre que des produits que nous pouvons utiliser à notre guise.

Peter SINGER
Princeton, juillet 2012

dont la France, pourraient ne pas être prêts au 1er janvier 2013. *(N.d.T.)*

Préface à l'édition de 1990

La relecture de la préface originale de ce livre nous ramène à un monde à demi oublié. Je ne vois plus les gens qui se préoccupent des animaux m'offrir des sandwichs au jambon. Dans les groupes de libération animale, les militants aujourd'hui sont tous végétariens ; et même dans le mouvement plus traditionnel pour le bien-être des animaux, une certaine prise de conscience a eu lieu du problème que pose le fait de les manger. Ceux qui mangent les animaux s'en excusent et sont prompts à trouver autre chose à offrir lorsqu'ils préparent un repas pour d'autres. Une nouvelle conscience existe de la nécessité d'étendre les sympathies que nous avons pour les chiens et les chats aux porcs, aux poulets, et même aux rats de laboratoire.

Je ne sais pas dans quelle mesure c'est à *La Libération animale* que revient le mérite de ce changement. Les journalistes de presse grand public ont collé à ce livre l'étiquette de « bible du mouvement de libération animale ». Je ne peux m'empêcher de m'en sentir flatté, mais en même temps mal à l'aise. Je ne crois pas aux bibles : aucun livre n'a le monopole de la vérité. Et en tout cas, aucun livre ne peut rien s'il ne touche une corde sensible chez ses lecteurs. Grâce aux mouvements de libération des années 1960, la libération animale était devenue une étape suivante évidente ; ce livre rassembla les arguments et leur donna une forme cohérente. Le reste fut l'œuvre d'un certain nombre de personnes excellentes, éthiquement motivées et âpres au travail – quelques individus d'abord, puis des centaines, puis peu à peu des milliers et peut-être aujourd'hui des millions – qui composent le mouvement de libération animale. C'est à ces personnes que je dédie cette édition révisée, parce que sans elles la première aurait subi le même sort que ce livre de Henry Salt, *Animals' Rights*, qui, publié en 1892, devait être voué à la poussière des étagères de la bibliothèque du British Museum – jusqu'à ce que, quatre-vingts ans plus tard, une nouvelle génération formulât à nouveau les mêmes arguments, et, après être tombée par hasard sur quelques obscures références, découvrît que tout cela avait déjà été dit, mais en vain.

Cette fois-ci, ce ne sera pas en vain. Le mouvement a pris trop d'ampleur. D'importantes conquêtes en faveur des animaux ont déjà été réalisées. Des victoires encore plus importantes viendront. La libération animale est aujourd'hui un mouvement mondial, et elle restera encore longtemps à l'ordre du jour.

On me demande souvent si je suis content de la façon dont le mouvement a grandi. À la manière dont on me pose la question il est clair qu'on s'attend à ce que je dise que je n'aurais jamais rêvé d'un tel impact pour mon livre. Mais on se trompe. Dans mes rêves, tout au moins, chaque lecteur en le refermant allait dire « Oui, bien sûr... », et allait immédiatement devenir végétarien, et se mettre à protester contre ce que nous faisons aux animaux, afin que d'autres encore entendent les idées de la libération animale, et qu'au moins un terme soit mis aux formes les plus extrêmes et les moins nécessaires de souffrance animale sous un raz-de-marée de protestation publique.

Je l'admets, ces rêves étaient contrebalancés par la conscience que j'avais des obstacles : du conservatisme dont nous faisons preuve dès que l'on touche à ce que nous mettons dans nos ventres ; des intérêts financiers qui étaient prêts à verser jusqu'à leur dernier million pour défendre leur droit à exploiter les animaux pour le plus grand profit possible ; et du lourd poids de l'Histoire et des traditions confortant les attitudes qui justifient cette exploitation. Je suis donc heureux qu'un très, très grand nombre de personnes m'ait dit, par lettre ou de vive voix, avoir lu le livre et pensé « Oui, bien sûr... », et avoir cessé de manger les animaux, et s'être engagé dans le mouvement de libération animale. Je suis plus heureux encore, bien sûr, de voir qu'après de nombreuses années de luttes difficiles, ce mouvement est devenu une réalité politique et sociale. Mais, pourtant, cela ne suffit pas ; loin de là. Comme ne le montre que trop clairement cette deuxième édition, le mouvement n'a eu jusqu'à ce jour que peu d'impact sur les formes centrales de l'exploitation des animaux.

La première édition de *La Libération animale* parut en 1975 en anglais et n'a cessé d'être réimprimée depuis, pratiquement sans changements. L'heure est venue de la réviser, sur trois points. Premièrement, lors de la sortie du livre, il n'y avait pas de mouvement de libération animale. L'expression elle-même était inconnue et il n'y avait pas de grandes organisations – et fort peu de petites – œuvrant à réaliser des changements radicaux dans nos attitudes et pratiques envers les animaux. Quinze ans plus tard, par contre, il est devenu décidément bizarre qu'un livre puisse porter ce titre sans jamais faire référence à l'existence du mouvement moderne de libération animale, et donc sans émettre aucun commentaire sur l'évolution de ce mouvement.

Ensuite, la croissance du mouvement moderne de libération animale s'est accompagnée d'une augmentation extraordinaire de la masse de littérature produite sur le sujet – et dont une grande partie commente la position qui fut adoptée dans la première édition de ce livre. J'ai en outre passé de longues soirées à discuter tant de questions philosophiques que de conclusions pratiques avec des amis et compagnons travaillant au sein du mouvement de libération animale. Il m'a semblé nécessaire de refléter dans ce livre toutes ces discussions écrites et orales, ne serait-ce que pour indiquer dans quelle mesure j'ai modifié ou non mes positions.

Enfin, les chapitres II et III de ce livre décrivent ce que nos attitudes actuelles impliquent pour les animaux dans deux secteurs majeurs où ils sont utilisés : dans l'expérimentation animale et dans l'élevage. Dès que j'eus commencé à entendre des gens dire des choses comme : « Bien sûr, ça s'est beaucoup amélioré depuis l'époque où vous avez écrit ça... », je sus qu'il était nécessaire de dire et d'illustrer ce qui se passe aujourd'hui dans les laboratoires et les fermes et de présenter aux lecteurs des descriptions auxquelles on ne puisse se dérober en les renvoyant à quelque lointain Moyen Âge.

Les descriptions nouvelles représentent le gros des modifications apportées à cette deuxième édition. J'ai, néanmoins, résisté aux suggestions qui m'ont été faites de présenter de la même manière d'autres formes d'abus dont sont victimes les animaux. Mon exposé des faits n'a pas pour but de fournir un rapport complet sur la façon dont nous traitons les animaux, mais plutôt, comme je l'indique à la fin du premier chapitre, de montrer sous une forme nette, claire et concrète comment se traduit dans la pratique cette notion de spécisme que je présente dans ce premier chapitre d'une manière philosophique plus abstraite. Si j'omets de discuter de la chasse et du piégeage, de l'industrie de la fourrure, des mauvais traitements dont souffrent les animaux familiers, des rodéos, des zoos et des cirques, cela n'implique pas que ces questions soient moins importantes, mais seulement que ces deux questions centrales que sont l'expérimentation et la production alimentaire suffisent à servir mon propos.

J'ai pris la décision de ne pas chercher à répondre à toutes les questions soulevées par des philosophes au sujet des arguments éthiques que je présente dans ce livre. Si je l'avais fait, le livre lui-même aurait changé de nature, pour devenir une œuvre de philosophie académique présentant un intérêt pour mes collègues mais de lecture laborieuse pour le profane. Au lieu de cela j'ai préféré renvoyer, aux endroits appropriés du texte, à d'autres écrits où je réponds à certaines objections. J'ai en outre réécrit un passage, dans le dernier chapitre, parce que j'ai changé d'opinion sur une question philosophique qui n'a de rapport que secondaire avec les fondements éthiques sur lesquels repose l'argumentation de ce livre. Quant à ces fondements eux-mêmes, j'ai donné à leur sujet des cours et des conférences, j'ai participé à des colloques et à des séminaires de philosophie, et je les ai discutés longuement, de vive voix comme par écrit ; mais je n'ai rencontré aucune objection insurmontable, rien qui m'ait amené à penser que les arguments éthiques simples sur lesquels repose ce livre puissent être autre chose que justes. J'ai été encouragé de constater que beaucoup parmi les plus respectés de mes collègues philosophes sont d'accord avec moi sur ce point. C'est pourquoi j'ai maintenu ici ces arguments, sans changements.

Reste donc le premier des trois points mentionnés ci-dessus au sujet desquels une mise à jour s'imposait : un examen du mouvement de libération animale et du cours qu'il a pris.

Dans les comptes rendus que je fais de l'expérimentation animale et de l'élevage industriel, ainsi que dans le dernier chapitre de la présente édition révisée, je mentionne quelques-unes des grandes campagnes menées par le mouvement de libération animale et les succès obtenus. Je n'ai pas tenté de décrire ces campagnes en détail, car certains des principaux militants l'ont fait eux-mêmes, dans un livre intitulé *In Défense of Animals* que j'ai publié il y a peu. Mais il y a une question d'importance pour l'avenir du mouvement qui doit être soulevée en bonne place dans ce livre ; je le ferai ici. Il s'agit du problème de la violence.

Les militants de la libération animale ont utilisé des moyens variés pour avancer vers leur but. Certains cherchent à éduquer le public en distribuant des tracts et en écrivant des lettres aux journaux. D'autres interviennent auprès des fonctionnaires gouvernementaux et de leurs représentants élus au Parlement ou au Congrès. Des militants organisent des manifestations et des piquets devant des endroits où des animaux souffrent pour satisfaire des objectifs humains futiles. Mais beaucoup de ces personnes perdent patience face à la lenteur des progrès obtenus par ces moyens et veulent des actions plus directes pour faire cesser la souffrance tout de suite.

Quiconque comprend vraiment ce qu'endurent les animaux ne peut critiquer une telle impatience. Face à une atrocité qui se perpétue chaque jour, il ne suffit guère de s'asseoir et d'écrire des lettres. C'est tout de suite que les animaux ont besoin d'aide. Mais comment faire ? Les voies habituelles légitimes dont dispose la protestation politique sont lentes et leur résultat incertain. Devrait-on forcer les portes et libérer les animaux ? Cela serait illégal, mais l'obéissance à la loi n'est pas une obligation absolue. La loi fut enfreinte de façon justifiable par ceux qui aidèrent les esclaves fugitifs dans le sud des États-Unis, pour ne mentionner que cette comparaison parmi d'autres possibles. Plus grave est le fait que libérer littéralement les animaux des laboratoires et des élevages industriels ne peut représenter qu'un geste symbolique, car les chercheurs en commanderont simplement un autre lot, et qui donc peut trouver où loger un millier de porcs d'élevage ou cent mille poules ? Les raids effectués dans plusieurs pays par des groupes du Front de libération animale ont été efficaces surtout quand ils ont apporté la preuve de mauvais traitements qui autrement seraient restés cachés. Dans le cas du raid effectué sur le laboratoire du Dr Thomas Gennarelli à l'Université de Pennsylvanie, par exemple, les bandes vidéo volées fournirent les preuves qui, en fin de compte, permirent de convaincre jusqu'au secrétaire à la Santé et aux Affaires sociales de la nécessité de mettre fin à ces expériences. Il est difficile d'imaginer que l'on aurait pu arriver au même résultat par quelque autre moyen, et je n'ai que des éloges à adresser aux personnes courageuses, dévouées et réfléchies qui organisèrent et menèrent à bien cette action particulière.

Mais d'autres activités illégales sont d'un tout autre caractère. En 1982, un groupe qui se faisait appeler Animal Rights Militia (« milice des droits des animaux ») expédia des lettres piégées à Margaret Thatcher ; et en 1988, Fran Trutt, une militante pour les animaux, fut arrêtée alors qu'elle déposait une bombe devant les bureaux de la US Surgical Corporation, une société qui faisait sur des chiens vivants la démonstration de ses agrafes chirurgicales. Aucune de ces deux actions n'était en rien représentative du mouvement de libération animale. L'Animal Rights Militia était jusque-là inconnue, et elle fut immédiatement condamnée par toutes les organisations du mouvement de libération animale britannique. Trutt travaillait seule, et son geste fut promptement dénoncé par le mouvement américain. (Il semblait par ailleurs ressortir du dossier qu'il y avait eu provocation, car Trutt avait été conduite aux bureaux de la US Surgical par un indicateur embauché par le conseil en sécurité de la société.) Malgré cela, les actions de ce genre peuvent être perçues comme la limite extrême d'une gamme de menaces et d'actes de harcèlement à l'encontre des expérimentateurs, des fourreurs, et autres exploiteurs d'animaux, et il est donc important que ceux qui appartiennent au mouvement de libération animale prennent une position claire envers de tels actes.

Ce serait une erreur tragique si une fraction, même minime, du mouvement de libération animale voulait essayer d'atteindre ses objectifs en blessant des gens. Certains pensent que les personnes qui font souffrir des animaux méritent qu'on les fasse souffrir elles-mêmes. Je ne crois pas à la vengeance ; mais même si j'y croyais, son accomplissement représenterait une distraction nuisible à la tâche que nous avons de faire cesser la souffrance. Et pour y parvenir, nous devons changer l'esprit des gens raisonnables dans notre société. Nous pouvons bien être convaincus qu'une personne qui maltraite des animaux est une brute insensible ; mais c'est à ce niveau justement que nous nous abaissons nous-mêmes si nous la blessons physiquement ou si nous l'en menaçons. La violence ne peut qu'engendrer la violence – c'est là un cliché, mais un cliché qui se vérifie tragiquement dans une demi-douzaine de conflits à travers le monde. La force de la cause de la libération animale est son engagement éthique ; nous tenons, moralement parlant, le haut du terrain, et abandonner celui-ci serait faire le jeu de ceux qui s'opposent à nous.

L'autre chemin qui s'offre à nous, hors celui de l'escalade de la violence, consiste à suivre l'exemple des deux plus grands – et aussi, ce n'est pas un hasard, des deux plus efficaces – leaders de mouvements de libération des temps modernes : Gandhi et Martin Luther King. Avec un courage et une détermination immenses, ils restèrent fermement fidèles à leur principe de non-violence en dépit des provocations et des attaques, souvent violentes, de leurs adversaires. En fin de compte ils l'emportèrent parce que la justice de leur cause ne pouvait être niée, et leur comportement toucha les consciences de ceux-là mêmes qui les avaient combattus. Les torts que nous infligeons aux autres espèces sont tout aussi indéniables pour peu que nous les voyions clairement ; et c'est dans la justesse de notre cause, et non dans la peur de nos bombes, que résident nos perspectives de victoire.

Préface à l'édition de 1975

Ce livre porte sur la tyrannie que les êtres humains exercent sur les autres animaux. Cette tyrannie a causé et continue à causer aujourd'hui une quantité de douleur et de souffrance qui n'a de comparable que celle que causa la tyrannie que les humains blancs exercèrent des siècles durant sur les humains noirs. Le combat contre cette tyrannie est une cause aussi importante que n'importe lequel des combats moraux ou sociaux menés au cours de ces dernières années.

La plupart des lecteurs verront dans les lignes qui précèdent une folle exagération. Il y a cinq ans, j'aurais moi-même ri de ces affirmations que je présente aujourd'hui avec le plus grand sérieux. Il y a cinq ans je ne savais pas ce que je sais aujourd'hui. Si vous lisez ce livre avec soin, en accordant une attention particulière aux chapitres II et III, vous en saurez, sur l'oppression des animaux, autant que moi, ou autant qu'il est possible d'en faire tenir dans un livre de taille raisonnable. Alors vous pourrez juger si mon paragraphe d'introduction est d'une folle exagération, ou au contraire la description mesurée d'une situation que le grand public trop souvent ignore. Je ne vous demande donc pas de croire tout de suite mon paragraphe d'introduction. Je vous demande de réserver votre jugement jusqu'à la fin de votre lecture.

J'avais depuis peu entrepris cet ouvrage lorsque nous fûmes invités, mon épouse et moi, à prendre le thé – nous vivions à l'époque en Angleterre – par une dame qui avait entendu dire que je projetais d'écrire au sujet des animaux. Elle-même s'intéressait beaucoup aux animaux, nous dit-elle, et elle avait une amie qui avait déjà écrit, sur eux et qui serait *si heureuse* de nous rencontrer.

Quand nous arrivâmes, l'amie de notre hôtesse nous attendait, et elle était très impatiente effectivement de parler des animaux. « Je les aime tant, commença-t-elle. J'ai un chien et deux chats et savez-vous qu'ils s'entendent à merveille ? Vous connaissez Mrs Scott ? Elle tient un petit hôpital pour chiens et chats malades... » – et la voilà lancée. Elle s'interrompit lorsqu'on servit les rafraîchissements, prit un sandwich au jambon, et nous demanda quels animaux nous avions.

Nous lui dîmes que nous n'avions pas d'animaux. Elle parut un peu surprise, et mordit dans son sandwich. Notre hôtesse, qui avait fini de servir les sandwichs, se joignit à nous et s'inséra dans la conversation : « Mais vous vous intéressez pourtant bien aux animaux, n'est-ce pas monsieur Singer ? »

Nous tentâmes d'expliquer que nous nous intéressions à prévenir la souffrance et le malheur ; que nous étions opposés à la discrimination arbitraire ; que nous considérions comme mal d'infliger des souffrances non nécessaires à un autre être, même quand cet être n'est pas membre de notre propre espèce ; et que nous pensions que les animaux étaient implacablement et cruellement exploités par les humains et que nous voulions que cela cesse. En dehors de cela, avons-nous dit, nous n'étions pas particulièrement « intéressés » par les animaux ; ni mon épouse ni moi n'avions jamais été spécialement passionnés par les chiens, les chats ou les chevaux comme le sont bien des gens. Nous n'« aimions » pas les animaux. Nous voulions simplement qu'ils soient traités comme les êtres sensibles indépendants qu'ils sont, et non comme des moyens pour les fins humaines – comme l'avait été le porc dont la chair se retrouvait maintenant dans les sandwichs de notre hôtesse.

Ce livre ne traite pas des animaux de compagnie. La lecture n'en sera sans doute pas confortable pour ceux qui pensent qu'aimer les animaux n'implique rien de plus que de caresser un chat ou de nourrir les oiseaux dans le jardin. Il s'adresse plutôt aux gens qui sont motivés pour faire cesser l'oppression et l'exploitation où qu'elles sévissent, et pour faire que le principe moral fondamental d'égale considération des intérêts ne soit plus arbitrairement limité aux seuls membres de notre propre espèce. La présupposition selon laquelle pour s'intéresser à de telles questions on devrait être un « amoureux des animaux » indique déjà combien on peut être loin d'imaginer que les normes morales que nous appliquons entre humains pourraient s'étendre aux autres animaux. Personne, hormis le raciste qui cherche à salir ses adversaires en les traitant d'« amoureux des nègres », ne suggérerait que pour se préoccuper de la question de l'égalité pour les minorités raciales maltraitées il nous faille *aimer* ces minorités, ou en trouver les membres gentils et mignons. Pourquoi donc devrait-on présupposer cela de ceux qui travaillent à l'amélioration du sort des non-humains ?

L'image qui dépeint ceux qui protestent contre la cruauté envers les animaux comme autant d'« amoureux des animaux » sentimentaux et émotifs a eu pour effet d'exclure du domaine de la discussion morale et politique sérieuse la totalité du problème de notre traitement des non-humains. Il est facile de voir pourquoi nous avons fait cela. Si nous acceptions de prendre le problème au sérieux, si, par exemple, nous examinions de plus près les conditions où vivent les animaux dans les « fermes-usines » modernes qui produisent notre viande, nous pourrions nous retrouver mal à l'aise devant des sandwichs au jambon, des rôtis de bœuf, des poulets frits, et tous ces autres articles de notre alimentation que nous préférons ne pas nous représenter comme étant de l'animal mort.

On ne trouvera pas dans ce livre d'appels sentimentaux à la sympathie pour les animaux « mignons ». L'abattage des chevaux ou des chiens pour la viande ne me scandalise pas plus que l'abattage des porcs. Quand le ministère de la Défense aux États-Unis, voyant que l'usage qu'il fait de beagles pour tester des gaz mortels soulève une tempête de protestations, propose de les remplacer par des rats, je ne suis pas apaisé.

Ce livre est une tentative pour repenser, avec soin et cohérence, la manière dont nous devons traiter les animaux non humains. Il dévoile et dénonce les préjugés qui sous-tendent nos comportements actuels. Dans les chapitres qui décrivent comment ces attitudes se traduisent concrètement – comment les animaux souffrent de la tyrannie des êtres humains – il y a des passages qui soulèveront certaines émotions. Ce seront, je l'espère, de la colère et de l'indignation, accompagnées d'une détermination à agir. À nul endroit de ce livre, pourtant, je ne fais appel aux émotions du lecteur quand elles ne peuvent être soutenues par la raison. Quand il y a des choses désagréables à décrire il serait malhonnête de chercher à masquer, par quelque neutralité de style, la réalité de leur caractère déplaisant. On ne peut décrire objectivement les expériences des « médecins » nazis dans les camps de concentration sur ceux qu'ils considéraient comme « sous-humains » sans éveiller d'émotions ; et il en va de même de la description de certaines expériences menées aujourd'hui sur les non-humains dans des laboratoires d'Amérique, de Grande-Bretagne et d'ailleurs. Néanmoins, l'opposition à chacun de ces types d'expériences se justifie, en dernière analyse, autrement que par l'émotion. Elle se justifie par un appel à des principes moraux fondamentaux que nous acceptons tous ; et l'application de ces principes aux victimes de chacune de ces deux sortes d'expériences est une exigence non de l'émotion, mais de la raison.

Il y a une raison sérieuse au titre de ce livre. Un mouvement de libération est l'exigence que soit mis fin à un préjugé et à une discrimination basés sur une caractéristique arbitraire tels la race ou le sexe. L'exemple classique en est le mouvement de libération des Noirs. L'attrait immédiat exercé par ce mouvement, ainsi que son succès initial bien que limité, en firent un modèle pour d'autres groupes opprimés. Nous vîmes peu après apparaître le mouvement de libération des homosexuels et d'autres mouvements en faveur des Indiens d'Amérique et des Américains du Nord de langue espagnole. Quand un groupe majoritaire, celui des femmes, se mit en campagne, certains se dirent qu'on était arrivé au bout du chemin. La discrimination fondée sur le sexe était, disait-on, la dernière forme de discrimination universellement acceptée et ouvertement pratiquée, jusque dans ces milieux progressistes qui depuis longtemps se vantaient de leur absence de préjugés à l'encontre de minorités raciales.

Nous devrions toujours hésiter avant de parler de la « dernière forme existante de discrimination ». S'il est une chose que les mouvements de libération nous ont enseignée, c'est certainement à quel point il est difficile de prendre conscience de nos préjugés à l'égard de groupes particuliers, tant que ces préjugés ne nous sont pas mis sous les yeux de force.

Un mouvement de libération exige un élargissement de nos horizons moraux. Des pratiques qui jusque-là étaient considérées comme naturelles et inévitables en viennent à être vues comme autant de résultats d'un préjugé injustifiable. Qui peut affirmer qu'on ne peut légitimement les contester ? Si nous voulons éviter de compter au nombre des oppresseurs, nous devons être prêts à repenser toutes nos attitudes envers d'autres groupes, y compris les plus fondamentales. Nous devons nous placer du point de vue de ceux qui souffrent de ces attitudes et des pratiques qui en découlent. Si nous arrivons à accomplir cet inhabituel retournement de perspective, nous découvrirons peut-être un schéma récurrent dans nos comportements, un schéma ayant pour effet systématique d'avantager le même groupe – le plus souvent celui auquel nous appartenons nous-mêmes – au détriment d'un autre. Nous prendrons alors conscience que se justifie un nouveau mouvement de libération.

Ce livre a pour but de vous amener à opérer ce retournement de point de vue dans les attitudes et pratiques que vous avez envers un très grand groupe d'êtres : celui des membres des espèces autres que la nôtre. Je crois que nos comportements actuels vis-à-vis de ces êtres sont fondés sur une longue histoire de préjugés et de discrimination arbitraire. Je soutiens qu'il ne peut y avoir aucune raison – hormis le désir égoïste de préserver les privilèges du groupe exploiteur – de refuser d'étendre le principe fondamental d'égalité de considération aux membres des autres espèces. Je vous demande de reconnaître que vos attitudes envers les membres des autres espèces sont une forme de préjugé tout aussi contestable que les préjugés concernant la race ou le sexe.

Comparée à d'autres mouvements de libération, la libération animale doit surmonter de nombreux handicaps. Le premier et le plus évident est le fait que les membres du groupe exploité ne peuvent eux-mêmes protester de façon organisée contre le traitement qui leur est infligé (bien qu'ils le puissent individuellement, et qu'ils le fassent au mieux de leurs moyens).

Nous devons élever notre voix pour défendre ceux qui ne peuvent parler pour eux-mêmes. Vous pouvez juger de la gravité de ce handicap en vous demandant combien de temps les Noirs auraient eu à attendre avant d'obtenir l'égalité des droits s'ils n'avaient pas été en mesure de se lever et de l'exiger en leur propre nom. Moins un groupe est capable de se dresser et de s'organiser contre l'oppression, plus il est facile de l'opprimer.

Plus significatif encore pour les perspectives du mouvement de libération animale est le fait que la quasi-totalité du groupe oppresseur est directement impliquée dans l'oppression et se voit en bénéficier. Il existe vraiment peu d'humains qui peuvent réfléchir à l'oppression des animaux avec la même distance que, par exemple, les Blancs du nord des États-Unis quand ils débattaient de l'institution de l'esclavage dans les États du Sud. Les gens qui tous les jours mangent des morceaux de non-humains abattus trouvent difficile de croire que ce qu'ils font est mal ; et ils trouvent difficile aussi d'imaginer ce qu'ils pourraient manger d'autre. Dans cette affaire, quiconque mange de la viande est à la fois juge et partie. Il profite – ou du moins croit profiter – de l'absence actuelle de considération pour les intérêts des animaux non humains. Cela rend la persuasion plus difficile. Combien donc furent, aux États-Unis, les propriétaires d'esclaves du Sud à se laisser persuader par les arguments des abolitionnistes du Nord, par ces mêmes arguments que nous acceptons tous ou presque tous aujourd'hui ? Quelques-uns, mais peu nombreux. Je puis vous demander, et je vous le demande, de mettre de côté votre intérêt à manger de la viande lorsque vous réfléchirez aux arguments que développe ce livre ; mais je sais par ma propre expérience qu'avec la meilleure volonté du monde cela n'est pas chose facile. Car derrière le désir momentané de manger de la viande, il y a les nombreuses années d'habitude de consommation carnée qui ont conditionné nos attitudes envers les animaux.

L'habitude : voilà le dernier obstacle face au mouvement de libération animale. Les habitudes alimentaires, mais aussi les habitudes de pensée et de langage, doivent être critiquées et changées. Ces habitudes de pensée nous amènent à écarter toute description de cruauté envers les animaux en l'assimilant à de la sensiblerie, bonne pour les « amis des animaux » ; ou au mieux, à estimer que la question, en tout cas, est à tel point futile comparée aux problèmes des êtres humains qu'aucune personne sensée ne pourrait vouloir y consacrer du temps et de l'attention. Cela aussi est un préjugé ; car comment pourrait-on savoir qu'un problème est futile tant qu'on n'a pas pris le temps d'en examiner l'ampleur ? Bien que ce livre se borne à considérer, pour les traiter plus à fond, deux seulement des nombreux domaines dans lesquels les humains font souffrir d'autres animaux, je ne crois pas que quiconque l'ayant lu jusqu'au bout pourra encore penser que les seuls problèmes qui méritent qu'on y consacre du temps et de l'énergie sont les problèmes concernant les humains.

Les habitudes de pensée qui nous amènent à ne pas prendre en considération les intérêts des animaux peuvent être remises en cause, et elles le sont dans les pages qui suivent. Maïs pour cela il faut bien employer une langue, et toute langue reflète les préjugés de ceux qui la parlent. Ainsi les auteurs qui désirent combattre ces préjugés sont-ils confrontés à un dilemme bien connu : soit ils emploient une langue qui renforce les préjugés mêmes qu'ils désirent mettre en cause, soit ils n'arrivent pas à communiquer avec leur public. Ce livre a déjà été obligé de choisir la première voie. Nous utilisons couramment le mot « animal » quand nous devrions dire « animaux autres que les humains ». Cette habitude met les humains à part des autres animaux, impliquant que nous-mêmes ne serions pas des animaux – affirmation que quiconque a suivi un cours élémentaire de biologie sait être fausse.

Dans l'esprit populaire, le mot « animal » désigne en bloc des êtres aussi différents qu'une huître et un chimpanzé, tout en créant un fossé entre ces derniers et les humains, alors que nous sommes bien plus proches parents des chimpanzés qu'eux ne le sont des huîtres. Puisqu'il n'y a pas de terme plus concis pour désigner les animaux non humains, j'ai dû employer, dans le titre de ce livre et ailleurs dans son texte, le mot « animal » comme s'il n'incluait pas l'animal humain. C'est là une dérogation regrettable aux normes de la pureté révolutionnaire mais qui paraît nécessaire à l'efficacité de la communication. À l'occasion, cependant, pour vous rappeler que cet emploi n'est qu'une question de commodité, j'utiliserai des expressions plus longues et plus justes pour désigner ce que jadis on appelait « la création bestiale ». À d'autres occasions aussi j'ai essayé d'éviter des termes et tournures qui tendent à avilir les animaux ou à déguiser la nature de la nourriture que nous mangeons.

Les principes fondamentaux de la libération animale sont très simples. J'ai voulu écrire un livre clair et facile à comprendre, dont la lecture n'exige de connaissance spécialisée d'aucune sorte. Il est nécessaire, toutefois, de débuter par une discussion des principes qui sous-tendent mon propos. Il ne devrait y avoir là rien de difficile, mais aux lecteurs qui n'ont pas l'habitude de ce genre de discussion le premier chapitre paraîtra peut-être plutôt abstrait. Ne vous découragez pas. Dans les chapitres suivants nous en viendrons aux détails peu connus de la façon dont notre espèce opprime les autres en son pouvoir. Il n'y a rien d'abstrait dans cette oppression, ni dans les chapitres qui la décrivent.

Si les recommandations que je fais dans les prochains chapitres sont acceptées, une souffrance considérable sera épargnée à des millions d'animaux. Par ailleurs, des millions d'humains en bénéficieront aussi. Au moment où j'écris, des gens meurent de faim en de nombreuses régions du monde ; et beaucoup encore sont menacés de famine imminente. Le gouvernement des États-Unis a déclaré qu'en raison de récoltes médiocres et de la faiblesse de ses stocks de céréales il ne lui sera possible d'apporter qu'un secours limité – et insuffisant ; mais comme il ressort clairement du chapitre IV de ce livre, la lourde insistance que mettent les nations aisées à élever des animaux pour les manger gaspille plusieurs fois plus de nourriture qu'elle n'en produit. En cessant d'élever et de tuer des animaux pour les manger, nous pouvons rendre disponible pour les humains une telle quantité de nourriture supplémentaire que, si on la distribuait de façon appropriée, la famine et la malnutrition seraient éliminées de cette planète. La libération animale est aussi une libération humaine.

CHAPITRE PREMIER

Tous les animaux sont égaux...

Ou pourquoi le principe éthique sur lequel repose l'égalité humaine exige que nous étendions l'égalité de considération des intérêts également aux animaux.

La « libération animale » peut sonner plus comme une parodie des autres mouvements de libération que comme le nom d'un objectif sérieux. Et d'ailleurs, l'idée de « droits des animaux » fut à l'occasion employée pour tourner en dérision l'argumentation en faveur des droits des femmes. Quand Mary Wollstonecraft, un précurseur des féministes d'aujourd'hui, publia en 1792 sa *Vindication of the Rights of Women* [1], beaucoup considérèrent les vues qu'elle y développait comme absurdes, et peu après on vit circuler une publication anonyme intitulée *A Vindication of the Rights of Brutes* (« Une revendication des droits des bêtes »). L'auteur de cette satire (dont on sait aujourd'hui qu'il s'agissait de Thomas Taylor, un philosophe distingué de Cambridge) s'appliquait à réfuter les arguments de Mary Wollstonecraft en montrant qu'on pouvait les pousser plus loin. Si l'argument en faveur de l'égalité était fondé quand on l'appliquait aux femmes, pourquoi alors ne devrait-on pas l'appliquer aux chiens, aux chats et aux chevaux ? Le raisonnement semblait tenir également pour ces « bêtes » ; pourtant, soutenir que les bêtes ont des droits était manifestement absurde. Par conséquent, le raisonnement par lequel on avait abouti à cette conclusion devait être défectueux, et s'il l'était quand on l'appliquait aux bêtes, il devait l'être également dans le cas des femmes, puisque exactement les mêmes arguments avaient été utilisés dans les deux cas.

Pour pouvoir expliquer sur quoi se fonde l'affirmation de l'égalité des animaux, il est utile de commencer par examiner sur quoi se fonde l'affirmation de l'égalité des femmes. Supposons que nous voulions défendre l'argumentation pour les droits des femmes contre l'attaque de Thomas Taylor. Comment devrions-nous répondre ?

Une des réponses envisageables est de dire que l'argumentation en faveur de l'égalité entre les hommes et les femmes ne peut valablement être étendue aux animaux non humains. Les femmes ont le droit de vote, par exemple, parce qu'elles sont tout aussi capables que les hommes de prendre des décisions rationnelles concernant l'avenir ; les chiens, par contre, sont incapables de comprendre ce que signifie voter, et donc ne peuvent pas avoir de droit de vote. Il existe de nombreux aspects évidents par lesquels les hommes et les femmes se ressemblent fortement tout en différant grandement des animaux. Ainsi, pourrait-on dire, les hommes et les femmes sont des êtres semblables et doivent avoir des droits semblables, alors que les humains et les non-humains sont différents et ne doivent pas avoir des droits égaux.

Le raisonnement qui guide cette réplique à l'analogie faite par Taylor est correct jusqu'à un certain point, mais il ne va pas assez loin. Il y a des différences d'une importance évidente entre les humains et les autres animaux, et ces différences doivent entraîner certaines différences dans leurs droits respectifs. La reconnaissance de ce fait évident n'est cependant pas un obstacle à l'argumentation pour l'extension du principe fondamental d'égalité aux animaux non humains. Les différences qui existent entre les hommes et les femmes sont elles aussi indéniables, et les partisans de la libération des femmes sont conscients du fait que ces différences peuvent engendrer des droits différents. Beaucoup de féministes soutiennent que les femmes ont le droit d'avorter sur demande. Il ne s'ensuit pas que puisque ces mêmes féministes militent pour l'égalité entre les hommes et les femmes elles doivent réclamer le droit à l'avortement également pour les hommes. Puisqu'un homme ne peut pas avorter, cela n'a aucun sens de parler de son droit à l'avortement. Puisque les chiens ne peuvent pas voter, cela n'a aucun sens de parler de leur droit de vote. Il n'y a pas de raison pour que la libération des femmes ou celle des animaux doivent se retrouver mêlées à de telles inepties. L'extension d'un groupe à un autre du principe fondamental d'égalité n'implique pas que nous devons traiter les deux groupes de façon exactement identique, ni que nous devons leur accorder exactement les mêmes droits. Cette question dépendra de la nature des membres des deux groupes. Le principe fondamental d'égalité n'exige pas l'égalité ou l'identité de *traitement* ; il exige l'égalité de considération. Une considération égale pour des êtres différents peut mener à un traitement différent et à des droits différents.

Il y a donc une autre façon de répondre à la tentative faite par Taylor de tourner en dérision l'argumentation pour les droits des femmes, une façon qui ne nie pas les différences évidentes qui existent entre les êtres humains et non humains mais qui approfondit la question de l'égalité et aboutit à la conclusion qu'il n'y a rien d'absurde à l'idée que le principe fondamental d'égalité s'applique auxdites « bêtes ». À ce niveau, une telle conclusion peut paraître bizarre ; mais si nous examinons plus en profondeur la base sur laquelle repose en dernière analyse notre opposition à la discrimination fondée sur la race ou le sexe, nous voyons que nous serions en terrain peu sûr si nous devions exiger l'égalité pour les Noirs, pour les femmes et pour d'autres groupes d'humains opprimés tout en refusant l'égalité de considération aux non-humains. Pour voir cela clairement nous devons d'abord examiner pourquoi exactement le racisme et le sexisme sont moralement injustifiés. Quand nous disons que tous les êtres humains, quels que soient leur race, leurs croyances ou leur sexe, sont égaux, qu'affirmons-nous ? Ceux qui désirent défendre un modèle de société hiérarchique, inégalitaire, ont souvent fait remarquer que quel que soit le critère que nous choisissons il est tout simplement faux de dire que tous les humains sont égaux. Que cela nous plaise ou non, nous devons admettre le fait que les humains existent en des tailles et des formes différentes ; ils possèdent des capacités morales différentes, des aptitudes intellectuelles différentes, des quantités différentes de sentiments bénévoles et de réceptivité aux besoins des autres, des possibilités différentes de communiquer efficacement, et des capacités différentes à ressentir le plaisir et la douleur. En bref, si l'exigence d'égalité se fondait sur l'égalité de fait de tous les êtres humains, il nous faudrait cesser d'exiger l'égalité.

On peut malgré cela encore tenter de s'agripper au point de vue selon lequel l'exigence d'égalité entre les êtres humains se fonderait sur l'égalité de fait entre les différentes races et entre les sexes. Bien que les humains diffèrent en tant qu'individus, pourrait-on dire, il n'y a pas de différences entre les races ou les sexes en tant que tels. Le simple fait qu'une personne est noire ou de sexe féminin ne nous renseigne pas sur ses capacités intellectuelles ou morales. C'est là, pourrait-on dire, la raison pour laquelle le racisme et le sexisme sont injustifiés. Le raciste blanc prétend que les Blancs sont supérieurs aux Noirs, mais cela est faux ; il existe certes des différences entre les individus, mais certains Noirs sont supérieurs à certains Blancs quel que soit le critère de capacité ou d'aptitude qu'on peut être amené à considérer. L'adversaire du sexisme dirait de même : le sexe d'une personne n'est en rien un indicateur de ses aptitudes, et voilà pourquoi il est injustifiable de discriminer sur la base du sexe.

L'existence de variations individuelles indépendantes des frontières de race ou de sexe ne nous fournit cependant absolument aucun argument contre un adversaire plus sophistiqué de l'égalité, qui proposerait, par exemple, que la considération donnée aux intérêts de tous ceux dont le QI est inférieur à 100 soit moindre que celle donnée aux intérêts de ceux dont le QI dépasse cette valeur. Ainsi peut-être dans une telle société ceux qui auraient un score inférieur à 100 seraient-ils les esclaves des autres. Une société hiérarchique de ce genre serait-elle vraiment tellement meilleure qu'une autre fondée sur une discrimination de race ou de sexe ? Je ne le pense pas. Mais si nous lions le principe moral d'égalité à l'égalité de fait des différentes races ou des sexes quand on considère ces groupes dans leur ensemble, notre opposition au racisme et au sexisme ne nous fournit aucune base pour nous opposer à un inégalitarisme de ce genre.

Il y a une seconde raison importante pour laquelle nous ne devrions pas fonder notre opposition au racisme et au sexisme sur une forme quelle qu'elle soit d'égalité de fait, même sur la forme limitée qui affirme que les variations de capacités et d'aptitudes sont réparties de façon uniforme entre les différentes races et entre les sexes : c'est que nous ne pouvons avoir aucune garantie absolue que ces capacités et aptitudes sont réellement réparties de façon uniforme, indépendamment de la race et du sexe, parmi les êtres humains.

Pour ce qui est des aptitudes effectives, il semble de fait y avoir certaines différences mesurables entre les races comme entre les sexes. Ces différences ne se manifestent pas, bien sûr, dans chaque cas, mais seulement lorsqu'on établit des moyennes. Plus important, nous ne savons pas encore dans quelle mesure ces différences sont vraiment dues à des différences dans le bagage génétique des différentes races et des sexes, et dans quelle mesure elles sont attribuables à la mauvaise qualité des écoles, à la médiocrité des logements, et à d'autres facteurs qui résultent des discriminations passées et présentes. Peut-être que toutes les différences importantes finiront par apparaître comme étant d'origine environnementale plutôt que génétique. Quiconque est opposé au racisme et au sexisme doit certainement espérer qu'il en sera ainsi, car alors la tâche de mettre fin aux discriminations en sera beaucoup plus facile ; néanmoins, il serait dangereux de faire reposer l'argumentation contre le racisme et le sexisme sur la croyance selon laquelle toutes les différences significatives sont d'origine environnementale. L'adversaire par exemple du racisme qui adopterait ce point de vue serait contraint de concéder que si certaines différences dans les aptitudes se révélaient effectivement avoir quelque lien génétique avec la race, alors le racisme serait défendable d'une certaine façon.

Heureusement il n'y a aucune obligation à lier la défense de l'égalité au fait qu'une investigation scientifique donnée provoque un résultat plutôt qu'un autre. La bonne réaction, face à ceux qui disent avoir trouvé l'indication de différences d'aptitudes génétiquement fondées entre les races ou entre les sexes, n'est pas de persister à penser que l'explication génétique doit sûrement être fausse, quelles que soient les indications contraires qui puissent apparaître ; au lieu de cela nous devons exprimer très clairement que la revendication de l'égalité ne dépend pas de l'intelligence, des capacités morales, de la force physique, ou d'autres questions de fait du même genre. L'égalité est une idée morale, et non l'affirmation d'un fait. Il n'y a aucune raison logiquement contraignante pour supposer qu'une différence de fait dans les aptitudes de deux personnes justifie une quelconque différence dans la quantité de considération à apporter à leurs besoins et à leurs intérêts. *Le principe de l'égalité des êtres humains n'est pas la description d'une hypothétique égalité de fait parmi les humains : c'est une prescription portant sur la manière dont nous devons traiter ces êtres humains.*

Jeremy Bentham, le réformateur politique et social qui fonda l'école utilitariste de philosophie morale, incorpora dans son système éthique le principe essentiel qui sous-tend l'égalité morale au moyen de la formule : « Que chacun compte pour un et qu'aucun ne compte pour plus d'un. » En d'autres termes, les intérêts de chaque être affecté par une action doivent être pris en compte, et cela en leur donnant le même poids qu'aux intérêts semblables de n'importe quel autre être. Depuis, un autre utilitariste, Henry Sidgwick, formula l'idée ainsi : « Le bien d'un individu donné quel qu'il soit n'a pas plus d'importance, du point de vue (si je puis dire) de l'Univers, que le bien de n'importe quel autre. » Plus récemment, les auteurs les plus marquants dans le domaine de la philosophie morale contemporaine ont témoigné d'une grande convergence dans le fait de poser comme présupposé fondamental dans leurs théories morales une exigence semblable, qui vise à donner aux intérêts de chacun une considération égale – bien que ces auteurs ne parviennent généralement pas à s'accorder sur la meilleure façon de la formuler[2].

Une conséquence de ce principe d'égalité est que le degré de préoccupation que nous devons avoir pour les autres et notre propension à prendre en considération leurs intérêts ne doivent pas dépendre de la manière dont ils sont ou de quelles aptitudes ils possèdent. Ce que cette préoccupation ou considération exige précisément que nous fassions peut varier en fonction des caractéristiques de ceux qui sont affectés par nos actes : la préoccupation pour le bien-être des enfants qui grandissent aux États-Unis peut exiger que nous leur apprenions à lire ; la préoccupation pour le bien-être des cochons peut ne rien impliquer d'autre que de les laisser en compagnie d'autres cochons dans un endroit où il y a une nourriture suffisante et de l'espace pour courir librement. Mais l'élément fondamental – la prise en compte des intérêts de l'être, quels que puissent être ces intérêts – doit, suivant le principe d'égalité, être étendu à tous les êtres, noirs ou blancs, masculins ou féminins, humains ou non.

Thomas Jefferson, à qui l'on doit l'inscription du principe d'égalité humaine dans la Déclaration d'indépendance des États-Unis, avait saisi ce point. Cela l'amena à s'opposer à l'esclavage bien qu'il fût incapable de se libérer complètement de son passé culturel esclavagiste. À l'auteur d'un livre qui mettait en valeur les réalisations intellectuelles notables accomplies par les Noirs afin de réfuter l'opinion, courante à l'époque, selon laquelle leurs moyens intellectuels étaient limités, Jefferson écrivit : « Croyez bien que personne au monde ne désire plus sincèrement que moi voir une réfutation complète des doutes que j'ai moi-même entretenus et exprimés au sujet du degré de compréhension que leur a attribué la nature, et trouver qu'ils sont à égalité avec nous [...] mais quel que puisse être le degré de leur talent il n'est aucunement la mesure de leurs droits. Sir Isaac Newton avait beau être supérieur à d'autres en compréhension, il n'en fut pas pour autant seigneur de leur personne ou de leurs biens[3]. »

De façon similaire, lorsque dans les années 1850 la revendication pour les droits des femmes fut soulevée aux États-Unis, une remarquable féministe noire du nom de Sojourner Truth défendit la même idée en des termes plus rudes devant une convention féministe : « Ils parlent de cette chose dans la tête ; comment appellent-ils ça ? – “L’intellect”, murmura quelqu’un tout près. – C’est ça. Qu’est-ce que ç’a à voir avec les droits des femmes ou les droits des Noirs ? Si ma tasse ne tient pas plus qu’une pinte alors que la vôtre tient un litre, ne seriez-vous pas mesquin de ne pas me laisser remplir ma petite demi-mesure [4] ? »

C’est sur cette base que tant l’argumentation contre le racisme que celle contre le sexisme doivent en dernière analyse reposer ; et c’est conformément à ce principe que l’attitude que nous pouvons nommer « spécisme », par analogie avec le racisme, doit elle aussi être condamnée. Le spécisme est un préjugé ou une attitude de parti pris en faveur des intérêts des membres de sa propre espèce et à l’encontre des intérêts des membres des autres espèces. Il devrait être évident que les objections fondamentales formulées contre le racisme et le sexisme par Thomas Jefferson et Sojourner Truth s’appliquent tout autant au spécisme. Si la possession d’un degré supérieur d’intelligence n’autorise pas un humain à en utiliser un autre pour ses propres fins, comment pourrait-elle autoriser les humains à exploiter les non-humains dans le même but [5] ?

Beaucoup de philosophes et autres auteurs ont proposé de voir dans le principe d’égalité de considération des intérêts, énoncé sous une forme ou une autre, un principe moral de base ; mais peu nombreux furent ceux d’entre eux qui reconnurent que ce principe s’applique aux membres des autres espèces aussi bien qu’à ceux de la nôtre. Jeremy Bentham fut de ce petit nombre. Dans un passage d’anticipation écrit à une époque où les esclaves noirs avaient été libérés par les Français alors que dans les possessions britanniques on les traitait encore comme nous traitons aujourd’hui les animaux, Bentham écrivit : « Le jour viendra peut-être où le reste de la création animale acquerra ces droits qui n'auraient jamais pu être refusés à ses membres autrement que par la main de la tyrannie. Les Français ont déjà découvert que la noirceur de la peau n'est en rien une raison pour qu'un être humain soit abandonné sans recours au caprice d'un bourreau. On reconnaîtra peut-être un jour que le nombre de pattes, la pilosité de la peau, ou la façon dont se termine le sacrum sont des raisons également insuffisantes pour abandonner un être sensible à ce même sort. Et quel autre critère devrait marquer la ligne infranchissable ? Est-ce la faculté de raisonner, ou peut-être celle de discourir ? Mais un cheval ou un chien adultes sont des animaux incomparablement plus rationnels, et aussi plus causants, qu'un enfant d'un jour, ou d'une semaine, ou même d'un mois. Mais s'ils ne l'étaient pas, qu'est-ce que cela changerait ? La question n'est pas : peuvent-ils *raisonner* ? ni : peuvent-ils *parler* ? mais : peuvent-ils *souffrir*[6] ?

Dans ce passage, Bentham désigne la capacité à souffrir comme étant la caractéristique déterminante qui donne à un être le droit à l'égalité de considération. La capacité à souffrir – ou plus précisément, à souffrir et/ou à éprouver le plaisir ou le bonheur – n'est pas simplement une caractéristique comme une autre comme la capacité à parler ou à comprendre les mathématiques supérieures. Ce que dit Bentham n'est pas que ceux qui tentent de marquer cette « ligne infranchissable » qui détermine si les intérêts d'un être doivent ou non être pris en considération se sont simplement trompés de caractéristique. Quand il dit que nous devons considérer les intérêts de tous les êtres capables de souffrir ou d'éprouver du plaisir, il n'exclut de façon arbitraire du bénéfice de la considération aucun intérêt du tout – contrairement à ceux qui tracent la ligne en fonction de la possession de la raison ou du langage. La capacité à souffrir et à éprouver du plaisir est *une condition nécessaire sans laquelle un être n'a pas d'intérêts du tout*, une condition qui doit être remplie pour qu'il y ait un sens à ce que nous parlions d'intérêts. Il serait absurde de dire qu'il est contraire aux intérêts d'une pierre d'être promenée le long du chemin par les coups de pied d'un écolier. Une pierre n'a pas d'intérêts parce qu'elle ne peut pas souffrir. Rien de ce que nous pouvons lui faire ne peut avoir de conséquence pour son bien-être. La capacité à souffrir et à éprouver du plaisir est, par contre, une condition non seulement nécessaire, mais aussi suffisante, pour dire qu'un être a des intérêts – il aura, au strict minimum, un intérêt à ne pas souffrir. Une souris, par exemple, a un intérêt à ne pas recevoir de coups de pied, parce que si elle en reçoit elle souffrira.

Bien que Bentham parle de « droits » dans le passage que j'ai cité, l'argumentation porte en réalité sur l'égalité et non sur les droits. Et de fait, dans un autre passage célèbre, Bentham qualifie les « droits naturels » d'« inepties » et les « droits naturels et imprescriptibles » d'« inepties sur échasses ». Il parlait de droits moraux pour désigner à l'aide d'une expression concise les protections dont les gens et les animaux devraient moralement bénéficier ; mais le poids réel de l'argumentation morale ne porte pas sur l'affirmation de l'existence de droits, car cette affirmation à son tour aurait à être justifiée sur la base des possibilités de souffrance et de bonheur. De cette manière nous pouvons argumenter en faveur de l'égalité pour les animaux sans nous perdre dans les controverses philosophiques sur la nature ultime des droits.

Dans des tentatives mal orientées pour réfuter les arguments soutenus dans ce livre, certains philosophes se sont donné beaucoup de mal pour développer des arguments devant montrer que les animaux n'ont pas de droits [7]. Ils ont dit que pour avoir des droits un être doit être autonome, ou qu'il doit être membre d'une communauté, ou qu'il doit être capable de respecter les droits d'autrui, ou qu'il doit posséder un sens de la justice. Ces affirmations sont sans pertinence vis-à-vis de la libération animale. L'emploi du vocabulaire des droits représente un raccourci politique pratique. Son utilité est encore plus grande à notre époque où l'information se fait en clips télévisés de trente secondes qu'elle ne l'était du temps de Bentham ; mais dans l'argumentation en faveur d'un changement radical dans notre attitude envers les animaux, ce langage n'est en rien nécessaire.

Si un être souffre, il ne peut y avoir aucune justification morale pour refuser de prendre en considération cette souffrance. Quelle que soit la nature d'un être, le principe d'égalité exige que sa souffrance soit prise en compte de façon égale avec toute souffrance semblable – dans la mesure où des comparaisons approximatives sont possibles – de n'importe quel autre être. Si un être n'a pas la capacité de souffrir, ni de ressentir du plaisir ou du bonheur, alors il n'existe rien à prendre en compte. Ainsi, c'est le critère de la sensibilité (pour employer ce mot comme raccourci pratique, mais en toute rigueur inexact, pour désigner la capacité à souffrir et/ou à ressentir le plaisir) qui fournit la seule limite défendable à la préoccupation pour les intérêts des autres. Fixer cette limite selon une autre caractéristique comme l'intelligence ou la rationalité serait la fixer de façon arbitraire. Pourquoi ne pas choisir quelque autre caractéristique encore, comme la couleur de la peau ? Les racistes violent le principe d'égalité en donnant un plus grand poids aux intérêts des membres de leur propre race quand un conflit existe entre ces intérêts et ceux de membres d'une autre race. Les sexistes violent le principe d'égalité en privilégiant les intérêts des membres de leur propre sexe. De façon similaire, les spécistes permettent aux intérêts des membres de leur propre espèce de prévaloir sur des intérêts supérieurs de membres d'autres espèces. Le schéma est le même dans chaque cas.

La plupart des êtres humains sont des spécistes. Les chapitres qui suivent montrent que les humains ordinaires – non pas seulement quelques humains particulièrement cruels ou insensibles, mais l'écrasante majorité d'entre eux – prennent part activement à des pratiques qui impliquent de sacrifier les plus importants des intérêts de membres d'autres espèces dans le but de favoriser les plus futiles des intérêts de membres de notre propre espèce ; et que ces humains approuvent ces pratiques, et qu'ils permettent à leurs impôts de les financer.

Il existe cependant, en défense des pratiques qui seront décrites dans les deux prochains chapitres, un argument général auquel il est nécessaire de faire un sort avant que nous n'abordions la discussion de ces pratiques elles-mêmes. Il s'agit d'une argumentation qui, si elle était juste, nous permettrait de faire tout à fait n'importe quoi aux non-humains pour n'importe quel motif si futile soit-il, ou sans motif du tout, sans encourir aucun reproche justifiable. D'après cette argumentation, nous ne serions jamais coupables de ne pas prendre en compte les intérêts des autres animaux pour une raison d'une simplicité déconcertante : c'est qu'ils n'auraient pas d'intérêts. Les animaux non humains n'auraient pas d'intérêts, selon ce point de vue, parce qu'ils ne seraient pas capables de souffrir. Il ne s'agit pas seulement de l'affirmation selon laquelle ils ne seraient pas capables de souffrir de toutes les façons dont peuvent souffrir les humains – selon laquelle par exemple un veau n'est pas capable de souffrir du fait de savoir qu'il sera tué dans quatre mois. À n'en pas douter, une telle affirmation mesurée est vraie ; mais elle ne décharge pas les humains de l'accusation de spécisme, puisqu'elle admet encore que les animaux puissent souffrir d'autres manières – par exemple, quand on les soumet à des chocs électriques, ou quand on les maintient à l'étroit dans des cages inconfortables. L'argument dont je vais discuter est l'affirmation bien plus forte, et du coup moins plausible, selon laquelle les animaux seraient incapables de souffrir de quelque manière que ce soit ; car ils seraient, en fait, selon cet argument, des automates inconscients, ne possédant ni pensées ni sensibilité ni vie mentale d'aucune sorte.

Comme nous le verrons dans un chapitre ultérieur, l'opinion selon laquelle les animaux sont des automates fut avancée au XVIIe siècle par Descartes ; néanmoins, pour la plupart des gens, de cette époque comme d'aujourd'hui, il est évident que si par exemple nous enfonçons un couteau aiguisé dans le ventre d'un chien non anesthésié, celui-ci ressentira de la douleur. L'acceptation de cette idée est implicite dans les lois qui dans la plupart des pays civilisés interdisent les actes de cruauté gratuite envers les animaux. Ceux des lecteurs qui, suivant leur sens commun, pensent que les animaux souffrent effectivement préféreront peut-être omettre de lire la suite de la présente section et se reporter directement à la page 51, puisque entre-temps je ne fais que réfuter un point de vue qu'ils ne partagent pas. Néanmoins, aussi peu plausible que soit cette position sceptique, il est nécessaire, pour être complet, de la discuter.

Les animaux non humains ressentent-ils la douleur ? Comment pouvons-nous le savoir ? Eh bien, comment savons-nous si quelqu'un, quel qu'il soit, humain ou non humain, ressent la douleur ? Nous savons que nous-mêmes pouvons ressentir la douleur. Nous savons cela par l'expérience directe que nous en avons quand, par exemple, quelqu'un applique une cigarette allumée sur le dos de notre main. Mais comment savons-nous que qui que ce soit d'autre ressent la douleur ? Nous ne pouvons pas éprouver directement la douleur d'autrui, que cet « autrui » soit notre meilleur ami ou un chien errant. La douleur est un état de conscience, un « événement mental », et en tant que telle elle ne peut jamais être observée. Les comportements que l'on peut observer, qu'il s'agisse de contorsions, de cris, ou du retrait de la main touchée par la cigarette brûlante, ne sont pas la douleur elle-même ; et les enregistrements qu'un neurologue pourrait faire de l'activité cérébrale ne sont pas non plus des observations de la douleur elle-même. La douleur est quelque chose que nous ressentons, et nous ne pouvons que déduire le fait que d'autres la ressentent à partir de diverses indications extérieures. En théorie, il reste toujours *possible* que nous nous trompions quand nous supposons que d'autres êtres humains ressentent la douleur. On peut concevoir qu'un de nos proches amis soit en fait un robot ingénieusement construit, contrôlé par un savant génial de façon à ce qu'il manifeste tous les signes de la douleur, sans qu'il soit en réalité plus sensible que n'importe quelle autre machine. Nous ne pouvons jamais savoir, avec certitude absolue, que tel n'est pas le cas. Néanmoins, bien que ce problème puisse constituer une énigme pour les philosophes, aucun de nous n'a le moindre doute réel sur le fait que nos amis proches ressentent la douleur tout comme nous la ressentons. Il s'agit là d'une déduction, mais d'une déduction parfaitement raisonnable, fondée sur l'observation de leur comportement dans des situations dans lesquelles nous-mêmes éprouverions de la douleur, et sur le fait que nous avons toutes les raisons de supposer que nos amis sont des êtres comme nous, avec un système nerveux comme le nôtre dont on peut présumer qu'il fonctionne comme le nôtre et qu'il produit des sensations similaires dans des circonstances similaires.

S'il est justifiable d'admettre que les autres êtres humains ressentent la douleur comme nous, y a-t-il une raison qui rende injustifiable de faire une déduction similaire dans le cas des autres animaux ? Pratiquement tous les signes extérieurs qui nous amènent à conclure que la douleur existe chez les autres humains peuvent s'observer chez d'autres espèces, spécialement parmi nos plus proches cousins, les mammifères et les oiseaux. Parmi les signes comportementaux observés il y a les contorsions, les grimaces, les gémissements, les glapissements et autres formes de cris, les tentatives pour éviter la source de la douleur, les signes de peur à la perspective de la répétition de la douleur, et ainsi de suite. De plus, nous savons que ces animaux possèdent un système nerveux très semblable au nôtre, dont la réaction produit les mêmes effets physiologiques que le nôtre quand l'animal est placé dans des circonstances dans lesquelles nous-mêmes éprouverions de la douleur : une augmentation initiale de la pression sanguine, une dilatation des pupilles, une transpiration, une augmentation de la fréquence cardiaque, et, si le stimulus persiste, une chute de la pression sanguine. Les êtres humains possèdent un cortex cérébral plus développé que les autres animaux, mais il s'agit d'une partie du cerveau concernée par les fonctions de pensée plutôt que par les pulsions fondamentales, par les émotions et les sensations. Les pulsions, émotions et sensations siègent dans le diencéphale, lequel est bien développé chez beaucoup d'autres espèces animales, spécialement chez les mammifères et les oiseaux[8].

Nous savons aussi que les systèmes nerveux des autres animaux n'ont pas été artificiellement construits – comme pourrait l'être un robot – pour imiter le comportement d'un humain face à la douleur. Ceux des animaux sont comme le nôtre le produit de l'évolution, et de fait au cours de cette évolution les êtres humains n'ont pas divergé des autres animaux, en particulier des mammifères, avant que les caractéristiques centrales de notre système nerveux ne fussent déjà en place. Il est évident que l'aptitude à ressentir la douleur augmente la probabilité de survie que possède une espèce, puisqu'elle en amène les membres à éviter les sources de blessure. Il est certainement déraisonnable de supposer que des systèmes nerveux physiologiquement presque identiques, qui possèdent une origine commune et une fonction évolutive commune, et qui sont cause de formes de comportement similaires dans des circonstances similaires, devraient en réalité fonctionner d'une manière complètement différente au niveau des sensations subjectives.

Depuis longtemps il est reconnu comme bonne démarche dans les domaines scientifiques de rechercher pour toute chose l'explication la plus simple possible. On a parfois soutenu que pour cette raison il est « non scientifique » d'expliquer le comportement des animaux au moyen d'une théorie qui fasse référence à des sensations conscientes, à des désirs, etc. – l'idée étant que si l'on peut trouver au comportement observé une autre explication qui ne fasse pas intervenir la conscience ou les sensations, la théorie résultante sera plus simple. Cependant nous pouvons maintenant voir que les explications de cette seconde sorte, lorsqu'on les considère dans la perspective du comportement effectif des animaux tant humains que non humains, sont en fait bien plus complexes que les premières. Car nous savons de par notre propre expérience que les explications de notre comportement qui ne feraient pas intervenir la conscience et la sensation de la douleur seraient incomplètes ; et il est plus simple de supposer que les comportements similaires d'animaux dont le système nerveux est semblable au nôtre s'expliquent de la même façon, qu'il ne l'est de tenter d'inventer quelque autre explication pour le comportement des animaux non humains en plus d'avoir à expliquer la divergence entre les humains et les non-humains sous ce rapport.

L'énorme majorité des scientifiques qui se sont penchés sur la question partagent cet avis. Lord Brain, un des plus éminents neurologues de notre temps, a dit : « Je ne peux personnellement trouver aucune raison d'attribuer un esprit *(mind)* à mes semblables humains tout en le refusant aux animaux [...] Pour le moins je ne puis douter de ce que les activités et les intérêts que manifestent les animaux sont en correspondance de la même façon que le sont les miens avec une sensibilité et une conscience, lesquelles peuvent être, pour autant que je le sache, tout aussi vives[9]. »

L'auteur d'un livre sur la douleur écrit : « Les données factuelles connues soutiennent jusque dans leurs moindres détails l'affirmation selon laquelle les vertébrés mammifères supérieurs font l'expérience de sensations de douleur au moins aussi vives que les nôtres. Dire que leurs sensations sont moins fortes parce que ce sont des animaux inférieurs est une absurdité ; il est facile de montrer que nombre de leurs sens sont bien plus fins que les nôtres – il en est ainsi de la vue chez certains oiseaux, de l'ouïe chez la plupart des animaux sauvages, et du toucher chez d'autres ; ces animaux dépendent plus que nous aujourd'hui de la perception aussi aiguë que possible de leur environnement hostile. Si l'on met à part le degré de complexité du cortex cérébral (lequel ne perçoit pas directement la douleur), leurs systèmes nerveux sont presque identiques au nôtre et leurs réactions à la douleur sont remarquablement semblables à celles que nous avons, bien qu'il leur manque (pour autant que l'on sache) les résonances philosophiques et morales. L'élément émotionnel n'est que trop évident, surtout sous la forme de la peur et de la colère[10]. »

En Grande-Bretagne, trois comités gouvernementaux différents réunis pour des questions relatives aux animaux ont accepté la conclusion selon laquelle ceux-ci ressentent la douleur. Après avoir noté les données comportementales évidentes qui soutiennent ce point de vue, les membres du Comité sur la cruauté envers les animaux sauvages, institué en 1951, déclarèrent : « [...] nous pensons que les données physiologiques, et plus particulièrement anatomiques, justifient pleinement et étayent l'opinion de sens commun selon laquelle les animaux ressentent la douleur. »

Et après une discussion du rôle qu'elle joue dans l'évolution, le comité conclut dans son rapport que la douleur possède « une utilité biologique clairement définie » et que ce fait constitue « une troisième sorte de donnée tendant à montrer que les animaux ressentent la douleur ». Les membres du comité poursuivirent en envisageant les formes de souffrance autres que la simple douleur physique et ajoutèrent à leur conclusion qu'ils tenaient pour « suffisamment établi que les animaux souffrent effectivement de peur et de terreur aiguës ». Plus récemment, le comité gouvernemental britannique sur l'expérimentation animale et celui sur le bien-être des animaux soumis aux méthodes d'élevage intensif émirent le même avis, concluant dans leur rapport que les animaux sont capables de souffrir tant d'atteintes physiques directes que de peur, d'angoisse, de stress, et ainsi de suite [11]. Enfin, au cours de la dernière décennie, des études scientifiques au titre évocateur comme *Animal Thought*, ou *La Pensée animale*, ou encore *La Souffrance animale : l'étude objective du bien-être animal*, ont clairement montré que la perception consciente chez les animaux non humains est un thème aujourd'hui largement reconnu comme sujet sérieux de recherche [12].

On pourrait estimer la question réglée à ce point de la discussion ; mais il y a encore une dernière objection qui demande à être considérée. Il existe en effet malgré tout chez les êtres humains au moins un signe comportemental capable d'exprimer la souffrance dont ne disposent pas les animaux non humains : à savoir, le langage évolué. D'autres animaux peuvent bien communiquer entre eux mais ils ne le font jamais, semble-t-il, de la manière compliquée dont nous le faisons. Certains philosophes, du nombre desquels était Descartes, ont estimé important le fait que les humains peuvent décrire à autrui en grand détail leur expérience de la douleur, et que les autres animaux ne le peuvent pas. (Il est intéressant de noter que cette frontière qui longtemps semblait clairement tracée entre les humains et les autres espèces se trouve aujourd'hui menacée par la découverte de la possibilité pour les chimpanzés d'apprendre un langage [13]). Mais comme le soulignait déjà Bentham, l'aptitude que peut avoir un être à s'exprimer verbalement n'est pas une donnée pertinente pour déterminer comment il devrait être traité – à moins qu'un lien puisse être trouvé entre l'aptitude verbale et la capacité de souffrir, de telle sorte que l'absence de langage jette un doute sur l'existence de cette capacité.

Il y a deux manières par lesquelles on peut tenter d'établir ce lien. La première correspond à un courant philosophique aux contours imprécis, dont l'origine se situe peut-être dans certaines doctrines associées au philosophe influent Ludwig Wittgenstein, et qui maintient qu'il ne peut être significatif d'attribuer des états de conscience à des êtres dépourvus de langage. Cette position me semble très peu plausible. Le langage est peut-être une condition nécessaire pour la pensée abstraite, du moins à partir d'un certain niveau ; mais des états comme la douleur ont un caractère plus primitif et n'ont rien à voir avec le langage. La seconde manière envisageable d'établir un lien entre le langage et l'existence de la douleur est plus facile à comprendre. Elle consiste à dire que la meilleure indication que nous puissions avoir de ce qu'un autre être que nous ressent de la douleur est le fait qu'il nous le dise. Cet argument se distingue du précédent, car il ne nie pas la *possibilité* qu'un être dépourvu de langage puisse souffrir, mais seulement que nous puissions jamais avoir de raison suffisante de *penser* qu'il souffre. Malgré cela, cette ligne argumentative échoue elle aussi. Comme l'a noté Jane Goodall dans son étude sur les chimpanzés intitulée *In the Shadow of Man*, dans le domaine de l'expression des sentiments et des émotions le langage est moins important que les modes de communication non verbale telles une tape encourageante dans le dos, une étreinte chaleureuse, une poignée de main, et ainsi de suite. Les signaux élémentaires que nous utilisons pour exprimer la douleur, la peur, la colère, l'amour, la joie, la surprise, l'excitation sexuelle et bien d'autres états émotionnels ne sont pas particuliers à notre propre espèce [14]. Le fait qu'une personne émette l'énoncé « Je ressens de la douleur » peut constituer un élément soutenant la conclusion selon laquelle elle ressent de la douleur, mais ne représente ni le seul indice possible, ni même, puisqu'il arrive que les gens mentent, le meilleur indice possible.

Même s'il y avait d'autres raisons plus fondées pour refuser d'attribuer la sensation de douleur aux êtres dépourvus de langage, les conséquences de cette conclusion pourraient nous amener à la rejeter. Les nourrissons humains et les jeunes enfants sont incapables d'utiliser le langage. Devons-nous donc nier qu'un enfant d'un an puisse souffrir ? Si non, le langage ne peut représenter un critère décisif. Bien sûr, la plupart des parents comprennent mieux les réactions de leurs enfants qu'ils ne comprennent celles des autres animaux ; mais cela témoigne seulement de la connaissance plus grande que nous avons de notre propre espèce, et du contact plus fort que nous avons avec les enfants qu'avec les animaux. Les gens qui étudient le comportement d'autres animaux ou qui en ont comme compagnons apprennent vite à comprendre leurs réactions aussi bien que nous comprenons celles d'un nourrisson, et parfois mieux.

Donc pour conclure : il n'existe aucune bonne raison, ni scientifique ni philosophique, de nier que les animaux ressentent la douleur. Si nous ne doutons pas de ce que les êtres humains autres que nous-mêmes ressentent la douleur, nous ne devons pas douter de ce que d'autres animaux la ressentent eux aussi.

Les animaux peuvent ressentir la douleur. Comme nous l'avons vu précédemment, il est impossible de justifier moralement le fait de considérer la douleur (ou le plaisir) que ressentent les animaux comme moins importante que la même quantité de douleur (ou de plaisir) ressentie par un humain. Mais quelles conséquences pratiques découlent de cette conclusion ? Pour prévenir un malentendu, je vais expliquer un peu plus en détail ce que je veux dire.

Si je gifle vigoureusement un cheval sur son flanc, il sursautera peut-être, mais on peut penser qu'il n'en ressentira que peu de douleur. Sa peau est assez épaisse pour le protéger contre une simple claque. Mais si je donne la même gifle à un nourrisson humain, celui-ci pleurera et on peut supposer qu'il aura mal, car sa peau est plus sensible. Il est donc plus grave de donner une gifle à un nourrisson qu'à un cheval, si les deux coups sont de même force. Mais il doit y avoir une certaine façon de frapper un cheval – je ne sais pas exactement laquelle, peut-être faudrait-il un gros bâton – qui lui causerait autant de douleur que la gifle à un nourrisson. C'est là ce que j'entends par « même quantité de douleur », et si nous considérons qu'il est mal d'infliger sans raison valable cette quantité de douleur à un nourrisson humain alors nous devons, si nous ne sommes pas spécistes, considérer comme tout aussi mal d'infliger sans raison valable la même quantité de douleur à un cheval.

Il y a d'autres différences encore entre les humains et les animaux dont découleront d'autres complications. Un être humain adulte normal a des capacités mentales qui, dans certaines circonstances, l'amèneront à souffrir plus que ne souffrirait un animal dans les mêmes circonstances. Si par exemple nous décidions de conduire une expérience scientifique extrêmement douloureuse ou mortelle sur des humains adultes normaux, et que pour cela nous kidnappions des promeneurs au hasard dans les jardins publics, il en résulterait que les adultes qui aiment à s'y rendre éprouveraient la peur d'y être enlevés. Cette terreur constituerait une souffrance supplémentaire s'ajoutant à la douleur de l'expérience. La même expérience conduite sur des animaux non humains causerait moins de souffrance puisque eux ne connaîtraient pas l'appréhension d'être enlevés et soumis à l'expérience. Cela ne signifie bien sûr pas qu'il soit *justifié* de pratiquer cette expérience sur des animaux, mais seulement qu'il existe une raison *non spéciste* de préférer utiliser des animaux plutôt que des êtres humains adultes normaux, si tant est que réellement l'expérience devait être menée. Il faut noter, cependant, que ce même argument nous donne une raison de préférer utiliser pour les expériences des jeunes enfants humains – par exemple, des orphelins – ou des êtres humains attardés mentaux sévères, plutôt que des adultes normaux, car les jeunes enfants et les humains attardés eux non plus n'auraient aucune idée préalable de ce qui doit leur arriver. Du point de vue de cet argument, les animaux non humains d'une part et les jeunes enfants et les attardés mentaux de l'autre se trouvent dans la même catégorie ; et si nous utilisons cet argument pour justifier une certaine expérience sur des animaux non humains nous devons nous demander si nous sommes également prêts à autoriser cette même expérience sur de jeunes enfants humains ou des adultes attardés mentaux ; et si nous faisons à ce sujet une différence entre les animaux et ces êtres humains, sur quelle base pouvons-nous la fonder, si ce n'est sur un parti pris cynique – et moralement indéfendable – en faveur des membres de notre propre espèce ?

Il y a de nombreux domaines dans lesquels les aptitudes mentales supérieures de l'humain adulte normal – sa capacité à anticiper, à se souvenir de façon plus détaillée, à mieux connaître ce qui se passe, et ainsi de suite – sont la source d'une différence significative. Néanmoins celle-ci ne va pas toujours dans le sens d'une plus grande souffrance chez l'être humain normal. Parfois un animal souffrira davantage du fait de sa compréhension plus limitée. Si par exemple nous capturons un prisonnier en temps de guerre, nous pouvons lui expliquer qu'il doit se laisser arrêter, fouiller et emprisonner, mais que par ailleurs aucun mal ne lui sera fait et qu'il sera libéré à la fin des hostilités. Si par contre nous capturons un animal sauvage, nous ne pouvons lui expliquer que sa vie n'est pas menacée. Un animal sauvage ne peut faire la différence entre une tentative de le maîtriser pour le détenir et une tentative de le tuer ; sa terreur sera donc aussi grande dans les deux cas.

Certains objecteront qu'il est impossible de comparer valablement la souffrance d'espèces différentes et que par conséquent quand un conflit existe entre des intérêts d'animaux et des intérêts d'humains le principe d'égalité ne peut nous guider. Il est sans doute effectivement impossible de comparer avec précision la souffrance de membres d'espèces différentes, mais la précision n'est pas ici essentielle. Même si nous ne devions prévenir la souffrance infligée aux animaux que s'il est certain que leurs intérêts en seront beaucoup plus affectés que ceux des humains, nous serions obligés d'apporter à la façon dont nous les traitons des changements radicaux. Par exemple en modifiant notre régime alimentaire, les méthodes que nous utilisons en agriculture, les procédures expérimentales mises en œuvre dans de nombreux domaines scientifiques, notre attitude envers la faune sauvage et envers la chasse, le piégeage des animaux et le port de fourrure, et certains domaines récréatifs comme les cirques, les rodéos et les zoos. De ce fait serait évitée une somme énorme de souffrance.

Jusqu'à présent, j'ai dit beaucoup de choses au sujet du fait de faire souffrir les animaux, mais rien du fait de les tuer. Cette omission est délibérée. L'application du principe d'égalité au fait de faire souffrir est, du moins en théorie, assez directe. La douleur et la souffrance sont des choses mauvaises par elles-mêmes et elles doivent être prévenues ou minimisées, quels que soient la race, le sexe ou l'espèce de l'être qui souffre. La gravité d'une douleur dépend de son intensité et de sa durée, mais une douleur d'une intensité et d'une durée données est aussi grave, qu'elle soit ressentie par un humain ou par un animal.

Le problème de l'immoralité de l'acte de tuer est une question plus compliquée. Je l'ai maintenue jusqu'ici au second plan et je continuerai à le faire, parce que dans l'état actuel de la tyrannie que les humains exercent sur les autres espèces le principe plus simple et plus direct de la considération égale à donner à la douleur et au plaisir constitue une base suffisante pour identifier et dénoncer toutes les grandes formes d'abus que subissent les animaux de la part des humains. Néanmoins, il est nécessaire de dire quelque chose de cette question.

Tout comme la plupart des êtres humains sont spécistes dans leur propension à infliger de la douleur aux animaux alors qu'ils n'infligeraient pas une douleur semblable à un humain pour la même raison, de même sont-ils spécistes dans leur propension à tuer les autres animaux quand ils ne tueraient pas un être humain. Il nous faut néanmoins avancer ici plus prudemment parce que les gens tiennent des opinions fortement divergentes sur la question de savoir quand il peut être légitime de tuer un humain, comme l'attestent les débats que continuent à provoquer l'avortement et l'euthanasie. De plus, les spécialistes de philosophie morale eux non plus ne sont pas parvenus à s'accorder sur pourquoi il est mal de tuer un être humain, ni pour dire dans quelles circonstances il peut être justifiable de le faire.

Voyons d'abord la thèse selon laquelle il est toujours mal de prendre une vie humaine innocente. Nous pouvons appeler ce point de vue celui du « caractère sacré de la vie ». Ceux qui y adhèrent s'opposent à l'avortement et à l'euthanasie. Mais en général ils ne s'opposent pas au fait de tuer les animaux non humains – il serait donc sans doute plus juste de parler du point de vue du « caractère sacré de la vie *humaine* ». L'opinion selon laquelle cette vie-là, et elle seule, serait sacro-sainte, est une forme de spécisme. Pour le voir, considérons l'exemple suivant.

Supposons qu'un enfant ait été mis au monde avec, comme c'est parfois le cas, un cerveau affecté de lésions massives et irréversibles. L'atteinte est si profonde que l'enfant ne pourra jamais devenir plus qu'un « légume humain », incapable de parler, de reconnaître ses proches, d'agir indépendamment, ou de développer une conscience de soi-même. Les parents, comprenant qu'ils ne peuvent espérer d'amélioration dans l'état de leur enfant et ne voulant de toute façon pas dépenser ni faire dépenser à l'État les grandes sommes d'argent qui seraient nécessaires chaque année pour s'occuper correctement de lui, demandent au médecin de le tuer sans douleur.

Le médecin devrait-il accéder à cette demande ? Selon la loi, il ne le devrait pas, et sous ce rapport la législation reflète l'idée du caractère sacré de la vie.

La vie de tout être humain est sacrée. Pourtant, les gens qui tiennent ce langage à propos des enfants de cette sorte ne s'élèvent pas contre le fait de tuer les animaux non humains. Comment peuvent-ils justifier cette différence dans leurs jugements ? Les chimpanzés, les chiens, les porcs et les membres adultes de bien d'autres espèces dépassent de loin un tel enfant au cerveau endommagé du point de vue de leur capacité à entrer en relation avec autrui, à agir avec autonomie, à être conscients d'eux-mêmes, et de toute autre capacité qui pourrait raisonnablement être considérée comme donnant une valeur à la vie. Même avec les soins les plus intensifs, certains enfants gravement déficients ne pourront jamais atteindre le niveau d'intelligence d'un chien. Nous ne pouvons pas non plus invoquer le respect des sentiments des parents, puisque eux-mêmes, dans cet exemple imaginaire (et dans certains cas réels) ne veulent pas que l'on garde leur enfant en vie. La seule chose qui distingue cet enfant des animaux non humains, aux yeux des personnes qui lui attribuent un « droit à la vie », est son appartenance, au niveau biologique, à l'espèce *Homo sapiens*, espèce dont ne font pas partie les chimpanzés, les chiens et les porcs. Mais invoquer *cette différence-là* comme base pour accorder un droit à la vie à l'enfant sans en accorder aux autres animaux constitue, de toute évidence, du spécisme à l'état pur[15]. Il s'agit exactement du même genre de différence arbitraire dont le raciste le plus effronté et le moins dissimulé se sert pour tenter de justifier la discrimination raciale.

Cela ne veut pas dire que pour que notre position ne soit pas spéciste nous devons considérer qu'il est aussi grave de tuer un chien que de tuer un être humain en pleine possession de ses facultés. La seule position qui soit irrémédiablement spéciste est celle qui veut faire coïncider de façon exacte la limite du droit à la vie avec la frontière de notre propre espèce. C'est ce que font ceux qui adhèrent à la thèse du caractère sacré de la vie, parce qu'ils font une distinction marquée entre les êtres humains et les autres animaux, tout en n'admettant pas que l'on fasse de distinction quelle qu'elle soit au sein de notre propre espèce, s'opposant au fait de tuer les débiles profonds et les séniles incurables aussi vigoureusement qu'au fait de tuer les adultes normaux.

Pour éviter une attitude spéciste, nous devons admettre que des êtres semblables sous tous rapports pertinents ont un droit semblable à la vie – et le simple fait pour un être d'appartenir à la même espèce biologique que nous ne peut constituer un critère moralement pertinent pour l'attribution de ce droit. En restant dans ces limites, il demeure possible de soutenir, par exemple, qu'il est plus grave de tuer un humain adulte normal, doté d'une conscience de soi et capable de faire des projets d'avenir et d'entretenir des relations significatives avec autrui, qu'il ne l'est de tuer une souris, dont on peut penser qu'elle ne possède pas toutes ces caractéristiques ; ou alors nous pourrions faire intervenir les liens étroits qu'entretiennent les humains avec leur famille et leurs amis, et que n'entretiennent pas au même degré les souris ; ou aussi nous pourrions penser que ce sont les conséquences pour les autres humains, comme la peur qu'ils éprouveraient d'être eux-mêmes tués, qui constituent la différence décisive ; ou peut-être pourrions-nous faire intervenir une combinaison de ces facteurs, ou d'autres facteurs encore.

Quels que soient cependant les critères que nous voudrons retenir il nous faudra admettre qu'ils ne peuvent coïncider précisément avec la limite de notre propre espèce. Nous pouvons légitimement penser qu'en raison des caractéristiques que possèdent certains êtres leur vie a plus de valeur que celle d'autres êtres ; mais il existera certainement certains animaux non humains dont la vie, quels que soient les critères retenus, aura plus de valeur que celle de certains humains. Un chimpanzé, un chien ou un porc, par exemple, aura un degré plus élevé de conscience de soi et une plus grande capacité à entretenir des relations avec d'autres que n'en aura un jeune enfant gravement déficient ou une personne dans un état de sénilité avancé. Si donc nous fondons le droit à la vie sur ces caractéristiques-là, nous devons accorder à ces animaux un droit à la vie aussi fort, voire plus fort, qu'à de tels humains déficients ou séniles.

Cette argumentation peut s'interpréter dans les deux sens. On peut y voir la démonstration de ce que les chimpanzés, les chiens, les porcs et les membres de certaines autres espèces ont un droit à la vie, et que nous commettons toujours une grave faute morale si nous les tuons, même quand ils sont vieux, qu'ils souffrent et que notre intention est de mettre fin à leur malheur. À l'inverse, on peut vouloir en conclure que les déficients mentaux graves et les séniles incurables n'ont aucun droit à la vie et que nous sommes fondés à les tuer pour des raisons tout à fait futiles, comme nous tuons aujourd'hui les animaux.

Puisque le sujet principal de ce livre concerne les problèmes éthiques relatifs aux animaux et non la légitimité morale de l'euthanasie, je ne tenterai pas d'apporter à ce problème une réponse définitive[16]. Je pense néanmoins qu'il est raisonnablement clair que malgré leur caractère non spéciste aucun des deux points de vue décrits dans le paragraphe précédent n'est satisfaisant. Ce dont nous avons besoin, c'est de quelque position intermédiaire qui éviterait d'être spéciste sans pour autant donner à la vie des déficients mentaux et des séniles aussi peu de valeur que nous en donnons aujourd'hui à la vie des porcs et des chiens, sans rendre non plus la vie de ces derniers à tel point sacro-sainte que nous estimerions mal d'y mettre fin quand elle n'est que misère sans espoir. Ce que nous devons faire, c'est intégrer les animaux non humains dans notre sphère de préoccupations morales et cesser de voir en leurs vies des articles de consommation que nous serions fondés à sacrifier pour tout motif aussi futile soit-il. En même temps, quand nous aurons réalisé que l'appartenance d'un être à notre propre espèce ne constitue pas en elle-même une raison suffisante pour qu'il soit toujours mal de le tuer, nous en arriverons peut-être à reconsidérer la politique actuelle qui veut préserver la vie humaine à tout prix même dans les cas où il n'existe aucune perspective d'existence dotée d'un sens ou de vie sans terribles souffrances.

Je conclus, donc, que le rejet du spécisme n'implique pas que toutes les vies soient d'égale valeur. Alors que la conscience de soi, la capacité à réfléchir à l'avenir et à entretenir des espoirs et des aspirations, la capacité à nouer des relations significatives avec autrui, et ainsi de suite, sont des caractéristiques non pertinentes relativement au fait de faire souffrir – puisque la souffrance est la souffrance, quelles que soient les capacités, autres que la capacité à souffrir, dont dispose l'être en question – ces caractéristiques sont au contraire pertinentes quand se pose le problème de tuer. Il n'est pas arbitraire de soutenir que la vie d'un être possédant conscience de soi, capable de penser abstraitement, d'élaborer des projets d'avenir, de communiquer de façon complexe, et ainsi de suite, a plus de valeur que celle d'un être qui n'a pas ces capacités. Pour bien saisir la différence qui existe entre la question de faire souffrir et celle de tuer, nous pouvons considérer comment nous choisirions d'agir dans un cas concernant deux membres de notre propre espèce. Si nous devions choisir de sauver la vie soit d'un humain normal soit d'un humain handicapé mental, nous choisirions probablement de sauver la vie du premier ; mais si nous devions choisir de faire cesser la douleur soit chez un humain normal soit chez un humain handicapé mental – si par exemple tous deux souffrent de blessures douloureuses mais superficielles, sans que nous ne disposions d'assez d'analgésique pour les deux – il est loin d'être aussi simple d'opérer un choix. Cela reste vrai si nous considérons d'autres espèces. Le mal que représente la douleur est en lui-même indépendant des autres caractéristiques de l'être qui la ressent ; la valeur de la vie, elle, est affectée par ces autres caractéristiques. Pour ne citer qu'une seule raison à cette différence, si nous ôtons la vie à un être qui entretient des espoirs d'avenir, qui fait des projets et qui travaille à les faire aboutir, nous le privons de l'accomplissement de tous ces efforts ; si nous ôtons la vie à un être dont la capacité mentale est en dessous du niveau nécessaire pour se concevoir comme individu doté d'un avenir – et donc *a fortiori* incapable de faire des projets – cet acte ne peut pas entraîner cette sorte de perte[17].

Cela signifiera en général que s'il nous faut choisir entre la vie d'un être humain et celle d'un autre animal nous devons sauver celle de l'humain ; mais il peut y avoir des cas particuliers où l'inverse sera vrai, quand l'être humain en question ne possède pas les capacités d'un humain normal. Cette position n'est donc pas spéciste, bien qu'elle puisse le sembler à première vue. La préférence donnée, dans les cas normaux, quand il *faut* faire un choix, à la vie d'un humain sur celle d'un animal, est une préférence fondée sur les caractéristiques que possèdent les humains normaux, et non sur leur simple appartenance à la même espèce que nous. C'est pourquoi lorsqu'il s'agit de membres de notre espèce qui ne possèdent pas les caractéristiques des humains normaux nous ne pouvons plus dire que leur vie doit toujours avoir priorité sur celle d'autres animaux. Ce problème apparaît en termes pratiques dans le prochain chapitre. En général, cependant, la question de savoir quand il est moralement injustifié de tuer (sans douleur) un animal est de celles auxquelles nous n'avons pas besoin de donner une réponse précise. Aussi longtemps que nous garderons à l'esprit que nous devons respecter la vie d'un animal autant que la vie d'un être humain de niveau mental comparable, nous ne nous tromperons pas de beaucoup[18].

En tout état de cause, pour défendre les conclusions qui sont argumentées dans ce livre le principe de réduction maximale de la souffrance suffit. L'idée qu'il est mal, également, de tuer les animaux sans douleur apporte à certaines de ces conclusions un appui qui est bienvenu sans être du tout nécessaire. Il est à noter que cela est également vrai de la conclusion selon laquelle nous devons devenir végétariens, bien que le végétarisme soit généralement lié dans l'esprit populaire à une forme ou une autre d'interdiction absolue de tuer.

À l'esprit du lecteur seront peut-être venues certaines objections contre la position que j'adopte dans ce chapitre. Ainsi, que doit-on faire face aux animaux qui peuvent nuire aux êtres humains ? Et devons-nous tenter d'empêcher les animaux de se tuer les uns les autres ? Comment savons-nous que les plantes ne peuvent ressentir la douleur, et si elles la ressentent, devons-nous nous laisser mourir de faim ? Pour éviter d'interrompre le cours principal de l'argumentation j'ai choisi de réunir ces questions et d'autres encore dans un chapitre séparé, et le lecteur impatient de recevoir une réponse à ses objections peut se reporter directement au chapitre VI.

Les deux prochains chapitres explorent chacun un exemple du spécisme traduit en actes. Je me suis limité à deux exemples afin de disposer de suffisamment de place pour pouvoir les traiter de façon raisonnablement approfondie, tout en sachant que cette restriction implique qu'on ne trouvera dans ce livre aucune discussion des autres pratiques qui n'existent que parce que nous ne prenons pas au sérieux les intérêts des autres animaux – ainsi en est-il de la chasse, pour le loisir ou pour la fourrure ; de l'élevage des visons, renards et autres animaux pour leur fourrure ; de la capture des animaux sauvages (précédée souvent de l'abattage de leur mère) destinés à être emprisonnés dans des cages exiguës et exhibés au regard des humains ; des sévices que l'on fait subir aux animaux pour les dresser à accomplir des numéros de cirque ou pour amuser le public des rodéos ; de l'abattage des baleines à l'aide de harpons explosifs sous couvert de recherche scientifique ; de la pêche au thon qui amène plus de 100 000 dauphins à se noyer chaque année dans les filets que posent les bateaux ; de l'abattage de trois millions de kangourous chaque année dans l'arrière-pays australien pour en faire du cuir et des aliments pour chats et chiens ; et de la façon dont généralement nous ne tenons aucun compte des intérêts des animaux sauvages à mesure que nous étendons notre empire de béton et de pollution sur la surface du globe.

Je ne dirai rien ou presque de ces pratiques, parce que comme je l'ai indiqué dans la préface à cette deuxième édition, ce livre n'est pas un inventaire de toutes les choses désagréables que nous faisons aux animaux. J'ai choisi de traiter plutôt deux illustrations centrales des applications du spécisme. Ces exemples ne sont pas des cas isolés de sadisme, mais au contraire des procédés qui touchent chaque année, dans le premier cas, des dizaines de millions d'animaux, et dans le second, des milliards d'animaux. Nous ne pouvons, non plus, prétendre ne pas être concernés par ces pratiques. La première, celle de l'expérimentation animale, est soutenue par le gouvernement que nous élisons et financée en grande partie par les impôts que nous payons. La seconde, l'élevage des animaux pour notre alimentation, n'est possible que parce que la plupart des gens achètent et mangent les produits qui en sont issus. C'est pour ces raisons que j'ai choisi de discuter de ces pratiques plutôt que d'autres. Elles se trouvent au cœur du spécisme. Elles sont cause d'une plus grande quantité de souffrance infligée à un plus grand nombre d'animaux que ne l'est toute autre activité humaine. Pour les faire cesser, nous devons changer la politique de nos gouvernements, et aussi notre propre vie, puisque nous devons changer notre alimentation. S'il est possible d'abolir ces formes de spécisme officiellement encouragées et presque universellement acceptées, alors l'abolition des autres pratiques spécistes ne pourra guère tarder.

CHAPITRE II

Outils de recherche...

Vos impôts à l'œuvre

Project X, un film grand public sorti en 1987, fut pour beaucoup d'Américains l'occasion de leur premier aperçu des expériences sur animaux que conduisent leurs propres forces armées. L'intrigue du film porte sur une expérience menée par l'Armée de l'air dans le but de déterminer si des chimpanzés pourraient continuer à « piloter » un dispositif simulant un avion après qu'ils auraient été irradiés. Un jeune cadet de l'Armée de l'air, de garde au laboratoire, finit par s'attacher à l'un des chimpanzés, avec qui il peut communiquer par langage gestuel. Quand vient le tour de ce sujet de subir l'exposition aux rayonnements, le jeune homme (aidé, bien sûr, de sa jolie petite amie) décide de libérer les chimpanzés.

L'intrigue du film était fictive, mais les expériences ne l'étaient pas. Elles se fondaient sur des expériences qui ont été menées pendant de nombreuses années à la base aérienne de Brooks, au Texas, et dont certaines variantes se poursuivent encore. Les spectateurs n'ont cependant pas vu toute l'histoire. Ce qui arrive aux chimpanzés dans le film est une version très adoucie de la réalité. Nous devons donc considérer les expériences réelles, telles qu'elles sont décrites dans les documents publiés par la base aérienne de Brooks.

Comme l'indique le film, les expériences se font à l'aide d'une sorte de simulateur de vol, dispositif appelé « plate-forme d'équilibre pour primates », ou PEP. Il s'agit d'une plate-forme capable de reproduire les mouvements de tangage et de roulis d'un avion. Sur chaque plate-forme est fixée une chaise, sur laquelle est assis le singe. Devant lui se trouve un levier de contrôle, qui lui permet de ramener la plate-forme en position horizontale. Après un apprentissage au cours duquel ils apprennent à utiliser ce levier, les singes sont exposés à des radiations et à des armes chimiques, pour déterminer dans quelle mesure cela affectera leur capacité à piloter *(voir la photographie de la plate-forme d'équilibre pour primates).*

La procédure normalisée d'apprentissage sur PEP est décrite dans une publication de la base aérienne de Brooks, intitulée « Procédure d'apprentissage pour la plate-forme d'équilibre pour primates [1] ». En voici un résumé :

Phase I (adaptation à la chaise) : Les singes sont « retenus » (en d'autres termes, attachés) dans la chaise d'une PEP pendant une heure par jour, durant cinq jours, jusqu'à ce qu'ils s'y tiennent tranquillement.

Phase II (adaptation au levier de commande) : Les singes sont retenus dans leur chaise sur les PEP. On bascule alors les plates-formes vers l'avant et on donne aux singes des chocs électriques. Ils réagissent en « se retournant dans la chaise ou en mordant la plate-forme [...] On réoriente ce comportement vers la main gantée [de l'expérimentateur] qui est placée directement au-dessus du levier de commande ». Le contact avec la main fait cesser les chocs électriques, et le singe (qui n'a pas été nourri ce jour-là) reçoit un raisin sec. Cette procédure est répétée cent fois par jour sur chaque singe, pendant de cinq à huit jours.

Phase III (manipulation du levier de commande) : Maintenant, lorsque la chaise est basculée vers l'avant,

À la base aérienne de Brooks au Texas, des singes sont attachés sur une plate-forme mobile et soumis à des chocs électriques jusqu'à ce qu'ils apprennent à maintenir leur siège horizontal en agissant sur un levier simulant le « manche à balai » des bombardiers de l'armée de l'air. Les singes sont ensuite gazés ou irradiés afin de déterminer pendant combien de temps ils peuvent encore « piloter » dans des conditions qui simulent une attaque chimique ou nucléaire. *(D.R.)*

le simple contact avec le levier ne suffit plus à faire cesser les chocs électriques. Les singes continuent à en recevoir jusqu'à ce qu'ils tirent le levier vers l'arrière. L'opération est répétée cent fois par jour.

Phases IV-VI (pousser et tirer sur le levier) : Durant ces phases, les PEP sont basculées vers l'arrière et les singes reçoivent des chocs électriques jusqu'à ce qu'ils poussent le levier vers l'avant. Les PEP sont ensuite basculées vers l'avant et ils doivent à nouveau apprendre à tirer le levier vers l'arrière. Cela est répété cent fois par jour. Ensuite, on fait basculer la plate-forme de façon aléatoire vers l'arrière ou vers l'avant, et les singes reçoivent encore des chocs jusqu'à ce qu'ils fournissent la réponse appropriée.

Phase VII (le levier devient opérationnel) : Dans les phases précédentes, le fait pour les singes de tirer et de pousser sur le levier n'affecte pas la position de la plate-forme. Maintenant, le singe contrôle cette position en actionnant le levier. Au cours de cette phase les chocs ne sont plus administrés automatiquement. Ils sont distribués manuellement environ toutes les trois ou quatre secondes pendant une demi-seconde. Cette cadence est plus lente qu'au cours des phases précédentes, afin d'éviter de punir le comportement approprié et de provoquer alors son « extinction », pour employer le jargon du manuel. S'il arrive que le singe cesse d'agir comme voulu, l'entraînement reprend à la phase VI. Sinon, il se poursuit dans cette phase jusqu'à ce que le singe réussisse à maintenir la plate-forme presque à l'horizontale et à éviter 80 % des chocs. Le temps total d'entraînement dans les phases III à VII est de dix à douze jours.

Après cette période, l'entraînement se poursuit pendant vingt jours encore. Au cours de cette période supplémentaire, un dispositif aléatoire sert à faire tanguer et rouler la chaise avec une violence accrue, mais le singe doit continuer à la ramener à l'horizontale avec la même efficacité, sous peine de recevoir de fréquents chocs électriques.

Tout cet apprentissage, qui fait intervenir des milliers de chocs électriques, n'est que le préliminaire à l'expérience elle-même. Lorsque les singes en sont arrivés à maintenir régulièrement la plate-forme à l'horizontale la plus grande partie du temps, on les expose à des doses létales ou sublétales de rayonnements ou à des produits de guerre chimique pour observer combien de temps ils pourront continuer à « piloter » la plate-forme. C'est ainsi que les singes, nauséeux et vomissant sans doute en raison de leur exposition à une dose mortelle de rayonnements, se voient forcés à essayer de maintenir leur plate-forme horizontale, et reçoivent, s'ils n'y arrivent pas, de fréquents chocs électriques.

Voici un exemple, extrait d'un rapport de l'École de médecine aérospatiale de l'armée de l'air des États-Unis, rapport publié en octobre 1987 – après la sortie du film *Project X*[2]. Le rapport s'intitule « Performance d'équilibre des primates après exposition au soman : effets de l'exposition quotidienne répétée à de faibles doses de soman ». Le soman est le nom d'un gaz neurotoxique qui fut utilisé comme arme chimique et qui causa d'atroces souffrances aux soldats au cours de la Première Guerre mondiale, mais qui ne servit heureusement que très peu comme arme chimique depuis. Le rapport fait d'abord référence à plusieurs études précédentes de la même équipe qui analysaient les effets d'une « exposition aiguë au soman » sur la performance des primates dans la plate-forme d'équilibre. Ce rapport-ci traite cependant des effets de faibles doses reçues au long d'une période de plusieurs jours. Les singes choisis pour l'expérience avaient manœuvré la plate-forme « au moins une fois par semaine » pendant un minimum de deux ans et avaient auparavant déjà reçu diverses drogues ainsi que de faibles doses de soman, mais n'avaient rien reçu au cours des six semaines précédentes.

Les expérimentateurs calculèrent les doses de soman capables de réduire l'aptitude des singes à manœuvrer la plate-forme. Pour que l'on puisse faire ce calcul, il fallait évidemment que des singes reçoivent des chocs électriques en raison de leur incapacité à maintenir la plate-forme à l'horizontale. Bien que le rapport se concentre principalement sur l'influence du poison neurotoxique sur le niveau de performance des singes, il n'en donne pas moins un aperçu des autres effets des armes chimiques : « Le sujet perdit toute capacité le jour suivant la dernière exposition, manifestant des symptômes neurologiques comme la perte sévère de la coordination des gestes, la faiblesse, et le tremblement de l'intention [...] Ces symptômes persistèrent plusieurs jours, au cours desquels l'animal demeura incapable d'accomplir la tâche représentée par la PEP[3]. »

Pendant plusieurs années le Dr Donald Barnes fut chercheur principal à l'École de médecine aérospatiale de l'armée de l'air des États-Unis et chargé des expériences faites sur la plate-forme d'équilibre pour primates à la base aérienne de Brooks. Il estime avoir irradié après apprentissage environ mille singes au cours des années où il occupait cette fonction. Il a écrit par la suite :

> Pendant quelques années, j'avais entretenu des doutes à propos de l'utilité des données que nous étions en train de rassembler. J'ai fait quelques tentatives symboliques pour m'assurer de la destination et du but des rapports techniques que nous produisions mais j'admets aujourd'hui l'empressement dont je faisais preuve à me laisser convaincre par mes supérieurs quand ils m'assuraient que nous rendions, en fait, un réel service à l'armée de l'air des États-Unis et, par conséquent, à la défense du monde libre. Je me servais de ces assurances comme œillères pour éviter la réalité de ce que je voyais sur le terrain, et

bien qu'elles me fussent parfois inconfortables, elles ont effectivement réussi à me protéger des insécurités associées à la perte possible de statut et de revenu...

Puis, un jour, les œillères sont tombées, et je me suis retrouvé dans une discussion très vive avec le Dr Roy DeHart, commandant de l'École de médecine aérospatiale de l'armée de l'air des États-Unis. J'ai tenté de faire ressortir qu'en cas de guerre nucléaire, il serait fort peu probable que les commandants opérationnels aillent chercher les tableaux et les chiffres basés sur les données venant d'expériences sur le singe rhésus, dans le but d'en tirer une prévision de la puissance probable de leurs forces ou de leur capacité de riposte nucléaire. Le Dr DeHart insista sur le fait que ces résultats avaient une valeur inestimable, en affirmant : « Ils ne savent pas que ces données proviennent de recherches sur animaux[4]. »

Barnes démissionna et devint par la suite un adversaire décidé de l'expérimentation animale ; mais les expériences avec la plate-forme d'équilibre se sont poursuivies.

Project X a levé le voile sur un certain type d'expériences que réalisent les militaires. Nous avons examiné celui-ci quelque peu en détail, encore qu'il faudrait beaucoup de temps pour décrire toutes les formes de rayonnement et d'agents de guerre chimique qui ont été testées, à des doses variables, sur des singes manœuvrant la plate-forme d'équilibre pour primates. Ce que nous devons maintenant saisir est qu'il ne s'agit là que d'une très petite part de l'ensemble de l'expérimentation militaire sur animaux. La préoccupation au sujet de cette expérimentation remonte à plusieurs années.

En juillet 1973, Les Aspin, député du Wisconsin, apprit par l'intermédiaire d'une annonce parue dans un obscur journal que l'armée de l'air des États-Unis projetait d'acheter deux cents chiots beagles, avec les cordes vocales liées pour les empêcher d'aboyer normalement, pour effectuer des tests de gaz toxiques. On apprit un peu plus tard que l'Armée de terre se proposait elle aussi d'utiliser des beagles – quatre cents cette fois – pour le même genre de tests.

Aspin entreprit une vigoureuse campagne de protestation, avec le soutien d'associations antivivisectionnistes. Des annonces furent placées dans les grands journaux à travers tout le pays. Du public commença à arriver un flot de lettres scandalisées. Un employé du Comité des forces armées de la Chambre des représentants déclara que ce comité avait reçu plus de courrier à propos des beagles que sur tout autre sujet depuis que Truman avait mis à la porte le général MacArthur, tandis qu'une note interne du ministère de la Défense qu'Aspin rendit publique disait que le volume de courrier reçu par ce ministère était le plus important jamais reçu à propos d'un événement donné, surpassant même celui concernant les bombardements du Vietnam du Nord et du Cambodge[5]. Le ministère de la Défense commença par justifier ces expériences, puis annonça qu'il les suspendait et examinait la possibilité de remplacer les beagles par d'autres animaux expérimentaux.

Tout cela constituait un incident curieux – curieux parce que le déchaînement de fureur publique au sujet de cette expérience particulière impliquait une remarquable ignorance quant à la nature des expériences réalisées de façon routinière par les forces armées, par les centres de recherche, les universités et toutes sortes d'entreprises privées. Il est vrai, bien sûr, que les expériences projetées par l'Armée de l'air et l'Armée de terre étaient conçues d'une façon telle qu'un grand nombre d'animaux allaient souffrir et mourir sans qu'il y ait la moindre certitude que ces souffrances et ces morts pourraient sauver une seule vie humaine ou apporteraient un bénéfice quelconque aux humains ; mais on peut dire la même chose à propos de millions d'autres expériences réalisées chaque année dans les seuls États-Unis. La réaction du public fut peut-être due au fait que les sujets des expériences projetées étaient des chiens. Si tel est le cas, pourquoi n'y a-t-il eu aucune protestation contre l'expérience suivante, réalisée plus récemment.

Sous la direction du Laboratoire de recherche et de développement de bioingénierie médicale de l'armée de terre des États-Unis à Fort Detrick, à Frederick dans le Maryland, des chercheurs administrèrent diverses doses de l'explosif TNT à soixante beagles. Ceux-ci reçurent le produit oralement sous forme de capsules tous les jours pendant six mois. Les symptômes observés comprenaient : la déshydratation, la maigreur, l'anémie, la jaunisse, l'abaissement anormal de la température corporelle, la décoloration de l'urine et des selles, la diarrhée, la perte d'appétit et de poids et l'hypertrophie du foie, des reins et de la rate ; les chiens perdirent la coordination de leurs mouvements. Une femelle fut « trouvée à l'état moribond » au cours de la semaine 14 et fut tuée ; une autre trouvée morte au cours de la semaine 16. Le rapport indique que l'expérience représente « une portion » des données que le laboratoire de Fort Detrick rassemble concernant les effets du TNT sur les mammifères. Parce que même les doses les plus faibles de TNT provoquaient des lésions, l'étude ne fut pas en mesure d'indiquer la quantité de TNT sans effets observables ; par conséquent, le rapport conclut que « des recherches supplémentaires [...] sur les effets du TNT sur les beagles seraient peut-être justifiées [6] ».

De toute façon, il est injuste de limiter notre préoccupation aux chiens. Les gens ont tendance à se soucier des chiens parce qu'ils en ont généralement une meilleure connaissance en tant que compagnons ; mais d'autres animaux sont tout aussi capables de souffrir. Peu de gens éprouvent de la sympathie pour les rats. Pourtant, les rats sont des animaux intelligents, et il est hors de doute qu'ils sont capables de souffrir et souffrent effectivement en raison des innombrables expériences douloureuses dont ils sont l'objet. Si l'Armée de terre devait décider de cesser d'expérimenter sur les chiens et d'employer des rats à la place, cela ne devrait pas nous amener à moins nous en préoccuper.

Certaines des pires expériences militaires ont lieu à un certain « AFRRI », ou Institut de recherche en radiobiologie des Forces armées, à Bethesda dans le Maryland. Là, les chercheurs, plutôt que d'utiliser une plate-forme d'équilibre pour primates, ont attaché des animaux à des chaises et les ont irradiés, ou leur ont appris à appuyer sur des leviers pour observer ensuite l'effet de l'irradiation sur leur efficacité. Ils ont également entraîné des singes à courir dans une « roue d'activité », sorte de grand cylindre semblable à la roue où s'exercent les hamsters en cage (*Voir la photographie*). Les singes reçoivent des chocs électriques lorsqu'ils ne maintiennent pas la roue en mouvement à une vitesse supérieure à 1 mile par heure (1,6 km/h).

Dans une expérience avec la roue d'activité pour primates, Carol Franz du Département des sciences du comportement de l'AFRRI entraîna trente-neuf singes pendant neuf semaines, à raison de deux heures par jour, jusqu'à ce qu'ils réussissent à alterner des périodes de travail et de repos pendant six heures d'affilée. Les singes furent ensuite soumis à des doses variables de rayonnement. Ceux qui avaient reçu les doses les plus fortes vomirent jusqu'à sept fois. On les remit alors dans la roue d'activité pour mesurer l'effet de l'irradiation sur leur capacité à « travailler ». Au cours de cette période, si un singe ne déplaçait pas la roue pendant une minute, « l'intensité du choc était portée à 10 mA ». (C'est là un choc électrique extrêmement puissant, même d'après les normes tout à fait exagérées de l'expérimentation animale aux États-Unis ; il doit en résulter une douleur très intense.) Certains singes

Ce macaque rhésus est confiné dans un cylindre rotatif à l'Institut de recherches radiobiologiques des Forces armées à Bethesda dans le Maryland aux États-Unis. Cet institut conduit des recherches militaires sur les effets de doses létales de rayons gamma et neutroniques. Les singes sont amenés au moyen d'un entraînement par chocs électriques à tourner dans la roue à une vitesse comprise entre 2 et 8 km à l'heure. L'entraînement dure huit semaines, après quoi ils sont irradiés et replacés dans la roue pour y courir jusqu'à leur mort. Il s'agit de comparer la performance de chaque individu avant et après l'irrradiation létale. *(Photo Henri Spira).*

continuèrent à vomir dans la roue d'activité. Franz rapporte l'effet des diverses doses de radiation sur la capacité au travail. Le rapport indique en outre qu'il fallut aux singes irradiés entre un jour et demi et cinq jours pour mourir[7].

Comme je ne désire pas consacrer ce chapitre entier à la description d'expériences réalisées par les forces armées des États-Unis, je vais maintenant me tourner vers l'expérimentation non militaire (nous examinerons toutefois en passant encore une ou deux expériences militaires lorsque cela éclairera d'autres sujets). En attendant, j'espère que les contribuables des États-Unis, quelle que soit leur opinion sur le volume que devrait avoir le budget de l'armée, se demanderont : « Est-ce là ce que je désire que les Forces armées fassent de mon argent ? »

Nous ne devons pas, bien entendu, porter un jugement sur toute l'expérimentation animale d'après les seules expériences que je viens de décrire. Les Forces armées, peut-on penser, sont endurcies et insensibilisées à la souffrance par l'attention qu'elles portent à la guerre, aux blessures et à la mort. La recherche scientifique authentique sera sûrement bien différente, n'est-ce pas ? C'est ce que nous allons voir. Pour débuter notre examen de la recherche scientifique non militaire, je vais laisser la parole au professeur Harry F. Harlow lui-même. Le professeur Harlow, qui a travaillé au Centre de recherche sur les primates à Madison dans le Wisconsin, fut directeur pendant de nombreuses années d'une des principales revues de psychologie, et jouit jusqu'à sa mort, il y a peu, d'une haute réputation auprès de ses collègues chercheurs en psychologie. Son travail a été cité avec approbation dans de nombreux manuels de base de psychologie lus par des millions d'étudiants inscrits à des cours d'introduction à cette discipline au cours des vingt dernières années. La ligne de recherche dont il fut l'instigateur a été poursuivie après sa mort par ses associés et anciens élèves.

Dans un article paru en 1965, Harlow décrit son travail ainsi : « Au cours des dix dernières années nous avons étudié les effets de l'isolement social partiel en élevant des singes dès la naissance dans des cages grillagées vides [...] Ces singes souffrent de privation maternelle totale [...] Plus récemment nous avons entrepris une série d'études sur les effets de l'isolement social total en élevant des singes depuis quelques heures après leur naissance jusqu'à l'âge de trois, six ou douze mois dans [une] chambre en acier inoxydable. Au cours de la sentence prescrite dans ce dispositif, le singe n'a aucun contact avec un animal, humain ou sous-humain. »

Par ces études, poursuit Harlow, on a trouvé que : « Un isolement précoce suffisamment sévère et prolongé réduit ces animaux à un niveau socio-émotionnel dans lequel le mode de réaction sociale de base est la peur[8]. »

Dans un autre article, Harlow et un de ses anciens étudiants devenu son associé, Stephen Suomi, ont rapporté leurs tentatives de rendre psychopathes des singes nourrissons au moyen d'une technique qui ne semblait pas marcher. Ils reçurent alors la visite de John Bowlby, un psychiatre britannique. Harlow raconte que Bowlby, après avoir écouté le récit de leurs difficultés, visita le laboratoire du Wisconsin, et, ayant vu les singes maintenus individuellement dans des cages métalliques vides, demanda : « Pourquoi essayez-vous de provoquer une psychopathologie chez les singes ? Vous avez déjà dans ce laboratoire plus de singes psychopathes qu'on n'en a jamais vu à la surface de la terre[9]. »

Bowlby, soit dit en passant, était un des chercheurs les plus réputés sur les conséquences de la privation maternelle, mais ses recherches étaient conduites sur des enfants, principalement des orphelins de guerre, des réfugiés, et des enfants internés. Dès 1951, avant que Harlow n'ait même commencé ses recherches sur des primates non humains, Bowlby avait conclu : « Nous avons passé en revue les données disponibles. La conclusion que nous avançons est que ces données sont aujourd'hui telles qu'elles ne laissent pas de place au doute quant à la proposition générale selon laquelle la privation prolongée de l'attention maternelle peut avoir chez le jeune enfant des effets graves et de grande portée sur son caractère et par là sur l'ensemble de sa vie future[10]. »

Ce qui n'a pas dissuadé Harlow et ses collègues de concevoir et de réaliser leurs expériences sur les singes.

Dans ce même article où ils parlent de la visite de Bowlby, Harlow et Suomi décrivent comment ils eurent la « fascinante idée » d'induire la dépression en « permettant à des bébés singes de s'attacher à de fausses mères en peluche qui pourraient se transformer en monstres » :

> Le premier de ces monstres était une mère singe en tissu qui, à intervalles réguliers ou sur demande, éjectait de l'air comprimé sous haute pression. La peau de l'animal s'en trouvait presque arrachée. Que faisait alors le bébé singe ? Tout ce qu'il faisait était de s'agripper plus fort encore à la mère, parce qu'un bébé effrayé s'agrippe à tout prix à sa mère. Nous ne réussîmes pas à induire de psychopathologie.
>
> Cependant nous ne renonçâmes pas. Nous fabriquâmes un autre substitut maternel monstrueux qui tanguait si violemment qu'on entendait claquer les dents et la tête du bébé. Le bébé ne fit rien d'autre que de se cramponner toujours plus fort au substitut. Le troisième monstre que nous fabriquâmes renfermait un cadre métallique qui jaillissait brusquement et éjectait le nourrisson de sa surface ventrale. Celui-ci alors se relevait, attendait que le cadre retourne à l'intérieur du corps de tissu, et s'agrippait à nouveau au substitut. Enfin, nous fabriquâmes notre mère

> porc-épic. Sur commande, cette mère éjectait des piques acérées en laiton de toute la surface ventrale de son corps. Bien que les nourrissons fussent affligés par ces rebuffades piquantes, ils attendaient simplement que les piques rentrent pour retourner s'agripper à la mère.

Ces résultats, notent les expérimentateurs, n'étaient pas tellement étonnants, puisque le seul recours qu'a un enfant en détresse est de se cramponner à sa mère.

Harlow et Suomi finirent par abandonner leurs expériences avec des monstres maternels artificiels parce qu'ils avaient trouvé mieux : une vraie mère singe qui serait un monstre. Pour produire ce genre de mères, ils élevèrent des singes femelles dans l'isolement, puis essayèrent de les rendre enceintes. Malheureusement ces femelles n'avaient pas de relations sexuelles normales avec les mâles, de sorte qu'il fallut employer un dispositif que Harlow et Suomi désignent par l'expression « cadre à viol » (*rape rack*). Après la naissance des bébés les expérimentateurs observèrent les singes. Ils trouvèrent que certaines mères tout simplement ignoraient leur bébé, s'abstenant de le consoler en le dorlotant sur leur sein lorsqu'il pleurait comme le font les mères singes normales lorsqu'elles entendent les cris de leur bébé. L'autre modèle de comportement observé était différent : « Les autres singes étaient brutaux ou meurtriers. Un de leurs tours favoris consistait à écraser de leurs dents le crâne de l'enfant. Mais le modèle comportemental qui rendait vraiment malade à voir consistait à écraser le visage du bébé contre le sol, pour ensuite le broyer d'un mouvement de va-et-vient[11]. »

Dans un article datant de 1972, Harlow et Suomi disent que puisque la dépression chez les humains a été caractérisée comme comportant « un état d'impuissance et de désespérance, noyé au fond d'un puits de désespoir », ils avaient conçu « sur une base intuitive » un dispositif pour reproduire un tel « puits de désespoir » tant sur le plan physique que psychologique. Ils fabriquèrent une enceinte verticale dotée de parois en acier inoxydable qui s'inclinaient vers l'intérieur pour former un fond arrondi destiné à recevoir un jeune singe pendant une période pouvant aller jusqu'à quarante-cinq jours. Ils observèrent qu'après quelques jours d'un tel enfermement, les singes « passent la majeure partie de leur temps pelotonnés dans un coin de la chambre ». L'enfermement provoquait des « comportements psychopathologiques sévères et durables de nature dépressive ». Neuf mois encore après leur sortie, les singes restaient assis les bras serrés autour du corps au lieu de se mouvoir et d'explorer leur environnement comme le font les singes normaux. Mais le rapport se termine de façon peu concluante et inquiétante : « Pour ce qui est de savoir si [les résultats] sont spécifiquement liés à des variables telles que la forme ou la taille de la chambre, la durée de l'enfermement, l'âge au moment de l'enfermement ou, plus vraisemblablement, à une combinaison de variables incluant celles-ci et d'autres, cela reste l'objet de recherches supplémentaires [12]. »

Un autre article explique comment Harlow et ses collègues, en plus d'un « puits de désespoir », créèrent un « tunnel de terreur » pour produire des singes terrifiés [13], et dans un autre rapport encore Harlow décrit comment il réussit à « induire la mort psychologique chez des singes rhésus » en leur fournissant des « mères substitutives » couvertes de tissu-éponge maintenu normalement à une température de 37 °C mais pouvant être refroidi rapidement à 2 °C pour simuler une forme de rejet maternel [14].

Aujourd'hui Harlow est mort, mais ses étudiants et admirateurs se sont propagés à travers les États-Unis et continuent à effectuer des expériences de même veine. John P. Capitanio, sous la direction d'un des anciens étudiants de Harlow, W. A. Mason, a conduit des expériences de privation au Centre californien de recherche sur les primates, à l'université de Californie à Davis. Dans ces expériences, Capitanio a comparé le comportement social de singes rhésus « élevés » par un chien avec celui de singes « élevés » par un cheval en plastique. Il en conclut que « bien que les membres des deux groupes [fussent] clairement anormaux dans l'étendue de leurs interactions sociales », les singes élevés auprès du chien s'en tiraient mieux que ceux élevés auprès du jouet en plastique [15].

Après avoir quitté le Wisconsin, Gene Sackett poursuivit ses études de privation au Centre de primatologie de l'université de Washington. Sackett a élevé des singes rhésus, des macaques couronnés et des macaques maimons en isolement total pour étudier les différences au niveau de leurs comportements personnel, social et exploratoire. Il observa des différences entre espèces, différences qui « remettent en question le caractère général du "syndrome d'isolement" parmi les différentes espèces de primates ». S'il existe des différences même entre espèces voisines de singes, la généralisation des singes aux êtres humains doit être bien plus discutable encore [16].

Martin Reite, de l'université du Colorado, effectua des expériences de privation sur des macaques bonnet chinois et sur des macaques couronnés. Il était conscient de ce que les observations de Jane Goodall sur les chimpanzés sauvages orphelins rapportaient « de graves troubles du comportement, avec de la tristesse ou des modifications affectives dépressives parmi leurs composantes majeures ». Mais comme « parmi les recherches sur les singes, peu a été publié concernant la séparation expérimentale chez les singes anthropomorphes (grands singes) », Reite et d'autres expérimentateurs décidèrent d'étudier sept bébés chimpanzés qui avaient été séparés de leur mère à la naissance et élevés dans un environnement de crèche. Après des périodes de sept à dix mois, certains des bébés furent placés en chambre d'isolement pendant cinq jours. Les bébés isolés hurlaient, se roulaient, et se lançaient contre les murs de la chambre. Reite en conclut que « l'isolement chez les jeunes chimpanzés peut s'accompagner de changements comportementaux prononcés » mais nota que (vous l'avez deviné) d'autres recherches étaient nécessaires[17].

Depuis que Harlow commença ses études sur la privation maternelle il y a une trentaine d'années, plus de 250 expériences de ce type ont eu lieu aux États-Unis. Plus de sept mille animaux ont de ce fait subi des procédures induisant la détresse, le désespoir, l'angoisse, la dévastation psychologique générale et la mort. Comme le montrent certaines des citations rapportées ci-dessus, la recherche s'alimente maintenant elle-même. Reite et ses collègues ont mené des expériences sur les chimpanzés parce que relativement peu de travail expérimental avait été fait sur les singes anthropomorphes comparativement aux autres singes. Ils ne ressentaient, semble-t-il, aucun besoin de répondre à la question de base : pourquoi nous devrions faire au départ quelque expérience que ce soit de privation maternelle sur des animaux. Quant à justifier leurs expériences en affirmant qu'elles bénéficieraient aux êtres humains, ils ne l'ont même pas tenté. Le fait que nous disposions déjà d'une vaste gamme d'observations portant sur des chimpanzés devenus orphelins dans la nature semble ne pas les avoir intéressés. Leur attitude était claire : cela a été fait aux animaux d'une espèce, mais pas à ceux d'une autre, donc faisons-le leur. La même attitude se répète constamment partout dans les sciences psychologiques et comportementales. L'aspect le plus étonnant de l'histoire est que les contribuables ont payé pour toute cette recherche à hauteur de la coquette somme de 58 millions de dollars pour les seules études sur la privation maternelle[18]. Sous cet angle, mais pas seulement sous celui-ci, l'expérimentation animale civile n'est pas si différente de l'expérimentation militaire.

La pratique de l'expérimentation sur les animaux non humains telle qu'elle existe aujourd'hui à travers le monde révèle les conséquences du spécisme. Un grand nombre d'expériences infligent une douleur sévère sans qu'il existe la moindre perspective d'en retirer un bénéfice significatif pour les êtres humains ou pour aucun autre animal. Ces expériences ne sont pas des cas isolés, mais font partie d'une industrie de taille respectable. En Grande-Bretagne, où les chercheurs doivent déclarer le nombre de « procédures scientifiques » qu'ils effectuent sur des animaux, les chiffres officiels du gouvernement indiquent que 3,5 millions de ces procédures scientifiques ont été menées en 1988[19]. Aux États-Unis, il n'existe pas de chiffres d'une précision comparable. En vertu de la Loi pour le bien-être des animaux (*Animal Welfare Act*), le ministère de l'Agriculture des États-Unis publie un rapport qui énumère le nombre d'animaux utilisés par les établissements qui se sont enregistrés auprès de lui, mais ce rapport est incomplet sous de nombreux aspects. Il n'inclut pas les rats, les souris, les oiseaux, les reptiles, les grenouilles ni les animaux domestiques agricoles utilisés à des fins expérimentales ; il n'inclut pas les animaux utilisés dans les établissements d'enseignement secondaire ; et il n'inclut pas les expériences réalisées par des établissements qui ne transportent pas d'animaux d'un État à l'autre ni ne reçoivent de subventions ni de contrats du gouvernement fédéral.

En 1986, l'Office pour l'évaluation de la technologie (Office of Technology Assessment, OTA), organe du Congrès des États-Unis, publia un rapport intitulé « Méthodes de substitution à l'utilisation des animaux dans la recherche, les tests et l'éducation ». Les chercheurs de l'OTA ont tenté de déterminer le nombre d'animaux utilisés dans l'expérimentation aux États-Unis, et dans leur rapport ils déclarent que « les estimations du nombre d'animaux utilisés aux États-Unis chaque année vont de 10 millions à plus de 100 millions ». Ils en conclurent que ces estimations étaient peu fiables, mais que l'hypothèse la plus plausible leur semblait être d'« au moins 17 à 22 millions [20] ».

C'est là une estimation extrêmement prudente. Dans un témoignage devant le Congrès en 1966, l'Association des éleveurs d'animaux de laboratoire estima que le nombre de souris, rats, cobayes, hamsters et lapins utilisés à des fins expérimentales en 1965 était d'environ 60 millions [21]. En 1984, le Dr Andrew Rowan de l'École de médecine vétérinaire de l'université de Tufts estima qu'environ 71 millions d'animaux étaient utilisés chaque année. En 1985, Rowan modifia ses calculs pour distinguer entre les animaux produits, ceux achetés et ceux réellement utilisés. Selon l'évaluation résultante, entre 25 et 35 millions d'animaux sont utilisés chaque année dans des expériences [22]. (Ces chiffres n'incluent pas les animaux morts en cours de transport ou tués avant le début de l'expérience.) Une analyse boursière d'un des plus importants fournisseurs d'animaux de laboratoire, le Charles River Breeding Laboratory, affirma que cette société à elle seule produisait annuellement 22 millions d'animaux de laboratoire [23].

Dans son rapport de 1988, le ministère de l'Agriculture citait 140 471 chiens, 42 271 chats, 51 641 primates, 431 457 cobayes, 331 945 hamsters, 459 254 lapins et 178 249 « animaux sauvages » : soit un total de 1 635 288 utilisés en expérimentation. On se souvient que ce rapport ne prend pas la peine de compter les rats et les souris, et couvre au mieux une proportion estimée à 10 % du nombre total des animaux utilisés. Sur les plus de 1,6 million d'animaux utilisés à des fins expérimentales que cite dans son rapport le ministère de l'Agriculture, plus de 90 000 sont dits avoir subi « de la douleur ou de la détresse non soulagées ». Ici encore, il ne s'agit là probablement, au plus, que de 10 % du nombre total d'animaux qui ont subi de la douleur ou de la détresse non soulagées – et si les expérimentateurs se préoccupent moins de la douleur non soulagée qu'ils infligent aux rats et aux souris que de celle qu'ils infligent aux chiens, chats et primates, cette proportion pourrait être encore plus faible.

Les autres pays développés utilisent tous un grand nombre d'animaux. Au Japon, par exemple, une enquête très partielle publiée en 1988 arriva à un total de plus de 8 millions[24].

Une façon de saisir la nature de l'expérimentation animale en tant qu'industrie à grande échelle est d'observer les articles commerciaux auxquels elle donne naissance et la façon dont ils sont vendus. Parmi ces « articles », il y a, bien sûr, les animaux eux-mêmes. Nous avons vu combien d'animaux produit le Charles River Breeding Laboratory. Dans des revues comme *Lab Animal*, les publicités en parlent comme s'il s'agissait de voitures automobiles. Au-dessous de la photo de deux cobayes, dont un normal et un complètement sans poils, la publicité dit :

> Pour ce qui est des cobayes, vous avez maintenant le choix. Vous pouvez opter pour notre modèle standard fourni complet avec poils. Ou alors essayez notre nouveau modèle 1988 allégé et sans poils pour une vitesse et efficacité accrues.
>
> Nos cobayes euthymiques et nus sont le résultat de plusieurs années de sélection. Ils peuvent servir pour des études dermatologiques d'agents favorisant la pousse des cheveux. Pour des tests de sensibilisation de la peau. Pour la thérapie transdermique. Pour les études avec ultraviolets. Et pour bien d'autres choses encore.

Une annonce publicitaire de la Charles River parue dans la revue *Endocrinology* (juin 1985) demandait : « Vous voulez voir comment nous opérons ?

« En matière d'opérations, nous vous donnons exactement ce que le médecin a prescrit. Hypophysectomies, adrénalectomies, castrations, thymectomies, ovariectomies et thyroïdectomies. Chaque mois nous pratiquons des milliers d'"endocrinectomies" sur des rats, des souris ou des hamsters. Sans compter les opérations spéciales (ablation de la rate, néphrectomie, cécétomie) sur demande [...] Pour recevoir les animaux de laboratoire chirurgicalement modifiés qu'il vous faut pour vos besoins de recherche très spécifiques, appelez le [numéro de téléphone]. Nos opératrices sont à votre disposition pratiquement en permanence. »

En plus des animaux eux-mêmes, l'expérimentation animale a créé un marché pour des équipements spécialisés. *Nature*, une revue scientifique britannique de premier plan, comporte une section appelée « Nouveau sur le marché », qui récemment informa ses lecteurs au sujet d'un nouvel élément d'équipement de laboratoire : « Le dernier outil de recherche animale créé par Columbus Instruments est une roue d'exercice étanche qui permet de mesurer la consommation d'oxygène au cours de l'effort. L'appareil possède des pistes de course isolées dotées chacune de stimulateurs indépendants par chocs électriques qui peuvent être configurés pour jusqu'à quatre rats ou souris [...] Le système de base à £ 9 737 comprend un contrôleur de vitesse de courroie et un générateur de chocs électriques à voltage réglable. Le système entièrement automatique à £ 13 487 peut être programmé pour conduire des expériences successives séparées par des périodes de repos, et enregistre automatiquement le nombre de trajets vers la grille électrifiée, le temps passé à courir et le temps passé sur la grille électrifiée[25]. »

Columbus Instruments fabrique plusieurs autres appareils ingénieux. Voici une publicité parue dans la revue *Lab Animal* : « Le Compteur de Convulsions de Columbus Instruments rend possible la mesure objective et quantitative des convulsions animales. Sous la plate-forme un capteur dynamométrique de précision convertit la composante verticale de la force de convulsion en signaux électriques proportionnels [...] L'utilisateur doit observer le comportement de l'animal et activer le compteur en appuyant sur un bouton lorsqu'il remarque une convulsion. À la fin de l'expérience on obtiendra la force totale des convulsions de même que leur durée totale. »

Puis il y a le *Whole Rat Catalog*. Ce catalogue, publié par Harvard Bioscience, vante sur 140 pages du matériel d'équipement pour l'expérimentation sur petits animaux, le tout dans un style publicitaire pimpant. Au sujet, par exemple, des dispositifs de contention en plastique transparent pour lapins, le catalogue nous dit : « La seule chose qui frétille c'est le museau ! » Ici et là apparaît toutefois une certaine conscience du caractère controversé du sujet ; ainsi, la description de la Valise de transport pour rongeurs suggère-t-elle : « Utilisez cette valise discrète pour transporter votre animal favori d'un endroit à l'autre sans attirer l'attention. » En plus des habituels cages, électrodes, instruments chirurgicaux et seringues, le catalogue vante les Cônes de contention pour rongeurs, les Systèmes Harvard de lanières de contention sur pivot, les Gants de protection contre les rayonnements, les Appareils implantables pour télémétrie FM, les Aliments liquides pour rats et souris pour études de l'alcool, des Appareils à décapiter pour animaux petits ou gros et même un Émulsificateur à rongeurs qui « réduira rapidement les restes d'un petit animal en une suspension homogène[26] ».

On peut supposer que ces sociétés ne se donneraient pas la peine de fabriquer et de mettre en vente un tel matériel si elles ne prévoyaient pas des ventes considérables. Et les articles vendus sont achetés pour être utilisés.

Parmi les dizaines de millions d'expériences qui ont lieu, au plus quelques-unes peuvent avec quelque vraisemblance être considérées comme apportant une contribution à une recherche médicale importante. Un nombre énorme d'animaux sont utilisés dans les établissements universitaires dans des disciplines comme la gestion forestière ou la psychologie ; un grand nombre d'autres servent à des fins industrielles, pour tester de nouveaux produits cosmétiques, shampooings, colorants alimentaires et autres produits non essentiels. Tout cela n'est rendu possible que par notre préjugé contre le fait de prendre au sérieux la souffrance d'un être quand il n'est pas membre de notre propre espèce. En général, les défenseurs de l'expérimentation animale ne nient pas que les animaux souffrent. Ils ne peuvent nier cette souffrance, parce qu'il leur faut mettre l'accent sur les ressemblances entre les êtres humains et les autres animaux pour pouvoir attribuer à leurs expériences une quelconque pertinence par rapport aux humains. L'expérimentateur qui oblige des rats à choisir entre mourir de faim et subir des chocs électriques pour voir si un ulcère s'ensuivra (la réponse est oui) le fait parce que le rat possède un système nerveux très semblable à celui d'un être humain, et ressent vraisemblablement les chocs électriques d'une façon semblable.

Depuis longtemps des gens se sont opposés à l'expérimentation animale. Cette opposition a fait peu de progrès parce que les expérimentateurs, soutenus par des sociétés privées qui tirent profit de la fourniture d'animaux et d'équipements de laboratoire, ont pu convaincre les législateurs et le public que l'opposition n'est le fait que de fanatiques mal informés qui considèrent que les intérêts des animaux sont plus importants que ceux des êtres humains. Mais pour s'opposer à ce qui se passe aujourd'hui il n'est pas nécessaire d'insister sur l'arrêt immédiat de toutes les expériences sur animaux. Tout ce que nous avons besoin de dire est que les expériences qui ne possèdent pas d'utilité directe et urgente doivent cesser immédiatement, et que dans les domaines de recherche restants nous devons, chaque fois que possible, chercher à remplacer les expériences qui impliquent des animaux par des méthodes substitutives qui n'en impliquent pas.

Pour voir pourquoi ce changement en apparence modeste serait en réalité si important, il nous faut mieux connaître les expériences qui sont faites, aujourd'hui comme depuis un siècle. C'est alors que nous pourrons juger de l'affirmation que font les défenseurs de la situation actuelle, à savoir que les expériences sur animaux ne sont effectuées que pour des motifs importants. Dans les pages qui suivent, donc, on trouvera la description de certaines expériences sur animaux. La lecture de ces comptes rendus n'est pas une expérience agréable ; mais il est de notre devoir de nous informer de ce qui se passe dans notre propre communauté, d'autant plus que c'est nous qui payons, à travers nos impôts, pour la plus grande partie de cette recherche. Si les animaux doivent subir ces expériences, le moins que nous puissions faire est d'en lire les comptes rendus pour nous en informer. C'est pourquoi je n'ai pas essayé d'atténuer ou de dissimuler certaines des choses que l'on fait aux animaux. Je n'ai pas essayé non plus de rendre les choses pires qu'elles ne le sont réellement. Les rapports qui suivent sont tous extraits de comptes rendus écrits par les expérimentateurs eux-mêmes et publiés par eux dans les revues scientifiques où ils communiquent entre eux.

De tels comptes rendus sont nécessairement plus favorables aux expérimentateurs que ne le seraient des rapports faits par un observateur extérieur. Il y a deux raisons à cela. La première est que les expérimentateurs n'insisteront pas sur les souffrances qu'ils ont infligées, sauf si la communication des résultats de l'expérience l'exige, ce qui est rarement le cas. La plus grande partie de la souffrance est donc passée sous silence. Les expérimentateurs peuvent estimer inutile de mentionner dans leurs rapports ce qui se passe lorsque le générateur de chocs électriques reste allumé quand il aurait dû être éteint, lorsqu'un animal se réveille au milieu d'une opération à cause d'une anesthésie mal administrée, ou lorsqu'un animal laissé sans surveillance tombe malade et meurt pendant le week-end. La seconde raison pour laquelle les revues scientifiques constituent une source favorable aux expérimentateurs est qu'elles ne relatent que les expériences qui sont jugées significatives par les expérimentateurs et les comités de rédaction des revues. Un comité gouvernemental britannique a trouvé que seulement environ le quart des expériences faites sur animaux se trouvent un jour publiées[27]. Il n'y a aucune raison de croire qu'aux États-Unis la proportion d'expériences publiées est plus grande ; au contraire, puisque la proportion d'établissements universitaires de second plan comprenant des chercheurs moins talentueux est beaucoup plus élevée aux États-Unis qu'en Grande-Bretagne ; il semble donc probable qu'une proportion encore plus faible d'expériences donnent des résultats à caractère significatif quel qu'il soit.

Ainsi, en lisant les pages qui suivent, gardez à l'esprit le fait qu'elles sont tirées de sources favorables aux expérimentateurs ; et si l'importance des résultats des expériences ne semble pas suffisante pour justifier la souffrance infligée, gardez à l'esprit que ces exemples proviennent tous de la petite fraction d'expériences que les revues trouvent assez significatives pour les publier. Enfin, j'ai une dernière chose à préciser. Les comptes rendus publiés dans les revues indiquent toujours le nom des expérimentateurs. J'ai en général reproduit ces noms, puisque je ne vois aucune raison de protéger les expérimentateurs derrière un voile d'anonymat. Néanmoins, on ne devrait pas supposer que les personnes ainsi nommées sont des gens particulièrement malfaisants ou cruels. Ils font ce qu'on leur a appris à faire et que font des milliers de leurs collègues. Si je relate ces expériences ce n'est pas pour illustrer un sadisme dont feraient preuve des expérimentateurs particuliers mais le spécisme qui en tant que mentalité institutionnalisée rend possible le fait que ces expérimentateurs fassent ces choses sans considération sérieuse des intérêts des animaux qu'ils utilisent.

Un grand nombre parmi les expériences les plus douloureuses ont lieu dans le domaine de la psychologie. Pour avoir une idée du nombre d'animaux qui subissent des expériences dans les laboratoires de psychologie, songez qu'en 1986, l'Institut national de la santé mentale (NIMH) a subventionné 350 expériences sur animaux. Le NIMH n'est qu'une des sources de subvention fédérale qui existent pour l'expérimentation en psychologie. Cette agence a versé plus de 11 millions de dollars pour des expériences comportant la manipulation directe du cerveau, plus de 5 millions de dollars pour des expériences étudiant les effets de médicaments sur le comportement, près de 3 millions de dollars pour des expériences sur l'apprentissage et la mémoire, et plus de 2 millions de dollars pour des expériences comportant la privation de sommeil, le stress, la peur et l'angoisse. Cette agence gouvernementale a dépensé plus de 30 millions de dollars en une seule année pour des expériences sur animaux[28].

L'une des techniques expérimentales les plus courantes en psychologie consiste à administrer aux animaux des chocs électriques. Elle sert à déterminer comment les animaux réagiront à diverses formes de punition ou pour leur apprendre à accomplir différentes tâches. Dans la première édition de ce livre, j'ai décrit des expériences effectuées vers la fin des années 1960 et au début des années 1970 au cours desquelles les expérimentateurs administraient des chocs électriques aux animaux. Voici un exemple datant de cette époque :

O. S. Ray et R. J. Barrett, travaillant au département de psychologie expérimentale de l'Hôpital de l'Administration des anciens combattants à Pittsburgh, administrèrent des chocs électriques aux pattes de 1 042 souris. Ils provoquèrent ensuite des convulsions en administrant des chocs plus intenses au moyen d'électrodes en forme de coupe placées sur les yeux des animaux ou par des pinces fixées aux oreilles. Ils rapportèrent que malheureusement certaines des souris qui « avaient bien réussi l'apprentissage de Jour Un furent trouvées malades ou mortes avant les tests de Jour Deux[29] ».

Aujourd'hui, près de vingt ans plus tard, au moment où je rédige la deuxième édition de ce livre, des expérimentateurs sont encore en train d'imaginer de nouvelles variations insignifiantes à essayer sur des animaux : W. A. Hillex et M. R. Denny de l'université de Californie à San Diego ont placé des rats dans un labyrinthe et leur ont administré des chocs électriques si, après un premier choix incorrect, ils ne choisissaient pas, au moment de l'essai suivant, leur direction en moins de trois secondes. Ils en conclurent que les « résultats rappellent clairement ceux des travaux antérieurs sur la fixation et la régression chez le rat, dans lesquels les animaux recevaient le plus souvent les chocs dans la tige du labyrinthe en T juste avant d'arriver à l'endroit où ils doivent choisir [...] » (Autrement dit, le fait d'administrer aux rats des chocs électriques à l'endroit du labyrinthe où ils doivent choisir, plutôt qu'avant cet endroit – car telle était l'innovation dans cette expérience particulière – ne produisait aucune différence significative.) Les expérimentateurs poursuivent ensuite en citant des travaux datant de 1933, 1935 et encore d'autres jusqu'en 1985 [30].

Dans l'expérience qui suit, le but est simplement de montrer que des résultats déjà connus chez les humains s'appliquent aussi aux souris : Curt Spanis et Larry Squire de l'université de Californie à San Diego utilisèrent deux types de chocs électriques différents au cours d'une expérience conçue pour étudier l'impact d'un « choc électroconvulsif » sur la mémoire des souris. Les souris étaient placées dans le compartiment éclairé d'une enceinte possédant un deuxième compartiment obscur. Lorsqu'elles passaient du compartiment éclairé au compartiment obscur, elles recevaient un choc électrique aux pattes. Après un « entraînement », on les soumettait à un « traitement par chocs électroconvulsifs [...] administré quatre fois à intervalle d'une heure [...] [et] des convulsions eurent lieu dans tous les cas ». Le traitement par chocs électroconvulsifs provoqua une amnésie rétrograde, qui dura au moins vingt-huit jours. Spanis et Squire en conclurent que ce résultat était dû au fait que les souris ne se souvenaient pas qu'il fallait éviter de passer dans le compartiment obscur, passage au cours duquel elles recevaient des chocs. Ils notèrent que leurs résultats « concordaient » avec des conclusions déjà obtenues par Squire lors d'études sur des patients psychiatriques. Ils reconnurent que les résultats de l'expérience « ne peuvent fortement ni soutenir ni contredire » les hypothèses concernant la perte de mémoire, à cause de la « grande variabilité des scores obtenus par les différents groupes ». Malgré cela, ils affirment : « Ces résultats étendent le parallèle entre l'amnésie expérimentale chez les animaux de laboratoire et l'amnésie humaine [31]. »

Au cours d'une expérience similaire, J. Patel et B. Migler, travaillant pour ICI Americas Inc. à Wilmington dans le Delaware, apprirent à des singes-écureuils à presser un levier pour obtenir des boulettes de nourriture. Ils leur mirent ensuite un collier métallique au cou par lequel ils leur donnaient des chocs électriques chaque fois qu'ils recevaient une boulette. Les singes ne pouvaient éviter les chocs qu'en attendant trois heures avant d'essayer d'obtenir de la nourriture. Il leur fallut huit semaines de séances d'entraînement, à raison de six heures par jour, pour apprendre à éviter les chocs de cette façon. Cela était censé provoquer une situation de « conflit », suite à quoi on leur administrait divers médicaments pour voir si sous leur influence ils s'attireraient davantage de chocs. Les expérimentateurs rapportèrent avoir également adapté le test pour les rats, et qu'il serait « utile pour l'identification d'agents anxiolytiques potentiels[32] ».

Les expériences de conditionnement continuent depuis plus de quatre-vingt-cinq ans. Un rapport compilé en 1982 par le groupe new-yorkais United Action for Animals dénombrait 1 425 articles portant sur des « expériences de conditionnement classique » sur animaux. Paradoxalement, le caractère futile d'une grande partie de cette recherche se trouve tristement mis à nu dans un article publié par un groupe d'expérimentateurs de l'université du Wisconsin. Susan Mineka et ses collègues ont soumis 140 rats à des chocs possibles à éviter et aussi à des chocs impossibles à éviter afin de comparer le niveau de peur engendré par ces chocs de type différent. Voici la logique déclarée de leur travail : « Au cours des quinze dernières années une quantité énorme de recherche a été dirigée vers la compréhension des différences dans les effets comportementaux et physiologiques qui résultent de l'exposition à des éléments aversifs contrôlables, par opposition à des éléments aversifs non contrôlables. La conclusion générale a été que l'exposition à des événements aversifs non contrôlables est considérablement plus stressante pour l'organisme que ne l'est l'exposition à des événements aversifs contrôlables. »

Après avoir soumis leurs rats à des chocs électriques d'intensités diverses, en leur donnant parfois la possibilité de les éviter et parfois non, les expérimentateurs furent incapables de déterminer par quels mécanismes on pourrait considérer pouvoir expliquer les résultats qu'ils obtenaient. Cependant, ils affirmèrent tenir ces résultats pour importants parce qu'ils « soulèvent quelques questions à propos de la validité des conclusions des centaines d'expériences menées au cours de la dernière quinzaine d'années[33] ».

En d'autres termes, quinze années passées à administrer des chocs électriques à des animaux n'ont peut-être pas produit de résultats valides. Mais dans le monde bizarre de la psychologie animale expérimentale, cette conclusion représente une justification pour effectuer encore d'autres expériences où l'on administrera des chocs impossibles à éviter à encore d'autres animaux de manière à obtenir des résultats enfin « valides ». Et n'oublions pas que même alors, ces « résultats valides » ne s'appliqueront qu'au comportement d'animaux séquestrés soumis à des chocs électriques impossibles à éviter.

Une autre histoire de futilité tout aussi triste est celle des expériences faites pour provoquer un sentiment d'« impuissance apprise » (*learned helplessness*) – qui est censé fournir un modèle de la dépression chez les êtres humains. En 1953, R. Solomon, L. Kamin et L. Wynne, expérimentateurs à l'université de Harvard, ont placé quarante chiens dans un appareil baptisé « boîte à navette » (*shuttlebox*), qui comprend deux compartiments séparés par une barrière. Au début, la barrière était placée à la hauteur du dos du chien. On lui administrait alors des centaines de chocs électriques intenses aux pattes à travers une grille sur le sol. Tout d'abord, le chien pouvait éviter les chocs s'il apprenait à sauter la barrière pour aller dans l'autre compartiment. Dans une tentative pour « décourager » un des chiens de sauter, les expérimentateurs le forcèrent à sauter cent fois dans l'autre compartiment sur un sol lui aussi muni d'une grille qui distribuait un choc électrique aux pattes. Ils rapportent qu'au moment de sauter le chien émettait un « jappement aigu d'anticipation qui se transformait en glapissements lorsqu'il atterrissait sur le grillage électrifié ». Ils bloquèrent ensuite le passage entre les compartiments par une vitre et mirent le chien à nouveau à l'épreuve. Celui-ci « s'élançait et s'écrasait la tête contre la vitre ». Au début les chiens manifestèrent des symptômes comme « la défécation, la miction, les glapissements et hurlements, les tremblements, les attaques contre l'appareil », et ainsi de suite ; mais après dix ou douze jours d'essais les chiens qui ne pouvaient échapper aux chocs cessèrent de résister. Les expérimentateurs rapportent que cela les avait « impressionnés », et en conclurent que l'association d'une vitre et de chocs électriques aux pattes était « très efficace » pour amener les chiens à cesser de sauter[34].

Cette recherche montra que l'on pouvait provoquer un état d'abattement et de désespoir en administrant de façon répétée des chocs électriques sévères inévitables. Ce genre d'étude sur l'« impuissance apprise » fut perfectionné au cours des années 1960. Un des expérimentateurs éminents dans le domaine fut Martin Seligman de l'Université de Pennsylvanie. Il administra à des chiens au moyen d'une grille en acier dans le sol des chocs électriques d'une intensité et avec une persévérance suffisantes pour qu'ils cessent d'essayer d'éviter les chocs et « apprennent » par là l'impuissance. Dans le compte rendu d'une de ces études que Seligman a rédigée, avec ses collègues Steven Maier et James Geer, voici comment il décrit son travail : « Quand un chien normal, naïf, est soumis à l'apprentissage du comportement de fuite/évitement dans une boîte à navette, la réaction suivante est typiquement observée : au début du choc électrique il court frénétiquement en tous sens, déféquant, urinant et hurlant jusqu'à ce qu'il escalade la barrière et échappe ainsi au choc. À l'essai suivant, l'animal, courant et hurlant, franchit la barrière plus rapidement, et ainsi de suite, jusqu'à l'apparition d'un comportement d'évitement efficace. » Seligman modifia ce modèle de comportement en immobilisant des chiens par des lanières et en leur administrant des chocs électriques qu'ils n'avaient aucun moyen d'éviter. Lorsque ces chiens étaient ensuite mis dans la boîte à navette dans la situation habituelle à laquelle il était possible d'échapper, Seligman s'aperçut que : « Ce genre de chien réagit initialement au choc dans la boîte à navette de la même manière que le chien naïf. Néanmoins, très vite, son comportement devient dramatiquement différent : l'animal cesse de courir et reste silencieux jusqu'à la fin du choc. Il n'échappe pas au choc en sautant par-dessus la barrière. Il semble plutôt “renoncer” et “accepter” passivement le choc. Lors d'essais ultérieurs le chien continue à ne faire aucun mouvement de fuite et endure par conséquent lors de chaque essai cinquante secondes de choc intense et pulsé [...] Un chien soumis préalablement à un choc inévitable [...] peut endurer une quantité illimitée de chocs sans aucun comportement de fuite ou d'évitement[35]. »

Au cours des années 1980, les psychologues ont poursuivi ces expériences d'« impuissance apprise ». À l'université Temple de Philadelphie, Philip Bersh et trois autres expérimentateurs ont entraîné des rats à reconnaître un signal lumineux qui les avertissait qu'ils allaient recevoir un choc dans les cinq secondes. Une fois qu'ils avaient compris le signal, les rats pouvaient échapper au choc en allant dans l'autre compartiment, qui n'était pas électrifié. Après que les rats eurent appris ce comportement d'évitement, les expérimentateurs murèrent l'accès au compartiment non électrifié et soumirent les rats à des périodes prolongées de choc inévitable. Comme on pouvait le prévoir, les expérimentateurs trouvèrent que même lorsque la fuite était redevenue possible, les rats étaient incapables de réapprendre rapidement le comportement d'évitement[36].

Bersh et ses collègues soumirent également 372 rats à des tests de chocs aversifs pour tenter de déterminer le rapport entre le conditionnement pavlovien et l'impuissance apprise. Ils rapportèrent que les « implications de ces résultats pour la théorie de l'impuissance apprise ne sont pas tout à fait claires » et qu'« un nombre substantiel de questions demeurent[37] ».

À l'université du Tennessee, à Martin, G. Brown, P. Smith et R. Peters se donnèrent beaucoup de mal pour créer une boîte à navette spécialement conçue pour les poissons rouges, peut-être pour voir si la théorie de Seligman tient l'eau. Les expérimentateurs soumirent quarante-cinq poissons chacun à soixante-cinq sessions de chocs électriques et conclurent que « les données résultant de la présente étude ne fournissent pas beaucoup de soutien à l'hypothèse de Seligman selon laquelle l'impuissance résulte d'un apprentissage[38] ».

Ces expériences ont infligé de la souffrance intense et prolongée à un grand nombre d'animaux, d'abord pour prouver une théorie, ensuite pour la réfuter, et enfin pour prouver des versions modifiées de la théorie initiale. Steven Maier, coauteur avec Seligman et Geer du rapport précédemment cité sur l'apprentissage de l'impuissance aux chiens, s'est fait une carrière de la propagation du modèle de l'impuissance acquise. Pourtant, voici ce qu'il avait à dire, dans un récent article de revue sur la question, au sujet de la validité de ce « modèle animal » de la dépression : « Il est possible de soutenir qu'il n'existe pas un accord suffisant sur les caractéristiques de la dépression, sur sa neurobiologie, son induction, et sa prévention et son traitement, pour rendre de telles comparaisons significatives [...] Il semblerait donc peu probable que l'impuissance apprise constitue un modèle de la dépression en un sens général quel qu'il soit[39]. »

Bien que Maier tente de sauver quelque chose de cette conclusion consternante en disant que l'impuissance apprise pourrait constituer un modèle, non de la dépression, mais « du stress et de la réaction face au stress » (*stress and coping*), dans les faits il a admis que plus de trente ans d'expérimentation animale ont été une perte de temps et d'une quantité considérable d'argent public, tout à fait en dehors du fait qu'elles ont causé une somme immense de douleur physique aiguë.

Dans la première édition de ce livre, j'ai relaté une expérience publiée en 1973 effectuée à l'université de Bowling Green, dans l'Ohio, par P. Badia et deux de ses collègues. Dans cette expérience, dix rats avaient été testés au cours de sessions de six heures, pendant lesquelles les chocs électriques fréquents étaient « en permanence impossibles à éviter et à fuir ». Les rats pouvaient appuyer sur un des deux leviers présents dans la chambre de test pour obtenir un signal qui les avertissait de l'imminence du choc. Les expérimentateurs conclurent que les rats préféraient effectivement être avertis du choc[40]. En 1984, la même expérience se poursuivait encore. Parce que quelqu'un avait suggéré que l'expérience précédente était peut-être « méthodologiquement fautive », P. Badia, cette fois en compagnie de B. Abbott de l'université de l'Indiana, plaça dix rats dans des enceintes électrifiées, et à nouveau leur fit subir des sessions de chocs d'une durée de six heures. Six rats recevaient des chocs inévitables à intervalle d'une minute, parfois précédés d'un avertissement. On leur permettait ensuite de choisir d'appuyer sur un des deux leviers, pour recevoir des chocs avec ou sans avertissement préalable. Les quatre autres rats servirent à une variante de cette expérience, recevant des chocs toutes les deux ou quatre minutes. Les expérimentateurs trouvèrent, là encore, que les rats préféraient les chocs avec avertissement, même s'il en résultait pour eux un nombre plus grand de chocs[41].

Les chocs électriques ont été également utilisés pour provoquer chez les animaux des comportements agressifs. Dans une étude de ce type effectuée à l'université de l'Iowa, Richard Viken et John Knutson ont divisé 160 rats en groupes et les ont soumis à un « entraînement » dans une cage en acier inoxydable pourvue d'un sol électrifié. Ils les placèrent par paires et leur administrèrent des chocs jusqu'à ce qu'ils apprennent à se battre en se frappant l'un l'autre debout face à face ou en se mordant. Il fallut en moyenne trente séances d'entraînement pour apprendre aux rats à se comporter ainsi immédiatement dès le premier choc. Les chercheurs les placèrent alors dans la cage d'autres rats qui n'avaient pas été soumis à cet entraînement, et ils notèrent leur comportement. Après une journée, tous les rats furent tués et rasés et on les examina à la recherche de blessures. Les expérimentateurs conclurent que leurs « résultats n'étaient pas utiles pour comprendre la nature offensive ou défensive de la réponse induite par les chocs[42] ».

Au Kenyon College, dans l'Ohio, J. Williams et D. Lierle menèrent une série de trois expériences pour étudier les effets du caractère contrôlable du stress sur le comportement défensif. La première se fondait sur l'hypothèse que les chocs non contrôlables augmentent la peur. Seize rats furent placés dans des tubes de plexiglas et reçurent sur la queue des chocs électriques inévitables. On les plaça ensuite dans la position d'intrus dans une colonie de rats déjà organisée, et on nota les interactions qu'ils eurent avec eux. Dans la deuxième expérience, vingt-quatre rats purent contrôler les chocs suite à un entraînement. Dans la troisième expérience, trente-deux rats subirent des chocs inévitables et des chocs contrôlables. Les expérimentateurs conclurent : « Bien que ces résultats tout comme nos formulations théoriques mettent en relief les interrelations entre le caractère contrôlable des chocs, le caractère prévisible de leur cessation, les signes de stress conditionné, la peur et le comportement défensif, d'autres expériences sont nécessaires pour examiner la nature exacte de ces interactions complexes[43]. »

Ce rapport, publié en 1986, citait des travaux expérimentaux dans le domaine remontant jusqu'à 1948.

À l'université du Kansas, une unité qui se fait appeler « Bureau de recherche sur l'enfance » (*Bureau of Child Research*) a infligé des chocs électriques à diverses sortes d'animaux. Dans une des expériences, des poneys du Shetland furent privés d'eau jusqu'à ce qu'ils aient soif et on leur donna ensuite un bol d'eau qui pouvait être électrifié. Les animaux avaient un haut-parleur placé de chaque côté de leur tête. Quand le bruit sortait du haut-parleur de gauche, le bol était sous tension et les poneys recevaient un choc s'ils en buvaient. Ils apprirent à cesser de boire lorsqu'ils entendaient le bruit venir du haut-parleur de gauche, mais non quand il venait de celui de droite. On rapprocha ensuite les haut-parleurs, jusqu'à ce que les poneys ne puissent plus déterminer d'où venaient les bruits et ne puissent donc plus éviter les chocs. Les chercheurs mentionnèrent des expériences similaires effectuées sur les rats blancs, les rats-kangourous, les mulots, les hérissons, les chiens, les chats, les singes, les opossums, les phoques, les dauphins et les éléphants, et conclurent que les poneys ont beaucoup plus de mal que d'autres animaux à distinguer la provenance des bruits[44].

Il n'est pas facile de voir en quoi cette recherche profitera aux enfants. Et de fait, en général, ce qui met tellement mal à l'aise dans les exemples de recherche cités plus haut c'est que malgré la souffrance que les animaux ont eu à subir, les résultats obtenus, au dire des rapports des expérimentateurs eux-mêmes, sont futiles, évidents ou ininterprétables. Les conclusions de ces expériences montrent, de façon suffisamment claire, que les spécialistes de psychologie expérimentale ont fait de grands efforts pour nous dire en un jargon scientifique des choses que nous savions déjà au départ, et des choses que nous aurions pu découvrir par des méthodes moins nocives au prix d'un peu de réflexion. Et ces expériences étaient considérées comme plus significatives que d'autres qui n'ont pas été publiées.

Nous n'avons examiné qu'un très petit nombre des expériences de psychologie qui utilisent des chocs électriques. Selon le rapport de l'Office pour l'évaluation de la technologie : « L'examen des 608 articles parus, de 1979 à 1983 inclus, dans les revues de l'American Psychological Association qui publient habituellement des rapports de recherche sur animaux, a permis d'établir que dans 10 % des études il était fait usage de chocs électriques[45]. »

Il existe beaucoup d'autres revues qui ne sont pas affiliées à l'American Psychological Association et qui publient elles aussi des rapports d'expérimentation animale où il a été fait usage de chocs électriques ; et n'oublions pas les expériences qui ne sont jamais publiées du tout. Et les études avec chocs électriques ne sont qu'un des types de recherches sur animaux que l'on fait en psychologie qui provoquent douleur et détresse. Nous avons déjà examiné les études de privation maternelle ; mais on pourrait remplir plusieurs livres simplement en décrivant sommairement bien d'autres sortes d'études de psychologie expérimentale, portant sur les anomalies du comportement chez les animaux, les modèles animaux de schizophrénie, les mouvements, les soins corporels, la cognition et la communication chez les animaux, les relations prédateur-proie, la motivation et l'émotion, la sensation et la perception, et la privation de sommeil, de nourriture et d'eau. Nous n'avons examiné ici que quelques-unes des dizaines de milliers d'expériences effectuées chaque année dans le domaine de la psychologie, mais elles devraient suffire à montrer qu'un nombre immense d'expériences encore menées aujourd'hui infligent une grande douleur aux animaux sans que rien ne suggère qu'elles seront à l'origine de nouvelles connaissances réellement capitales ou vitales. Malheureusement, les animaux sont devenus, aux yeux des psychologues et d'autres chercheurs, de simples outils. Un laboratoire peut prendre en compte le coût de ces « outils », mais une certaine brutalité à leur égard se manifeste, non seulement dans les expériences effectuées, mais aussi dans la formulation des rapports. On se souvient, par exemple, de la mention que font Harlow et Suomi de leur « cadre à viol » et du ton badin qu'ils adoptent pour parler des « tours favoris » joués par les mères singes sur leurs enfants nés de l'utilisation de cet appareil.

La distanciation est facilitée par l'emploi d'un jargon technique qui masque la nature réelle de ce qui se passe. Les psychologues, sous l'influence de la doctrine béhavioriste qui exige que ne soit mentionné que ce qui peut être observé, ont développé une imposante collection de termes qui se réfèrent à la douleur sans que cela se voie. Alice Heim, une des rares psychologues à s'être élevée contre l'expérimentation animale oiseuse menée par ses collègues, décrit la situation ainsi : « Les travaux sur le "comportement animal" sont toujours décrits au moyen d'une terminologie scientifique aseptisée, ce qui permet à l'endoctrinement des jeunes étudiants en psychologie, normaux, non sadiques, de se poursuivre en évitant d'éveiller l'angoisse. C'est ainsi qu'on parlera de techniques d'"extinction" quand il s'agit en réalité de tortures utilisant la soif, la privation prolongée de nourriture, ou les chocs électriques ; on appellera "renforcement partiel" le fait de frustrer un animal en ne satisfaisant qu'occasionnellement les attentes que l'expérimentateur a créées chez lui par un entraînement préalable ; et "stimulus négatif" le fait de le soumettre à un stimulus qu'il évite, si possible. Le terme d'"évitement" convient puisqu'il s'agit d'une activité observable. Dire d'un stimulus qu'il est "douloureux" ou "effrayant" serait moins convenable parce que ces termes sont anthropomorphiques, qu'ils impliquent que l'animal éprouve des sentiments, et que ces sentiments sont peut-être similaires à ceux des humains. Cela ne peut être permis parce que ce serait non béhavioriste et non scientifique (et aussi parce que cela pourrait dissuader le chercheur plus jeune et moins endurci de continuer certaines expériences ingénieuses. Il risque de laisser un peu de champ à son imagination). Le péché cardinal pour le chercheur en psychologie expérimentale travaillant dans le domaine du "comportement animal" est l'anthropomorphisme. Pourtant, s'il ne croyait pas à l'analogie entre l'être humain et l'animal inférieur on peut supposer que même lui trouverait son travail en grande partie injustifié[46]. »

On peut voir le genre de jargon auquel se réfère Heim à l'œuvre dans les rapports d'expériences que j'ai déjà cités. Ainsi Seligman, même quand il se sent obligé de dire que les sujets de ses expériences « renoncent » à tenter d'échapper au choc, trouve-t-il nécessaire de mettre ce terme entre guillemets, comme pour signifier qu'il n'attribue pas réellement aux chiens de processus mentaux quels qu'ils soient. Pourtant, la conséquence logique de cette conception de la « méthode scientifique » est que les expériences sur animaux ne peuvent rien nous apprendre concernant les êtres humains. Si étonnant que cela puisse paraître, certains psychologues ont un tel souci d'éviter l'anthropomorphisme qu'ils ont accepté cette conclusion. Cette attitude est illustrée par l'extrait autobiographique suivant, paru dans la revue *New Scientist* : « Lorsque j'ai demandé il y a quinze ans à être admis en licence de psychologie, un interviewer au regard froid, lui-même psychologue, me soumit à un interrogatoire serré sur mes motivations et me demanda ce qu'était, à mon avis, la psychologie et quel était son principal sujet d'études. En pauvre simple d'esprit naïf que j'étais, je lui répondis que la psychologie était l'étude de l'esprit et que les êtres humains en constituaient la matière première. Poussant un cri de joie d'avoir réussi à me dégonfler si totalement, l'interviewer déclara que les psychologues ne s'intéressaient pas à l'esprit et que les rats, et non les gens, étaient l'objet central de leur étude, et il me conseilla ensuite fortement d'aller m'adresser au département de philosophie à côté [...][47]. »

Peut-être que peu de psychologues voudraient aujourd'hui déclarer fièrement que leur travail n'a rien à voir avec l'esprit humain. Cependant une grande partie des expériences qui sont menées sur les rats sont impossibles à expliquer sans admettre que les expérimentateurs s'intéressent réellement au comportement du rat pour lui-même, sans aucune intention d'apprendre quelque chose sur les humains. Mais dans ce cas, quelle justification peut-il bien y avoir au fait d'infliger tant de souffrances ? Ce n'est sûrement pas pour le bien du rat.

Le dilemme central du chercheur se pose donc sous une forme particulièrement aiguë en psychologie : ou bien l'animal n'est pas comme nous, auquel cas il n'y a pas de raison d'effectuer l'expérience ; ou bien l'animal est comme nous, auquel cas nous ne devrions pas mener sur lui une expérience que l'on trouverait scandaleuse si on la menait sur l'un de nous.

Un autre domaine majeur d'expérimentation consiste à empoisonner des millions d'animaux chaque année. Cela aussi se fait souvent pour des raisons futiles. En

1988, en Grande-Bretagne, 588 997 procédures scientifiques ont été menées sur des animaux pour tester des médicaments et autres produits ; sur ce nombre, 281 358 étaient sans rapport avec des produits médicaux ou vétérinaires [48]. Aux États-Unis on ne dispose pas de chiffres précis, mais si la proportion est du même ordre que celle de la Grande-Bretagne le nombre d'animaux utilisés pour des tests doit être d'au moins trois millions. En fait, le chiffre réel est sans doute deux ou trois fois plus élevé, à cause de la grande quantité de recherche et de développement qui a lieu dans ce domaine aux États-Unis, et à cause du grand nombre de tests que la Food and Drug Administration (service fédéral qui contrôle les produits alimentaires et pharmaceutiques) exige avant d'autoriser la mise en circulation des nouvelles substances. On peut trouver justifié d'exiger que soient testés sur animaux les médicaments dont on pense qu'ils pourront sauver des vies, mais le même genre de tests est fait sur des produits comme les cosmétiques, les colorants alimentaires et les encaustiques. Est-il juste que des milliers d'animaux souffrent pour qu'une nouvelle sorte de rouge à lèvres ou de cire à parquet puisse être commercialisée ? N'avons-nous pas déjà un nombre plus que suffisant de la plupart de ces produits ? Qui bénéficie de leur commercialisation, sinon les compagnies qui espèrent en tirer profit ? En fait, même quand le test concerne un produit médical, il y a peu de chances que notre santé s'en trouve en quoi que ce soit améliorée. Des chercheurs travaillant pour les services de la Santé et de la sécurité sociale britanniques ont examiné les médicaments commercialisés en Grande-Bretagne entre 1971 et 1981. Ils en conclurent que les nouveaux médicaments... « [...] ont pour une grande part été introduits dans des domaines thérapeutiques déjà lourdement surchargés [...] pour soigner des affections courantes, souvent chroniques et qui se manifestent principalement dans la société occidentale aisée. L'innovation vise donc en grande partie davantage les gains commerciaux que la satisfaction des besoins thérapeutiques[49]. »

Pour se rendre compte de ce qu'implique la commercialisation de tous ces nouveaux produits, il est nécessaire de savoir quelque chose sur les méthodes standards de test. Pour mesurer la toxicité d'une substance, on procède à des « tests de toxicité orale aiguë ». Dans ces tests, qui furent développés dans les années 1920, on force des animaux à ingérer une substance, qui peut être un produit non comestible comme du rouge à lèvres ou du papier. Souvent les animaux refuseront de manger la substance si on se contente de la mélanger à leur nourriture, et les expérimentateurs la leur font donc avaler de force par la bouche ou par un tube inséré dans l'œsophage. Les tests standards durent quatorze jours mais certains peuvent durer jusqu'à six mois – si les sujets survivent aussi longtemps. Au cours de cette période, les animaux présentent souvent des symptômes classiques d'empoisonnement, qui comprennent les vomissements, la diarrhée, la paralysie, les convulsions et les hémorragies internes.

Le test de toxicité aiguë le plus connu est celui dit de DL50. Cette appellation signifie « dose létale 50 % » : le test détermine la quantité du produit qui tue la moitié des animaux qui l'ingèrent. Pour déterminer cette dose, on empoisonne des lots d'animaux. Normalement, avant que ne soit atteint le point où la moitié d'entre eux meurent, tous sont très malades et dans une détresse évidente. Même dans le cas de substances relativement inoffensives, on considère comme bonne pratique de déterminer la concentration qui fera mourir la moitié des animaux ; il faut alors leur en faire avaler d'énormes quantités de force, et la mort peut résulter simplement du grand volume ou de la forte concentration de la substance. Cela n'a aucune pertinence relativement aux circonstances dans lesquelles les humains utiliseront le produit. Puisque le but même de ces expériences est de déterminer la quantité de la substance qui fera mourir la moitié des animaux par empoisonnement, on n'épargne pas à ceux qui sont en train de mourir les souffrances de l'agonie en les tuant rapidement, car cela risquerait de fausser les résultats. Aux États-Unis, l'Office pour l'évaluation de la technologie, organe du Congrès, a estimé à « plusieurs millions » le nombre d'animaux utilisés chaque année pour des tests toxicologiques. Aucune estimation plus spécifique concernant le test de DL50 lui-même n'est disponible[50].

On teste des cosmétiques et d'autres substances sur les yeux des animaux. Les tests d'irritation oculaire appelés tests de Draize commencèrent à être employés au cours des années 1940, quand J. H. Draize, travaillant pour la Food and Drug Administration des États-Unis, développa une échelle de cotation pour évaluer combien une substance est irritante quand on la met dans les yeux des lapins. Les animaux sont habituellement immobilisés dans un appareil qui n'en laisse dépasser que la tête. Ce qui les empêche de se gratter ou de se frotter les yeux. On place alors la substance à tester (qui peut être un produit blanchissant comme l'eau de Javel, ou du shampooing, ou de l'encre) dans un œil de chaque lapin. On procède en tirant sur la paupière inférieure pour l'écarter de l'ceil et en plaçant la substance dans la petite cuvette ainsi formée. On tient ensuite l'œil fermé. Parfois, on répète l'application. Les lapins sont examinés quotidiennement pour observer l'apparition éventuelle de tuméfactions, d'ulcérations, d'infections, et de saignements. Les études peuvent durer jusqu'à trois semaines. Un chercheur travaillant pour une grande compagnie de produits chimiques a donné la description suivante du niveau de réaction maximale : « Perte totale de la vue en raison de graves lésions internes à la cornée ou à la structure interne. Œil tenu fermé avec urgence par l'animal. Peut pousser des cris, tenter de se griffer l'œil, bondir et tenter de s'échapper[51]. »

Mais, bien sûr, dans leur dispositif de contention les lapins ne peuvent ni se griffer l'œil ni s'échapper (*Voir la photographie*). Certaines substances provoquent des lésions tellement graves que l'œil du lapin perd toutes ses caractéristiques distinctives – l'iris, la pupille et la cornée se fondent en une seule masse infectée. Les expérimentateurs ne sont pas tenus d'utiliser d'anesthésiants, mais il arrive qu'ils mettent une petite quantité d'un anesthésiant local au moment où ils appliquent la substance, à condition que cela n'interfère pas avec le test. Cette anesthésie ne soulage en rien la douleur qui peut résulter après deux semaines de présence dans l'œil d'un décapant à four. Les statistiques du ministère de l'Agriculture des États-Unis indiquent qu'en 1983 les laboratoires de tests de toxicité ont utilisé 55 785 lapins, et les compagnies de produits chimiques 22 034. On peut supposer qu'un grand nombre d'entre eux servirent à des tests de Draize, bien qu'aucune estimation n'en soit disponible[52].

Les animaux sont utilisés pour encore d'autres tests destinés à déterminer la toxicité d'un grand nombre de substances. Dans les études d'inhalation, des animaux sont placés dans des enceintes étanches et on leur fait inhaler de force des aérosols, des gaz et des vapeurs. Dans les études de toxicité cutanée, des lapins sont rasés et on leur applique la substance à tester sur la peau. On les immobilise pour qu'ils ne puissent se gratter là où leur peau est irritée. Celle-ci peut saigner, former des ampoules, ou peler. Dans les études d'immersion, au cours desquelles on place les animaux dans des cuves remplies de la substance diluée, les sujets se noient parfois avant que l'on ne puisse obtenir les résultats attendus. Dans les études d'injection, la

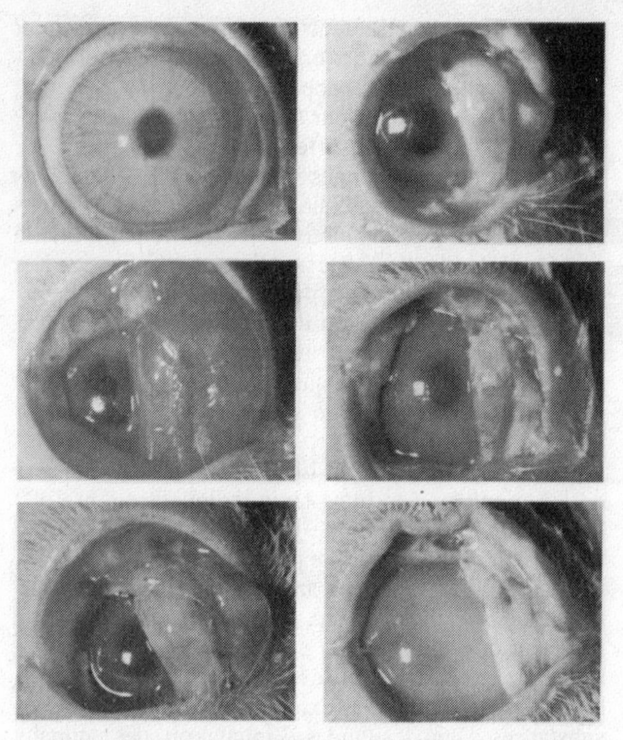

Cette série de photographies illustre les différents niveaux d'irritation résultant de l'application, dans le cadre du test de Draize, de produits irritants sur des yeux de lapins. Ces images sont extraites du *Guide illustré pour la cotation du degré d'irritation engendré par les substances dangereuses* édité par la US Consumer Product Safety Commission. L'objectif de cette publication est, selon l'introduction, d'« *assister à l'entraînement du personnel de laboratoire et ainsi contribuer à une meilleure uniformité dans l'interprétation des résultats obtenus quand une substance est testée selon la méthode officielle.* » En d'autres termes, on attend du personnel de laboratoire qu'il applique des substances potentiellement irritantes dans les yeux de lapins, qu'il laisse s'écouler une période variant de quelques heures à sept jours, et qu'il évalue ensuite le caractère plus ou moins irritant du produit en examinant l'aspect de l'œil des animaux testés et en le comparant avec les photographies ci-dessus.

substance à tester est injectée dans le corps même de l'animal, soit sous la peau, soit dans les muscles, soit enfin directement dans un organe.

Telles sont les procédures standards. Voici deux exemples de leur mise en œuvre :

En Angleterre, l'Institut de recherche de Huntingdon, en collaboration avec la firme géante ICI, mena des expériences où l'on empoisonna quarante singes avec un herbicide, le paraquat. Les animaux devinrent très malades, souffrirent de vomissements, de difficultés respiratoires et d'hypothermie. Ils moururent lentement, sur plusieurs jours. On savait déjà que l'empoisonnement par le paraquat provoquait chez les humains une lente et douloureuse agonie[53].

Nous avons débuté ce chapitre en examinant quelques expériences militaires. Voici un exemple militaire de test de DL50 :

Des expérimentateurs à l'Institut de recherche médicale sur les maladies infectieuses de l'armée de terre des États-Unis empoisonnèrent des rats avec du T-2. Il s'agit d'un poison qui, selon le Département d'État, possède « l'avantage supplémentaire d'être une arme efficace de terreur qui provoque des symptômes bizarres suscitant l'horreur » tels que « hémorragies graves », ampoules et vomissements, de façon à ce que humains et animaux puissent être « tués d'une façon macabre ». Les rats reçurent le T-2 par injection intramusculaire, intraveineuse, sous-cutanée ou interpéritonéale – c'est-à-dire par injection dans le tissu musculaire, dans les veines, sous la peau ou dans la paroi de l'abdomen – et aussi par la bouche et le nez, et enfin à travers la peau. Pour chacune de ces huit voies il s'agissait de déterminer les valeurs de DL50. La mort survenait en général entre neuf et dix-huit heures après l'administration, sauf pour les rats qui avaient reçu le T-2 par la peau qui mirent en moyenne six jours pour mourir. Avant de mourir les animaux étaient incapables tant de manger que de marcher, souffraient de putréfaction de la peau et des intestins, d'agitation et de diarrhée. Les expérimentateurs rapportèrent que leurs résultats étaient « tout à fait compatibles avec les études précédemment publiées sur l'exposition subaiguë et chronique au T-2[54] ».

Comme l'illustre cet exemple, ce ne sont pas que les produits destinés à la consommation humaine que l'on teste. Les agents de guerre chimique, les pesticides et toutes sortes de produits industriels et ménagers sont administrés oralement ou mis dans les yeux des animaux. Un ouvrage de référence, *Clinical Toxicology of Commercial Products*, fournit des informations provenant principalement de tests sur animaux, sur le degré de toxicité de centaines de produits commerciaux. Ceux-ci comprennent des insecticides, des antigels, des liquides pour freins, des agents blanchissants, des bombes pour arbres de Noël, des cierges, des décapants à four, des déodorants, des eaux de toilette, des bains moussants, des dépilatoires, des fards à paupières, des produits pour extincteurs, des encres, des huiles à bronzer, des vernis à ongles, des mascaras, des laques pour cheveux, des peintures et des lubrifiants pour fermetures Éclair[55].

De nombreux scientifiques et médecins ont critiqué ce type de tests, soulignant que leurs résultats ne peuvent être appliqués aux êtres humains. Le Dr Christopher Smith, médecin à Long Beach, en Californie, a déclaré : « Les résultats que donnent ces tests ne peuvent pas être utilisés pour prédire le degré de toxicité d'un produit ou pour diriger le traitement dans les cas d'exposition humaine. En tant que médecin d'urgence certifié avec plus de dix-sept ans d'expérience dans le traitement des absorptions et expositions accidentelles aux produits toxiques, je ne connais aucun cas où un médecin d'urgence ait utilisé des données de tests de Draize pour soigner un cas d'atteinte oculaire. Je n'ai

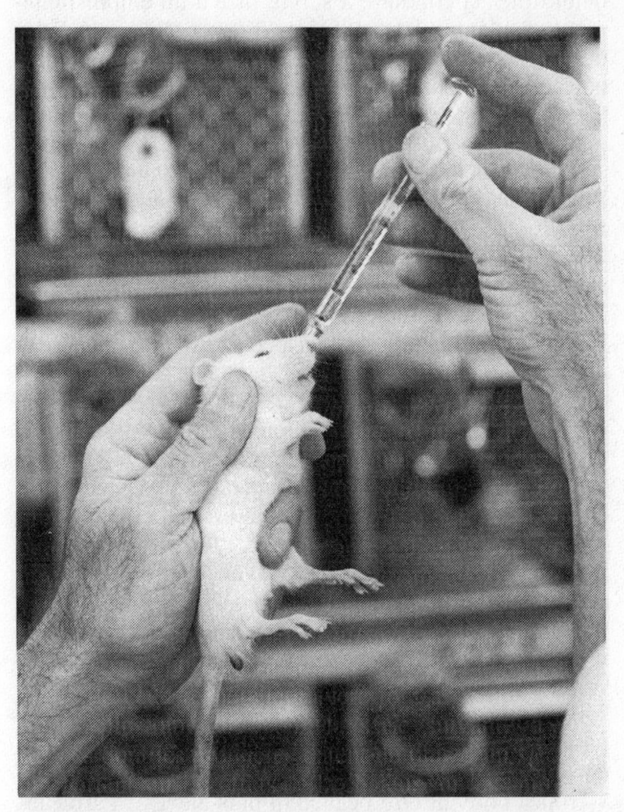

Cette souris fait partie d'un groupe soumis à un test de DL50. Elle reçoit de force une dose de la substance à tester (il peut s'agir d'un colorant alimentaire ou d'un arôme artificiel), afin de déterminer la quantité nécessaire pour tuer par empoisonnement 50 % des individus. (*D.R.*)

jamais utilisé de résultats de tests sur animaux pour déterminer la conduite à suivre face à un empoisonnement accidentel. Les médecins d'urgence se fient à des descriptions de cas, à l'expérience clinique et aux données expérimentales résultant de tests cliniques sur humains pour déterminer le meilleur traitement à administrer à leurs patients[56]. »

Les toxicologues savent depuis longtemps que l'extrapolation d'une espèce à l'autre est une entreprise fort risquée. Le médicament le plus tristement célèbre pour ses effets nocifs inattendus chez les humains est la thalidomide – qui avait été abondamment testée sur animaux avant sa commercialisation. Même après que l'on eut commencé à la suspecter de provoquer des difformités chez les humains, les tests de laboratoire que l'on fit sur des chiennes, des chattes, des rates, des singes, des hamsters et des poules ne réussirent pas à provoquer de difformités chez les nouveau-nés. Ce ne fut que lorsqu'on testa des lapines d'une lignée particulière que des difformités furent obtenues[57]. Plus récemment, un autre médicament, l'Opren, réussit tous les tests habituels sur animaux avant d'être mis en circulation et largement vanté par son fabricant, le géant pharmaceutique Eli Lilly, comme nouveau « remède miracle » contre l'arthrite. L'Opren fut retiré de la vente en Grande-Bretagne à la suite du décès de soixante et une personnes et après plus de 3 500 cas rapportés de réactions indésirables. Un rapport paru dans le *New Scientist* estimait que le nombre réel des victimes pouvait être beaucoup plus élevé[58]. Parmi les autres médicaments qui se sont avérés nocifs après avoir été déclarés sans danger à la suite de tests sur animaux, on trouve le Practolol, destiné à soigner des maladies cardiaques, et qui provoqua des cas de cécité, et le Zipeprol, un antitussif qui provoqua des attaques et des comas chez certains de ceux qui l'avaient utilisé[59].

En plus des risques qu'il fait encourir au public, le fait de tester sur animaux peut nous amener à négliger des produits de valeur qui sont dangereux pour certains animaux mais pas pour les humains. L'insuline peut provoquer des difformités chez les lapereaux et les souriceaux mais pas chez les humains[60]. La morphine, dont l'effet est calmant chez les êtres humains, provoque une agitation médicamenteuse chez les souris. Et comme l'a dit un autre toxicologue : « Si la pénicilline avait été jugée d'après sa toxicité chez les cobayes, elle n'aurait peut-être jamais été utilisée chez l'être humain[61]. »

Après des dizaines d'années d'expérimentation animale inconsidérée, certains chercheurs semblent vouloir repenser la question. Comme l'a remarqué le Dr. Elizabeth Whelan, une scientifique directrice administrative du Conseil américain sur la science et la santé : « Il n'est pas nécessaire d'être docteur ès sciences pour comprendre que l'administration à des rongeurs d'une quantité de saccharine équivalente à 1 800 bouteilles de limonade par jour est difficile à rapporter à la consommation quotidienne que nous en faisons de quelques verres. » Whelan a salué la décision récente des fonctionnaires de l'Agence pour la protection de l'environnement de revoir à la baisse l'estimation des risques présentés par des pesticides et autres produits chimiques relâchés dans l'environnement, notant que les évaluations de pouvoir cancérigène, obtenues par extrapolation à partir de tests sur animaux, se fondaient sur des hypothèses « simplistes » qui sont « difficiles à trouver crédibles ». Cela signifie, dit-elle, que « les responsables de notre réglementation commencent à tenir compte de la littérature scientifique qui rejette l'infaillibilité du test de laboratoire sur animaux[62] ».

L'American Medical Association a elle aussi admis que les modèles animaux sont d'une exactitude contestable. Selon le témoignage d'un de ses représentants devant une audition du Congrès sur les tests de médicaments, « souvent les expériences sur animaux prouvent peu de chose ou rien du tout et sont très difficiles à mettre en rapport avec les humains[63] ».

Fort heureusement beaucoup de chemin a été fait, depuis la parution de la première édition de ce livre, vers l'élimination de tels tests sur animaux. À cette époque, la plupart des scientifiques ne prenaient pas au sérieux la possibilité de développer des substituts efficaces aux tests qui utilisent des animaux pour les mesures de toxicité. Ces chercheurs ont été amenés à changer d'idée grâce au travail acharné d'un grand nombre d'opposants à l'expérimentation animale. Au premier plan il y avait Henry Spira, un ancien militant pour les droits civils qui rassembla des coalitions d'opposants aux tests de Draize et de DL50. La Coalition pour l'abolition du test de Draize commença par inviter la compagnie Revlon, en tant que premier fabricant de cosmétiques aux États-Unis, à investir le dixième d'un seul pour cent de ses bénéfices à la recherche d'un substitut au test de Draize. Lorsque Revlon refusa, des publicités parurent en pleine page dans le *New York Times* pour demander : « COMBIEN REVLON REND-ELLE DE LAPINS AVEUGLES AU NOM DE LA BEAUTÉ[64] ? » Des gens habillés en lapin parurent à l'assemblée générale annuelle de Revlon. La compagnie reçut le message et alloua la somme requise pour financer des recherches sur des substituts à l'expérimentation animale. D'autres compagnies, comme Avon et Bristol-Myers, suivirent l'exemple[65]. Il en résulta que des travaux dans ce domaine qui avaient été commencés en Grande-Bretagne par la Fondation pour le remplacement des animaux dans les expériences médicales furent repris sur une plus grande échelle aux États-Unis, spécialement au Centre John Hopkins pour des substituts aux tests sur animaux, à Baltimore. L'intérêt croissant manifesté aboutit au lancement de plusieurs nouvelles revues majeures telles que *In Vitro Toxicology*, *Cell Biology and Toxicology*, et *Toxicology in Vitro*.

Il fallut un certain temps pour que ce travail porte ses fruits, mais petit à petit l'intérêt s'accrut pour des méthodes substitutives. Des compagnies comme Avon, Bristol-Myers, Mobil et Procter & Gamble commencèrent à utiliser des substituts dans leurs propres laboratoires, réduisant de ce fait le nombre d'animaux utilisés. Vers la fin de l'année 1988, le rythme du changement s'accéléra. En novembre, une campagne internationale contre Benetton menée par People for the Ethical Treatment of Animals, organisation basée à Washington, persuada ce fabricant d'articles de mode de cesser d'utiliser des tests sur animaux dans sa division cosmétiques[66]. En décembre 1988, la Noxell Corporation, qui fabrique les crèmes pour la peau Noxzema et les produits cosmétiques Cover Girl, annonça qu'elle allait mettre en œuvre un test préliminaire qui réduirait de 80 à 90 % le nombre d'animaux utilisés dans ses tests de tolérance oculaire ; Noxell affirma par la suite n'avoir utilisé aucun animal du tout pour les tests de sécurité au cours du premier semestre de l'année 1989[67].

Le mouvement avait maintenant le vent en poupe. En avril 1989, Avon annonça qu'elle avait validé des tests qui utilisaient un matériel synthétique spécialement conçu appelé Eytex pour remplacer le test de Draize. En conséquence, neuf ans après que Spira avait lancé sa campagne, Avon cessa d'utiliser le test de Draize[68]. D'autres bonnes nouvelles allaient suivre. En mai 1989, Mary Kay Cosmetics et Amway annoncèrent toutes deux qu'elles avaient cessé d'utiliser les animaux de laboratoire pour les tests de sécurité sur leurs produits grand public en attendant l'examen de plans pour l'emploi de méthodes substitutives[69]. En juin, Avon, sous la pression d'une autre campagne menée par People for the Ethical Treatment of Animals, annonça la fin définitive de tous ses tests sur animaux[70]. Huit jours plus tard, Revlon annonça qu'elle avait complété son plan d'élimination à long terme des tests sur animaux pour tous ses produits dans toutes les phases de recherche, de développement et de fabrication, et que par conséquent elle mettait fin aux tests sur animaux. Ensuite ce fut Fabergé qui abandonna l'utilisation des animaux dans ses secteurs cosmétiques et de produits de toilette. C'est ainsi qu'en l'espace de quelques mois (bien que sur la base de nombreuses années de travail), la première, la deuxième et la quatrième compagnies de cosmétiques des États-Unis avaient abandonné tous tests sur animaux[71].

Bien que les changements les plus spectaculaires aient eu lieu dans ce secteur hautement visible du public et donc relativement vulnérable qu'est l'industrie cosmétique, le mouvement d'opposition aux tests sur animaux a aussi fait des progrès dans d'autres domaines industriels. Comme l'a exprimé un rapport paru dans la revue *Science* : « Éperonnés par le mouvement pour le bien-être des animaux, les grands fabricants de produits pharmaceutiques, de pesticides et de produits ménagers ont fait ces dernières années des progrès significatifs vers l'accomplissement du but de réduire le nombre d'animaux utilisés dans les tests de toxicité. Des méthodes de substitution, comme la culture de cellules et de tissus et la simulation par ordinateur, sont de plus en plus considérées non seulement comme une bonne politique de relations publiques mais aussi comme désirables du point de vue tant économique que scientifique[72]. »

Le rapport poursuivait en citant Gary Flamm, directeur de l'Office des sciences toxicologiques de la Food and Drug Administration, selon qui le test de DL50 « devrait pouvoir être remplacé dans l'énorme majorité des cas ». Un article du *New York Times* citait un des principaux toxicologues de la G.D. Searle and Company comme admettant qu'« un nombre terriblement élevé des idées avancées par le mouvement pour le bien-être des animaux sont extrêmes mais justes[73] ».

Il semble hors de doute que par l'effet de cette évolution une quantité immense de douleur et de souffrance inutiles ont été évitées. Cette quantité est difficile à évaluer avec exactitude, mais sans ces changements des millions d'animaux auraient souffert chaque année dans des tests qui de fait ne seront pas effectués. Le tragique de l'affaire est que si seulement les toxicologues, les compagnies et les agences de réglementation s'étaient davantage souciés des animaux dont ils se servaient, à des millions d'animaux aurait pu être épargnée une douleur aiguë. Ce n'est qu'à partir du moment où le mouvement de libération animale a commencé à sensibiliser les gens sur le sujet que les responsables de cette expérimentation ont réellement réfléchi à la souffrance animale. Les choses les plus stupides et brutales se faisaient simplement parce que la réglementation l'exigeait ; et personne ne prenait la peine de tenter de modifier cette réglementation[74]. Il fallut ainsi attendre 1983 pour que les agences fédérales américaines déclarent qu'il n'était pas nécessaire que les substances connues pour être des irritants caustiques, comme la soude, l'ammoniaque, et même les décapants à four, soient testées sur les yeux de lapins conscients[75]. Mais la bataille est loin d'être terminée. Pour citer encore une fois le rapport paru dans *Science* le 17 avril 1987 : « La pratique de tests sans nécessité continue à gaspiller un grand nombre d'animaux, non seulement à cause d'exigences démodées mais aussi parce qu'une grande partie de l'information existante est difficilement accessible. Theodore M. Farber, directeur de la Toxicology Branch [de l'Agence pour la protection de l'environnement des États-Unis] a déclaré que son agence possède dans un fichier le résultat de

42 000 tests effectués, et celui de 16 000 tests de DL50. Il dit que ces tests serviraient beaucoup plus à éliminer les répétitions s'ils étaient informatisés pour en faciliter l'accès. "Nous qui travaillons dans la toxicologie réglementaire voyons souvent les mêmes études se répéter sans cesse", dit Farber. »

Ce ne devrait pas être difficile de faire cesser ce gaspillage de vies et de douleur animales, si les gens le veulent vraiment. Il faudra plus de temps pour développer des méthodes substitutives complètement satisfaisantes pour tous les tests de toxicité, mais cela devrait pouvoir se faire. En attendant, il y a un moyen simple de réduire la quantité de souffrance que causent ces tests. Tant que nous n'aurons pas mis au point des méthodes substitutives satisfaisantes, comme premier pas nous devrions nous passer tout simplement de toute substance nouvelle mais potentiellement dangereuse qui ne serait pas essentielle à notre vie.

Lorsque les expériences peuvent être classées sous la rubrique « recherche médicale », nous avons tendance à penser que la souffrance éventuelle qu'elles provoquent doit certainement pouvoir être justifiée parce qu'elles contribuent à soulager d'autres souffrances. Mais nous avons déjà vu que les tests de médicaments ont moins de chances d'être motivés par le désir d'un bien maximal pour tous que par l'attrait d'un bénéfice maximal. L'appellation floue de « recherche médicale » peut aussi servir à couvrir des recherches motivées par une curiosité intellectuelle générale. Une telle curiosité peut être acceptable comme élément d'une recherche fondamentale de la connaissance quand elle n'implique pas de souffrance, mais elle ne devrait pas être tolérée si elle est cause de douleur. Très souvent, en outre, il est arrivé qu'une recherche médicale fondamentale soit poursuivie dans un domaine pendant des décennies et qu'à long terme une grande partie de cette recherche s'avère tout à fait oiseuse. À titre d'illustration, voyons la série suivante d'expériences dont les premières datent de plus d'un siècle, et qui portent sur les effets de la chaleur sur les animaux :

En 1880, H. C. Wood plaça un certain nombre d'animaux dans des boîtes closes sur le dessus par une vitre, puis posa les boîtes sur une chaussée en briques au cours d'une journée chaude. Il utilisa des lapins, des pigeons et des chats. Les observations suivantes sur un lapin sont typiques. À 43 °C, le lapin saute et « frappe des pattes arrière avec une grande furie ». Il subit ensuite une crise de convulsions. À 44,5 °C, l'animal gît sur le côté en bavant. À 49 °C, il halète et geint faiblement. Peu après il meurt[76].

En 1881, un rapport parut dans *The Lancet* sur des chiens et des lapins dont la température corporelle avait été élevée jusqu'à 45 °C. On avait trouvé qu'il était possible de prévenir la mort grâce à des courants d'air frais, et ces résultats, disait-on, indiquaient « l'importance qu'il y a à empêcher la température de trop monter dans les cas où elle a tendance à atteindre des niveaux extrêmes[77] ».

En 1927, W. W. Hall et E. G. Wakefield de l'École médicale navale des États-Unis placèrent dix chiens dans une enceinte chaude et humide pour reproduire expérimentalement le coup de chaleur. Les animaux manifestèrent d'abord de l'agitation, des difficultés respiratoires, un gonflement et une congestion des yeux, et de la soif. Certains eurent des convulsions. Quelques-uns moururent rapidement. Les autres souffrirent de diarrhée sévère et moururent après qu'on les eut sortis de l'enceinte[78].

En 1954, à l'École de médecine de l'université de Yale, M. Lennox, W. Sibley et H. Zimmerman placèrent trente-deux chatons dans une enceinte à « chauffage radiant ». Les animaux furent « soumis à un total de quarante-neuf périodes de chauffage [...] Les chatons se débattaient fréquemment, surtout lors de la montée de la température ». On observa des convulsions à neuf reprises : « Les convulsions répétées étaient la règle. » Jusqu'à trente convulsions se succédèrent rapidement. Cinq chatons moururent au cours de convulsions, et six sans convulsions. Les autres furent tués par les expérimentateurs à fin d'autopsie. Ceux-ci rapportèrent : « Les conclusions de l'étude de la fièvre artificiellement induite chez les chatons sont en accord avec les résultats cliniques et d'EEG chez les êtres humains ainsi qu'avec les résultats cliniques antérieurs chez les chatons[79]. »

L'expérience suivante eut lieu au K.G. Medical College, à Lucknow en Inde. Je la cite pour illustrer le triomphe des méthodes de recherche et attitudes envers les animaux venues de l'Occident sur l'ancienne tradition de l'hindouisme, qui a plus de respect pour les animaux non humains que n'en a la tradition judéo-chrétienne. En 1968, K. Wahal, A. Kumar et P. Nath soumirent quarante-six rats à une température élevée pendant quatre heures. Les rats devinrent agités et se mirent à respirer avec difficulté et à saliver abondamment. Un des animaux mourut en cours d'expérience et les autres furent tués par les expérimentateurs parce que « de toute façon ils ne pouvaient pas survivre[80] ».

En 1969, S. Michaelson, vétérinaire à l'université de Rochester, soumit des chiens et des lapins à des micro-ondes jusqu'à ce que leur température corporelle atteigne ou dépasse le point critique de 41,5 °C. Il observa que les chiens commencèrent à haleter peu après le début de leur exposition aux micro-ondes. La plupart d'entre eux « exhibent une activité accrue allant de l'agitation simple à l'agitation extrême ». À l'approche de la mort surviennent la faiblesse et la prostration. Dans le cas des lapins, « en l'espace de cinq minutes ils commencent à faire des tentatives désespérées de s'échapper de la cage » et ils meurent dans les quarante minutes. Michaelson en conclut qu'un apport de chaleur par micro-ondes possède une nocivité « indiscernable de celle de la fièvre en général [81] ».

À l'Institut Heller de recherche médicale, à Tel-Aviv, en Israël, lors d'expériences publiées en 1971 et payées par le service de Santé publique des États-Unis, T. Rosenthal, Y. Shapiro et d'autres placèrent trente-trois chiens « extraits au hasard de la fourrière locale » dans une enceinte à température contrôlée et les obligèrent à courir dans une roue dans des températures atteignant 45 °C, jusqu'à ce qu'« ils se soient effondrés d'un coup de chaleur ou que leur température rectale ait atteint une valeur prédéterminée ». Vingt-cinq d'entre eux moururent. Neuf autres chiens furent alors soumis à une température de 50 °C sans avoir à courir. Seuls deux d'entre eux survécurent plus de vingt-quatre heures, et l'autopsie montra que tous avaient souffert d'hémorragies. Les expérimentateurs conclurent : « Les résultats sont en accord avec ce qui ressort de la littérature concernant les humains [82]. » Dans un rapport supplémentaire publié en 1973, les mêmes chercheurs décrivent des expériences faites sur cinquante-trois chiens mettant en jeu diverses combinaisons de chaleur et d'exercice dans la roue. Six des chiens souffrirent de vomissements, huit de diarrhée, quatre de convulsions, douze de perte de coordination musculaire, et tous salivèrent en abondance. Sur dix chiens dont la température rectale atteignit 45 °C, cinq moururent au maximum de leur température rectale » et les cinq autres entre trente minutes et onze heures après la fin de l'expérience. Les expérimentateurs conclurent que « plus vite on abaisse la température corporelle de la victime d'un coup de chaleur, plus grandes sont les chances qu'il s'en remette [83] ».

En 1984, des expérimentateurs travaillant pour l'Administration aéronautique fédérale, déclarant qu'« il arrive que des animaux meurent du stress provoqué par la chaleur au cours de leur séjour dans les systèmes de transport du pays », soumirent dix beagles à une chaleur expérimentale. Les chiens furent isolés dans des enceintes, muselés, et exposés à une température de 35 °C combinée à un niveau élevé d'humidité. Ils ne reçurent ni eau ni nourriture, et on les maintint dans ces conditions pendant vingt-quatre heures. On observa leur comportement ; celui-ci comprenait « une activité agitée délibérée telle que des coups de pattes sur la paroi des caisses, le fait de tourner en rond sans arrêt, l'agitation de la tête pour tenter d'enlever la muselière, le frottement de la muselière sur le sol de la caisse, et des actes agressifs contre la protection des sondes ». Certains des chiens moururent dans les enceintes. Lorsqu'on en retira les survivants, certains vomissaient le sang, et tous étaient faibles et épuisés. Les expérimentateurs firent mention d'« expériences ultérieures sur plus de cent beagles[84] ».

Dans un autre exemple d'expérimentation militaire, depuis plus de dix ans, R. W. Hubbard, de l'Institut de recherche en médecine environnementale de l'armée de terre des États-Unis, à Natick, dans le Massachusetts, publie des articles portant des titres comme « Le Rat en tant que modèle animal de mortalité aiguë par coup de chaleur ». C'est un fait bien connu que les rats, lorsqu'ils ont chaud, se couvrent le corps de salive ; celle-ci a la même fonction rafraîchissante que la sueur chez les humains. En 1982, Hubbard et deux collègues notèrent que les rats qui ne peuvent saliver se couvrent d'urine si aucun autre liquide n'est disponible[85]. Par conséquent, en 1985, ces mêmes trois chercheurs, accompagnés d'un quatrième, injectèrent de l'atropine à des rats, ce qui inhibe la sécrétion de sueur et de salive. Sur d'autres rats ils procédèrent à l'ablation chirurgicale des glandes salivaires. Ils placèrent ensuite les rats dans des enceintes à 41,7 °C jusqu'à ce que leur température corporelle atteigne 42,6 °C. Ils dessinèrent alors des graphiques pour comparer « les modes de dispersion d'urine » (*urine spreading pattern*) chez les rats qui avaient reçu de l'atropine ou qui avaient été « désalivés » chirurgicalement avec celui des rats témoins. Ils estimèrent que le « modèle de rat atropinisé et soumis au stress de l'échauffement » était « un outil prometteur pour permettre d'examiner le rôle de la déshydratation dans les malaises causés par la chaleur [86] ».

Nous venons de citer une série d'expériences qui remonte au XIXe siècle – et l'espace dont je dispose ne me permettait d'inclure qu'une fraction de la littérature publiée. Les expériences ont de toute évidence provoqué une grande souffrance ; et la principale découverte à laquelle elles ont abouti semble être le conseil qu'il est bon de rafraîchir la victime d'un coup de chaleur – chose qui semble relever d'un sens commun assez élémentaire et qui était de toute façon déjà connue à partir d'observations sur les êtres humains victimes d'un coup de chaleur naturel. Quant à l'application de cette recherche aux humains, B. W. Zweifach a montré en 1961 que les chiens ont avec eux des différences physiologiques qui modifient leur réaction aux coups de chaleur, et qu'ils constituent donc un mauvais modèle pour le coup de chaleur chez les humains [87]. Il est difficile de prendre au sérieux l'idée que de petits animaux poilus drogués à l'atropine qui se couvrent d'urine lorsqu'ils ont chaud constitueront un modèle meilleur.

De telles séries d'expériences se rencontrent dans beaucoup d'autres domaines médicaux. À New York dans les bureaux de la United Action for Animals il y a des meubles de classement remplis de photocopies de rapports d'expériences publiés dans les revues. Chaque épais dossier contient des rapports de nombreuses expériences, souvent plus de cinquante, et les étiquettes que portent les dossiers racontent leur propre histoire : « Accélération », « Agression », « Asphyxie », « Blessure à la moelle épinière », « Blessures multiples », « Brûlure », « Cécité provoquée », « Centrifugation », « Commotion », « Comportement prédateur », « Compression », « Congélation », « Décompression », « Écrasement », « État de choc », « Faim prolongée », « Frappe des pattes arrière », « Hémorragies », « Immobilisation », « Irradiation », « Isolement », « Névrose expérimentale », « Privation d'espace », « Privation protéique », « Punition », « Soif », « Stress », « Surchauffement », « Test de médicaments », et bien d'autres encore. Si certaines de ces expériences ont peut-être fait progresser les connaissances médicales, la valeur du savoir acquis est souvent contestable, et ce savoir aurait pu dans certains cas être obtenu autrement. Beaucoup de ces expériences paraissent futiles ou mal conçues, et certaines n'avaient même pas pour but d'apporter quelque bienfait important.

Prenons, comme autre exemple de la manière dont sont effectuées des variations sans fin de la même expérience ou d'expériences similaires, ces expériences qui ont trait à la production expérimentale d'un état de choc chez les animaux (il s'agit non de chocs électriques mais de cet état mental et physique qui suit souvent une grave blessure). Aussi loin qu'en 1946, un chercheur dans ce domaine, Magnus Gregersen, de l'université de Columbia, a compilé la littérature et trouvé plus de huit cents publications sur des études expérimentales de l'état de choc. Il décrit les méthodes utilisées pour induire cet état : « L'application d'un garrot sur une ou plusieurs extrémités, l'écrasement, la compression, le traumatisme musculaire par contusion à l'aide de légers coups de marteau, le tambour de Noble-Collip [un dispositif dans lequel on place l'animal et qu'on fait tourner ; l'animal retombe continuellement dans le fond du tambour et se blesse], la blessure par balle, l'étranglement des anses intestinales, le refroidissement et les brûlures. »

Gregersen note aussi que l'hémorragie a été « largement employée » et qu'« un nombre croissant de ces études se font sans la complication qui résulte de l'anesthésie ». Pourtant, toute cette diversité ne le réjouit pas, et il se plaint de ce que la grande variété des méthodes employées rend « excessivement difficile » l'évaluation des résultats obtenus par les différents chercheurs ; il y existe, dit-il, un « besoin criant » pour des procédures normalisées capables de provoquer un état de choc à chaque fois[88].

Huit ans plus tard, la situation n'avait pas beaucoup changé. S. M. Rosenthal et R. C. Millican écrivirent que « les recherches animales dans le domaine du choc traumatique ont abouti à des résultats disparates et souvent contradictoires ». Malgré cela ils mettaient leurs espoirs dans « l'expérimentation future dans ce domaine » et tout comme Gregersen déconseillaient l'usage de l'anesthésie : « L'influence de l'anesthésie est controversée [...] [et] à notre avis l'anesthésie prolongée est à éviter [...]. » Ils recommandèrent en outre que l'on « emploie un nombre suffisant d'animaux pour surmonter la variabilité biologique[89] ».

En 1974, des expérimentateurs travaillaient encore sur des « modèles animaux » de choc expérimental, menant toujours des expériences préliminaires pour déterminer quelles sortes de lésions étaient susceptibles de provoquer un état de choc « standard » adéquat. Après des décennies d'expériences ayant pour but de produire un état de choc chez les chiens en provoquant des hémorragies, des études plus récentes ont indiqué (ô surprise !) que l'état de choc hémorragique chez les chiens ne ressemble pas à l'état de choc chez les humains. Compte tenu de ces études, des chercheurs de l'université de Rochester ont provoqué des hémorragies chez les porcs, qui, pensent-ils, ressemblent peut-être plus aux humains sous ce rapport ; cela afin d'avoir une idée du volume adéquat de sang à retirer si on veut produire un état de choc expérimental[90].

Des centaines d'expériences sont aussi menées chaque année dans lesquelles on force des animaux à développer une dépendance envers une drogue. Ainsi sur la seule cocaïne plus de 500 études ont eu lieu. Une analyse de seulement 380 d'entre elles estimait leur coût à plus de 100 millions de dollars, principalement de l'argent public[91]. En voici un exemple :

Dans un laboratoire du Downstate Medical Center, dirigé par Gerald Denau, des singes rhésus furent immobilisés dans des chaises de contention. On leur apprit ensuite à s'auto-administrer de la cocaïne directement dans le sang en quantités aussi grandes qu'ils le voulaient en appuyant sur un bouton. Selon l'un des rapports : « Les singes testés pressaient le bouton sans relâche, même après les convulsions. Ils ne dormaient plus. Ils mangeaient cinq à six fois leur ration normale, mais n'en devenaient pas moins émaciés [...] À la fin, ils se mirent à s'automutiler, et, en fin de compte, moururent d'abus de cocaïne. »

Le Dr Deneau a admis que « peu de gens pourraient se payer des doses aussi massives de cocaïne que celles auxquelles ces singes avaient accès[92] ».

Bien que cinq cents expériences sur animaux aient été menées concernant la cocaïne, elles ne représentent qu'une petite partie de la quantité totale de recherche effectuée qui comporte l'induction de la toxicomanie chez les animaux. Dans la première édition de ce livre, j'ai décrit une série semblable d'expériences concernant la dépendance induite à la morphine et aux amphétamines. Voici d'autres exemples plus récents :

À l'université du Kentucky, on étudia sur des beagles les symptômes de sevrage produits par le Valium et un autre tranquillisant du même genre, le Lorazepam. On força les animaux à devenir dépendants envers le produit testé et ensuite, toutes les deux semaines, on cessa de le leur fournir. Parmi les symptômes observés, on nota des secousses nerveuses, des soubresauts, de forts tremblements corporels, des accès de course, une perte de poids rapide, la peur, et une tendance à se recroqueviller. Après quarante heures de sevrage du Valium, « on observa de nombreuses convulsions toniques-cloniques chez sept des neuf chiens [...]. Chez deux chiens le corps entier fut saisi d'accès répétés de convulsions cloniques ». Quatre des chiens moururent – deux au cours d'accès convulsifs et deux après une perte rapide de poids. Le Lorazepam provoqua des symptômes semblables mais pas d'épisodes convulsifs mortels. Les expérimentateurs passèrent en revue des expériences remontant jusqu'à 1931 au cours desquelles les symptômes de sevrage des barbituriques et des tranquillisants avaient été observés chez des rats, des chats, des chiens et des primates[93].

Après avoir examiné les expériences antérieures montrant que « des effets ressemblant à ceux du sevrage peuvent se manifester après une administration unique d'opiacés chez plusieurs espèces » dont les chiens, les souris, les singes et les rats, D. M. Grilly et G. C. Gowans, de l'université d'État de Cleveland, décidèrent de tester une hypothèse selon laquelle le sevrage de la morphine provoque une hypersensibilité à la douleur. Des rats furent entraînés par une procédure comportant une moyenne de 6 387 séances d'apprentissage de « discrimination de chocs ». Au cours de ces séances, ils devaient réagir à l'administration d'un choc électrique. On leur injecta ensuite de la morphine et on les soumit à des chocs un, deux, trois et sept jours plus tard. Les expérimentateurs notèrent une sensibilité accrue aux chocs les jours qui suivaient immédiatement l'administration de la morphine[94].

Voici un exemple encore plus étrange de recherche sur les stupéfiants :

À l'université de Californie, à Los Angeles, Ronald Siegel enchaîna deux éléphants à une grange. La femelle fut utilisée dans des tests préliminaires pour « déterminer les procédures et les dosages pour l'administration de LSD ». Elle reçut la drogue par voie orale et par fusil lance-fléchettes. Ensuite, les expérimentateurs administrèrent la drogue aux deux éléphants chaque jour pendant deux mois et observèrent leur comportement. Sous l'effet d'une dose élevée du produit hallucinogène, la femelle tombait sur le côté et restait ainsi en tremblant et en respirant très faiblement pendant une heure. Le mâle soumis à de telles doses quant à lui devenait agressif et fonçait sur Siegel, qui qualifia ce comportement agressif répété d'« inapproprié[95] ».

Je terminerai ma relation de cette triste série d'expériences sur les stupéfiants par un épisode qui au moins a une fin heureuse. Des chercheurs de l'Institut médical de l'université de Cornell administrèrent à des chats des doses élevées de barbituriques au moyen de tubes implantés chirurgicalement dans l'estomac. Ils cessèrent ensuite brutalement l'administration. Voici la description qu'ils font des symptômes de sevrage : « Certains étaient incapables de tenir debout [...] La "posture de l'aigle déployé" fut observée chez ceux qui manifestaient les signes les plus graves de manque et les convulsions de type épileptique les plus fréquentes. Presque tous ces animaux moururent pendant ou peu de temps après des périodes d'activité convulsive continue [...] Une respiration rapide ou laborieuse fut souvent notée quand les autres symptômes de manque étaient le plus intenses [...]. L'hypothermie fut notée chez les animaux lorsqu'ils étaient au plus faible, tout particulièrement après les convulsions persistantes et à l'approche de la mort[96]. »

Ces expériences débutèrent en 1975. L'usage abusif de barbituriques avait représenté un problème sérieux quelques années avant cette date, mais entre-temps la circulation de ces médicaments avait été sévèrement contrôlée, et les abus avaient diminué. Cette évolution s'est poursuivie depuis. Malgré cela, les expériences sur les chats ont continué à la Cornell pendant quatorze ans. Puis, en 1987, les militants de Trans-Species Unlimited, un groupe pour les droits des animaux basé en Pennsylvanie, rassemblèrent toute l'information qu'il leur était possible de trouver concernant ces expériences, et ils entreprirent une campagne pour les faire cesser. Pendant quatre mois, des gens sensibles à la question tinrent des piquets devant le laboratoire où s'effectuaient les expériences et envoyèrent des lettres aux organismes de subvention, à la presse, à l'université et aux législateurs. La Cornell et Michiko Okamoto, le chercheur qui menait les expériences, les défendirent pendant un long moment, puis, vers la fin de 1988, écrivirent à l'organisme qui les finançait, l'Institut national sur la toxicomanie, pour dire qu'ils renonçaient à la nouvelle subvention de 530 000 dollars destinée à financer trois nouvelles années d'expériences[97].

Comment tout cela est-il possible ? Comment des gens qui ne sont pas des sadiques peuvent-ils consacrer leurs journées de travail à mettre des singes dans une dépression qui dure leur vie entière, à chauffer des chiens jusqu'à ce qu'ils meurent, ou à rendre des chats toxicomanes ? Comment peuvent-ils ensuite enlever leur blouse blanche, se laver les mains, et rentrer chez eux dîner en famille ? Comment les contribuables peuvent-ils permettre que leur argent serve à soutenir ces expériences ? Comment les étudiants ont-ils pu protester contre des injustices, des discriminations et des oppressions de toutes sortes, aussi éloignées qu'elles soient de chez eux, tout en ignorant les cruautés qui se déroulaient, et qui continuent à se dérouler sur leur propre campus ?

La réponse à ces questions se trouve dans l'acceptation incontestée du spécisme. Nous tolérons des cruautés infligées aux membres des autres espèces, qui nous scandaliseraient si on les infligeait aux membres de notre propre espèce. Le spécisme permet aux chercheurs de considérer les animaux sur lesquels portent leurs expériences comme des pièces d'équipement, comme des outils de laboratoire plutôt que comme des êtres vivants et souffrants. Et de fait, dans les formulaires de demande de subvention auprès des agences gouvernementales, les animaux sont classés comme « fournitures » à côté des tubes à essai et des instruments de mesure.

En plus de l'attitude générale spéciste que les expérimentateurs ont en commun avec les autres citoyens, il y a quelques facteurs particuliers qui contribuent à rendre possibles les expériences que j'ai décrites. À la première place parmi ces facteurs il y a l'immense respect que les gens éprouvent encore pour les scientifiques. Bien que l'avènement des armes nucléaires et la pollution de l'environnement nous aient fait réaliser que la science et la technologie ne sont pas aussi bénéfiques qu'elles peuvent le paraître à première vue, la plupart des gens ont encore tendance à éprouver une crainte respectueuse devant toute personne qui porte une blouse blanche et possède un doctorat. Dans une série bien connue d'expériences, Stanley Milgram, un psychologue de Harvard, a fait la démonstration de ce que les gens ordinaires obéiront si un chercheur en blouse blanche leur enjoint d'administrer un choc électrique (fictif, mais qu'ils croient réel) à un sujet humain à titre de « punition » pour avoir mal répondu à une question, et qu'ils continueront à le faire même quand ce sujet crie et simule une grande douleur[98]. Si les participants agissent ainsi quand ils croient infliger de la douleur à un être humain, n'est-il pas bien plus facile encore pour les étudiants d'étouffer leurs scrupules initiaux quand un professeur leur enjoint de conduire des expériences sur des animaux ? Le processus que subissent les étudiants et qu'Alice Heim a qualifié avec raison d'« endoctrinement » se déroule graduellement, et débute par la dissection des grenouilles dans les cours de sciences naturelles au lycée. Lorsque les futurs étudiants en médecine, en psychologie ou en sciences vétérinaires arrivent à l'université et s'aperçoivent que pour compléter les études auxquelles ils tiennent il leur faut faire des expériences sur des animaux vivants, il leur est difficile de refuser, d'autant plus qu'ils savent que ce qu'on leur demande est une pratique courante et admise. Ceux des étudiants qui ont refusé de s'adonner à de telles expériences se sont retrouvés en train d'échouer et souvent obligés d'abandonner le champ d'études qu'ils avaient choisi.

La pression que subissent les étudiants à se conformer ne se relâche pas au fur et à mesure qu'ils reçoivent leurs diplômes. S'ils décident de poursuivre leurs études dans des domaines où l'expérimentation animale est courante, on les encouragera à concevoir leurs propres expériences pour les présenter dans leur thèse de doctorat. Naturellement, si c'est ainsi que les étudiants sont formés, ils auront tendance à poursuivre sur le même chemin quand ils seront devenus enseignants, et ils formeront, à leur tour, leurs propres étudiants dans le même esprit.

Particulièrement révélateur à ce sujet est le témoignage de Roger Ulrich, un ancien expérimentateur qui a échappé à son conditionnement et qui reconnaît aujourd'hui avoir infligé « des années de torture » à des animaux allant des rats aux singes. En 1977, la revue *Monitor*, publiée par l'American Psychological Association, rapporta que des expériences sur l'agression effectuées par Ulrich avaient été citées devant un sous-comité du Congrès comme exemples de recherche inhumaine. À la surprise des antivivisectionnistes qui l'avaient critiqué, et sans doute aussi à celle du rédacteur du *Monitor*, Ulrich répondit par une lettre disant qu'il avait été « conforté » par les critiques qu'on avait faites sur son travail, et il ajouta : « Au début, ma recherche était motivée par le désir de comprendre et d'aider à résoudre le problème de l'agression humaine, mais par la suite je découvris que les résultats que donnait mon travail ne semblaient pas justifier sa poursuite. J'ai alors commencé à me demander si ce n'étaient pas plutôt les récompenses pécuniaires, le prestige professionnel, les occasions de voyager, etc., qui représentaient les facteurs maintenant le statu quo, et si nous autres de la communauté scientifique (soutenus par notre système bureaucratique et législatif) ne faisions pas partie en réalité du problème [99]. »

Don Barnes, qui, comme nous l'avons vu, a de façon analogue changé sa manière de voir le travail qu'il faisait pour l'armée de l'air des États-Unis consistant à irradier des singes après les avoir soumis à un apprentissage, qualifie le processus que décrit Ulrich de « cécité éthique conditionnée ». En d'autres termes, tout comme on peut conditionner un rat à appuyer sur un levier en lui donnant en retour une récompense sous forme de nourriture, de même un être humain peut être conditionné par des récompenses professionnelles à ignorer les problèmes éthiques que posent les expériences sur animaux. Comme le dit Barnes : « Je représentais un exemple classique de ce phénomène que je choisis de nommer "cécité éthique conditionnée". Ma vie entière avait consisté à être récompensé pour avoir utilisé des animaux, en les traitant comme sources de progrès ou d'amusement humains [...] Au cours de mes seize années de laboratoire, les questions sur la moralité et l'éthique de l'utilisation des animaux de laboratoire ne furent jamais abordées dans les discussions ni formelles ni informelles avant que je ne soulève ces problèmes au soir de ma vie de vivisecteur[100]. »

Ce ne sont pas que les expérimentateurs eux-mêmes qui souffrent de cécité éthique conditionnée. Les organismes de recherches donnent parfois comme réponse à ceux qui les critiquent le fait qu'ils emploient un vétérinaire pour veiller sur les animaux. Ce genre de déclaration est censé rassurer, à cause de la croyance répandue qui voit en tous les vétérinaires des gens soucieux des animaux et qui ne permettraient jamais qu'on les fasse souffrir sans nécessité. Malheureusement, tel n'est pas le cas. À n'en pas douter, la motivation de beaucoup de vétérinaires quand ils ont choisi ce métier était leur souci pour les animaux, mais il est difficile pour de telles personnes d'arriver au bout de leurs études de médecine vétérinaire sans voir leur sensibilité à la souffrance animale émoussée. Les étudiants les plus sérieusement motivés seront probablement incapables d'achever le cursus. Une personne qui avait commencé des études en médecine vétérinaire écrivit ce qui suit à une organisation pour le bien-être des animaux : « Le rêve et l'ambition que j'avais chéris depuis mon enfance de devenir vétérinaire se sont dissipés à la suite de plusieurs expériences traumatisantes causées par des procédures expérimentales courantes et admises que pratiquaient les enseignants froids qui officiaient dans les cours préparatoires de mon université d'État. Ils trouvaient parfaitement acceptable de prendre tous les animaux qu'ils utilisaient et d'expérimenter dessus et de mettre un terme à leur vie, ce que moi je trouvais totalement révoltant et inacceptable selon mon propre code moral. Après de nombreuses discussions conflictuelles avec ces vivisecteurs sans cœur, j'ai pris la décision douloureuse de poursuivre une autre carrière[101]. »

En 1966, au moment où des tentatives étaient faites d'introduire une loi pour protéger les animaux de laboratoire, l'Association américaine de médecine vétérinaire déclara devant les comités du Congrès que bien qu'elle fût favorable à une loi pour mettre fin aux vols d'animaux familiers destinés à être vendus aux laboratoires, elle était opposée à l'enregistrement et à la réglementation des installations de recherche, de peur que la recherche n'en fût gênée. L'attitude fondamentale de la profession était, comme le disait un article paru dans le *Journal of the American Veterinary Medical Association*, que « la raison d'être même de la profession vétérinaire est le bien-être général de l'homme, non des animaux inférieurs [102] ». Une fois qu'on a saisi les implications de ce bel exemple de spécisme, on ne devrait plus trouver étonnant d'apprendre que les expériences citées dans ce chapitre ont pour beaucoup d'entre elles été menées par des équipes comportant des vétérinaires. Ainsi par exemple, voyez la description au début de ce chapitre de l'expérience avec la « plate-forme d'équilibre pour primates » où les animaux sont exposés à un gaz neurotoxique, le soman. Le rapport d'où est tirée cette description indique : « L'entretien des animaux et les soins courants furent assurés par la Division des sciences vétérinaires de l'École de médecine aérospatiale de l'Armée de l'air. »

D'un bord à l'autre des États-Unis, des vétérinaires sont à leur poste pour assurer l'« entretien et les soins courants » à des animaux qui sont maltraités sans nécessité. Est-ce là ce que représente ce métier ? (Les vétérinaires peuvent encore garder espoir, néanmoins, car une nouvelle organisation professionnelle s'est fondée qui a pour but de fournir un soutien aux vétérinaires praticiens et étudiants qui ont des préoccupations éthiques à propos du traitement des animaux non humains.)

Une fois qu'un modèle donné d'expérimentation animale est devenu la norme admise de recherche dans un domaine particulier, le processus devient auto-entretenu et il est difficile d'en sortir. Non seulement les publications et les promotions, mais aussi les primes et les subventions qui financent la recherche se retrouvent liées à l'expérimentation animale. Un nouveau projet d'expériences sur animaux n'aura pas de mal à se voir soutenu par les personnes qui administrent les fonds pour la recherche si elles ont par le passé soutenu d'autres expériences sur animaux. Des méthodes nouvelles qui n'utilisent pas d'animaux leur sembleront moins familières et auront moins de chances de se voir aidées.

Tout cela explique en partie pourquoi il n'est pas toujours facile pour les gens extérieurs au milieu universitaire de comprendre la logique qui fonde la recherche faite sous les auspices académiques. À l'origine, peut-être était-elle le fait de scientifiques et de chercheurs qui s'étaient tout simplement attelés à la tâche de résoudre les problèmes les plus importants et ne se permettaient pas d'être influencés par d'autres considérations. Certainement en existe-t-il encore qui ont de telles motivations. Trop souvent, cependant, la recherche académique s'embourbe dans des détails futiles et insignifiants parce que les grandes questions ont déjà été étudiées et que celles qui n'ont pas été résolues sont apparues trop difficiles. Les chercheurs se détournent donc des sentiers battus pour parcourir de nouveaux territoires où ce qu'ils trouveront sera toujours nouveau, même si le lien avec un problème important pourra sembler éloigné. Il n'est pas rare, comme nous l'avons vu, qu'un expérimentateur admette que des expériences similaires ont eu lieu de nombreuses fois déjà, mais sans telle ou telle petite variation ; et la conclusion la plus courante dans les publications scientifiques est : « D'autres recherches s'imposent. »

Quand nous lisons le compte rendu d'expériences qui causent de la douleur et qui ne paraissent même pas avoir eu pour but de produire des résultats de réelle importance, nous avons d'abord tendance à croire qu'il doit y avoir autre chose que ce que nous pouvons comprendre, que les scientifiques doivent avoir quelque meilleure raison de faire ce qu'ils font, que ce qu'indiquent leurs rapports. Quand je décris de telles expériences à des gens ou que je leur lis directement des passages des rapports que publient les chercheurs, la réaction la plus courante que je rencontre est une perplexité sceptique. Cependant, quand nous examinons le sujet plus en profondeur, nous trouvons que ce qui paraissait à première vue futile, très souvent, s'avère réellement futile. Les expérimentateurs eux-mêmes en font souvent et non officiellement l'aveu. H. F. Harlow, dont nous avons vu les expériences au début de ce chapitre, fut pendant douze ans directeur du *Journal of Comparative and Physiological Psychology*, revue qui à elle seule a publié plus de rapports d'expériences douloureuses sur animaux que presque toute autre. À la fin de cette période, au cours de laquelle il estimait avoir examiné environ 2 500 manuscrits soumis à publication, Harlow écrivit, dans une note d'adieu semi-humoristique, que « la plupart des expériences ne valent pas la peine d'être faites et les données obtenues ne valent pas la peine d'être publiées [103] ».

Cela ne devrait pas nous surprendre. Les chercheurs, y compris en psychologie, en médecine ou en biologie, sont des êtres humains et sont sensibles aux mêmes influences que n'importe quels autres êtres humains. Ils aiment à avancer dans leur carrière, à recevoir des promotions, et à voir leur travail lu et discuté par leurs collègues. Le fait de publier des articles dans les revues spécialisées est un élément important pour monter sur l'échelle de la promotion et du prestige. Les choses se passent ainsi dans toutes les disciplines, en philosophie ou en histoire autant qu'en psychologie ou en médecine, ce qui se comprend très bien et en tant que tel n'est guère critiquable. Les philosophes et les historiens qui publient pour améliorer leurs perspectives de carrière font peu de mal à part gaspiller du papier et ennuyer leurs collègues ; en revanche, ceux dont le travail comporte des expériences sur animaux peuvent provoquer une douleur sévère et une souffrance prolongée. Leur travail devrait par conséquent répondre à des normes de nécessité beaucoup plus strictes.

Les services publics qui, aux États-Unis, en Grande-Bretagne et ailleurs, subventionnent la recherche en sciences biologiques sont devenus les principaux soutiens de l'expérimentation animale. Et de fait, les fonds publics, qui proviennent des impôts, ont financé la grande majorité des expériences qui sont décrites dans ce chapitre. Beaucoup de ces organismes payent pour des études qui n'ont qu'un lien des plus éloignés avec ce pour quoi ils ont été fondés. Dans les pages précédentes, j'ai décrit des expériences qui avaient été financées aux États-Unis par les Instituts nationaux de la santé, l'Administration de la santé mentale et de l'abus de l'alcool et des drogues, l'Administration aéronautique fédérale, le ministère de la Défense, la Fondation nationale des sciences, la NASA, et d'autres. Il n'est pas facile de comprendre pourquoi l'armée de terre des États-Unis devrait être en train de financer une étude sur les modes de dispersion d'urine chez les rats chauffés et drogués ou pourquoi le Service de santé publique des États-Unis veut donner de l'argent pour que des éléphants puissent recevoir du LSD.

Comme ces expériences sont payées par des agences gouvernementales, il est presque inutile d'ajouter qu'il n'y a pas de loi qui interdise aux scientifiques de les mener. Il y a des lois qui interdisent aux gens ordinaires de battre leur chien à mort, mais aux États-Unis les scientifiques peuvent faire le même acte en toute impunité, et sans que quiconque ait mission de vérifier s'il existe une chance que cet acte produise des bienfaits que ne produirait pas la violence ordinaire. La raison qui explique cela est que la puissance et le prestige de l'establishment scientifique, appuyés par les divers groupes d'intérêt – dont celui des éleveurs d'animaux de laboratoire – ont été assez forts pour bloquer les tentatives d'introduire un contrôle légal efficace.

Robert J. White, de l'Hôpital général métropolitain de Cleveland, est un expérimentateur qui s'est spécialisé dans la transplantation de têtes de singes et leur maintien en vie dans un liquide après qu'elles ont été complètement détachées du corps. Il est l'exemple parfait du scientifique qui considère l'animal de laboratoire comme un « outil de recherche » – de fait il a dit lui-même que l'objectif premier de son travail sur ces têtes de singes était d'« offrir un outil de laboratoire vivant » à la recherche sur le cerveau. Le journaliste à qui White avait fait cette déclaration rapporta de sa visite à son laboratoire « un aperçu rare et glaçant de l'univers froid et clinique du savant, dans lequel la vie d'un animal n'a aucune signification au-delà du but immédiat de l'expérience[104] ».

Selon White, « l'inclusion des animaux dans notre système éthique est philosophiquement dépourvue de sens et opérationnellement impossible[105] ». En d'autres termes, White ne se considère soumis à aucune contrainte éthique concernant ce qu'il fait aux animaux. Il n'est donc pas étonnant qu'un autre journaliste ait rapporté de l'entrevue qu'il avait eue avec lui qu'il « s'irrite des réglementations, qu'elles proviennent des administrateurs de l'hôpital ou des compagnies d'assurances. "Je suis un élitiste", dit-il. Il pense que les médecins devraient être dirigés par leurs pairs[106]. »

Un autre opposant actif à la réglementation gouvernementale est David Baltimore, professeur au Massachusetts Institute of Technology et lauréat du prix Nobel. Dans un récent discours, prononcé lors de la rencontre nationale de l'Association américaine pour l'avancement de la science, il mentionna les « longues heures » que lui et ses collègues ont passées à lutter contre la réglementation de leur recherche[107]. La base de son opposition à une telle réglementation avait été définie clairement dans les propos qu'il avait tenus quelques années auparavant, lors d'une émission télévisée où il était invité en compagnie d'autres chercheurs et de Robert Nozick, philosophe à Harvard. Nozick avait demandé aux scientifiques si le fait qu'une expérience doive tuer des centaines d'animaux était jamais considéré par les chercheurs comme une raison de ne pas la mener. Un des scientifiques répondit : « Pas à ma connaissance. » Nozick insista en précisant sa question : « Les animaux ne comptent-ils pas du tout ? » Un scientifique rétorqua : « Pourquoi devraient-ils compter ? » À ce moment, Baltimore intervint pour lancer qu'il ne pensait pas que les expériences sur les animaux soulevaient un problème moral quel qu'il soit[108].

Les gens comme White et Baltimore sont sans doute des scientifiques brillants, mais les propos qu'ils profèrent sur les animaux montrent qu'en matière de philosophie ce sont des ignares. Je ne connais pas un seul philosophe professionnel écrivant aujourd'hui qui serait d'accord avec l'idée qu'il est « dépourvu de sens » ou « impossible » d'inclure les animaux dans notre système éthique ou que l'expérimentation animale ne soulève aucun problème moral. Ce genre d'énoncé est en philosophie comparable au fait de soutenir que la Terre est plate.

Les chercheurs américains ont été, jusqu'à ce jour, extraordinairement intransigeants dans leur opposition à tout contrôle public de ce qu'ils font aux animaux. Ils ont réussi à étouffer toute tentative de réglementation même minimale qui protège les animaux contre la souffrance en cours d'expérience. Aux États-Unis, la seule loi fédérale à ce sujet est la Loi pour le bien-être des animaux (Animal Welfare Act). Celle-ci impose des normes pour le transport, l'hébergement et la manipulation des animaux vendus comme animaux de compagnie, exhibés en public ou destinés à la recherche. Mais pour ce qui est de l'expérimentation elle-même, elle permet aux chercheurs de faire exactement selon leur bon plaisir. Cela est tout à fait voulu : la raison invoquée par la Commission interparlementaire du Congrès lors de l'adoption de la loi était : « ... d'assurer la protection du chercheur à ce sujet en exemptant de toute réglementation tous les animaux pendant la recherche ou l'expérimentation elles-mêmes [...] Il n'entre pas dans l'intention de la Commission d'interférer en aucune façon avec la recherche ou l'expérimentation[109]. »

Un des paragraphes de cette loi exige que celles des entreprises et autres institutions privées à qui elle impose l'enregistrement (ni les agences gouvernementales qui pratiquent des recherches ni de nombreuses autres installations mineures n'ont à se déclarer) doivent présenter un rapport déclarant que quand elles ont effectué des expériences douloureuses sans l'emploi de produits analgésiques, cela était nécessaire pour atteindre les objectifs du projet de recherche. Aucune tentative n'est faite de juger si ces « objectifs » sont suffisamment importants pour justifier qu'une douleur soit infligée. Ainsi cette exigence n'a-t-elle d'autre effet que de générer un surcroît de paperasse, laquelle représente une source majeure de mécontentement chez les expérimentateurs. Il est impossible, bien sûr, d'administrer des chocs électriques continus à un chien pour induire chez lui un état d'impuissance, tout en l'anesthésiant ; on ne peut non plus provoquer une dépression chez un singe tout en le maintenant gai ou hébété à l'aide de médicaments. Les expérimentateurs peuvent donc dans ces cas déclarer sans mentir qu'il est impossible d'atteindre les objectifs de l'expérience tout en utilisant des anesthésiants, et ensuite poursuivre l'expérience comme ils l'auraient fait avant le passage de la loi.

Nous ne devons donc pas nous étonner de ce que, par exemple, le compte rendu de l'expérience sur l'effet du soman sur les singes dans la plate-forme d'équilibre pour primates soit préfacé de la déclaration suivante : « Les animaux impliqués dans la présente recherche ont été obtenus, entretenus et utilisés en accord avec l'Animal Welfare Act et le "Guide pour l'entretien et l'emploi des animaux de laboratoire" préparé par l'Institut des ressources en animaux de laboratoire du Conseil national de recherche. »

En fait cette même déclaration apparaît dans le manuel d'apprentissage pour la plate-forme d'équilibre pour primates publié par la base aérienne de Brooks, sur le compte rendu de l'expérience dans la « roue d'activité pour primates » faite à l'Institut de recherche en radiobiologie des Forces armées, et dans bien d'autres publications américaines récentes que j'ai citées. Cette déclaration ne nous apprend rien du tout sur la quantité de souffrance subie par les animaux, ni sur le degré de futilité que peut contenir le but pour lequel ils ont souffert ; mais elle nous en dit long sur la valeur de la Loi pour le bien-être des animaux et du « Guide pour l'entretien et l'emploi des animaux de laboratoire » préparé par l'Institut des ressources en animaux de laboratoire du Conseil national de recherche.

L'absence complète de réglementation effective aux États-Unis contraste fortement avec la situation qui prévaut dans de nombreux autres pays développés. En Grande-Bretagne, par exemple, aucune expérience ne peut être menée sans qu'une licence soit accordée par le secrétaire d'État aux Affaires intérieures, et la « Loi sur les animaux (procédures scientifiques) » de 1986 ordonne expressément qu'au moment de décider d'autoriser ou non un projet de recherche, « le secrétaire d'État comparera les effets négatifs probables sur les animaux concernés avec les bienfaits prévisibles ». En Australie, le code de déontologie (Code of Practice) élaboré par les principaux organismes scientifiques gouvernementaux (l'équivalent des Instituts nationaux de la santé aux États-Unis) exige que toute expérience soit approuvée par un Comité d'éthique de l'expérimentation animale. Ces comités doivent comprendre une personne qui possède un intérêt dans le bien-être des animaux et ne soit pas employée par l'institution qui mène l'expérience, ainsi qu'une autre personne indépendante non impliquée dans l'expérimentation animale. Ils doivent mettre en œuvre un ensemble détaillé de principes et de conditions au nombre desquels une directive qui impose de peser la valeur scientifique ou éducative de l'expérience contre ses effets potentiels sur le bien-être des animaux. De plus, l'anesthésie est obligatoire si l'expérience « peut causer une douleur d'une nature et d'une intensité telles que l'anesthésie serait normalement utilisée dans la pratique médicale ou vétérinaire ». Le Code de déontologie australien s'applique à tous les chercheurs qui obtiennent des subventions du gouvernement fédéral, et à tous les chercheurs en Victoria, en Nouvelle-Galles du Sud et en Australie du Sud, en vertu des lois de ces États[110]. La Suède elle aussi exige que les expériences soient approuvées par des comités comprenant des profanes. En 1986, après avoir étudié la législation de l'Australie, du Canada, du Japon, du Danemark, de l'Allemagne, des Pays-Bas, de la Norvège, de la Suède, de la Suisse et du Royaume-Uni, l'Office pour l'évaluation de la technologie (OTA) du Congrès des États-Unis conclut : « La plupart des pays étudiés pour la présente évaluation ont des lois beaucoup plus protectrices pour les animaux de laboratoire que ne le sont celles des États-Unis. En dépit de ces protections, les militants pour le bien-être des animaux ont exercé des pressions considérables pour obtenir des lois encore plus fortes, et beaucoup de pays, dont l'Australie, la Suisse, l'Allemagne de l'Ouest et le Royaume-Uni, envisagent des changements majeurs[111]. »

Et de fait des lois plus fortes ont déjà été adoptées en Australie et au Royaume-Uni depuis que cette déclaration fut faite.

J'espère que la comparaison que je viens de faire ne sera pas mal interprétée. Mon intention n'est pas à travers elle de montrer que tout va bien en matière d'expérimentation animale dans les pays comme le Royaume-Uni ou l'Australie. Une telle affirmation serait fort éloignée de la vérité. Dans ces pays, la tentative de « peser » les bienfaits potentiels d'une expérience contre le mal qu'elle fait aux animaux a encore lieu dans le cadre de l'acceptation d'une attitude spéciste envers les animaux, laquelle rend impossible que soit accordée la même considération aux intérêts des animaux qu'à des intérêts semblables d'êtres humains. Je n'ai comparé la situation aux États-Unis avec celle d'autres pays que pour montrer à quel point les normes américaines en ce domaine sont affligeantes, non pas seulement d'après les critères des militants pour la libération animale, mais même d'après les normes admises par les communautés scientifiques dans d'autres grands pays développés. Ce serait une expérience salutaire pour les scientifiques des États-Unis de se voir eux-mêmes comme les voient leurs collègues des autres pays. Dans les conférences médicales et scientifiques auxquelles j'assiste en Europe et en Australie, il arrive fréquemment que des scientifiques me prennent à part pour me dire qu'ils ne sont peut-être pas d'accord avec moi à propos de tout ce que je dis sur l'expérimentation animale, mais... et alors ils me parlent, la voix pleine d'une horreur sincère, de quelque chose qu'ils ont vu pendant leur dernier voyage aux États-Unis. Il n'est pas étonnant que dans la respectable revue scientifique britannique *New Scientist*, un auteur ait récemment parlé des États-Unis comme d'« un pays qui, à en juger d'après ses lois de protection animale, semble un peuple de barbares[112] ». Tout comme les États-Unis ont été à la traîne du monde civilisé dans la mise hors la loi de l'esclavage humain, de même sont-ils aujourd'hui à la traîne dans l'adoucissement des brutalités sans frein de l'esclavage animal.

Des amendements mineurs faits aux États-Unis en 1985 à la Loi pour le bien-être des animaux ont renforcé les exigences d'exercice physique pour les chiens et d'hébergement pour les primates, mais n'ont pas affronté le vrai problème, celui du contrôle de ce qui se passe pendant l'expérience. Ces amendements ont prévu la création de comités institutionnels pour les animaux, mais en conformité avec la protection qui reste accordée aux expériences elles-mêmes contre toute interférence, ces comités n'ont aucun droit de regard sur ce qui se passe pendant qu'elles ont lieu[113].

De toute façon, bien qu'elle ait plus de vingt ans, la mise en application de la Loi pour le bien-être des animaux est pratiquement nulle. Pour commencer, le secrétaire à l'Agriculture n'a jamais même publié de décret d'application étendant les stipulations de la loi aux souris, aux rats, aux oiseaux et aux animaux domestiques agricoles utilisés dans la recherche. La raison semble en être que le ministère de l'Agriculture manque déjà d'inspecteurs pour contrôler les conditions de vie des chiens, des chats et des singes, sans parler des oiseaux, des rats, des souris et des animaux d'élevage. Comme le disait l'Office pour l'évaluation de la technologie, « les fonds et le personnel alloués à la mise en application n'ont jamais été à la hauteur des attentes de ceux qui croient que la mission première de la présente loi est de prévenir ou d'atténuer la souffrance des animaux de laboratoire ». En vérifiant une liste de 112 installations de tests sur animaux, le personnel de l'OTA s'aperçut que 39 % d'entre elles n'étaient même pas déclarées auprès du service du ministère de l'Agriculture chargé de l'inspection des laboratoires. De plus, dans son rapport, l'OTA estime que c'est là une évaluation sans doute très modérée du nombre réel de laboratoires d'expérimentation animale qui ne sont pas déclarés et qui échappent donc totalement à toute inspection ou contrôle[114].

La réglementation de l'expérimentation animale aux États-Unis est devenue une farce permanente : il y a une loi qui, si on la croit, s'applique à tous les animaux de laboratoire à sang chaud, mais qui ne peut être mise en œuvre qu'à travers des réglementations qui, selon les mots de l'Office pour l'évaluation de la technologie, « probablement n'affectent pas un pourcentage élevé des animaux utilisés à des fins expérimentales ». L'OTA poursuivit en disant que cette exclusion d'un grand nombre d'espèces de la protection de la loi « semble frustrer l'intention du Congrès et outrepasser les pouvoirs statutaires du secrétaire à l'Agriculture[115] ». Voilà des propos d'une vigueur exceptionnelle de la part de l'OTA – mais trois ans plus tard, pas la moindre mesure n'a été prise pour changer la situation. De fait, un rapport publié en 1988 par un comité de scientifiques américains de premier plan examina, mais rejeta, une proposition recommandant que la réglementation soit étendue à tous les animaux à sang chaud. Aucune raison ne fut fournie pour ce rejet : celui-ci représente un autre exemple de l'attitude obstructionniste des scientifiques des États-Unis à l'encontre des améliorations les plus élémentaires des conditions des animaux qu'ils utilisent[116].

La farce, donc, ne montre aucun signe de vouloir se terminer. Le problème est qu'elle ne donne décidément pas envie de rire. Il n'y a aucune raison de croire que les rats et les souris seraient moins sensibles à la douleur et à la souffrance, ou qu'ils auraient moins besoin de normes minimales d'hébergement et de transport, que les cobayes, les hamsters, les lapins et bien d'autres animaux.

En décrivant les expériences présentées jusqu'à ce point dans ce chapitre, je me suis borné à résumer les rapports rédigés par les expérimentateurs eux-mêmes et publiés dans les revues scientifiques. On ne peut m'accuser d'exagération dans ce compte rendu. Mais en raison de l'absence totale de toute inspection ou examen adéquats de ce qui se passe au cours des expériences, la réalité est souvent bien pire que ce qui ressort du compte rendu publié. C'est ce dont on se rendit clairement compte en 1984 dans le cas des expériences conduites par Thomas Gennarelli à l'université de Pennsylvanie. Elles consistaient à infliger des blessures à la tête à des singes, pour ensuite examiner la nature des dommages occasionnés au cerveau. Selon les documents officiels de l'attribution des crédits, les singes devaient être anesthésiés avant de recevoir les blessures à la tête. Les expériences ne semblaient donc devoir impliquer aucune souffrance. Mais des membres d'un groupe appelé Front de libération animale avaient des informations différentes. Ils avaient de plus appris que Gennarelli enregistrait ses expériences sur bandes vidéo. Ils pénétrèrent par effraction dans le laboratoire et volèrent les bandes. Quand ils les examinèrent, ils virent des babouins conscients, non anesthésiés, se débattre alors qu'on les attachait pour leur infliger les blessures. Ils virent des animaux se tordre, sortant apparemment d'une anesthésie, alors que des chirurgiens opéraient sur leur cerveau mis à nu. Ils entendirent aussi les expérimentateurs se moquer et rire d'animaux apeurés et souffrants. Les bandes vidéo étaient tellement accablantes que – bien qu'il fallût pour cela plus d'un an de travail acharné de la part du groupe de Washington People for the Ethical Treatment of Animals et de centaines de militants pour les animaux – le secrétaire à la Santé et aux Affaires sociales coupa les subventions à Gennarelli [117]. Depuis cette affaire, d'autres exemples sont apparus au grand jour, généralement sur la base d'informations fournies par une personne qui travaillait dans le laboratoire puis qui avait décidé de dénoncer ce qu'elle avait vu, au prix de la perte de son emploi. En 1986, par exemple, Leslie Fain, une technicienne animalière employée par Gillette dans son laboratoire de tests à Rockville, dans le Maryland, démissionna de son poste et donna à des militants de libération animale les photos qu'elle avait prises à l'intérieur du laboratoire. Celles-ci montraient les tests effectués par Gillette sur de nouvelles formules d'encres roses et brunes pour ses crayons Paper Mate, et qui consistaient à mettre le produit dans les yeux de lapins conscients. Les encres s'avérèrent extrêmement irritantes, provoquant une suppuration sanguinolente de l'œil chez certains lapins [118]. On ne peut que spéculer sur le nombre de laboratoires qui existent où les mauvais traitements à l'encontre des animaux sont tout aussi graves mais où personne n'a été assez courageux pour faire quelque chose.

Quand l'expérimentation animale est-elle justifiable ? Certaines personnes, lorsqu'elles apprennent de quelle nature sont beaucoup des expériences effectuées, réagissent en disant que toutes les expériences sur animaux devraient être immédiatement interdites. Mais si nous donnons à notre exigence un caractère aussi absolu, les expérimentateurs ont une réponse toute prête à notre encontre : serions-nous prêts à laisser mourir des milliers d'humains si on pouvait les sauver en pratiquant une seule expérience sur un seul animal ?

Cette question est, bien sûr, purement hypothétique. Il n'y a jamais eu et il ne peut jamais y avoir d'expérience unique capable de sauver à elle seule des milliers de vies humaines. La façon de répondre à cette question hypothétique est d'en poser une autre : les expérimentateurs seraient-ils prêts à effectuer cette expérience sur un orphelin humain âgé de moins de six mois si c'était là le seul moyen de sauver des milliers de vies ? Si dans ce cas les expérimentateurs ne seraient pas prêts à se servir d'un enfant en bas âge, alors le fait qu'ils sont prêts à utiliser des animaux non humains révèle une forme injustifiable de discrimination basée sur l'espèce, puisque les grands singes adultes, les macaques, les chiens, les chats, les rats et autres animaux adultes, sont plus conscients de ce qui leur arrive, plus capables d'autodétermination, et, pour autant que nous puissions le voir, au moins aussi sensibles à la douleur, que ne l'est un très jeune humain. (J'ai ajouté la précision que l'enfant humain utilisé serait un orphelin, pour éviter que la question des sentiments des parents ne vienne compliquer le problème. Si cette précision pèche, ce ne peut être que par excès de générosité envers ceux qui défendent l'utilisation d'animaux non humains dans les expériences, car les mammifères destinés à la recherche sont généralement séparés de leur mère à un âge très précoce, à un moment où la séparation est source de détresse tant pour la mère que pour son enfant.)

Pour ce que nous en savons, aucune caractéristique moralement pertinente n'est possédée par les bébés humains à un degré plus élevé que par des animaux adultes non humains, à moins qu'il ne faille considérer la potentialité des enfants humains comme une caractéristique rendant moralement injustifié de les utiliser pour des expériences. S'il est juste ou non de prendre en compte cette potentialité est une question controversée – si nous la prenons en compte, nous devons aussi condamner l'avortement au même titre que les expériences sur les nourrissons, puisque le fœtus et le nourrisson possèdent la même potentialité. Cependant, pour éviter d'ajouter à notre problème la complexité inhérente à la question de la potentialité, nous pouvons modifier un peu la question que nous avons posée et supposer que l'enfant est atteint de lésions irréversibles au cerveau, assez graves pour exclure tout espoir de développement mental au-delà de celui d'un bébé de six mois. Il existe, malheureusement, beaucoup d'êtres humains ainsi atteints enfermés bien à l'écart dans des services spécialisés répartis à travers le pays, certains abandonnés depuis longtemps par leurs parents et leur famille et ayant parfois l'infortune de n'être aimés de personne. Malgré la déficience mentale dont ils sont atteints, ces enfants possèdent une anatomie et une physiologie pratiquement identiques à celles des êtres humains normaux. Par conséquent, si nous leur faisions avaler de force de grandes quantités de cire à parquet ou si nous leur versions dans les yeux des solutions concentrées de produits cosmétiques, nous obtiendrions une indication beaucoup plus fiable de la sécurité de ces substances pour les humains que nous n'en obtenons actuellement en tentant d'extrapoler à partir des résultats de tests menés sur une série d'autres espèces. Les tests de DL50, les tests oculaires de Draize, les expériences d'irradiation, les expériences de coups de chaleur provoqués, et bien d'autres expériences encore qui ont été décrites dans ce chapitre auraient pu nous en apprendre davantage sur les réactions humaines à la situation expérimentale si on les avait faites sur des humains au cerveau atteint de graves lésions cérébrales plutôt que sur des chiens ou des lapins.

Chaque fois donc que des expérimentateurs affirment que leurs expériences sont d'une importance suffisante pour justifier l'emploi d'animaux, nous devons leur demander s'ils seraient prêts à utiliser un être humain atteint de lésions cérébrales et possédant un niveau mental semblable à celui des animaux qu'ils ont l'intention d'employer. Je ne peux pas imaginer que quelqu'un proposerait sérieusement de mener les expériences décrites dans ce chapitre sur des êtres humains atteints de lésions cérébrales. Il arrive à l'occasion que l'on apprenne que des expériences ont été menées sur des êtres humains sans leur consentement ; dans un de ces cas il s'agissait effectivement d'enfants intellectuellement handicapés vivant en institution et auxquels on avait inoculé l'hépatite [119]. Lorsque de telles expériences effectuées sur des humains à leur dépens deviennent connues du public, elles soulèvent généralement l'indignation à l'encontre des expérimentateurs, et cela à juste titre. Ces expériences constituent, très souvent, un exemple supplémentaire de l'arrogance du chercheur qui justifie toutes choses sur la base de l'augmentation de la connaissance. Mais si l'expérimentateur affirme que l'expérience est d'une importance suffisante pour justifier que l'on inflige de la souffrance à des animaux, pourquoi n'est-elle pas d'une importance suffisante pour justifier que l'on inflige de la souffrance à des humains de même niveau mental ? Quelle différence existe-t-il entre les deux cas, si ce n'est que les sujets, dans un cas font partie de notre espèce, et pas dans l'autre cas ? Mais invoquer cette différence-là c'est faire montre d'un parti pris qui n'est pas plus défendable que ne l'est le racisme ou toute autre forme de discrimination arbitraire.

L'analogie entre spécisme et racisme s'applique en pratique autant qu'en théorie dans le domaine de l'expérimentation. Le spécisme flagrant et effréné mène à des expériences douloureuses sur d'autres espèces, expériences défendues sur la base de leur contribution à la connaissance et de leur utilité possible pour notre espèce. Le racisme flagrant et effréné a mené à des expériences douloureuses sur d'autres races, expériences défendues sur la base de leur contribution à la connaissance et de leur utilité possible pour la race qui les effectue. En Allemagne, sous le régime nazi, près de deux cents médecins, dont certains étaient des plus réputés dans le monde médical, participèrent à des expériences menées sur des juifs et des prisonniers russes et polonais. Des milliers d'autres médecins étaient au courant de ces expériences, dont certaines faisaient l'objet de conférences dans les facultés de médecine. Et pourtant les archives montrent ces médecins écoutant jusqu'au bout d'autres médecins leur expliquer comment des blessures terribles avaient été infligées à des membres de ces « races inférieures », et procédant ensuite à la discussion des enseignements que la médecine pouvait en tirer, sans que quiconque émette la plus timide protestation au sujet de la nature de ces expériences. Le parallèle entre cette attitude et celle dont font preuve les expérimentateurs d'aujourd'hui envers les animaux est frappant. Alors comme aujourd'hui, les sujets étaient refroidis, surchauffés, placés dans des enceintes de décompression. Alors comme aujourd'hui, ces événements étaient l'objet de comptes rendus rédigés en un jargon scientifique impassible. Le paragraphe suivant est extrait d'un rapport rédigé par un scientifique nazi à propos d'une expérience sur un être humain placé dans une enceinte de décompression : « Après cinq minutes des spasmes apparurent ; entre la sixième et la dixième minute la fréquence respiratoire augmenta, la TP (*Testperson*) perdant conscience. De la onzième à la trentième minute la respiration ralentit jusqu'à trois inspirations par minute, ne cessant complètement qu'à la fin de cette période. [...] Environ une demi-heure après l'arrêt de la respiration, l'autopsie commença[120]. »

L'expérimentation avec les enceintes de décompression ne cessa pas lors de la défaite nazie. Elle se poursuivit avec à la place des animaux non humains. En Angleterre, à l'université de Newcastle on Tyne, par exemple, les scientifiques utilisèrent des porcs. Ceux-ci subirent jusqu'à quatre-vingt-une sessions de décompression sur une période de neuf mois. Tous souffrirent d'attaques de maladie de décompression, et certains moururent en cours d'attaque [121]. Cet exemple n'illustre que trop bien ce qu'écrivait le grand écrivain juif Isaac Bashevis Singer : « Dans leur comportement envers les créatures, tous les hommes [sont] des nazis [122]. »

L'expérimentation sur des sujets extérieurs au groupe auquel appartient l'expérimentateur est une histoire qui se répète sans cesse avec des victimes différentes. Aux États-Unis, le cas le plus célèbre d'expérimentation humaine au XXe siècle est celui qui eut lieu à Tuskegee, en Alabama, où l'on s'abstint délibérément de traiter des patients atteints de syphilis dans le but de pouvoir observer le cours naturel de la maladie. L'expérience continua longtemps après que la pénicilline fut apparue comme un traitement efficace contre la syphilis. Les victimes de cette expérience étaient, bien sûr, des Noirs [123]. Le plus gros scandale au niveau mondial au cours de cette dernière décennie en matière d'expérimentation humaine fut peut-être celui qui éclata en Nouvelle-Zélande en 1987. Un médecin respecté exerçant dans un hôpital de premier ordre, à Auckland, décida de ne pas soigner des malades qui manifestaient les signes d'un cancer au premier stade. Son but était de prouver sa théorie non orthodoxe selon laquelle cette forme de cancer ne se développerait pas, mais il ne mit pas ses malades au courant de leur participation à une expérience. Sa théorie était fausse, et vingt-sept moururent. Cette fois, les victimes étaient des femmes [124].

Lorsque de tels événements paraissent au grand jour, la réaction du public montre clairement que notre sphère de préoccupation morale est plus étendue que celle des nazis, et que nous ne sommes plus prêts à approuver qu'on accorde un degré de préoccupation inférieur à d'autres êtres humains ; mais il y a encore beaucoup d'êtres sensibles pour lesquels nous paraissons n'avoir aucune préoccupation réelle quelle qu'elle soit.

Nous n'avons toujours pas répondu à la question de savoir quand une expérience pourrait être justifiable. On ne peut résoudre le problème en disant : « Jamais ! » Il est tentant de définir ainsi la moralité en termes contrastés, parce qu'on élimine alors le besoin de réfléchir aux cas particuliers ; mais dans des circonstances extrêmes, ce genre de réponse catégorique s'écroule toujours. Torturer un être humain est presque toujours mal, mais n'est pas mal absolument. Si la torture était le seul moyen à notre disposition pour découvrir où se trouve la bombe nucléaire qu'on a cachée dans un sous-sol de New York et qui doit exploser dans l'heure, alors cette torture serait justifiable. De même, si une seule expérience pouvait guérir une maladie comme la leucémie, alors cette expérience serait justifiable. Mais dans la vie réelle les bienfaits ne sont jamais aussi directs, voire le plus souvent n'existent pas du tout. Et donc comment devons-nous faire pour décider si une expérience est justifiable ?

Nous avons vu que les expérimentateurs font preuve d'un parti pris en faveur de leur propre espèce chaque fois qu'ils effectuent des expériences sur des non-humains pour des raisons qu'ils n'estimeraient pas suffisantes pour justifier l'utilisation d'êtres humains, y compris d'êtres humains au cerveau gravement endommagé. Ce principe peut nous permettre de trouver une réponse à notre question. Puisqu'un parti pris spéciste, tout comme un parti pris raciste, est injustifiable, une expérience ne peut être justifiable à moins d'être tellement importante que l'utilisation d'un être humain affecté de graves lésions cérébrales serait elle aussi justifiable.

Nous ne posons pas ainsi un principe absolu. Je ne crois pas qu'il soit absolument impossible qu'une expérience sur un être humain au cerveau gravement endommagé puisse être justifiable. S'il était réellement possible de sauver plusieurs vies au moyen d'une expérience qui n'en prendrait qu'une seule, et qu'il n'y avait pas d'autre moyen de le faire, il serait justifié d'effectuer l'expérience. Mais ce serait là un cas extrêmement rare. Assurément, aucune des expériences rapportées dans ce chapitre ne satisferait ce critère. Bien sûr, pour cette ligne de séparation-ci comme pour toute autre, il doit exister une zone de flou où il serait difficile de décider si une expérience est justifiable ou non. Mais il n'y a pas lieu aujourd'hui de nous laisser distraire par ce genre de considérations. Comme l'a montré ce chapitre, nous sommes confrontés à une situation d'urgence où une souffrance effroyable est en train d'être infligée à des millions d'animaux pour des raisons qui sont manifestement incapables, de quelque point de vue qu'on se place, de justifier cette souffrance. Quand nous aurons cessé de mener toutes ces expériences-là, alors il y aura assez de temps pour discuter de ce qu'il convient de faire de celles qui restent et qu'on dit nécessaires pour sauver des vies ou pour prévenir une souffrance plus grande.

Aux États-Unis, où le manque actuel de contrôle sur l'expérimentation permet que soient menées des expériences du genre de celles qui sont décrites dans les pages précédentes, un premier pas minimal serait l'exigence qu'aucune expérience ne soit effectuée sans l'approbation préalable d'un comité d'éthique comprenant des représentants pour le bien-être des animaux, et ayant autorité pour refuser son consentement à une expérience dont il ne considérerait pas les bienfaits attendus comme l'emportant sur le tort prévisible causé aux animaux. Comme nous l'avons vu, des systèmes de cette sorte existent déjà dans des pays comme l'Australie ou la Suède, et sont reconnus comme justes et raisonnables par les communautés scientifiques locales.

Sur la base des arguments éthiques exposés dans ce livre, un tel système est très loin de l'idéal. Les représentants pour le bien-être des animaux qui participent à de tels comités proviennent de groupes aux idées diverses, mais, pour des raisons évidentes, les personnes qui se voient invitées à faire partie de comités d'éthique d'expérimentation animale et qui acceptent cette invitation ont tendance à appartenir aux groupes les moins radicaux au sein du mouvement. Il peut s'agir de personnes qui elles-mêmes ne pensent pas que les intérêts des animaux non humains doivent recevoir une considération égale à celle qui est due aux intérêts des humains ; ou alors, peut-être le pensent-elles mais trouvent-elles impossible de mettre cette position en pratique dans l'évaluation des demandes d'autorisation d'expériences sur animaux, parce qu'il leur serait impossible de persuader d'autres membres du comité. À la place, elles auront tendance à insister pour que soient envisagées sérieusement les méthodes de substitution, que soient faits des efforts réels pour minimiser la douleur, et que soit démontrée clairement la possibilité pour l'expérience projetée d'être la source de bienfaits significatifs d'une importance suffisante pour l'emporter sur toute douleur ou souffrance qui resterait impossible à éliminer. Un comité d'éthique d'expérimentation animale fonctionnant aujourd'hui appliquera ces normes presque inévitablement d'une façon spéciste, accordant moins de poids à la souffrance animale qu'aux bienfaits humains comparables ; mais malgré cela, l'insistance sur de telles normes éliminerait beaucoup d'expériences douloureuses qui sont permises aujourd'hui, et réduirait la souffrance provoquée par les autres.

Dans une société qui est fondamentalement spéciste, il n'y a pas de solution rapide à ces problèmes dans les comités d'éthique. Pour cette raison, certains militants pour la libération animale ne veulent pas en entendre parler. À la place, ils exigent l'élimination complète et immédiate de toute expérimentation animale. De telles exigences ont été avancées de nombreuses fois en un siècle et demi d'activité antivivisectionniste, mais dans aucun pays elles n'ont paru réussir à gagner l'adhésion de la majorité des électeurs. Pendant ce temps, le nombre d'animaux souffrant dans les laboratoires a continué à croître, jusqu'à ce que soient remportées les victoires récentes dont j'ai parlé plus haut. Ces victoires sont le fruit du travail de gens qui avaient réussi à contourner la mentalité du « tout ou rien », laquelle, dans les faits du point de vue des animaux, s'était résumée à « rien ».

Une des raisons pour lesquelles l'exigence d'abolition immédiate de l'expérimentation animale n'a pas réussi à persuader le public est la réponse que lui opposent les expérimentateurs, selon laquelle cette abolition reviendrait à abandonner l'espoir de remédier aux grandes maladies dont nous et nos enfants mourons encore. Aux États-Unis, où les expérimentateurs peuvent faire pratiquement ce qu'ils veulent avec les animaux, une façon de progresser pourrait être de demander à ceux qui utilisent cet argument pour défendre la nécessité de l'expérimentation animale s'ils seraient prêts à accepter le verdict d'un comité d'éthique qui, comme ceux qui existent dans de nombreux autres pays, comprendrait des représentants pour le bien-être des animaux, et qui serait autorisé à peser le coût de l'expérience pour les animaux contre les bienfaits qu'on peut en attendre. Si l'expérimentateur répond négativement, l'argument qu'il emploie pour défendre l'expérimentation animale en invoquant la nécessité de guérir les grandes maladies aura été démasqué comme n'étant rien d'autre qu'une diversion que les chercheurs mettent en avant pour tromper le public sur leurs véritables intentions : garder la permission de faire tout ce qu'ils veulent avec les animaux. Car sinon pourquoi l'expérimentateur ne serait-il pas prêt à laisser la décision d'autoriser l'expérience à un comité d'éthique, lequel serait certainement aussi désireux que le reste de la communauté de voir guérir les grandes maladies ? Si par contre la réponse de l'expérimentateur est positive, il est bon de le convier à signer une déclaration écrite demandant la création d'un tel comité d'éthique.

Supposons que nous puissions aller au-delà des réformes minimales du genre de celles qui sont déjà en vigueur dans les nations plus éclairées. Supposons que nous puissions atteindre un point où on accorderait réellement aux intérêts des animaux la même considération qu'aux intérêts similaires des êtres humains. Cela signifierait la fin de la vaste industrie de l'expérimentation animale telle qu'on la connaît aujourd'hui. Partout dans le monde, des cages se videraient et des laboratoires fermeraient leurs portes. Il ne faudrait pas penser, toutefois, que la recherche médicale tomberait brutalement à l'arrêt ou qu'un déluge de produits non testés inonderait le marché. Pour ce qui est des nouveaux produits, il est vrai, comme je l'ai déjà dit, qu'il nous faudrait nous contenter d'un nombre moins élevé, et nous servir des ingrédients déjà connus pour être sûrs. La perte ne paraît pas énorme. Néanmoins, afin de pouvoir tester les produits vraiment essentiels, et aussi pour d'autres types de recherche, des méthodes de substitution ne nécessitant pas d'animaux peuvent être trouvées et le seraient.

Dans la première édition de ce livre j'écrivais que « les scientifiques ne cherchent pas de méthodes de substitution tout simplement parce qu'ils ne se préoccupent pas assez des animaux qu'ils utilisent ». Je fis ensuite cette prédiction : « Vu le peu d'efforts qui ont été investis dans ce domaine, les résultats initiaux obtenus permettent d'espérer des progrès beaucoup plus grands si ces efforts sont augmentés. » Au cours de la dernière décennie, ces affirmations se sont révélées toutes deux exactes. Nous avons déjà vu que dans le domaine des tests de produits une augmentation énorme a eu lieu de la quantité d'efforts investis dans la recherche de méthodes de substitution à l'expérimentation animale – non parce que les scientifiques se seraient subitement mis à se préoccuper davantage des animaux, mais grâce à des campagnes tenaces menées par des militants de la libération animale. La même chose pourrait se produire dans beaucoup d'autres domaines de l'expérimentation animale.

Bien que des dizaines de milliers d'animaux aient été forcés à respirer de la fumée de tabac des mois voire des années durant, la preuve du lien entre l'usage du tabac et le cancer du poumon fut apportée sur la base de données résultant d'observations cliniques chez l'être humain [125]. Le gouvernement des États-Unis continue à déverser des milliards de dollars dans la recherche sur le cancer, tout en subventionnant par ailleurs l'industrie du tabac. Une bonne part de cet argent pour la recherche va à des expériences sur animaux, dont beaucoup n'ont qu'un rapport très éloigné avec la lutte contre le cancer – il est connu que des chercheurs se sont mis à rebaptiser leurs travaux « recherche contre le cancer » quand il leur est apparu qu'ils pouvaient ainsi espérer davantage de subventions que sous une autre rubrique. Pendant ce temps, nous continuons à échouer dans la lutte contre la plupart des formes de cancer. Les chiffres publiés aux États-Unis en 1988 par l'Institut national du cancer indiquent que l'incidence globale de cette maladie, même corrigée du vieillissement de la population, augmente d'environ un pour cent chaque année depuis trente ans. Des rapports récents faisant état d'une baisse de l'incidence du cancer du poumon chez les catégories d'Américains les plus jeunes sont peut-être le premier indice d'un renversement de cette tendance, puisque cette forme de cancer est celle qui cause le plus de morts. Si le cancer du poumon devient moins fréquent, nous ne devons cependant pas cette bonne nouvelle à une quelconque amélioration du traitement mais au fait que les jeunes, en particulier ceux de race blanche et de sexe masculin, fument moins. Les taux de survie au cancer du poumon restent pratiquement inchangés [126]. Nous savons que le tabac est responsable d'environ 80 à 85 % de tous les cancers du poumon. Nous devons donc nous poser cette question : pouvons-nous justifier le fait de forcer des milliers d'animaux à respirer de la fumée de tabac pour provoquer chez eux un cancer du poumon, quand nous savons que nous pourrions pratiquement éliminer la maladie en éliminant l'usage du tabac ? Si les gens décident de continuer de fumer, tout en sachant qu'ils risquent ainsi un cancer du poumon, est-il justifié de faire subir aux animaux le prix de cette décision ?

Les résultats médiocres obtenus dans le traitement du cancer du poumon reflètent ceux obtenus dans le traitement du cancer en général. Il y a eu quelques succès dans le traitement de certaines formes particulières, mais depuis 1974 le taux de survie de cinq ans après un diagnostic de cancer a augmenté de moins de un pour cent [127]. La prévention, et en particulier l'éducation pour inciter les gens à adopter des habitudes de vie plus saines, constitue une approche plus prometteuse.

De plus en plus de scientifiques se mettent aujourd'hui à réaliser que l'expérimentation animale représente même souvent un frein à l'avancement de notre compréhension des maladies humaines et à l'amélioration de leur traitement. Par exemple, des chercheurs à l'Institut national des sciences de la santé environnementale, en Caroline du Nord, ont récemment déclaré que les tests sur animaux peuvent manquer de révéler des substances chimiques qui provoquent des cancers chez les humains. L'exposition à l'arsenic semble accroître le risque pour une personne de développer un cancer, alors qu'elle n'a pas cet effet dans les tests de laboratoire sur des animaux[128]. Un vaccin contre le paludisme mis au point aux États-Unis, en 1985, au prestigieux Institut militaire de recherche Walter Reed marchait chez les animaux, mais s'avéra peu efficace chez les humains ; un autre vaccin, mis au point par des scientifiques colombiens travaillant avec des volontaires humains, se montra plus efficace[129]. Aujourd'hui, les défenseurs de l'expérimentation animale parlent souvent de l'importance qu'il y a à trouver un remède au sida ; mais Robert Gallo, le premier Américain à avoir isolé le HIV (le virus du sida), a déclaré qu'un vaccin potentiel développé par le chercheur français Daniel Zagury s'est montré plus efficace à stimuler la production d'anticorps contre le HIV chez les êtres humains que chez les animaux ; il ajouta : « Les résultats obtenus avec les chimpanzés n'ont pas été très enthousiasmants [...] Peut-être devrions-nous nous mettre à tester sur l'homme de façon plus agressive[130]. » De façon significative, des gens atteints du sida ont endossé cet appel : « Laissez-nous être vos cobayes », plaidait le militant gay Larry Kramer[131]. Manifestement cet appel est sensé. Un remède sera trouvé plus rapidement si l'expérimentation se fait directement sur des volontaires humains ; et en raison de la nature de la maladie, et des liens puissants entre beaucoup de membres de la communauté gay, les volontaires ne risquent pas de manquer. Des précautions doivent être prises, bien sûr, pour s'assurer que ceux qui se portent volontaires pour une expérience comprennent véritablement ce qu'ils font et ne subissent aucune pression ou contrainte pour y participer. Mais le fait de consentir à une telle expérience ne serait pas déraisonnable. Pourquoi faudrait-il que les gens continuent à succomber à une maladie toujours mortelle pendant qu'on teste un remède potentiel sur des animaux qui ne développent pas normalement le sida de toute façon ? Les défenseurs de l'expérimentation animale se plaisent à nous dire que grâce à elle notre espérance de vie a beaucoup augmenté. En Grande-Bretagne, par exemple, au plus fort du débat sur la réforme de la loi sur l'expérimentation animale, l'Association de l'industrie pharmaceutique britannique a fait paraître une publicité dans le *Guardian* en pleine page sous le titre : « On dit que la vie commence à quarante ans. Il n'y a pas si longtemps, c'était à peu près là qu'elle se terminait. » Le texte de la publicité affirmait que si de nos jours on trouve tragique qu'un homme meure dans la quarantaine, au XIXe siècle il était courant d'assister aux obsèques d'un homme de cet âge, puisque l'espérance de vie moyenne n'était que de quarante-deux ans. Et la publicité poursuivait : « C'est en grande partie grâce aux percées obtenues au moyen de recherches qui ont besoin d'animaux que la plupart d'entre nous pouvons maintenant devenir septuagénaires. »

De telles affirmations sont tout simplement fausses. Et de fait, dans cette annonce-ci, la tromperie était tellement flagrante qu'un spécialiste de médecine sociale, le Dr David St George, écrivit au *Lancet* : « L'annonce constitue un bon matériel pédagogique, puisqu'elle illustre deux erreurs graves commises dans l'interprétation des statistiques. » Après avoir fait référence au livre influent de Thomas McKeown paru en 1976 et intitulé *The Role of Medicine*[132], qui avait ouvert le débat sur la part respective de responsabilité due aux changements sociaux et environnementaux d'une part, et à l'intervention médicale de l'autre, dans l'amélioration constatée du taux de mortalité depuis le milieu du XIXe siècle, il ajouta : « Ce débat est clos, et un large accord s'est fait aujourd'hui sur le fait que les interventions médicales n'ont eu qu'un effet marginal sur la mortalité de la population et cela surtout à un moment très tardif, après que les taux de mortalité eurent déjà fortement chuté[133]. »

J. B. et S. M. McKinlay aboutirent à la même conclusion dans une étude sur le déclin de dix maladies infectieuses majeures aux États-Unis. Ils montrèrent que dans tous les cas sauf celui de la poliomyélite le taux de mortalité avait déjà chuté de façon spectaculaire (sans doute en raison d'améliorations dans l'hygiène et l'alimentation) avant qu'aucune nouvelle forme de traitement médical ne fût introduite. Portant leur attention sur la chute de 40 % du taux brut de mortalité aux États-Unis entre 1910 et 1984, les auteurs estimèrent de façon « prudente » : « ... peut-être 3,5 % de la chute du taux global de mortalité peuvent être dus aux interventions médicales visant à soigner les principales maladies infectieuses. Et de fait, étant donné que c'est justement pour ces maladies-là que la médecine s'attribue le plus de succès à réduire le taux de mortalité, ces 3,5 % représentent sans doute un plafond raisonnable pour une estimation de la contribution totale de l'intervention médicale au déclin de la mortalité par maladie infectieuse aux États-Unis[134]. »

Rappelons que ces 3,5 % correspondent à l'ensemble de l'intervention médicale. La contribution de l'expérimentation animale elle-même ne peut être, au plus, qu'une fraction de cette minuscule contribution au déclin de la mortalité.

Nul doute qu'il y a certains domaines de la recherche scientifique qui se trouveront freinés par toute véritable considération donnée aux intérêts des animaux utilisés dans l'expérimentation. Nul doute qu'il y a eu certaines avancées dans la connaissance qui n'auraient pu être obtenues aussi facilement sans l'utilisation d'animaux. Les exemples de découvertes importantes souvent citées par ceux qui défendent l'expérimentation animale remontent aussi loin que le travail de Harvey sur la circulation du sang. On y trouve aussi la découverte par Banting et Best de l'insuline et de son rôle dans le diabète ; la reconnaissance de la poliomyélite comme maladie virale et la mise au point d'un vaccin contre elle ; plusieurs découvertes qui ont aidé à rendre possibles les interventions chirurgicales à cœur ouvert et les pontages coronariens ; la compréhension de notre système immunitaire et des moyens pouvant éviter le rejet des organes transplantés[135]. L'affirmation selon laquelle l'expérimentation animale a joué un rôle essentiel dans ces découvertes a été contestée par certains adversaires de cette expérimentation[136]. Je n'ai pas l'intention d'entrer ici dans cette controverse. Nous venons de voir que toute connaissance qu'a pu apporter l'expérimentation animale ne peut avoir apporté au mieux qu'une très faible contribution à l'accroissement de notre longévité ; sa contribution à l'amélioration de notre qualité de vie est plus difficile à estimer. Dans un sens plus fondamental, la controverse autour des bienfaits dérivés de l'expérimentation animale est pour l'essentiel impossible à résoudre, parce que quelques découvertes précieuses ont pu être faites en utilisant les animaux, nous ne pouvons pas dire quel aurait été le succès de la recherche médicale si elle s'était vue obligée, dès le commencement, de développer d'autres méthodes d'investigation. Certaines découvertes auraient probablement été retardées, voire n'auraient pas été faites du tout ; mais aussi beaucoup de fausses pistes n'auraient pas été suivies, et il est possible que la médecine se serait développée dans une direction très différente et plus efficace, mettant l'accent sur des modes de vie sains plutôt que sur la guérison.

En tout état de cause, la question éthique du bien-fondé de l'expérimentation animale ne peut être résolue par la démonstration des bienfaits que nous en tirons, si convaincante que soit cette démonstration. Le principe éthique d'égalité de considération des intérêts exclura certains moyens d'obtenir des connaissances. Il n'y a rien de sacré dans le droit de poursuivre l'augmentation des connaissances. Nous acceptons déjà de nombreuses restrictions aux entreprises scientifiques. Nous ne croyons pas que les chercheurs aient un droit général d'effectuer des expériences douloureuses ou mortelles sur des êtres humains sans leur consentement, bien qu'il y ait de nombreux cas où de telles expériences feraient avancer nos connaissances beaucoup plus rapidement que toute autre méthode. Nous devons maintenant élargir la portée de cette restriction déjà admise sur la recherche scientifique.

Enfin, il est important de réaliser que les problèmes majeurs de santé qui affectent le monde persistent aujourd'hui, en grande partie, non pas à cause de notre ignorance des moyens de prévenir les maladies et de garder les gens en bonne santé, mais parce que personne n'apporte suffisamment d'efforts et d'argent à faire ce que nous savons déjà faire. Les maladies qui ravagent l'Asie, l'Afrique, l'Amérique latine et les poches de pauvreté dans l'Occident industrialisé font partie, de façon générale, de celles que nous savons guérir ou prévenir. Elles ont disparu des communautés dont l'alimentation, l'hygiène et les soins médicaux sont satisfaisants. On a estimé que 250 000 enfants meurent chaque semaine dans le monde, dont un quart de la déshydratation causée par la diarrhée. Un traitement simple, déjà connu et ne nécessitant aucune expérimentation animale pourrait prévenir la mort de ces enfants [137]. Ceux qui désirent sincèrement améliorer les soins de santé contribueraient probablement plus efficacement à la santé humaine s'ils quittaient leurs laboratoires pour veiller à ce que notre stock actuel de connaissances médicales profite à ceux qui en ont le plus besoin.

Tout cela ayant été dit, il subsiste la question concrète : que peut-on faire pour changer la pratique courante d'effectuer des expériences sur les animaux ?

Assurément, il faut faire quelque chose pour changer la politique des gouvernements, mais quelle chose exactement ? Que peut faire le citoyen ordinaire pour contribuer au changement ? Les législateurs ont tendance à ne pas tenir compte des protestations de leurs électeurs contre l'expérimentation animale, parce qu'ils sont sous l'influence excessive des groupes scientifiques, médicaux et vétérinaires. Aux États-Unis, ces groupes maintiennent des lobbies politiques officiels à Washington, et ils bataillent durement contre les propositions visant à restreindre l'expérimentation. Puisque les législateurs n'ont pas le temps d'acquérir une expertise dans ces domaines, ils se fient à ce que leur en disent ces « experts ». Mais la question est morale, et non scientifique, et les « experts » ont le plus souvent un intérêt à la poursuite de l'expérimentation ou alors sont tellement imbus de l'éthique de l'augmentation de la connaissance qu'ils ne peuvent se détacher de ce point de vue et examiner d'un œil critique les activités de leurs collègues. De plus, il existe maintenant des organisations de relations publiques professionnelles, telle l'Association nationale pour la recherche biomédicale, dont l'unique objectif est d'améliorer l'image de la recherche animale auprès du public et des législateurs. Cette association a publié des livres, produit des films vidéo, et organisé des séminaires pour les chercheurs sur la manière de défendre l'expérimentation. Comme d'autres organisations du même type, elle a prospéré au fur et à mesure qu'un nombre croissant de gens se sont préoccupés de la question de l'expérimentation. Nous avons déjà vu, dans le cas d'un autre groupe de pression, l'Association de l'industrie pharmaceutique britannique, comment ce genre d'organisations peut tromper le public. Les législateurs doivent apprendre que lorsqu'ils discutent de l'expérimentation animale ils doivent traiter ces organisations, de même que les associations médicales, vétérinaires, psychologiques et biologiques, comme ils traiteraient General Motors et Ford quand ils discutent de la pollution de l'air.

La tâche de faire changer les choses n'est pas non plus facilitée par l'action des grandes compagnies impliquées dans ces domaines lucratifs que sont l'élevage ou la capture d'animaux pour la vente, la fabrication et la commercialisation de cages pour les héberger, d'aliments pour les nourrir, ou d'équipements pour les expériences. Ces sociétés sont prêtes à dépenser d'énormes sommes pour s'opposer à toute législation qui les priverait de leurs marchés lucratifs. Avec de tels intérêts financiers alliés au prestige de la médecine et de la science, la lutte pour mettre fin au spécisme en laboratoire ne pourra qu'être longue et difficile. Quel est le meilleur moyen pour progresser ? Il semble peu probable qu'on voie un jour une grande démocratie occidentale abolir toute l'expérimentation animale d'un seul coup. Ce n'est tout simplement pas ainsi que fonctionnent les gouvernements. L'expérimentation animale ne prendra fin que lorsqu'une série de réformes partielles en aura réduit l'importance, aura conduit à son remplacement dans bien des domaines, et aura pour une large part changé l'attitude du public envers les animaux. La tâche immédiate, par conséquent, consiste à œuvrer à la réalisation de ces objectifs partiels, que l'on peut considérer comme autant d'étapes dans la longue marche vers l'élimination de toute exploitation d'animaux sensibles. Tous ceux qui se préoccupent de mettre fin à la souffrance animale peuvent essayer de faire connaître ce qui se passe dans les universités et dans les laboratoires privés autour de chez eux. Les consommateurs peuvent refuser d'acheter des produits testés sur animaux – particulièrement dans le domaine des cosmétiques où il existe maintenant des produits non testés. Les étudiants doivent refuser de procéder à des expériences qu'ils jugent contraires à l'éthique. N'importe qui peut compulser les revues universitaires pour savoir où sont menées des expériences douloureuses, et ensuite trouver quelque moyen pour rendre le public conscient de ce qui se passe.

Il est aussi nécessaire de donner à la question un caractère politique. Comme nous l'avons déjà vu, les législateurs reçoivent un courrier énorme concernant l'expérimentation animale. Mais il a fallu de nombreuses années de travail acharné pour faire de cette question un problème politique. Cela a heureusement commencé à se faire dans plusieurs pays. En Europe et en Australie, la question de l'expérimentation animale est prise au sérieux par les partis, en particulier ceux proches de l'extrémité verte de la scène politique. Aux États-Unis, lors de l'élection présidentielle de 1988, la plate-forme du Parti républicain promettait de simplifier et d'accélérer le processus de validation des méthodes substitutives aux tests sur animaux de médicaments et de produits cosmétiques.

L'exploitation des animaux de laboratoire fait partie du problème plus large du spécisme et aura peu de chances d'être éliminée totalement avant que le spécisme lui-même ne le soit. Nul doute cependant qu'un jour, les enfants de nos enfants, à la lecture de ce qui se passait dans les laboratoires du XXe siècle, éprouveront le même sentiment d'horreur et d'incrédulité face à ce que des gens par ailleurs civilisés pouvaient faire que celui que nous éprouvons quand nous lisons le récit des atrocités commises dans les arènes romaines ou dans le commerce des esclaves du XVIIIe siècle.

CHAPITRE III

Du côté de la ferme-usine...

Ou ce que subissait votre repas quand c'était encore un animal

La forme la plus directe de contact qu'ont la plupart des êtres humains, en particulier les habitants des agglomérations urbaines modernes, avec les animaux non humains, est celui qui a lieu au moment des repas : c'est le moment où nous les mangeons. Ce simple fait constitue la clé de nos attitudes envers les autres animaux, et aussi la clé de ce que chacun de nous peut faire pour changer ces attitudes. L'us et abus des animaux élevés pour la nourriture dépassent de loin, par le simple nombre de ceux qui sont concernés, toute autre forme de mauvais traitement. Plus de cent millions de vaches, porcs et moutons sont élevés et abattus chaque année dans les seuls États-Unis ; et le chiffre pour la volaille atteint la valeur vertigineuse de cinq milliards. (Cela veut dire qu'environ huit mille oiseaux – des poulets, pour la plupart – auront été abattus pendant le temps qu'il vous faut pour lire cette page.) C'est ici, sur la table où nous prenons nos repas et dans la boucherie ou au supermarché du quartier, que nous entrons en contact direct avec la plus vaste exploitation d'autres espèces qui ait jamais existé.

En général, nous ne savons rien des mauvais traitements d'êtres vivants que recèlent les aliments que nous mangeons. L'achat de nourriture dans un magasin ou au restaurant est l'aboutissement d'un long processus, dont tout, hors le produit final, est délicatement écarté de notre vue. Nous achetons nos viandes et volailles emballées bien proprement sous plastique. Elles saignent à peine. Rien n'incite à faire le rapprochement entre ces articles emballés et un animal vivant qui respire, marche, souffre. Les mots mêmes que nous employons en masquent l'origine ; nous mangeons du porc (*pork*) et non du cochon (*pig**), du bœuf (*beef*) et non du taureau (*bull*), du bouvillon (*steer*) ou de la vache (*cow*) – bien que pour une raison obscure, il semblerait qu'il nous soit plus facile de voir en face la véritable nature d'un gigot d'agneau. Le mot « viande » (*meat*) est lui-même trompeur. Il désignait à l'origine toute nourriture solide et non pas seulement la chair des animaux. Cet usage se retrouve encore dans certaines expressions comme *nut meat* (« viande de noix »), qui peut paraître impliquer que ce plat végétal serait un substitut à la viande « de chair », alors qu'en fait il a tout autant de droits par lui-même au titre de « viande ». L'emploi du terme plus général de « viande » pour désigner la chair nous permet d'éviter de voir en face la réalité de ce que nous mangeons.

Ces déguisements verbaux ne sont que la première couche d'une ignorance beaucoup plus profonde quant à l'origine de notre nourriture. Ainsi, quelles images évoque pour nous la ferme ? – une maison, une grange, un groupe de poules parcourant la cour en grattant le sol sous l'œil d'un coq orgueilleux ; un troupeau de vaches que l'on ramène des champs pour la traite ; et peut-être une truie fouillant le verger en compagnie de

---

* La langue anglaise réserve à la chair de beaucoup d'animaux mangés un terme distinct de l'animal lui-même (*N.D.T.*).

sa portée de porcelets excités qui couinent et se bousculent derrière elle.

Très peu de fermes ont jamais été aussi idylliques que cette image traditionnelle voudrait nous le faire croire ; nous les imaginons néanmoins comme des endroits agréables, bien à l'écart de notre propre mode de vie urbain industriel et mercantile. Les quelques personnes qui songent à la vie que mènent les animaux dans les fermes connaissent rarement grand-chose des méthodes modernes d'élevage. Certains se demandent s'ils sont abattus sans douleur, et quiconque s'est trouvé en voiture derrière un camion transportant du bétail sait sans doute que les animaux d'élevage voyagent dans des conditions d'entassement extrême ; mais peu de gens soupçonnent que le transport et l'abattage sont autre chose que la conclusion brève et inévitable d'une vie facile et satisfaite, d'une vie comportant les plaisirs naturels de l'existence animale sans la rigueur des épreuves qui attendent les animaux sauvages dans leur lutte pour survivre.

Ces idées confortables ont peu de rapport avec les réalités de l'élevage moderne. D'abord, l'élevage n'est plus entre les mains de simples paysans. Au cours des cinquante dernières années, de grandes firmes et des méthodes de production du type « chaîne de montage » ont transformé l'agriculture en agrobusiness. Le processus débuta quand l'élevage des volailles, qui était du ressort de la femme du paysan, passa sous le contrôle de grandes compagnies. Aujourd'hui, cinquante grandes entreprises contrôlent pratiquement toute la production de volailles aux États-Unis. Pour ce qui est des œufs, alors qu'il y a cinquante ans c'était être un gros producteur que d'avoir trois mille poules pondeuses, aujourd'hui bien des producteurs en possèdent plus de cinq cent mille et les plus gros plus de dix millions. Les petits producteurs restants ont été obligés d'adopter les mêmes méthodes que les géants, ou alors de fermer leurs portes. Des sociétés sans rapport avec l'agriculture se sont lancées dans l'élevage à grande échelle pour bénéficier d'avantages fiscaux ou pour diversifier leurs sources de bénéfices. La Greyhound Corporation, entreprise de transports, produit maintenant des dindes, et votre bœuf rôti provient peut-être de la compagnie d'assurances John Hancock Mutual Life Insurance ou d'une compagnie pétrolière parmi la douzaine qui ont investi dans l'élevage des bœufs, créant des parcs d'engraissage de cent mille têtes ou plus[1].

Les grandes compagnies et les agriculteurs qui doivent soutenir leur concurrence ne sont pas mus par un sens de l'harmonie entre les plantes, les animaux et la nature. L'élevage est un domaine de concurrence, et les méthodes adoptées sont celles qui réduisent les coûts et augmentent la production. L'élevage est donc aujourd'hui de l'« élevage industriel ». Les animaux sont traités comme des machines qui convertissent du fourrage de faible valeur marchande en chair de haute valeur marchande, et toute innovation améliorant financièrement le « rapport de conversion » sera adoptée. Le présent chapitre n'est en majeure partie qu'une description de ces méthodes, et de ce qu'elles veulent dire pour les animaux auxquels elles sont appliquées. Son but est de montrer que, soumis à ces méthodes, les animaux mènent une vie misérable de la naissance à l'abattage. Encore une fois cependant, mon propos n'est pas de désigner ceux qui font ces choses aux animaux comme cruels et malicieux. Au contraire, les attitudes des producteurs ne sont pas fondamentalement différentes de celles des consommateurs. Les méthodes d'élevage que je vais décrire ne sont que l'application logique des attitudes et des préjugés qui sont discutés ailleurs dans ce livre. Dès lors que nous plaçons les animaux non humains à l'extérieur de notre sphère de considération morale et que nous les traitons comme des choses à utiliser pour satisfaire nos propres désirs, le résultat est prévisible.

Comme dans le chapitre précédent, afin que mon compte rendu soit aussi objectif que possible, je ne fonde pas les descriptions qui suivent sur mes observations personnelles faites dans des élevages et sur les conditions qui y règnent. En effet, on aurait alors pu m'accuser d'avoir fait un rapport sélectif et partial à partir de quelques observations de fermes particulièrement critiquables. Le présent compte rendu est au contraire tiré en grande partie des sources que l'on peut supposer être les plus favorables à l'industrie agricole : à savoir les magazines professionnels et les revues que cette industrie publie elle-même.

Naturellement, on ne trouvera pas dans ces magazines professionnels d'articles dévoilant directement la souffrance des animaux d'élevage, et cela d'autant moins aujourd'hui que la profession a appris à considérer la question comme sensible. Les magazines agricoles ne sont pas intéressés par le problème de la souffrance animale en tant que telle. On y conseille parfois aux agriculteurs d'éviter telle ou telle pratique qui fait souffrir les animaux à cause de son retentissement négatif sur leur prise de poids ; on les incite également à traiter moins durement les animaux conduits à l'abattoir parce que les meurtrissures en déprécient la carcasse ; mais on n'y trouve pas l'idée que l'on doive éviter de confiner les animaux dans des conditions inconfortables simplement parce que en soi cela est une mauvaise chose. Ruth Harrison, qui dans son livre *Animal Machines* fut l'une des premières à exposer les méthodes intensives d'élevage en Grande-Bretagne, concluait que « la cruauté n'est reconnue en tant que telle que lorsqu'elle n'est plus rentable[2] ». Cette attitude est incontestablement celle qu'exhibent dans leurs pages les magazines agricoles tant américains que britanniques.

Ces magazines peuvent néanmoins nous en apprendre beaucoup sur les conditions dans lesquelles vivent les animaux d'élevage. Ils nous permettent de mieux connaître les attitudes de certains des éleveurs envers les animaux qui sont en leur pouvoir absolu et illimité, et ils nous donnent aussi des informations sur les innovations en cours dans les méthodes et techniques utilisées et sur les problèmes qui en découlent. Pour peu que nous ayons par ailleurs un minimum de connaissance des besoins des animaux en question, cette information suffit pour nous donner un panorama de ce qu'est aujourd'hui l'élevage. Nous pouvons en affiner les détails en nous tournant vers quelques-unes des études scientifiques portant sur le bien-être des animaux d'élevage qui, en réponse à la pression exercée par le mouvement de libération animale, paraissent de plus en plus fréquemment dans les revues agricoles et vétérinaires.

Le premier animal à se voir soustraire aux conditions relativement naturelles de la ferme traditionnelle fut le poulet (et bien sûr la poule). Les êtres humains se servent de cette espèce à deux fins différentes : pour la chair et pour les œufs. Il existe maintenant des techniques standards de production de masse pour chacun de ces deux produits.

Les promoteurs de l'agrobusiness voient dans le développement de l'industrie de la volaille un des grands succès de l'histoire de l'agriculture. À la fin de la Seconde Guerre mondiale, la chair de poulet était encore une denrée relativement rare. Elle était produite principalement par de petits fermiers indépendants ou provenait des frères mâles non désirés des poules pondeuses. Aujourd'hui aux États-Unis, 102 millions de « poulets de chair » (*broilers*), comme on les appelle, sont abattus chaque semaine après avoir été élevés dans des installations de type industriel hautement automatisées appartenant aux grandes compagnies qui contrôlent la production. Huit de ces compagnies élèvent plus de 50 % des 5,3 milliards d'oiseaux qui sont tués chaque année aux États-Unis [3].

Le pas essentiel dans le processus qui, d'oiseaux de basse-cour, transforma les poulets en articles manufacturés fut leur confinement sous un toit. Le producteur de poulets de chair reçoit depuis les accouvoirs un lot pouvant comprendre 10 000 ou 50 000 poussins d'un jour, voire plus, qu'il place dans un long hangar sans fenêtres – habituellement à même le sol, bien que certains producteurs utilisent des cages étagées afin de loger plus d'animaux dans un bâtiment de même taille. À l'intérieur, chaque aspect de l'environnement des oiseaux est contrôlé pour qu'ils engraissent plus rapidement avec moins de nourriture. L'eau et les aliments sont distribués automatiquement par des installations suspendues du plafond. L'éclairage est ajusté selon les conseils de chercheurs agronomes : il sera par exemple intense vingt-quatre heures sur vingt-quatre pendant la première ou les deux premières semaines, pour encourager les poussins à prendre rapidement du poids ; ensuite, il sera peut-être un peu moins fort et sera éteint et rallumé toutes les deux heures, selon l'idée que les poussins sont plus disposés à manger après une période de sommeil ; enfin, lorsque les oiseaux sont âgés d'environ six semaines et ont grossi au point d'être entassés, vient un moment où la lumière sera maintenue de façon permanente à un niveau très faible. Cette pénombre a pour but de réduire l'agressivité provoquée par l'entassement.

Les poulets de chair sont tués à l'âge de sept semaines (la longévité naturelle d'un poulet est de l'ordre de sept ans). À la fin de cette brève période, leur poids atteint environ 2 kilogrammes ; mais la surface dont chacun d'entre eux dispose peut encore se réduire à 450 cm^2 – soit moins que celle d'une feuille de papier à lettres standard A4. Dans ces conditions, quand les poulets sont soumis à un éclairage normal, le stress dû à l'entassement et à l'absence d'exutoire naturel pour leur énergie provoque chez eux des rixes, au cours desquelles ils s'attaquent les uns les autres à coups de bec aux plumes et parfois s'entre-tuent et s'entre-dévorent. Il a été constaté que diminuer fortement l'éclairage réduisait ce comportement, et c'est pourquoi ils ont une forte probabilité de vivre leurs dernières semaines dans une quasi-obscurité.

Le « picage » (coups de bec aux plumes) et le cannibalisme sont, dans le jargon des éleveurs de poulets de chair, des « vices ». Ce ne sont pas là, pourtant, des vices naturels ; ils résultent du stress et de l'entassement que les producteurs modernes font subir à leurs oiseaux. Les poulets sont des animaux hautement sociables, et dans la basse-cour ils développent une hiérarchie, appelée « ordre des coups de bec ». Que ce soit devant la nourriture ou ailleurs, chaque individu défère à ceux de rang supérieur dans cet ordre des coups de bec, et a préséance sur ceux de rang inférieur. Quelques disputes peuvent survenir avant que ne s'établisse l'ordre des coups de bec, mais le plus souvent la démonstration de force suffit à éviter le vrai contact physique. Comme l'a écrit Konrad Lorenz, observateur renommé du comportement animal, à une époque où les poulets étaient encore élevés en petits groupes : « Les animaux se reconnaissent-ils ainsi les uns les autres ? Il est clair que oui [...] Chaque éleveur de volailles sait [...] qu'il existe un ordre bien défini, où chaque oiseau craint ceux qui lui sont supérieurs en rang. Après quelques disputes, où on n'en vient pas nécessairement aux coups, chacun sait qui il doit craindre et qui lui doit le respect. La force physique, mais aussi le courage personnel, l'énergie et même l'assurance personnelle de chaque individu sont des éléments décisifs dans le maintien de l'ordre des coups de bec[4]. »

D'autres études ont montré qu'un groupe de poulets comprenant jusqu'à 90 individus peut maintenir un ordre social stable, chacun connaissant sa place ; mais c'est évidemment tout autre chose lorsque 80 000 oiseaux sont entassés dans un seul hangar. Ils ne peuvent alors établir d'ordre social et par conséquent ils se battent souvent. Indépendamment de l'incapacité où se trouve chaque individu à en reconnaître tant d'autres, le simple fait de l'entassement extrême contribue sans doute à rendre irritables et excitables les poulets, comme c'est aussi le cas chez les êtres humains et chez d'autres animaux. C'est là une chose que les éleveurs savent depuis longtemps : « Le picage et le cannibalisme deviennent facilement des vices sérieux chez les oiseaux maintenus dans des conditions intensives d'élevage. Ces vices sont synonymes de baisse de productivité et de manque à gagner. L'oiseau s'ennuie et donne des coups de bec contre un endroit saillant du plumage d'un autre [...] Alors que l'oisiveté et l'ennui sont des causes prédisposant à ces vices, l'entassement, le manque d'aération et le chauffage excessif sont des facteurs contributifs[5]. »

Les éleveurs doivent faire cesser ces « vices » puisqu'ils leur coûtent de l'argent ; mais bien qu'ils en connaissent la cause première – l'entassement –, ils ne peuvent rien contre elle, car dans l'état de compétition où se trouve leur industrie, éliminer l'entassement peut signifier du même coup éliminer la marge de profit. Les coûts de construction du bâtiment, d'équipement en appareils d'alimentation automatique, d'énergie pour le chauffage et l'aération, et de main-d'œuvre resteraient inchangés, mais le nombre de poulets par bâtiment serait moindre, et donc le revenu tiré de leur vente baisserait. Les efforts des éleveurs portent donc seulement sur la réduction des conséquences du stress qui leur coûtent de l'argent. Les conditions non naturelles dans lesquelles les poulets sont maintenus sont la cause des vices, mais pour les contrôler les éleveurs doivent rendre ces conditions encore moins naturelles. Un éclairage très faible est un des moyens employés. Une mesure plus dramatique, qui n'en est pas moins aujourd'hui très largement utilisée dans l'industrie, est le « débecquage ».

La pratique du débecquage fut mise en œuvre les premières fois à San Diego dans les années 1940 ; à l'époque on opérait au chalumeau. L'éleveur éliminait par combustion la mandibule supérieure des poulets, les rendant ainsi incapables de se donner des coups les uns aux autres. Cette technique rudimentaire fut bientôt supplantée par l'emploi d'un fer à souder modifié, et aujourd'hui la préférence va à un appareil spécialement conçu semblable à une guillotine dotée de lames chauffées. Le bec du poussin est inséré dans l'appareil, et la lame chaude en coupe l'extrémité. Le tout se fait très rapidement, au rythme de quinze poussins environ à la minute. Une telle hâte implique des variations dans la température et dans l'état d'affûtage de la lame, et donc des coupures mal faites et de graves blessures aux poussins : « Une lame de température trop élevée provoque des ampoules dans la bouche. Une lame de température ou d'affûtage insuffisants peut induire le développement d'une excroissance globuleuse charnue sur l'extrémité de la mandibule. Ces excroissances sont très sensibles[6]. »

Joseph Mauldin, spécialiste en aviculture de l'université de Géorgie (États-Unis), a rendu compte dans une conférence sur la santé des volailles de ses observations sur le terrain : « Il y a de nombreux cas de narines brûlées et de mutilations importantes dues à des procédures incorrectes qui influent incontestablement sur la douleur aiguë et chronique, sur le comportement alimentaire et sur les facteurs de production.

J'ai évalué la qualité de la coupe pour des producteurs privés de poulets de chair, et la plupart d'entre eux sont contents quand 70 % des coupes tombent dans les catégories de coupes bien faites [...] Les poulettes de remplacement ont le bec coupé par des équipes payées selon la quantité plutôt que selon la qualité du travail effectué[7]. »

Même quand l'opération est conduite correctement, ce serait une erreur que d'y voir une procédure indolore, semblable à la coupe des ongles de nos orteils. Comme l'a découvert il y a quelques années un comité d'experts gouvernemental britannique, sous la direction du professeur F. W. Rogers Brambell, zoologiste : « Entre la corne [du bec] et l'os se trouve une fine couche de tissu tendre hautement sensible, semblable à la chair vive sous l'ongle humain. La lame chaude utilisée pour le débecquage tranche dans cet ensemble formé de corne, d'os et de tissu sensible, occasionnant une douleur sévère[8]. »

De plus, le dommage causé au poulet par le débecquage est de longue durée : les oiseaux ainsi mutilés mangent moins et perdent du poids pendant plusieurs semaines[9]. L'explication la plus vraisemblable en est que le bec blessé continue à être source de douleur. J. Breward et M. J. Gentle, chercheurs au Centre de recherche avicole du Conseil britannique de recherche sur l'agriculture et l'alimentation (British Agricultural and Food Research Council), ont étudié les moignons résultant de l'amputation chez des poules débecquées et ont découvert que les nerfs endommagés repoussaient, se repliant sur eux-mêmes pour former une masse de fibres entrelacées, appelée névrome. Ces névromes sont connus chez les humains pour être la source, dans les moignons d'amputation, de douleurs tant aiguës que chroniques. Breward et Gentle ont découvert que cela était probablement aussi le cas pour les névromes causés par le débecquage[10]. Gentle a par la suite déclaré, avec toute la prudence que l'on peut attendre d'un chercheur avicole s'exprimant dans une revue scientifique : « En conclusion, il est juste de dire que nous ne connaissons pas l'intensité réelle du malaise ou de la douleur que ressentent les oiseaux après le débecquage, mais dans une société compatissante on devrait leur accorder le bénéfice du doute. Pour prévenir chez les volailles le cannibalisme et le picage, une bonne technique d'élevage est essentielle, et là où il est impossible de contrôler l'intensité de l'éclairage, la seule autre solution consiste à tenter de sélectionner des souches d'oiseaux n'ayant pas ces traits négatifs[11]. »

Il existe encore une autre solution. Le débecquage, que pratiquent systématiquement la plupart des producteurs par anticipation du cannibalisme, réduit beaucoup les dommages que les poulets peuvent se causer les uns aux autres. Mais il ne contribue évidemment en rien à réduire le stress et l'entassement qui sont la cause première de ce cannibalisme si peu naturel. Les éleveurs d'autrefois, qui gardaient une petite volée dans un grand espace, n'avaient nul besoin de débecquer leurs oiseaux.

À une époque les poulets étaient des individus ; si l'un d'eux brutalisait les autres (ce qui pouvait arriver, sans que ce soit la règle générale), il était retiré du groupe. De même, les oiseaux qui tombaient malades ou étaient blessés pouvaient être soignés, ou, si nécessaire, rapidement tués. Aujourd'hui, une seule personne s'occupe de plusieurs dizaines de milliers d'oiseaux. Un secrétaire américain à l'Agriculture s'est enthousiasmé sur la manière dont une personne pouvait à elle seule s'occuper de 60 000 à 75 000 poulets de chair[12]. La revue *Poultry World* a récemment consacré son article principal à l'installation de David Dereham, qui prend soin de 88 000 poulets de chair logés sous un même toit, à lui tout seul, tout en cultivant par ailleurs vingt-quatre hectares de terre[13] ! Ici, « prendre soin de » n'a plus le même sens qu'autrefois, car si l'éleveur devait consacrer quotidiennement ne serait-ce qu'une seconde à inspecter chaque oiseau, il lui faudrait plus de vingt-quatre heures par jour pour réaliser l'inspection des 88 000 poulets, sans compter ses autres tâches d'entretien, plus quelques travaux des champs. Par ailleurs, la pénombre rend la tâche d'inspection encore plus difficile. En fait, l'éleveur moderne se contente d'enlever les oiseaux morts. Il coûte moins cher de perdre ainsi quelques poulets de plus que de payer la main-d'œuvre supplémentaire que nécessiterait le suivi individuel de leur santé.

Pour rendre possible un contrôle total de la lumière et un certain contrôle de la température (il y a habituellement du chauffage mais rarement d'installation de refroidissement), les hangars à poulets sont dotés de murs pleins sans fenêtres et doivent être artificiellement ventilés. Les oiseaux ne voient jamais la lumière du soleil, jusqu'au jour où on les sort pour les tuer ; et jamais non plus ils ne respirent un air exempt de l'ammoniac émis par leurs propres déjections. L'aération est suffisante pour maintenir les poulets en vie dans les circonstances ordinaires, mais en cas de panne mécanique l'asphyxie survient rapidement. Même une possibilité aussi évidente qu'une simple panne de courant peut être désastreuse, car les éleveurs n'ont pas tous leur propre générateur de secours.

Parmi les différentes manières dont les poulets peuvent s'asphyxier dans un hangar, il y a le phénomène dit d'« empilage ». Élevés intensivement, les poulets deviennent nerveux et craintifs. Comme ils ne sont pas habitués aux lumières vives, aux bruits forts ou autres intrusions, un brusque dérangement peut les faire paniquer et fuir tous vers un même coin du bâtiment. Dans leur tentative terrifiée de se sauver, ils s'empilent les uns sur les autres ce qui fait que, comme le décrit un éleveur, « ils s'étouffent les uns les autres dans un amas pitoyable de corps empilés dans un coin du hangar[14] ».

Même s'ils échappent à ces dangers, les oiseaux peuvent succomber à l'une des diverses maladies qui sont souvent endémiques dans les hangars à poulets. Une cause de mort récemment apparue et qui demeure encore mystérieuse est celle appelée simplement « syndrome de mort subite ». Il a été déterminé que cette affection, qui semble être le produit des conditions non naturelles créées par l'industrie avicole, tue en moyenne environ deux pour cent des lots de poulets de chair au Canada et en Australie, et on peut supposer que les chiffres sont similaires partout où sont appliquées les mêmes méthodes[15]. Ce syndrome a été décrit de la manière suivante : « La mort du poulet fut précédée d'une attaque soudaine caractérisée par la perte d'équilibre, par de violents battements d'ailes, et de fortes contractions musculaires [...] On a vu des poulets tomber en avant ou en arrière au moment de la perte initiale d'équilibre et parfois se retrouver sur le dos ou sur le sternum en battant violemment des ailes[16]. »

Aucune des études ne propose d'explication claire des raisons pour lesquelles ces poulets apparemment en bonne santé s'effondrent et meurent subitement, mais un spécialiste avicole auprès du ministère britannique de l'Agriculture a fait le rapport entre ce phénomène et ce qui constitue l'objectif même de toute l'industrie du poulet, à savoir la rapidité de leur croissance : « Les taux de mortalité chez les poulets de chair ont augmenté et il est raisonnable de se demander si cela ne serait pas indirectement en rapport avec les progrès considérables obtenus en génétique et en nutrition. Autrement dit, peut-être attendons-nous de la part des poulets de chair qu'ils grossissent trop vite – multipliant leur poids par cinquante ou soixante en sept semaines. [...] Les “*flip-overs*”, c'est-à-dire les morts subites de jeunes poulets (généralement mâles) apparemment en pleine forme sont peut-être liées aussi à cette croissance “gonflée[17]”. »

La rapidité de croissance provoque aussi des infirmités et des difformités qui forcent les producteurs à tuer encore un à deux pour cent supplémentaires de leurs poulets – et comme ne sont éliminés que les cas graves, le nombre d'oiseaux qui souffrent de difformités est forcément beaucoup plus élevé[18]. Les auteurs d'une étude consacrée à une forme particulière d'infirmité ont conclu : « Nous estimons que certains oiseaux ont peut-être été sélectionnés pour une croissance tellement rapide qu'ils se trouvent au bord de l'effondrement structural[19]. »

L'atmosphère dans laquelle les poulets doivent vivre représente déjà en elle-même un danger pour leur santé. Au cours des sept ou huit semaines qu'ils passent dans leur hangar, aucune mesure n'est prise pour changer leur litière ou pour enlever leurs excréments. Malgré la ventilation mécanique, l'air qu'ils respirent se charge d'ammoniac, de poussières et de micro-organismes. Des études ont montré que, comme on peut s'y attendre, la poussière, l'ammoniac et les bactéries ont des effets préjudiciables sur les poumons des poulets[20]. Le département de santé publique de l'université de Melbourne en Australie a conduit une étude sur les risques que représente cette atmosphère pour la santé des éleveurs. Les chercheurs ont trouvé que 70 % des éleveurs font état d'irritations oculaires, près de 30 % de toux chronique et près de 15 % d'asthme et de bronchite chronique. Par conséquent, l'étude met en garde les éleveurs et leur conseille de passer le moins de temps possible dans leurs hangars et de porter un masque respiratoire lorsqu'ils y entrent. Mais elle ne parle nulle part de masques respiratoires pour les poulets[21].

Quand les poulets doivent passer leur vie debout ou assis sur une litière en décomposition, sale et chargée d'ammoniac, ils souffrent aussi d'ulcérations aux pattes, d'ampoules sur la poitrine et de brûlures aux jarrets. Les « morceaux de poulet » sont souvent les parties récupérées sur des oiseaux endommagés dont le corps ne peut être vendu entier. Cependant, le mauvais état des pattes n'est pas un problème pour la profession, puisqu'elles sont de toute manière coupées après l'abattage.

Si le fait de vivre dans de longs hangars sans fenêtres, surpeuplés, remplis d'ammoniac et de poussière est stressant pour les poulets, leur premier et unique contact avec la lumière du soleil ne l'est pas moins. Les portes sont ouvertes brusquement et les oiseaux, à ce stade habitués à une demi-obscurité, sont empoignés par les pattes, portés à l'extérieur la tête en bas, et fourrés sommairement dans des caisses empilées à l'arrière d'un camion. Puis ils sont conduits à une usine de « traitement » où ils seront tués, nettoyés et transformés en articles bien propres emballés sous plastique. À leur arrivée à l'usine, ils sont sortis du camion et empilés, encore dans leurs caisses, pour attendre leur tour. Cela prendra peut-être plusieurs heures, qu'ils passeront sans boire ni manger. Enfin, ils sont extraits des caisses et suspendus la tête en bas sous la courroie de transport qui les porte vers le couteau qui lui-même mettra fin à leur existence sans joie.

Les corps des poulets seront alors vendus plumés et vidés à des millions de familles qui en rongeront les os sans s'arrêter un seul instant à penser au fait qu'elles mangent le corps mort d'un être qui fut vivant, ou pour demander ce qui fut fait à cet être pour leur permettre d'en acheter le corps et de le manger. Et si elles devaient s'arrêter pour poser cette question, où trouveraient-elles la réponse ? Si leurs informations viennent de Frank Perdue, magnat du poulet, quatrième producteur de poulets de chair aux États-Unis mais assurément premier en promotion publicitaire de sa propre

Ces poulets vivants sont portés vers la salle d'abattage d'une installation de conditionnement. (*Photo Jim Mason et J. A. Keller*).

image, elles s'entendront dire que les poulets dans sa « ferme » sont choyés et « mènent une vie si douce[22] ». Comment les gens ordinaires doivent-ils faire pour apprendre que Perdue garde ses poulets dans des bâtiments de 140 mètres de long abritant 27 000 oiseaux ? Comment peuvent-ils savoir que le système de production de masse de Perdue tue à lui seul 6,8 millions de poulets par semaine et que, tout comme de nombreux autres producteurs de poulets de chair, il leur coupe le bec pour les empêcher de devenir des cannibales en raison du stress de la vie dans l'élevage industriel moderne[23] ?

La publicité que fait Perdue alimente un mythe courant : que les intérêts économiques de l'éleveur iraient main dans la main avec une bonne vie pour les poulets ou autres animaux. Les apologistes de l'élevage industriel disent souvent que si les animaux n'étaient pas heureux, ils ne se développeraient pas bien et ne seraient alors pas rentables. L'industrie du poulet de chair apporte une réfutation claire à ce mythe naïf. Une étude parue dans la revue *Poultry Science* montrait que le fait de ne donner aux poulets que 372 cm^2 d'espace chacun (soit 20 % de moins que la surface standard allouée par l'industrie) pourrait s'avérer profitable, bien qu'un espace aussi réduit implique la mort de 6,4 % des oiseaux (soit plus qu'avec une densité inférieure), une diminution de leur poids individuel et une augmentation de la fréquence des ampoules sur la poitrine. Comme le font remarquer les auteurs, la clé de la rentabilité dans l'industrie du poulet réside non dans le profit par tête mais dans le profit par unité de production : « Le revenu moyen par tête a commencé à baisser [...] à mesure que la densité en poulets augmentait. Toutefois, lorsque le revenu était calculé sur la base du revenu par unité de surface de sol, l'effet était inverse : le revenu augmentait à mesure qu'augmentait la densité en poulets. Même lorsque furent testées des densités extrêmement élevées, le point où le revenu commence à baisser ne fut pas atteint malgré la réduction de la vitesse de croissance[24]. »

Celui qui, après avoir lu la présente section, envisage d'acheter de la dinde à la place du poulet doit être averti que cet emblème traditionnel du repas familial de la fête de Noël est maintenant élevé selon les mêmes méthodes que les poulets de chair, et que le débecquage est la règle pour ces oiseaux-là aussi. Selon la revue *Turkey World*, on assiste depuis quelques années à une « explosion dans la production de dindes », explosion dont on attend qu'elle se poursuive. L'industrie de la dinde, qui représente 2 milliards de dollars, a élevé 207 millions d'animaux en 1985, dont plus de 80 % provenant de vingt grandes compagnies. Les dindes passent entre treize et vingt-quatre semaines dans des conditions intensives, soit plus de deux fois plus que leurs cousins plus petits, avant d'aller à la rencontre de leur sort[25].

« La poule, écrivait Samuel Butler, n'est que le moyen qu'utilise l'œuf pour faire un autre œuf. » Butler, sans doute, pensait plaisanter ; mais lorsque Fred C. Haley, président d'une firme de volaille de l'État américain de Géorgie qui contrôle la vie de 225 000 poules pondeuses, décrit la poule comme « une machine à produire des œufs », ses paroles ont des implications bien plus sérieuses. Pour ne pas laisser de doute sur le fait qu'il s'agit pour lui d'affaires, Haley ajoute : « Le but de la production d'œufs est de faire de l'argent. Quand nous oublions cet objectif, nous avons oublié entièrement ce dont il s'agit[26]. »

Il ne s'agit pas là non plus d'une attitude seulement américaine. Un magazine britannique d'agriculture a dit à ses lecteurs : « La pondeuse moderne n'est, après tout, qu'une machine de conversion très efficace, qui transforme la matière première – ses aliments – en un produit fini – l'œuf – moins, bien sûr, ce qui est nécessaire pour son entretien[27]. »

L'idée que la pondeuse est un moyen efficace pour transformer la nourriture en œufs est courante dans les revues professionnelles de cette industrie, particulièrement dans les annonces publicitaires. Comme on peut s'y attendre, ses conséquences pour les poules pondeuses ne sont pas bonnes.

Les poules pondeuses subissent beaucoup des mêmes procédures que les poulets de chair, mais il y a certaines différences. Comme eux, elles doivent être débecquées, pour prévenir le cannibalisme qui aurait lieu dans les conditions d'entassement où elles se trouvent ; mais comme elles vivent beaucoup plus longtemps que les poulets, elles subissent souvent cette opération deux fois. Ainsi voit-on Dick Wells, spécialiste avicole et chef en Grande-Bretagne de l'Institut national de l'élevage de la volaille, recommander le débecquage « à un moment entre le cinquième et le dixième jour de vie », parce que les poussins sont alors soumis à moins de stress que quand l'opération a lieu avant, et qu'en plus « c'est un bon moyen pour réduire le risque de mortalité précoce[28] ». Quand les poules âgées de douze à dix-huit semaines passent du hangar de croissance aux installations de ponte, elles sont souvent débecquées une seconde fois[29].

Les poules pondeuses commencent à souffrir tôt dans leur vie. Les poussins qui sortent de l'œuf sont triés en mâles et femelles par un « sexeur de poussins ». Comme les mâles n'ont aucune valeur commerciale, on les jette. Certaines compagnies les gazent, mais souvent on les empile vivants dans un sac en plastique où ils étouffent sous le poids de leurs congénères qui viennent après eux. D'autres sont broyés, encore vivants, pour être transformés en nourriture pour leurs sœurs. Au moins 160 millions d'oiseaux sont ainsi gazés, étouffés ou broyés chaque année dans les seuls

États-Unis[30]. Il est impossible de dire au juste combien meurent de chaque façon particulière, parce que personne n'en tient le registre : les éleveurs envisagent cette question comme nous voyons le fait de sortir les ordures.

Pour les femelles la vie sera plus longue, ce qui n'est guère une bonne affaire pour elles. Les poulettes (comme on les appelle quand elles n'ont pas encore l'âge de la ponte) grandissaient jadis en plein air, parce qu'on pensait qu'ainsi elles feraient des pondeuses plus robustes, plus aptes à supporter la vie en cage. Maintenant on les a transférées à l'intérieur, et dans bien des cas elles sont mises en cage presque dès la naissance, car les cages à étages permettent d'augmenter le nombre d'oiseaux dans chaque hangar, faisant baisser d'autant le coût par oiseau. Cependant, la croissance rapide des poulettes oblige dans ce cas à un transfert pour les mettre dans des cages plus grandes, et c'est là un désavantage, car « la mortalité risque d'être un peu plus élevée [...] Des pattes cassées et des têtes contusionnées sont forcément à prévoir quand vous transférez les oiseaux[31]. »

Quelle que soit la façon dont sont gardées les poulettes, tous les grands producteurs d'œufs maintiennent aujourd'hui leurs poules pondeuses en cages. (On les appelle souvent « batteries » ou « cages de batterie », en vertu du sens original du mot, qui désigne « un ensemble de pièces d'appareillage semblables ou reliées entre elles ».) Lorsque les cages furent introduites, elles ne contenaient qu'une poule chacune, l'idée étant de permettre à l'éleveur de savoir quels individus ne pondaient pas assez d'œufs pour justifier le coût de leur maintien. Ceux-là étaient alors tués. Puis on s'est aperçu qu'en plaçant deux poules par cage, on pouvait augmenter leur nombre et ainsi réduire le coût par poule. Il ne s'agissait là que du premier pas. Il n'est maintenant plus question de tenir un compte des œufs pondus par chaque poule. Les cages sont utilisées parce qu'elles permettent de loger dans un bâtiment donné, et de chauffer, de nourrir et d'abreuver, un plus grand nombre de poules, et d'utiliser de façon accrue les équipements automatiques qui économisent la main-d'œuvre.

L'exigence économique de maintenir à un minimum absolu les coûts de main-d'œuvre implique que les poules pondeuses bénéficient d'aussi peu d'attention individuelle que les poulets de chair. Alan Hainsworth, propriétaire d'un élevage de volailles du nord de l'État de New York, a déclaré à un journaliste local qu'il ne lui fallait pas plus de quatre heures par jour pour s'occuper de ses 36 000 pondeuses, pendant que son épouse s'occupait des 20 000 poulettes : « Elle y consacre environ quinze minutes par jour. Elle ne fait que vérifier les distributeurs automatiques de nourriture et les gobelets d'eau et s'occuper des morts éventuelles survenues dans la nuit. »

Ce genre de soins ne garantit néanmoins pas le bonheur des poulettes, comme le montre la description faite par le journaliste : « Quand vous entrez dans le hangar à poulettes la réaction est immédiate : un tohu-bohu infernal. Un bruit intense et violent provient des cris de quelque 20 000 oiseaux qui se bousculent vers le fond de leurs cages par peur des intrus humains [32]. »

La « Cité de l'œuf » de Julius Goldman, à 80 km au nord-ouest de Los Angeles, fut une des premières installations à dépasser le million de pondeuses. Déjà en 1970, lorsque le *National Geographic Magazine* publia un reportage enthousiaste sur ces méthodes d'élevage qui, à l'époque, étaient encore relativement nouvelles, la ferme de Goldman comptait deux millions de poules pondeuses réparties dans des hangars longs comme un pâté de maisons abritant chacun 90 000 poules, à raison de cinq poules par cage de 45 cm sur 40 cm. Ben Shames, vice-président exécutif de la Cité de l'œuf, expliquait ainsi aux enquêteurs du magazine les méthodes utilisées pour s'occuper de tant d'oiseaux : « Nous notons la quantité de nourriture ingérée et le nombre d'œufs ramassés dans deux rangées de cages sur les cent dix que comporte chaque bâtiment. Quand la production baisse en dessous du seuil économique, les 90 000 poules sont vendues en bloc à un transformateur qui en fera du pâté ou de la soupe au poulet. Il n'est pas rentable de suivre toutes les rangées d'un bâtiment, sans parler de suivre chaque poule individuelle ; quand vous avez 2 millions de poules, vous devez vous fier à un échantillonnage statistique[33]. »

Dans la plupart des fabriques d'œufs, les cages sont disposées en étages, avec le long des rangées les distributeurs de nourriture et d'eau alimentés automatiquement depuis une réserve centrale. Les cages ont un sol incliné fait en grillage. La pente – habituellement de 20 % – rend moins confortable aux oiseaux la station debout, mais elle fait que les œufs roulent vers le devant de la cage où il est facile de les ramasser à la main ou, dans les entreprises les plus modernes, de les transporter par tapis roulant vers les installations d'emballage.

C'est aussi pour des raisons économiques que le sol est en grillage. Les excréments tombent au travers et peuvent s'empiler pendant de nombreux mois avant d'être enlevés en une seule opération. (Certains producteurs les enlèvent plus souvent, d'autres non.) Malheureusement, les griffes des poules ne sont pas bien adaptées à la vie sur du grillage, et les cas rapportés de lésions aux pattes sont courants chaque fois que quelqu'un se dérange pour les examiner. Les griffes, privées de l'usure due à un sol ferme, poussent démesurément et peuvent se prendre de façon permanente dans le grillage. L'ancien président d'une organisation nationale avicole rapporte ses souvenirs à ce propos dans un magazine professionnel : « Nous avons trouvé des poules qui avaient virtuellement pris racine dans leur cage. Apparemment, leurs orteils s'étaient pris d'une façon ou d'une autre dans le grillage et ne pouvaient se défaire. De sorte qu'avec le temps leur chair s'était développée entourant complètement les fils. Heureusement pour eux, ces individus étaient bloqués près du devant de leur cage et pouvaient ainsi facilement accéder à l'eau et à la nourriture[34]. »

Ensuite nous devons considérer la quantité d'espace dont disposent les poules dans leurs cages. En Grande-Bretagne, la Loi sur la protection des oiseaux (Protection of Birds Act), adoptée en 1954, vise à prévenir la cruauté envers les oiseaux. La clause 8, sous-section 1 de cette loi, se lit comme suit : « Quiconque maintient ou confine un oiseau quel qu'il soit dans quelque cage ou autre récipient que ce soit dont la longueur, la hauteur ou la largeur ne suffisent pas pour lui permettre d'étendre librement ses ailes, sera coupable d'infraction à la présente loi et passible d'une amende spéciale. »

Toute forme de mise en cage est contestable, mais le principe qui pose que la cage où demeure l'oiseau doit être assez grande pour lui permettre d'étendre librement ses ailes paraît représenter un minimum absolu nécessaire pour protéger ces animaux contre un degré intolérable de confinement qui frustre une impulsion très fondamentale. Pouvons-nous donc prendre pour acquis que les cages à volailles en Grande-Bretagne doivent être au moins assez grandes pour donner à ces oiseaux cette liberté minimale ? Eh bien, non. La sous-section citée plus haut comporte une clause restrictive courte mais significative : « Sous réserve que la présente sous-section ne s'appliquera pas à la volaille... »

Cette stupéfiante clause restrictive témoigne de la puissance relative des désirs qui émanent de l'estomac et de ceux qui se fondent sur la compassion dans un pays qui a une réputation de bonté envers les animaux. Rien dans la nature de ces oiseaux que nous nommons « volailles » ne les rend moins désireux d'étendre leurs ailes que d'autres oiseaux. La seule conclusion possible est que les membres du Parlement britannique sont contre la cruauté sauf lorsqu'elle produit leur petit déjeuner.

Cette situation a un proche pendant aux États-Unis. En vertu de la Loi pour le bien-être des animaux (Animal Welfare Act) de 1970 et de ses amendements ultérieurs, des normes ont été établies exigeant que les cages pour animaux « fournissent assez d'espace pour permettre à chaque animal d'accomplir ses ajustements posturaux et sociaux normaux avec une liberté appropriée de mouvement ». Cette loi s'applique aux zoos, aux cirques, aux vendeurs d'animaux familiers et aux laboratoires, mais pas aux animaux élevés pour la nourriture[35].

Comment donc les cages où sont logées les poules pondeuses se comparent-elles par rapport à la norme minimale établie pour les oiseaux en général ? Pour répondre à cette question, il faut savoir que l'envergure du type le plus courant de poule est en moyenne d'environ 75 cm. La taille des cages est variable, mais selon la revue *Poultry Tribune* : « 30 cm par 50 cm (12 par 20 pouces) est une taille typique, où sont logées de une à cinq pondeuses. L'espace disponible par oiseau varie de 1 500 à 300 cm^2 suivant le nombre par cage. Il y a une tendance à serrer les pondeuses pour réduire les coûts de construction et d'équipement par tête[36]. »

Ces dimensions sont clairement trop réduites pour que même une poule seule dans la cage puisse étendre complètement ses ailes ; à plus forte raison quand il y en a cinq ; et comme le suggère la dernière ligne du passage cité, la norme dans l'industrie se situe plutôt à quatre ou cinq poules par cage qu'à une ou deux.

Depuis la publication de la première édition du présent livre, les conditions d'hébergement des poules dans l'élevage intensif moderne ont été l'objet de nombreuses études, par des comités tant scientifiques que gouvernementaux. En 1981, la Commission de l'agriculture de la Chambre des Communes britannique a émis un rapport sur le bien-être des animaux, qui disait : « Nous avons vu par nous-mêmes des cages de batteries, tant expérimentales que commerciales, et ce que nous avons vu nous déplaît grandement. » La Commission recommandait que le gouvernement britannique prît l'initiative en faisant disparaître progressivement les cages de batteries sur une période de cinq ans [37]. Encore plus parlante, cependant, est l'étude menée en Grande-Bretagne au Centre de recherche avicole de Houghton sur l'espace nécessaire aux poules pour se livrer à diverses activités. Elle montra qu'une poule typique au repos occupe physiquement un espace de 637 cm^2, mais que si on veut qu'elle puisse se tourner à l'aise, 1 681 cm^2 lui sont nécessaires dans une cage individuelle. Dans une cage à cinq poules, l'étude concluait que les dimensions de la cage devaient être suffisantes pour que toutes les cinq puissent se placer à l'avant et qu'elle devait par conséquent mesurer au moins 106,5 cm de long sur 41 cm de profondeur, donnant ainsi 873 cm^2 à chaque poule [38]. Les cages de 30 cm par 50 cm de l'article du *Poultry Tribune* cité plus haut donnent seulement, quand cinq poules y logent, 300 cm^2 à chacune. Quand seulement quatre poules y logent, chacune dispose de 375 cm^2.

Bien que le gouvernement britannique n'ait donné aucune suite à la recommandation qui lui fut faite de prendre l'initiative de faire disparaître progressivement les cages, le changement est possible. En 1981, la Suisse a entrepris l'élimination progressive des cages de batteries sur une période de dix ans. Depuis 1987 les oiseaux en cage doivent disposer d'un minimum de

500 cm² ; et au 1er janvier 1992, les cages traditionnelles seront interdites et toute poule pondeuse aura accès à des pondoirs protégés et dotés d'un sol meuble[39]. Aux Pays-Bas, les cages de batteries traditionnelles deviendront illégales en 1994, et les poules disposeront d'un espace minimal de 1 000 cm², en plus d'un accès à des aires de nidification et à des zones pour gratter par terre. De plus grande portée encore est néanmoins la loi suédoise adoptée en juillet 1988 qui exige l'abolition des cages pour les poules au cours des dix prochaines années et qui stipule que les vaches, les porcs et les animaux élevés pour leur fourrure doivent être maintenus « dans un environnement aussi naturel que possible[40] ».

Le reste de l'Europe discute encore de l'avenir des cages de batteries. En 1986, les ministres de l'Agriculture des pays membres de la Communauté européenne ont fixé à 450 cm² l'espace minimal alloué aux poules pondeuses. Depuis, il a été décidé que ce minimum ne sera pas légalement exigible avant 1995. Le Dr Mandy Hill, sous-directeur de la ferme expérimentale de Gleadthorpe, du ministère britannique de l'Agriculture, a estimé qu'environ 6,5 millions d'oiseaux en Grande-Bretagne devront être relogés, indiquant que tel est le nombre d'oiseaux qui disposent actuellement de moins que ce minimum d'espace ridiculement bas[41]. Mais comme le nombre total de poules pondeuses en Grande-Bretagne est d'environ 50 millions, dont environ 90 % vivent dans des cages, cela montre aussi que ce nouveau minimum légal n'aura pas d'autre effet que de consigner dans la loi les densités très fortes de peuplement qu'utilisent déjà la plupart des producteurs d'œufs. Seule une minorité de producteurs, ceux qui serrent leurs oiseaux encore plus étroitement qu'il n'est de norme dans la profession, seront tenus de changer. Entre-temps, en 1987, le Parlement européen a recommandé que les cages de batteries soient éliminées de la Communauté européenne d'ici à dix ans[42]. Mais le Parlement européen n'a qu'un pouvoir consultatif, et les Européens impatients de voir disparaître les cages n'ont encore rien à célébrer.

Les États-Unis traînent cependant loin derrière l'Europe pour ce qui est de simplement commencer à attaquer ce problème. Si la norme minimale de la Communauté européenne est de 450 m^2, aux États-Unis, la United Egg Producers a recommandé comme standard américain un espace de 300 cm^2[43]. Mais l'espace alloué aux oiseaux dans les élevages est souvent encore plus réduit. À la ferme de Hainsworth, à Mt. Morris dans l'État de New York, quatre poules étaient comprimées dans des cages de 30 cm sur 30 cm – soit 225 cm^2 par poule – et le journaliste ajoutait : « Certaines cages comptent cinq poules quand Hainsworth a plus d'oiseaux que de place[44]. » La vérité est que quelles que soient les recommandations officielles ou semi-officielles, on ne sait jamais combien de poules sont tassées dans les cages tant qu'on ne va pas y voir. En Australie, où le gouvernement suggère dans un « code de déontologie » de ne pas mettre plus de quatre poules dans une cage carrée de 45 cm de côté, lors d'une visite impromptue dans une ferme de l'État de Victoria, en 1988, on trouva sept poules dans une cage de cette taille et cinq ou six dans de nombreuses autres. Malgré cela, le ministère de l'Agriculture de l'État de Victoria refusa de poursuivre le producteur[45]. Sept poules dans une cage carrée de 45 cm de côté ne disposent que de 289 cm^2 chacune. Avec de pareilles densités une seule feuille de papier de machine à écrire représente l'espace où vivent deux poules, qui pratiquement se retrouvent assises l'une sur l'autre.

Dans les conditions qui sont la norme dans les fermes à œufs modernes aux États-Unis, en Grande-Bretagne, et dans presque tous les autres pays développés, à l'exception prochaine de la Suisse, des Pays-Bas et de

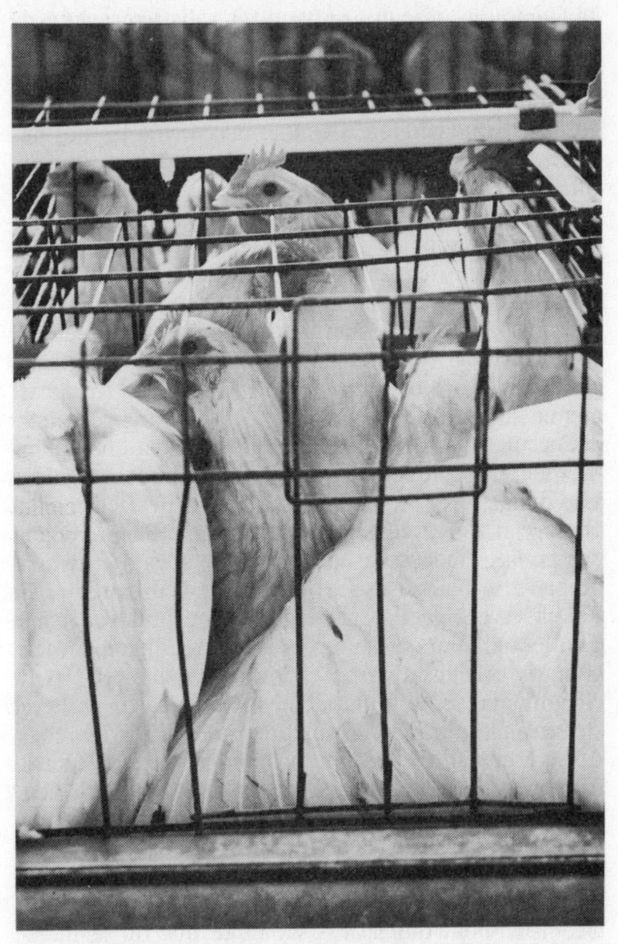

Vue rapprochée d'une cage de batterie à la Somerset Poultry Farm, dans l'État de Victoria en Australie. Sept poules vivaient dans cette cage de 45 cm x 45 cm. (*Photo Patty Mark*).

la Suède, les oiseaux ne peuvent satisfaire aucun de leurs instincts naturels. Ils ne peuvent aller et venir, gratter le sol, se baigner dans la poussière, construire un nid ni étendre leurs ailes. Ils ne font pas partie d'un groupe. Ils ne peuvent s'écarter du chemin les uns des autres, et les plus faibles n'ont aucun moyen d'échapper aux attaques des plus forts, lesquels sont déjà exaspérés par les conditions non naturelles. Le degré extraordinaire d'entassement provoque chez les poules ce que les scientifiques appellent un « état de stress », qui s'apparente au stress que vivent les êtres humains quand ils sont soumis à un entassement extrême ou au confinement, ou quand on les empêche de se livrer à leurs activités de base. Nous avons vu que ce stress chez les poulets de chair les amène à se donner des coups de bec agressifs et aboutit au cannibalisme. Chez les poules pondeuses, qui sont gardées plus longtemps, le naturaliste texan Roy Bedichek a observé d'autres signes : « J'ai observé attentivement des poules élevées de cette façon et elles m'ont paru ne pas être heureuses [...] Les poules en batterie que j'ai observées paraissent perdre leurs esprits vers l'âge où elles auraient normalement été sevrées par leur mère pour partir dans l'herbe chasser les sauterelles pour elles-mêmes. Oui, littéralement, en fait, la batterie devient une maison de fous pour gallinacés [46]. »

Le bruit est une autre indication de détresse. Quand les poules grattent dans un champ elles sont généralement silencieuses, hormis un gloussement occasionnel. Les poules en cage tendent à être très bruyantes. J'ai déjà cité le journaliste qui avait visité le hangar à poulettes de la ferme de Hainsworth et qui y avait trouvé un « tohu-bohu infernal ». Voici ce que dit le même journaliste du hangar des poules pondeuses : « Les poules du bâtiment des pondeuses sont hystériques. Le tumulte du hangar à poulettes ne m'avait pas préparé à ça. Les oiseaux braillent, caquettent et gloussent en grimpant les unes sur les autres pour prendre une bouchée dans le distributeur automatique à grains ou pour une gorgée d'eau. Voilà comment les poules passent leur courte vie de production incessante[47]. »

L'impossibilité où se trouvent les poules de construire un nid pour y pondre est pour elles une source supplémentaire de détresse. Konrad Lorenz a décrit le processus de ponte comme étant la pire torture que doit subir une poule en batterie : « Pour qui connaît un peu les animaux, il est vraiment déchirant d'observer comment une poule tente encore et encore de se glisser sous ses compagnes de cage, pour y chercher en vain un abri. Dans de telles circonstances, il ne fait aucun doute que les poules se retiendront de pondre le plus longtemps possible. Leur répugnance instinctive à pondre au milieu de la foule de leurs codétenues est certainement aussi forte que la répugnance qu'éprouvent les gens civilisés à déféquer dans une situation analogue[48]. »

L'opinion qu'exprime ici Lorenz a été corroborée par une étude où les poules pour accéder à une boîte servant de pondoir devaient surmonter des obstacles de difficulté croissante. Le niveau élevé de leur motivation à pouvoir pondre dans un nid fut attesté par le fait qu'elles mettaient autant d'efforts pour atteindre le nichoir qu'elles en mettaient pour accéder à la nourriture après un jeûne forcé de vingt heures[49]. L'une des raisons qui expliquent pourquoi l'évolution a doté les poules d'un instinct qui les pousse à pondre leurs œufs dans l'intimité est peut-être le fait que le pourtour de leur orifice de ponte devient rouge et humide au moment de l'expulsion de l'œuf, ce qui peut amener d'autres oiseaux à donner des coups de bec sur cette zone s'ils la voient. Si les premiers coups de bec font couler le sang, d'autres s'ensuivront, ce qui peut mener au cannibalisme.

Les poules fournissent encore un autre type d'indication du fait qu'elles ne perdent jamais leur instinct de nidification. Plusieurs de mes amis ont adopté quelques poules pondeuses qui, arrivées à la fin de leur période de rentabilité commerciale, allaient partir pour l'abattoir. Quand ces oiseaux sont relâchés dans une arrière-cour et disposent d'un peu de paille, ils commencent immédiatement à construire un nid – même après plus d'un an passé dans une cage métallique nue. En Suisse, à partir de fin 1991, la loi exigera que les poules pondeuses disposent de pondoirs protégés, obscurs et dotés d'un sol mou ou garni de litière. Les scientifiques suisses ont même fait des recherches sur les préférences des poules en matière de litière, et ils ont trouvé que celles qui vivaient en cage comme celles qui avaient été élevées sur de la litière préféraient la balle d'avoine ou la paille de blé ; aucune poule, dès lors qu'elle s'était rendu compte qu'elle pouvait choisir, ne pondit d'œufs sur un sol en grillage ni même sur de l'herbe artificielle. Il est significatif que l'étude a trouvé que presque toutes les poules élevées sur litière avaient quitté leur nichoir quarante-cinq minutes après qu'on les y eut laissées entrer, mais que celles qui avaient été élevées dans des cages semblaient si ravies du confort qu'elles venaient de découvrir qu'à la fin de la même période, 87 % d'entre elles y étaient encore assises [50] !

La même histoire se répète pour d'autres instincts fondamentaux dont la satisfaction est frustrée par le système de cages. Deux chercheurs ont observé des poules qui avaient passé les six premiers mois de leur vie dans des cages et ils ont trouvé qu'au cours de leurs dix premières minutes de liberté, la moitié d'entre elles avaient déjà battu des ailes, une activité pratiquement impossible dans les cages [51]. Il en est de même pour les bains de poussière – autre activité instinctive importante, connue pour être indispensable à l'entretien de la qualité du plumage[52]. Une poule de basse-cour se trouvera une zone adéquate de terre fine et s'y aménagera un creux, s'ébouriffant les plumes pour les remplir de terre pour ensuite enlever la poussière en se secouant énergiquement. Le besoin d'agir ainsi est instinctif, et existe même chez les oiseaux encagés. Une étude a montré que les poules élevées sur des sols grillagés avaient « un niveau élevé de dénudation du ventre », et suggéra que « l'absence de matériau approprié aux bains de poussière peut en être un facteur important, puisqu'il est bien connu que les poules se livrent à une activité correspondant à la prise de bains de poussière directement sur le sol grillagé[53] ». Et de fait, un autre chercheur a trouvé que les poules élevées sur grillage s'engageaient effectivement dans une activité ressemblant à la prise d'un bain de poussière – sans aucune poussière à se lancer dans les plumes – plus souvent que ne le font les poules maintenues sur du sable, mais pour de plus courtes périodes[54]. Le désir de prendre un bain de poussière est si impérieux que les poules continuent à essayer de le faire, malgré les sols grillagés, et, à force de se frotter, se déplument le ventre. Là encore, si on libère ces poules de leur cage, elles se mettront à prendre des bains de poussière avec un vrai délice. Il est merveilleux de voir comment une poule abattue, timide et presque sans plumes peut, en un laps de temps relativement court, retrouver et ses plumes et sa dignité naturelle lorsqu'on la place dans un environnement adéquat.

Pour se faire une idée de la frustration constante et aiguë qui caractérise la vie des poules dans les usines modernes à œufs, le mieux est d'observer un court moment une cage pleine de poules. Elles paraissent incapables de se tenir debout ou de se percher confortablement. Même si une ou deux se trouvaient satisfaites de leur position, tant que les autres poules dans la cage bougent, elles doivent bouger elles aussi. C'est comme regarder trois personnes tenter de passer une nuit confortable dans un lit à une place – à ceci près que les poules sont condamnées à lutter ainsi stérilement non pendant une seule nuit mais pendant une année entière. Une source supplémentaire d'irritation est le fait qu'après quelques mois passés dans leur cage les oiseaux commencent à perdre leurs plumes, en partie à cause du frottement contre le grillage et en partie à cause des coups de bec qu'ils reçoivent des autres. La conséquence est que leur peau elle-même commence à toucher le grillage, et il est courant de voir des oiseaux qui ont vécu quelque temps en cage n'avoir plus que de rares plumes, et une peau à vif, rouge éclatant à force de frotter, en particulier autour de la queue.

Comme chez les poulets de chair, le picage est chez les poules pondeuses un signe de stress et du « manque de stimulation appropriée de la part de l'environnement physique », comme le dit une des études précédemment citées[55]. On a montré que dans un environnement plus riche, avec perchoirs, litière pour gratter et pondoirs, les poules donnent moins de coups de bec et occasionnent moins de dommages aux plumes que lorsqu'elles sont gardées dans des cages conventionnelles[56]. Le picage engendre à son tour d'autres blessures parce que, comme l'a noté un autre groupe de chercheurs : « Les égratignures et les arrachements de peau, spécialement sur le dos [...] risquent davantage de se produire lorsque la peau du dos n'est plus protégée par les plumes. Ainsi, la peur, la perte de plumes et la douleur peuvent toutes, parfois, être des éléments du même syndrome[57]. »

Enfin, dans la plupart des cages, il y a un oiseau particulier – peut-être plusieurs dans les cages plus grandes – qui a perdu la volonté de résister et de ne pas se laisser refouler et piétiner sous les autres. Ces oiseaux sont peut-être ceux qui auraient, dans une basse-cour normale, un rang inférieur dans l'ordre des coups de bec ; mais dans les conditions normales cela n'aurait pas tant d'importance. Dans une cage, par contre, ces oiseaux ne peuvent rien faire d'autre que de se pelotonner dans un coin, habituellement près du bas du sol incliné, là où leurs compagnes de cellule les piétinent en essayant d'atteindre le distributeur d'eau et de nourriture.

Même s'il pourrait sembler superflu, après cette masse de données, d'étudier si les poules préfèrent les cages ou les enclos extérieurs, c'est justement là ce qu'a fait le Dr Marian Dawkins, du département de zoologie de l'université d'Oxford, et son travail donne encore un appui scientifique supplémentaire à ce qui a déjà été dit. Quand on leur donne le choix, les poules qui connaissent à la fois les cages et les enclos herbeux iront vers les enclos. En fait, la plupart d'entre elles préféreront un enclos sans nourriture à une cage pourvue de nourriture[58].

En fin de compte, la façon la plus convaincante par laquelle une poule peut indiquer que ses conditions de vie sont inadéquates est de mourir. Un taux élevé de mortalité ne peut survenir que dans les conditions les plus extrêmes, vu que la longévité normale d'une poule dépasse de loin les dix-huit mois à deux ans que l'on accorde aux poules pondeuses. Les poules, comme les humains dans les camps de concentration, s'accrocheront obstinément à la vie dans les conditions les plus misérables. Il est pourtant courant pour un producteur d'œufs de perdre entre 10 et 15 % de ses poules dans une année, beaucoup mourant clairement du stress causé par l'entassement et par les problèmes qui y sont liés. Voici un exemple : « Selon le gérant d'une ferme de 50 000 poules pondeuses, près de Cucamonga, en Californie, 5 à 10 poules succombent chaque jour au stress dû au confinement. (Cela correspond à 2 000 et 4 000 poules par an.) “Ces oiseaux, dit-il, ne meurent d'aucune maladie. Ils ne peuvent tout simplement encaisser le stress d'une vie entassée[59]." »

Une étude soigneusement contrôlée, faite par des membres du département d'aviculture de l'université Cornell, a confirmé que l'entassement augmente les taux de mortalité. Sur une période de moins d'un an, la mortalité parmi les pondeuses logées à trois dans une cage de 30 cm sur 45 cm était de 9,6 % ; lorsqu'on mettait quatre poules dans la même cage, le taux de mortalité grimpait à 16,4 % ; à cinq par cage, 23 % des oiseaux mouraient. En dépit de ces résultats, les chercheurs conseillèrent que « dans les circonstances les plus courantes les pondeuses Leghorn [soient] logées à quatre par cage de 30 cm sur 45 cm », puisque le nombre supérieur d'œufs ainsi obtenu produisait un meilleur rapport relativement au capital et à la main-d'œuvre, ce qui faisait plus que compenser l'augmentation des coûts de ce que les chercheurs appelèrent « la dépréciation des oiseaux[60] ». Plus que cela, selon les conclusions du rapport, lorsque les œufs sont chers, « cinq pondeuses par cage produisent un meilleur profit ». Cette situation est équivalente à celle dont nous avons déjà vu la démonstration concernant les poulets de chair, et prouve encore une fois que les gestionnaires des élevages industriels peuvent augmenter leurs revenus en maintenant leurs animaux dans des conditions d'entassement plus élevé, même si davantage d'animaux meurent dans ces conditions. Puisque la ponte est une fonction corporelle (comme l'ovulation chez une femme), les poules continuent à pondre même quand elles sont gardées dans des conditions qui vont à l'encontre de tous leurs besoins comportementaux.

Ainsi vivent et meurent les poules qui produisent nos œufs. Peut-être celles qui meurent jeunes sont-elles les plus chanceuses, puisque leurs compagnes plus robustes n'ont rien d'autre à espérer que quelques mois supplémentaires d'entassement inconfortable. Elles pondent jusqu'à ce que leur productivité baisse, puis elles sont expédiées pour être abattues et transformées en pâtés et en soupes au poulet, seules choses pour lesquelles elles soient encore bonnes.

Une seule chose peut venir modifier cette routine, et ce n'est pas une chose agréable. Lorsque la production d'œufs commence à baisser, il est possible de rétablir la puissance reproductrice des poules par un procédé appelé « mue forcée ». L'objectif de la mue forcée est de déclencher chez elles les processus physiologiques qui sont liés, dans des conditions naturelles, à la perte saisonnière de l'ancien plumage et la pousse de nouvelles plumes. Après une mue, qu'elle soit naturelle ou artificielle, la poule pond plus fréquemment. Pour provoquer une mue chez une poule vivant dans l'environnement contrôlé d'un hangar où il n'y a pas de changements saisonniers de température ou de durée du jour, il est nécessaire de soumettre son organisme à un choc considérable. Le plus souvent, les oiseaux s'apercevront que l'eau et la nourriture, auxquelles ils avaient toujours pu jusqu'alors accéder librement, font subitement défaut. Ainsi, jusqu'à tout récemment, une brochure du ministère britannique de l'Agriculture conseillait pour la deuxième journée de mue forcée : « Ni nourriture, ni lumière ni eau. Assurez-vous que les réservoirs à nourriture sont vraiment vides, ôtez toute pâtée restante, ramassez les œufs, puis coupez l'eau et éteignez les lumières et laissez les poules pendant vingt-quatre heures[61]. »

La pratique standard consistait alors à rétablir l'eau après deux jours et la nourriture encore vingt-quatre heures plus tard. L'éclairage devait progressivement revenir à la normale sur une période de quelques semaines et on pouvait attendre de celles qui avaient survécu – certaines ayant succombé au choc – une productivité suffisante pour valoir qu'on les gardât peut-être six mois encore. Depuis 1987, suite à la pression exercée par les organisations de bien-être des animaux, cette méthode de mue forcée est devenue illégale en Grande-Bretagne, et les poules doivent recevoir de la nourriture et de l'eau chaque jour. Aux États-Unis, la mue forcée est encore tout à fait légale. Beaucoup d'éleveurs, cependant, estiment que cette procédure n'en vaut pas la peine ; les poules ne coûtent pas cher, et donc ils préfèrent en acheter un nouveau lot dès que le rendement commence à baisser.

Jusqu'à la fin, les producteurs d'œufs ne permettent à aucun sentiment d'affecter leur attitude envers ces oiseaux qui leur ont pondu tant d'œufs. Contrairement au meurtrier qui a droit à un repas spécial avant d'être pendu, les poules condamnées, elles, ne recevront peut-être rien à manger du tout. « Ne donnez plus de nourriture aux poules à réformer » : tel est le conseil que donne aux éleveurs le titre d'un article de la revue *Poultry Tribune*, dont le texte explique que la nourriture donnée aux poules au cours des trente heures qui précèdent l'abattage est de la nourriture gaspillée, puisque les transformateurs ne paient maintenant plus pour les aliments restés dans le tube digestif[62].

De tous les animaux couramment mangés dans le monde occidental, le porc est sans aucun doute le plus intelligent. Son intelligence naturelle est comparable, voire peut-être supérieure, à celle du chien ; il est possible d'élever des porcs comme compagnons d'êtres humains et de leur apprendre à répondre à des ordres simples à peu près comme les chiens. Lorsque George Orwell en a fait les chefs de sa *Ferme des animaux*, ce choix était aussi défendable d'un point de vue scientifique que littéraire.

Nous devons garder à l'esprit le haut niveau d'intelligence des porcs lorsque nous nous demandons si les conditions dans lesquelles on les élève sont ou non satisfaisantes. Tout être sensible, qu'il soit intelligent ou non, doit bénéficier d'une considération égale, mais des animaux dont les capacités sont différentes ont des besoins différents. Tous ont en commun le besoin de confort physique. Nous avons vu que la satisfaction de ce besoin élémentaire est refusée aux poules ; et, comme nous le verrons, elle est également refusée aux porcs. En plus du confort physique, la poule a besoin du cadre social structuré que lui donne normalement son groupe ; elle peut souffrir en outre immédiatement après l'éclosion de l'absence de la chaleur de sa mère et de ses gloussements rassurants ; et des recherches ont suggéré que même une poule peut souffrir de simple ennui[63]. Quelle que soit la mesure d'exactitude de la chose pour les poules, cela est certainement vrai, et dans une plus grande mesure, pour les porcs. Des chercheurs de l'université d'Édimbourg ont observé des porcs d'élevage relâchés en enclos semi-naturel, et ont trouvé chez eux des modèles (*patterns*) structurés de comportement : ils forment des groupes sociaux stables, construisent des nids communautaires bien séparés des aires où ils posent leurs excréments, et ils sont actifs, passant une bonne partie de leur journée à fouiller l'orée des zones boisées. À l'approche de la parturition, les truies quittent le nid commun et construisent le leur propre dans un site adéquat qu'elles ont choisi et où elles font un trou qu'elles garnissent d'herbe et de brindilles. C'est là que naissent les porcelets, qui y restent avec leur mère environ neuf jours avant qu'elle ne les ramène dans le groupe[64]. Comme nous le verrons, l'élevage intensif empêche les porcs de suivre ces modèles instinctifs de comportement.

Les porcs n'ont dans les fermes modernes d'élevage intensif rien d'autre à faire que manger, dormir, se mettre debout et se coucher. Ils n'ont généralement ni paille ni autre litière, parce que cela compliquerait la tâche du nettoyage. Dans ces conditions, des porcs peuvent difficilement ne pas prendre du poids, mais ils s'ennuient et sont malheureux. Parfois les éleveurs remarquent que leurs porcs aiment être stimulés. Un éleveur britannique a décrit dans une lettre à la revue *Farmer's Weekly* comment il avait hébergé des porcs dans une ferme en ruine et les avait trouvés en train de jouer dans tous les coins du bâtiment, se courant les uns après les autres dans les escaliers. Il concluait : « Notre bétail a besoin d'un cadre varié [...] On devrait leur donner des gadgets de divers genres, formes et dimensions [...] Tout comme les êtres humains, ils n'aiment pas la monotonie et l'ennui[65]. »

Cette observation de bon sens a depuis été étayée par des études scientifiques. Une étude française a montré que lorsqu'on permet à des porcs souffrant de privation ou de frustration de tirer sur des lanières de cuir ou sur des chaînes, cela abaisse leur taux sanguin de corticostéroïdes (qui sont des hormones associées au stress)[66]. Une étude britannique a montré que les porcs maintenus dans un environnement pauvre s'ennuient tellement que si on leur présente à la fois de la nourriture et un bac rempli de terre, ils fouilleront au milieu de la terre avant de manger[67].

Le maintien dans un environnement pauvre et surpeuplé amène les porcs, comme les poules, à développer des « vices ». À la place du picage et du cannibalisme que pratiquent les poules, les porcs se mettent à se mordre mutuellement la queue. Il en résulte des combats dans la porcherie ce qui ralentit la prise de poids. Comme les porcs n'ont pas de bec, les éleveurs ne peuvent les débecquer pour prévenir ce comportement, mais ils ont trouvé un autre moyen d'éliminer les symptômes sans modifier les conditions qui sont la cause du problème : ils coupent la queue aux porcs (caudectomie).

Selon le ministère de l'Agriculture des États-Unis : « La caudectomie est devenue pratique courante pour prévenir les morsures de la queue chez les porcs confinés. Tous les éleveurs de porcs à l'engrais devraient la pratiquer. Coupez les queues à 1/4 ou 1/2 pouce du corps avec un instrument émoussé telle une pince oblique. L'effet d'écrasement aide à arrêter le saignement. Certains producteurs utilisent pour la caudectomie l'appareil à débecquer les poulets, qui cautérise en même temps la surface coupée[68]. »

Voilà une recommandation scandaleuse à double titre. Mais avant que je n'explique pourquoi, voici ce que pense en toute candeur un éleveur au sujet de la coupe des queues : « Ils en ont horreur ! Les porcs en ont tout simplement horreur ! Et je suppose que nous pourrions sans doute nous dispenser de la caudectomie si nous leur donnions plus d'espace, parce qu'ils ne deviennent pas aussi fous et méchants lorsqu'ils ont plus d'espace. Quand ils ont assez de place, ce sont en fait des animaux tout à fait gentils. Mais nous ne pouvons pas nous le permettre. Ces bâtiments coûtent très cher[69]. »

À part un espace suffisant, il y a un autre remède possible, celui que suggère un éminent chercheur spécialiste de l'élevage : « La cause sous-jacente probable [...] est que cette activité correspond à des comportements propres à l'espèce utilisés de façon inhabituelle en raison de l'indisponibilité de tout objet approprié. L'incidence plus faible de morsures caudales dans les installations munies d'une litière en paille est probablement due, du moins en partie, aux effets "récréatifs" de la paille[70]. »

Nous pouvons voir maintenant pourquoi les froides recommandations du ministère américain de l'Agriculture sont scandaleuses. Premièrement, elles ne suggèrent nulle part d'administrer des analgésiques ou des anesthésiants aux porcs qui subissent la caudectomie. Deuxièmement, elles ne mentionnent pas le fait que la nécessité de priver les porcs de leur queue est le signe qu'ils sont trop entassés ou manquent de paille ou de n'importe quoi qui puisse attirer leur attention. Le problème semble être que les porcs qui s'ennuient rongent n'importe quel objet attirant, et pour peu qu'un porc en rongeant la queue d'un autre le blesse et le fasse saigner, il pourra être attiré par le sang et se mettre à mordre pour de bon [71]. Il est néanmoins tout à fait typique de la mentalité du monde de la production animale moderne que la réponse tant du ministère de l'Agriculture que des éleveurs de porcs soit de mutiler les animaux au lieu de leur donner les conditions de vie dont ils ont besoin.

Un autre aspect par lequel les porcs confinés ressemblent aux poules confinées est que, comme elles, ils souffrent de stress, et que dans bien des cas ils en meurent. Parce que dans un élevage de porcs chaque individu contribue pour une part beaucoup plus grande au profit total que dans un élevage de poules, l'éleveur de porcs doit prendre ce problème plus au sérieux que ne le fait l'éleveur de poules. Cette maladie a reçu un nom – syndrome de stress porcin, PSS d'après l'anglais – et voici la description de ses symptômes dans une revue d'agriculture : « stress extrême [...] rigidité, peau marbrée, halètement, anxiété, et souvent mort subite [72] ». Cette maladie contrarie les éleveurs tout particulièrement parce que, comme le dit l'article cité : « Il est douloureux de voir ses porcs tomber souvent victimes du PSS au moment où ils s'approchent de leur poids commercial, et de perdre ainsi avec eux un investissement entier en nourriture. »

Il y a aussi de fortes indications selon lesquelles l'incidence du syndrome de stress porcin a augmenté de façon dramatique à mesure que l'élevage en confinement s'est répandu [73]. Les porcs confinés sont si fragiles que tout dérangement peut provoquer les symptômes, y compris un bruit étrange, une soudaine lumière vive, ou le chien de l'éleveur. Malgré cela, si quelqu'un devait s'aviser de suggérer que l'on réduise le stress en éliminant les méthodes d'élevage en confinement, la réaction serait presque certainement celle exprimée il y a quelques années dans la revue *Farmer and Stockbreeder*, à une époque où le confinement était une pratique relativement nouvelle et où on commençait tout juste à remarquer les morts liées au stress : « Ces morts n'annulent en aucune façon le revenu supplémentaire que procure l'augmentation de la production totale[74]. »

Dans l'industrie du porc, contrairement à ce qui se passe pour les poules pondeuses et pour les poulets de chair, le confinement total n'est pas encore universel. Mais la tendance va dans ce sens. Une enquête réalisée par l'université du Missouri a révélé que dès 1979, 54 % de tous les producteurs de taille moyenne et 63 % de tous les gros producteurs avaient des installations de confinement total[75]. De plus en plus, ce sont les gros producteurs qui dominent l'industrie. En 1987, William Haw, président de National Farms Inc., disait : « D'ici dix ans l'industrie du porc sera comme aujourd'hui l'industrie du poulet de chair, avec moins d'une centaine d'opérateurs de quelque importance[76]. » C'est toujours la même histoire : les petites exploitations familiales sont mises sur la touche par de grosses usines, dont chacune « fabrique » de 50 000 à 300 000 porcs par an. Tyson Foods, la plus grosse compagnie au monde de poulets de chair, qui abat plus de 8,5 millions d'oiseaux par semaine, s'est maintenant introduit sur le marché du porc. Cette société gère soixante-neuf fermes de mise bas et de nursery (atelier de démarrage des porcelets) et envoie à l'abattoir plus de 600 000 porcs par an[77].

La plupart des porcs passent donc aujourd'hui leur vie entière à l'intérieur de bâtiments. Ils naissent et sont allaités dans une unité de mise bas et sont ensuite élevés, d'abord dans une nursery, puis dans une unité d'engraissage pour atteindre leur poids d'abattage. Sauf quand ils doivent servir comme reproducteurs ils sont expédiés sur le marché à l'âge de cinq ou six mois, pesant environ 100 kg.

Le désir de réduire les coûts de main-d'œuvre a été une des grandes raisons expliquant la généralisation de l'élevage en confinement. Dans un système de production intensive, il est dit qu'un seul homme peut s'occuper de la totalité des opérations, grâce à la distribution automatique de nourriture et aux sols en lattes à claire-voie qui en laissant passer le fumier en facilitent l'enlèvement. Une autre économie, commune à tous les systèmes de confinement, est qu'avec moins d'espace pour se déplacer les animaux brûleront moins de nourriture en exercices « inutiles », et ainsi tendront à prendre plus de poids pour chaque kilogramme de nourriture consommée. Dans tout cela, comme l'a dit un éleveur de porcs : « Ce que nous essayons en fait de faire est de modifier l'environnement de l'animal pour obtenir un gain maximal[78]. »

En plus de faire subir aux porcs le stress, l'ennui et l'entassement, les installations modernes d'élevage en confinement sont source pour eux de problèmes de santé. Un de ces problèmes est l'atmosphère qu'ils respirent. Voici une citation du gérant des Lehman Farms, à Strawn, dans l'Illinois : « L'ammoniac ronge réellement les poumons des animaux [...] La mauvaise qualité de l'air est un problème. Après un moment passé à travailler à l'intérieur, je peux le sentir sur mes propres poumons. Mais au moins je sors d'ici. Les porcs y restent, de sorte qu'il nous faut les garder sous tétracycline, ce qui aide réellement à contrôler le problème[79]. »

Et il ne s'agit pas là d'un producteur dont les normes seraient particulièrement basses. L'année précédente, Lehman avait reçu la distinction d'*Illinois Pork All-American* décernée par le Conseil national des producteurs de porcs.

Un autre problème physique pour les porcs vient de ce que le sol des installations de confinement est conçu dans l'esprit de faciliter l'entretien et l'élimination des corvées comme l'enlèvement du fumier, plutôt qu'en fonction du confort des animaux. Dans la plupart des unités le sol est soit en lattes à claire-voie (« caillebotis ») soit en béton uni. Ni les lattes ni le béton ne sont satisfaisants ; tous deux endommagent les pieds et les pattes des porcs. Des études ont découvert des taux extraordinairement élevés de pieds endommagés, mais le rédacteur en chef de la revue *Farmer and Stockbreeder* énonça clairement lors d'une discussion l'attitude des producteurs sur ce sujet : « Le sens commun nous dit, dans l'état actuel de nos connaissances, que pour les animaux destinés à la vente le sol en lattes semble comporter plus d'avantages que d'inconvénients. L'animal sera habituellement abattu avant qu'une difformité sérieuse n'ait le temps de s'instaurer. Par contre, les animaux reproducteurs, dont la vie active sera plus longue, doivent développer et garder de bonnes pattes ; le risque de lésions semblerait dans ce cas prévaloir sur les avantages [80]. »

Un producteur américain a dit la chose de manière plus concise : « Nous ne sommes pas payés ici pour produire des animaux qui se tiennent correctement. Nous sommes payés au kilo [81]. »

Le fait que l'animal soit généralement destiné à être abattu avant que des difformités sérieuses n'aient le temps de s'instaurer peut certes minimiser la perte financière que subit le producteur, mais ne peut guère consoler l'animal lui-même, qui doit en permanence se tenir sur un sol inadapté, développant des difformités aux pieds ou aux pattes qui deviendraient sérieuses n'était l'âge précoce où il sera abattu.

La solution, bien sûr, est de mettre les porcs sur autre chose que des sols de ciment brut. Un éleveur britannique justement l'a fait, plaçant ses trois cents truies dans des enclos extérieurs garnis de paille et munis de niches. Il rapporta : « À l'époque où toutes nos truies gravides étaient confinées, nous subissions d'énormes pertes dues à l'abrasion, aux torsions viscérales, aux problèmes de pattes, aux escarres et aux problèmes de hanches [...] Nous pouvons faire voir que nous avons peu de truies avec des problèmes aux pattes et fort peu de dommages dus aux rixes dans le groupe [extérieur] [82]. »

Très peu de porcs jouissent du luxe d'un enclos garni de paille, et la tendance générale va encore dans la mauvaise direction. Prenant modèle à nouveau sur l'industrie de la volaille, les éleveurs de porcs en Hollande, en Belgique et en Angleterre ont commencé à élever les porcelets en cages. Les producteurs américains en font aussi la tentative. L'emploi de cages a comme principale motivation, hormis le désir habituel d'accélérer les gains de poids en dépensant moins de nourriture et d'obtenir une viande plus tendre grâce à la restriction sur les possibilités d'exercice, de permettre un sevrage plus précoce des porcelets. La truie qui n'allaite plus cessera de faire du lait, et redeviendra fertile quelques jours plus tard. Elle sera alors fécondée à nouveau, par un verrat ou par insémination artificielle. Le sevrage précoce permet ainsi d'obtenir de chaque truie une moyenne de 2,6 portées par an au lieu du maximum de 2 quand on laisse les porcelets téter pendant la période naturelle de trois mois [83].

La plupart des éleveurs qui utilisent des cages permettent aux porcelets de téter leur mère pendant au moins une semaine avant d'être mis en cage ; mais le Dr J. Frank Hurnick, chercheur agronome canadien, a récemment mis au point une truie mécanique. Selon un rapport, « la réussite de Hurnick pourrait permettre de faire porter les efforts de sélection intensive sur l'augmentation de la taille des portées. Jusqu'à présent la taille des portées a toujours été limitée par la capacité

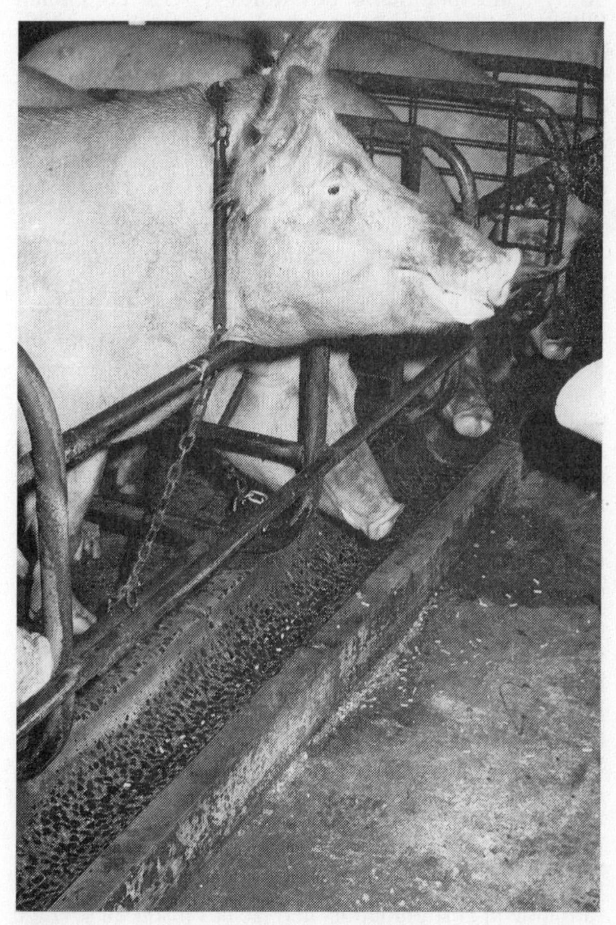

Après avoir été confinées pendant leur gestation, les truies sont souvent maintenues immobiles entre le moment où elles donnent naissance et celui où les porcelets sont sevrés (*D.R.*).

du système mammaire des truies[84]. » En combinant l'allaitement mécanique avec d'autres innovations techniques comme la superovulation, qui augmente le nombre d'ovules produits par la truie, les chercheurs prévoient le développement de systèmes hautement automatisés de production de porcs, fabriquant jusqu'à quarante-cinq porcs par an et par truie, à la place de la moyenne actuelle de seize.

Ces faits sont alarmants sous deux rapports. Il y a d'abord leurs conséquences pour les porcelets, qui sont privés de leur mère et enfermés dans des cages en grillage. Chez les mammifères, la séparation précoce entre la mère et son enfant est cause de détresse pour les deux. Quant aux cages elles-mêmes, un citoyen ordinaire qui garderait des chiens toute leur vie dans des conditions analogues encourrait des poursuites pour cruauté. Mais un producteur de porcs qui garde de la même façon un animal dont l'intelligence est comparable se verra plutôt récompensé par un avantage fiscal ou, dans certains pays, par une subvention directe de l'État.

L'autre aspect alarmant de ces nouvelles techniques est que la truie se voit transformée en machine reproductrice vivante. « La truie reproductrice devrait être conçue comme, et traitée comme, un élément précieux d'équipement mécanique dont la fonction est de recracher des porcelets comme une machine à saucisses[85]. » Ainsi parlait un dirigeant important de la Wall's Meat Company ; et le ministère américain de l'Agriculture va jusqu'à encourager les éleveurs à concevoir le porc sous cet angle : « Si la truie est considérée comme une unité de fabrication de porcs, il s'ensuivra une amélioration de la gestion depuis la mise bas jusqu'au sevrage qui résultera en une augmentation du nombre de porcs sevrés par truie et par an[86]. » Dans les meilleures des conditions, il y a peu de joie dans une existence qui consiste â être engrossée, à donner naissance, à se voir enlever ses petits et à recommencer le cycle en redevenant grosse ; et les truies ne vivent pas dans les meilleures des conditions. Elles sont étroitement confinées pendant la grossesse comme pendant la parturition. Pendant la grossesse elles sont habituellement enfermées dans des boxes métalliques individuels de 60 sur 180 cm, c'est-à-dire à peine plus grands que leur propre corps ; ou alors, elles sont enchaînées par un collier autour du cou ; ou encore, elles peuvent être dans un box et enchaînées quand même. Là elles vivront pendant deux ou trois mois. Pendant tout ce temps, elles ne pourront faire plus d'un pas en avant ou en arrière, elles ne pourront ni se tourner, ni prendre aucune autre forme d'exercice. Encore une fois, c'est l'économie réalisée sur la nourriture et sur la main-d'œuvre qui est à l'origine de cette forme brutale d'emprisonnement solitaire.

Quand la truie est prête à donner naissance on la déplace – mais seulement jusqu'au « box de mise bas ». (Les humains donnent naissance, mais les porcs « mettent bas ».) Ici la truie verra peut-être ses mouvements plus étroitement limités encore qu'ils ne l'étaient pendant sa grossesse. Un dispositif surnommé « vierge d'acier », fait d'un cadre métallique qui interdit la liberté de mouvement, a été introduit et s'est largement répandu dans beaucoup de pays. Son but déclaré est d'empêcher la truie d'écraser ses porcelets en leur roulant dessus, mais on pourrait arriver au même résultat en lui donnant des conditions plus naturelles.

Lorsque la truie est confinée pendant sa grossesse comme pendant l'allaitement – ou lorsqu'on la prive de l'occasion d'allaiter – elle passe presque la totalité de son existence étroitement retenue. L'environnement d'une vie en confinement est monotone et la truie n'a guère de possibilité de le choisir ou de le modifier. Le ministère américain de l'Agriculture admet que « la truie maintenue dans une caisse ne peut satisfaire le puissant instinct qui la pousse à construire un nid » et que cette frustration peut contribuer à des problèmes de parturition et de lactation[87].

Les truies font elles-mêmes clairement voir ce qu'elles pensent de cette forme de confinement. À l'université de Wageningen, aux Pays-Bas, G. Cronin a obtenu son doctorat en étudiant le comportement des truies confinées. Voici, tel qu'il le décrit, leur comportement lorsqu'elles sont pour la première fois mises dans un box avec une attache : « Les truies se jetaient violemment en arrière, tirant sur l'attache. Certaines lançaient leur tête en tous sens se tordant et se tournant dans leur lutte pour se libérer. Souvent on entendait de grands cris et parfois le choc sourd du corps d'un individu qui se jetait contre les planches latérales de son box. Parfois, suite à cela, une truie s'effondrait sur le sol[88]. »

Ces violentes tentatives pour s'échapper peuvent durer jusqu'à trois heures. Puis l'agitation retombe, rapporte Cronin, et les truies restent couchées immobiles pendant de longues périodes, le groin souvent enfoncé sous les barreaux, émettant de temps en temps un faible grognement ou un bruit de gémissement. Après un moment encore, elles manifestent d'autres signes de stress, rongeant par exemple les barreaux de leur box, mâchant quand il n'y a rien à mâcher, agitant la tête d'avant en arrière, et ainsi de suite. Ce genre d'activité est appelé comportement stéréotypique. Quiconque a vu dans un zoo des lions, des tigres ou des ours gardés dans des enceintes en béton brut aura déjà observé des comportements stéréotypiques – les animaux vont et viennent sans cesse le long des barrières de leurs cages. Les truies n'ont même pas cette possibilité. Comme nous l'avons vu, dans les conditions naturelles la truie est un animal très actif, consacrant plusieurs heures par jour à chercher sa nourriture, à manger et à explorer son environnement. Dans son box, le fait de ronger les barreaux constitue, comme l'a noté un vétérinaire, « une des rares expressions physiques possibles dans son environnement aride[89] ».

En 1986, l'Unité de recherche sur les bâtiments agricoles écossais, organisme de recherche soutenu par l'État, a publié un compte rendu des données scientifiques sur la question, intitulé : « Les truies étroitement confinées souffrent-elles de détresse ? » Après une discussion portant sur plus de vingt études différentes, le rapport rapprochait le comportement stéréotypique des truies du comportement obsessif-compulsif observé chez les êtres humains névrosés qui se lavent ou se tordent les mains sans arrêt. La réponse de ce rapport à la question posée fut sans équivoque : « Les truies étroitement confinées souffrent de détresse intense[90]. » Le Conseil sur le bien-être des animaux d'élevage, organisme consultatif officiel auprès du gouvernement britannique, aboutit à la même conclusion dans son rapport de 1988, tout en l'exprimant dans des termes plus officiels : « Tant les systèmes d'élevage en boxes que ceux avec attaches manquent à satisfaire certains critères de bien-être auxquels nous attachons une importance particulière. Les animaux, en raison de la conception de ces systèmes, ne peuvent prendre aucun exercice physique et sont privés de la possibilité de suivre la plupart de leurs modèles comportementaux naturels ; dans la vaste gamme de systèmes observés par nos membres, il y avait peu de possibilités de diminuer le stress continu que peut provoquer le confinement dans ces systèmes [...] Nous recommandons [...] que le gouvernement de manière urgente présente des textes législatifs qui préviennent toute installation nouvelle d'unités de production ainsi conçues[91]. »

Ce n'est que lorsque la truie est mise avec le verrat qu'elle jouit d'une courte période de liberté dans une enceinte plus spacieuse – bien qu'il soit probable que cela se passe encore à l'intérieur. Pendant au moins dix mois chaque année, la truie pleine ou allaitante sera dans l'incapacité de se déplacer. Quand l'insémination artificielle sera plus largement répandue, cet animal hautement sensible sera privé de sa dernière possibilité de prendre de l'exercice, et aussi du dernier contact naturel qu'elle ait avec un autre membre de son espèce, si l'on met à part son contact fugitif avec sa progéniture.

En 1988, après plus de vingt ans de confinement des truies, fut publiée une importante étude montrant que dans leur malheur, les verrats et truies confinés servant à la procréation subissent une autre source de détresse : ils ont en permanence faim. Les animaux engraissés pour la vente reçoivent autant de nourriture qu'ils voudront bien en manger ; mais donner aux animaux reproducteurs plus que le strict minimum nécessaire à la continuation de leur reproduction serait, du point de vue de l'éleveur, dépenser de l'argent en pure perte. L'étude montrait que les porcs qui reçoivent les rations recommandées en Grande-Bretagne par le Conseil de recherche agricole n'ont que 60 % de ce qu'ils mangeraient s'ils avaient plus de nourriture à leur disposition. De plus, leur empressement à actionner un levier pour obtenir une portion supplémentaire était pratiquement le même après qu'ils avaient consommé leur ration quotidienne qu'avant, indiquant par là qu'ils avaient encore faim immédiatement après avoir mangé. Comme l'ont dit les scientifiques en conclusion : « Si les quantités de nourriture données aux truies gravides et aux verrats dans les élevages commerciaux satisfont aux besoins des éleveurs, elles ne satisfont pas l'appétit des animaux. Il a souvent été admis qu'un niveau élevé de production ne pouvait être atteint en l'absence d'un bien-être suffisant. Pourtant la faim qui résulte de la faiblesse des quantités de nourriture qui sont offertes à la population de porcs reproducteurs peut représenter une source majeure de stress[92]. »

Encore une fois, les bénéfices du producteur et les intérêts des animaux sont en conflit. Il est vraiment étonnant de voir la fréquence avec laquelle on peut faire la démonstration de ce fait – alors que les groupes de pression de l'agrobusiness ne cessent de nous assurer que seuls les animaux heureux et bien soignés peuvent être productifs.

De toutes les formes d'élevage intensif actuellement pratiquées, l'industrie de la viande de veau se classe comme la plus moralement répugnante, comparable seulement à des atrocités comme le gavage des oies au travers d'un entonnoir qui produit les foies déformés dont on fait le foie gras. Par son principe, l'élevage du veau consiste à donner de la nourriture fortement protéinée à des veaux confinés et anémiques d'une façon qui permette d'obtenir une viande tendre et pâle que l'on servira à la clientèle de restaurants haut de gamme. Heureusement, cette industrie n'a pas l'ampleur de celle de la volaille, du bœuf ou du porc ; elle mérite néanmoins notre attention parce qu'elle fait figure d'extrême, tant par le degré d'exploitation auquel elle soumet les animaux que par son absurde inefficacité en tant que méthode pour produire de la nourriture pour les humains.

Ce qu'on appelle viande de veau est la chair d'un jeune veau. Le terme était à l'origine réservé aux veaux tués avant l'âge du sevrage. La chair de ces très jeunes animaux était alors plus pâle et plus tendre que quand ils ont déjà commencé à manger de l'herbe ; mais elle était rare, car les veaux commencent à brouter lorsqu'ils n'ont que quelques semaines et sont encore très petits. La faible quantité de viande de veau disponible provenait des veaux mâles en surnombre produits par l'industrie laitière. Un jour ou deux après leur naissance, ils étaient mis dans un camion et menés au marché où, affamés et effrayés par l'étrangeté de l'environnement et par l'absence de leur mère, ils étaient vendus pour livraison immédiate à l'abattoir.

Puis, dans les années 1950 en Hollande, des éleveurs de veaux trouvèrent un moyen pour garder les veaux en vie plus longtemps sans que leur chair devienne rouge ou moins tendre. Pour cela il était nécessaire de les maintenir dans des conditions hautement artificielles. Si on leur permettait de grandir en gambadant dans les prés, ils développeraient leurs muscles et rendraient leur chair plus coriace en consommant des calories aux dépens de l'éleveur qui paye leur nourriture. En même temps ils mangeraient de l'herbe, et leur chair perdrait cette teinte pâle qu'elle a à la naissance. Par conséquent, les producteurs spécialisés dans les veaux les mènent directement du marché aux enchères à une unité de confinement. Là, dans une grange reconvertie ou dans un hangar construit spécialement à cette fin, se trouvent des rangées de boxes en bois, d'une largeur de 55 cm chacun sur une longueur de 140 cm. Les boxes ont un plancher en lattes de bois à claire-voie, surélevé par rapport au sol en béton du bâtiment. Quand ils sont petits, les veaux sont attachés par une chaîne autour du cou pour qu'ils ne puissent pas se tourner dans leur box. (On la leur enlèvera éventuellement lorsqu'ils auront assez grandi pour que l'étroitesse de leur box suffise à les empêcher de se tourner.) Ils n'ont ni paille ni autre litière, car ils risqueraient de la manger, et de gâter du coup la pâleur de leur chair. Ils ne quitteront leur box que pour être menés à l'abattoir. La nourriture qu'ils reçoivent est entièrement liquide, faite à base de lait écrémé en poudre additionné de vitamines, de minéraux et de médicaments favorisant la croissance. Telle sera alors la vie des veaux durant seize semaines. Ce qui fait le charme de ce système, du point de vue du producteur, c'est qu'à cet âge le veau pèse jusqu'à près de 200 kg au lieu des 40 qu'il peut peser à la naissance ; et comme la viande de veau

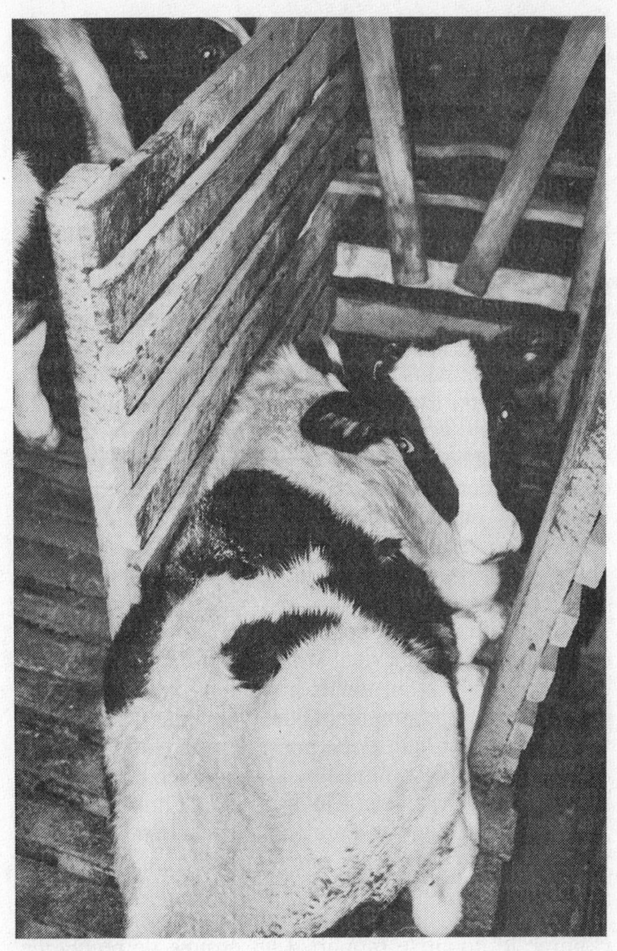

Ce veau passera sa vie entière bloqué dans ce box afin que ses muscles anémiés gardent leur tendreté jusqu'au moment où il sera abattu. Pour se coucher il doit se rehausser sur les pattes arrière pour tenir dans les 55 cm dont il dispose. (*Photo Humane Farming Association*).

rapporte un très bon prix, cette méthode d'élevage constitue une occupation rentable.

Cette méthode d'élevage des veaux fut introduite aux États-Unis en 1962 par Provimi Inc., producteur d'aliments pour animaux basé à Watertown, dans le Wisconsin. Le nom de cette firme est une contraction de « protéines, vitamines et minéraux », d'après les ingrédients qui composent ses produits – ingrédients dont, pourrait-on penser, il pourrait être fait un meilleur usage que pour l'élevage de veaux. Provimi se vante lui-même d'avoir créé ce « concept nouveau et global dans l'élevage du veau », et est encore de loin la plus grosse société dans ce secteur, contrôlant de 50 à 75 % du marché aux États-Unis. Son intérêt à promouvoir la production de veau réside dans le développement d'un marché pour les aliments qu'il fabrique. Décrivant ce qu'il considère comme « la production de veau optimale », le bulletin (aujourd'hui défunt) de Provimi, *The Stall Street Journal*, nous donne un aperçu de la nature de cette industrie, laquelle aux États-Unis et dans certains pays d'Europe est restée essentiellement inchangée depuis son apparition : « Les deux objectifs de la production du veau sont, premièrement, de produire un veau d'un poids maximal dans un temps minimal, et deuxièmement, de maintenir à sa viande une teinte aussi claire que possible pour satisfaire aux exigences du consommateur. Le tout avec un profit en rapport avec le risque et l'investissement impliqués[93]. »

Les boxes étroits et leurs planchers en lattes à claire-voie sont pour les veaux une source sérieuse d'inconfort. Quand ils sont devenus plus grands, ils ne peuvent même plus se lever et se coucher sans difficulté. Comme le notait le rapport d'un groupe de recherche dirigé par le professeur John Webster, de la section d'élevage de l'École de sciences vétérinaires de l'université de Bristol, en Angleterre : « Un veau dans un box de 750 mm de large ne peut pas, bien sûr, s'allonger à plat les pattes étendues [...] Il se peut que les veaux s'allongent ainsi quand ils ont chaud et désirent perdre de la chaleur [...] Lorsqu'ils sont grands les veaux peuvent avoir trop chaud et se sentir mal quand la température de l'air dépasse 20 °C. Les priver de la possibilité d'adopter une position servant à maximiser la perte de chaleur ne fait qu'empirer les choses [...] Les veaux de plus de dix semaines enfermés dans des boxes étaient dans l'impossibilité d'adopter une position normale de sommeil la tête fourrée sous le flanc. Nous concluons que le fait de priver les veaux de la possibilité d'adopter une position normale de sommeil constitue une atteinte significative à leur bien-être. Pour résoudre ce problème, les boxes devraient faire au moins 900 mm de large[94]. »

Le lecteur américain peut noter que ces 750 mm – et à plus forte raison 900 mm – sont considérablement supérieurs aux 550 mm qui sont la norme pour la largeur des boxes aux États-Unis.

Les boxes sont aussi trop étroits pour permettre au veau de se tourner. C'est là une autre source de frustration. De plus, un box trop étroit pour qu'on puisse s'y tourner est aussi trop étroit pour qu'on puisse y faire sa toilette ; et les veaux ont un désir inné de tourner la tête et de se lécher. Comme ont dit les chercheurs de l'université de Bristol : « Parce qu'ils grandissent très vite et produisent beaucoup de chaleur, les veaux élevés pour la viande ont tendance à perdre leur poil vers l'âge de dix semaines. À ce moment-là, ils ressentent un puissant besoin de se toiletter. Ils sont en outre particulièrement vulnérables à l'infestation par des parasites externes, spécialement en ambiance tiède et humide. Les veaux enfermés dans des boxes ne peuvent pas atteindre beaucoup de leur corps. Nous concluons que le fait de priver le veau de la possibilité de se toiletter pleinement constitue une atteinte inacceptable à son bien-être, soit que cette privation résulte de la restriction de sa liberté de mouvement ou, pire, de l'emploi d'une muselière[95]. »

Un sol en lattes de bois sans aucune litière est dur et inconfortable ; il meurtrit les genoux des veaux lorsqu'ils se lèvent et se couchent. De plus, les animaux qui ont des sabots sont mal à l'aise sur un plancher en lattes. Un sol en lattes est comme les « grilles à bétail » que l'on place par terre pour empêcher les animaux de sortir d'un enclos, et sur lesquelles ils évitent systématiquement de marcher ; à ceci près que les lattes sur lesquelles on met les veaux sont plus rapprochées. Leur espacement doit toutefois être suffisant pour permettre à la plus grande partie des excréments de tomber à travers ou de passer au moment du lavage, et cela suffit pour que les veaux y trouvent de l'inconfort. L'équipe de Bristol a décrit les jeunes veaux comme « mal assurés pendant quelques jours et réticents à changer de position ».

Les jeunes veaux souffrent cruellement d'être séparés de leur mère. Ils souffrent aussi de l'absence de quelque chose à téter. Le besoin de téter est puissant chez un veau nourrisson, tout comme il l'est chez un nourrisson humain. Ils n'ont pas de pis à téter, ni rien qui en tienne lieu. Dès leur premier jour de confinement – qui peut bien n'être que leur troisième ou quatrième jour de vie – ils boivent dans un seau en plastique. Quelques tentatives ont été faites de nourrir les veaux à l'aide de tétines artificielles, mais la tâche de maintenir les embouts propres et stériles n'en vaut apparemment pas la peine pour le producteur. Il est courant de voir un veau essayer frénétiquement de téter quelque chose dans son box, bien que ne s'y trouve généralement rien d'approprié ; et si vous lui présentez votre doigt, il se mettra immédiatement à le téter comme font les bébés humains avec leur pouce.

Plus tard chez le veau se développe le besoin de ruminer – c'est-à-dire d'ingurgiter des fibres et de les mâcher après régurgitation. Mais les aliments qui contiennent des fibres sont strictement prohibés parce que le fer qu'ils renferment assombrirait la couleur de la chair, si bien qu'à nouveau le veau pourra se livrer à de vaines tentatives pour mâcher les parois de son box. Les troubles digestifs, y compris les ulcères gastriques, sont courants chez les veaux ; la diarrhée chronique aussi. Pour citer à nouveau l'étude de Bristol : « Les veaux sont privés de nourriture sèche. Cela perturbe complètement le développement normal du rumen et favorise le développement de boules de poils, qui peuvent aussi être source d'indigestion chronique[96]. »

Comme si cela ne suffisait pas, le veau est délibérément maintenu anémique. Dans sa revue *Stall Street Journal*, Provimi explique pourquoi : « La couleur de la viande de veau est un des principaux facteurs qui contribuent à lui faire rapporter le prix le plus élevé sur les marchés exigeants du veau [...] La viande de veau "pâle" est un article de premier choix très demandé dans les meilleurs clubs, hôtels et restaurants. La "pâleur" ou couleur rosée de la viande est en partie liée à la quantité de fer contenue dans les muscles du veau[97]. »

C'est pourquoi les aliments que fournit Provimi, comme ceux que fournissent les autres fabricants de nourriture pour veaux, sont délibérément maintenus pauvres en fer. Un veau normal trouverait du fer dans l'herbe et dans d'autres formes de fourrage, mais comme les veaux d'élevage sont privés de ces aliments, ils deviennent anémiques. La chair rose pâle est en fait une chair anémiée. La demande pour de la chair de cette couleur est une question de snobisme. La couleur ne change pas le goût de la viande et ne la rend certainement pas plus nourrissante – elle est simplement le signe d'une carence en fer.

L'anémie est, bien sûr, contrôlée. Sans fer du tout les veaux périraient. Avec un apport normal leur chair rapporterait moins par kilogramme. Un compromis est donc atteint qui garde à la viande sa pâleur tout en maintenant les veaux – ou la plupart d'entre eux – assez longtemps sur pied pour qu'ils atteignent leur poids de vente. Les veaux sont, néanmoins, des êtres maladifs et anémiques. Maintenus délibérément carencés en fer, ils développent un désir insatiable pour cet élément et lécheront n'importe quelle pièce en acier présente dans leur box. Voilà pourquoi les boxes sont en bois. Comme le dit Provimi à ses clients : « La principale raison d'utiliser pour les boxes du bois dur plutôt que du métal est que ce dernier risquerait d'altérer la pâleur de la viande [...] Gardez toute pièce en acier hors de portée de vos veaux[98]. »

Et encore : « Il faut en outre que les veaux n'aient pas accès à une source constante de fer. (L'eau fournie doit être analysée. Une teneur de fer élevée [supérieure à 0,5 partie par million] implique que l'on envisage d'installer un filtre à fer.) Les boxes doivent être construits de manière à ce que les veaux n'aient pas accès à du métal rouillé[99]. »

La soif insatiable de fer chez le veau anémique est une des raisons pour lesquelles l'éleveur cherche à l'empêcher de se tourner dans son box. Les veaux, comme les porcs, préfèrent normalement rester à l'écart de leur propre urine et de leurs selles ; mais l'urine contient une certaine quantité de fer. L'attrait pour le fer est assez puissant pour l'emporter sur la répugnance naturelle, de sorte que les veaux anémiques lécheront les lattes imbibées d'urine. L'éleveur n'aime pas cela, à cause du fer que les animaux récupèrent et parce que les veaux peuvent contracter des infections venant de leurs selles, qui tombent au même endroit que l'urine.

Nous avons vu qu'aux yeux de Provimi Inc., l'élevage du veau a pour but d'une part de produire le plus vite possible un veau du plus grand poids possible, et d'autre part de garder à sa viande une couleur la plus pâle possible. Nous avons vu ce qui est fait pour atteindre le second de ces objectifs, mais il reste encore à dire au sujet des techniques mises en œuvre pour obtenir une croissance rapide.

Pour que les animaux grandissent vite, ils doivent ingérer autant de nourriture que possible, et en dépenser le moins possible pour leurs besoins quotidiens. Pour veiller à ce qu'ils mangent le plus possible, on les prive généralement d'eau. Leur seule source d'eau est leur nourriture liquide – ce riche substitut de lait à base de lait en poudre et de graisses. Comme les bâtiments où ils vivent sont chauffés, ils ont soif et consomment plus de nourriture qu'ils ne le feraient s'ils pouvaient boire de l'eau. Cette surconsommation provoque fréquemment chez les veaux des accès de transpiration, un peu comme, a-t-on dit, les accès dont souffre un cadre supérieur qui a mangé trop et trop vite[100]. En transpirant, le veau perd de l'eau, ce qui lui donne soif et l'amène à nouveau à trop manger. Selon les critères normaux, un tel processus est malsain, mais selon les critères de l'éleveur de veau dont le but est de produire le plus vite possible le veau le plus gros possible, la santé à long terme de l'animal ne compte pas, du moment qu'il survit jusqu'au moment de la vente ; ce qui fait dire à Provimi que la transpiration est signe que « le veau est en bonne santé et grandit à plein régime[101] ».

Amener le veau à trop manger n'est que la moitié du combat ; l'autre moitié est de s'assurer que la plus grande part possible de la nourriture ingérée contribue à la prise de poids. Le confinement du veau pour qu'il ne puisse prendre de l'exercice est une des conditions pour atteindre cet objectif. Le chauffage de l'étable y contribue aussi, car un veau qui a froid brûle des calories simplement pour maintenir sa température corporelle. Mais même un veau gardé au chaud dans son box tend à s'agiter, car il n'a rien à faire toute la journée sauf au moment des deux repas. Un chercheur hollandais a écrit : « Les veaux à viande souffrent de l'impossibilité où ils sont de faire quelque chose [...] L'ingestion de nourriture ne leur prend que vingt minutes par jour ! À part cela l'animal n'a rien à faire [...] On peut observer des activités comme des grincements de dents, des agitations de queue, des balancements de langue et autres comportements stéréotypiques [...] On peut considérer ces mouvements stéréotypiques comme une réaction au manque d'occupation[102]. »

Pour diminuer l'agitation chez leurs veaux qui s'ennuient, beaucoup d'éleveurs les maintiennent en permanence dans le noir, sauf à l'heure des repas. Comme les hangars à veaux sont normalement dépourvus de fenêtres, il suffit pour cela d'éteindre les lumières. C'est ainsi que les veaux, déjà privés de la plus grande partie de l'affection, de l'activité et de la stimulation que leur nature exige, sont privés de stimulation visuelle et de tout contact avec les autres veaux pendant plus de vingt-deux heures sur vingt-quatre. On a trouvé que les maladies tendent à durer plus longtemps dans les hangars obscurs[103].

Les veaux qui vivent ainsi sont des animaux malheureux et en mauvaise santé. Malgré le fait que l'éleveur de veau ne choisit au départ que les individus les plus robustes et en meilleure santé, leur donne de façon systématique une nourriture supplémentée en médicaments, et leur administre en plus des piqûres au moindre signe de maladie, les affections digestives, respiratoires et infectieuses sont monnaie courante. Il est fréquent que l'éleveur constate qu'un veau sur dix dans chaque lot n'a pas survécu aux quinze semaines de confinement. Un taux de mortalité entre 10 et 15 % sur une période aussi courte serait un désastre pour un producteur élevant des veaux pour de la viande de bœuf, mais le producteur de viande de veau peut supporter cette perte parce que les restaurants de luxe sont prêts à payer un bon prix pour ses produits.

Compte tenu des relations chaleureuses qui existent normalement entre les éleveurs et les vétérinaires qui travaillent avec leurs animaux (ce sont, après tout, les propriétaires, et non les animaux, qui paient les factures), il est significatif qu'il s'agit là d'un aspect de la production animale qui a tendu les relations entre les vétérinaires et les éleveurs vu les conditions extrêmes dans lesquelles sont gardés les veaux élevés pour la viande. Un numéro de 1982 de la revue *The Vealer* rapporte : « Mis à part les cas où l'éleveur attend trop longtemps avant d'appeler le vétérinaire pour soigner un veau réellement malade, les vétérinaires ne voient pas d'un bon œil les relations avec les éleveurs de veaux parce que ces derniers ont depuis longtemps défié les méthodes agricoles admises. Depuis des années il a été considéré comme une pratique saine de donner à manger du foin long au bétail, pour maintenir le bon fonctionnement du système digestif[104]. »

Le seul rai de lumière dans cette triste histoire est que les conditions engendrées par les boxes à veaux sont si consternantes pour le bien-être des animaux que la réglementation gouvernementale en Grande-Bretagne exige maintenant qu'un veau puisse se tourner sans difficulté, que sa nourriture quotidienne contienne « assez de fer pour le maintenir en pleine santé et vigueur », et qu'il reçoive assez de fibres pour assurer le développement normal du rumen[105]. Ce sont là des exigences de bien-être minimales, qui sont encore très loin de satisfaire les besoins des animaux ; mais elles sont violées par presque toutes les unités de production de veau aux États-Unis et par un grand nombre en Europe.

Si le lecteur veut bien se rappeler que tout ce processus laborieux, dispendieux et douloureux d'élevage de veaux pour la viande a pour unique raison d'existence de flatter la fantaisie de gens qui insistent pour avoir de la viande de veau pâle et tendre, tout autre commentaire sera superflu.

Comme nous l'avons vu, l'industrie du veau dérive de l'industrie du lait. Les producteurs laitiers doivent s'assurer que leurs vaches auront un veau chaque année pour qu'elles continuent à donner du lait. Le veau est enlevé à sa mère dès sa naissance, ce qui est aussi douloureux pour elle que terrifiant pour lui. La mère exprime souvent ses sentiments sans équivoque en appelant et en beuglant sans arrêt pendant des jours après qu'on lui a enlevé son petit. Parmi les veaux, certaines des femelles seront élevées avec des substituts de lait pour devenir de nouvelles vaches laitières lorsqu'elles pourront donner du lait, vers l'âge de deux ans. D'autres veaux seront vendus vers une ou deux semaines pour partir dans des enclos ou parcs d'engraissage, afin de faire de la viande de bœuf. Le reste sera vendu aux producteurs de viande de veau, qui dépendent de l'industrie laitière également pour les produits lactés qui sont donnés aux animaux pour les garder anémiques. Même quand le veau n'est pas expédié chez un producteur de viande de veau, ce qu'a écrit le professeur John Webster du département d'élevage de l'université de Bristol reste vrai : « Le veau né de la vache laitière est soumis régulièrement à plus d'atteintes à son développement normal que ne l'est tout autre animal d'élevage. On l'enlève à sa mère peu de temps après sa naissance, on le prive de sa nourriture naturelle, le lait entier de vache, et on le nourrit avec un des divers substituts liquides qui existent et qui reviennent moins cher[106]. »

La vache laitière, malgré l'image paisible, voire idyllique, que nous gardons d'elle parcourant les collines, est maintenant une machine à lait soigneusement contrôlée et réglée avec précision. La scène bucolique de la vache laitière jouant avec son veau dans les prés n'a aucune place dans la production laitière commerciale. Beaucoup de vaches laitières sont élevées à l'intérieur. Certaines sont maintenues dans des boxes individuels avec seulement assez de place pour se lever et se coucher. Leur environnement est totalement contrôlé : elles reçoivent des quantités calculées de nourriture, la température ambiante est ajustée en vue d'une production maximale de lait, et le niveau d'éclairage est réglé artificiellement. Certains producteurs ont trouvé qu'un cycle de seize heures de lumière et de seulement huit heures d'obscurité favorise la production.

Au moment où on la sépare pour la première fois de son veau, la jeune vache entre dans son cycle de production. Elle sera traite deux fois par jour, parfois trois, pendant dix mois. Après le troisième mois, elle sera à nouveau engrossée. On continuera à la traire jusqu'à six ou huit semaines avant la naissance du veau suivant, et on recommencera à la traire dès qu'on le lui aura enlevé. En général, ce cycle intense de grossesses et d'hyperlactation ne peut durer que cinq ans environ, après quoi la vache « de réforme » est envoyée à l'abattage pour devenir de la viande hachée ou de la nourriture pour chiens.

Pour que leurs vaches donnent le plus possible de lait, les producteurs les nourrissent avec des concentrés à forte teneur énergétique comme le soja, la farine de poisson, les sous-produits de brasserie, et même le fumier de volaille. Le système digestif particulier de la vache ne peut transformer de façon satisfaisante cette nourriture. Son rumen est conçu pour digérer de l'herbe qui fermente lentement. Au sommet de sa production, quelques semaines après avoir donné naissance, la vache dépense souvent plus d'énergie qu'elle n'est capable d'en ingérer. Parce que sa capacité à produire dépasse sa capacité à métaboliser sa nourriture, elle se met à dégrader et à consommer ses propres tissus ; elle commence à « allaiter sur son propre dos[107] ».

Les vaches laitières sont des animaux sensibles chez qui le stress fait apparaître des perturbations tant psychologiques que physiologiques. Elles ont un fort besoin de s'identifier à leur « gardien ». Le système actuel de production laitière ne permet pas au producteur de consacrer plus de cinq minutes par jour à chaque animal. Dans un article intitulé « Des fermes laitières qui n'ont pas besoin de pâturages », une des plus grosses « usines à lait » se vante d'une avance qui « permet à un seul employé de nourrir 800 veaux en quarante-cinq minutes – alors qu'ordinairement cette tâche prendrait la journée entière à plusieurs hommes[108] ».

La course est aujourd'hui ouverte pour trouver des moyens d'interférer avec les processus hormonaux et reproductifs naturels de la vache pour la faire produire encore plus de lait. L'hormone de croissance des bovins (connue en Europe sous le nom de somatotropine bovine ou BST) se voit promue comme moyen d'augmenter la lactation de façon spectaculaire. On a montré que les vaches qui en reçoivent une injection quotidienne voient augmenter leur production d'environ 20 %. Mais outre l'irritation que les injections quotidiennes risquent de provoquer, le corps des vaches devra supporter qu'on lui impose un travail encore plus dur ; il lui faudra une nourriture encore plus riche, et les vaches souffriront vraisemblablement davantage des maladies qui les affectent déjà en grand nombre. David Kronfeld, professeur de nutrition et chef de la section de médecine des grands animaux à l'École de médecine vétérinaire de l'université de Pennsylvanie, a déclaré qu'au cours d'un essai, plus de la moitié des vaches traitées au BST avaient été soignées pour des mastites (une inflammation douloureuse de la glande mammaire) alors qu'aucune ne l'avait été dans un groupe de contrôle qui n'avait pas reçu de BST[109].

L'opposition au BST vient maintenant non seulement de militants pour le bien-être des animaux mais aussi de producteurs laitiers. Cela n'est guère surprenant, puisque des études faites à l'université Cornell et au Bureau du Congrès des États-Unis pour l'évaluation technologique ont indiqué que l'adoption du BST par les fermes les plus grosses risquait de faire fermer leurs portes à 80 000 producteurs laitiers américains – c'est-à-dire à la moitié du nombre actuel[110]. Un producteur laitier de l'ouest de l'Angleterre a fait remarquer que « les principaux bénéficiaires de ces injections seraient un certain nombre de compagnies pharmaceutiques de haut vol » et plaidait : « Au moins laissez-nous avoir du lait venant de vaches satisfaites plutôt que de pelotes à épingles d'industriels rapaces[111]. »

Mais les augmentations de production engendrées par l'emploi de l'hormone de croissance bovine ne sont rien en comparaison de celles que prévoient les champions des nouvelles technologies de reproduction. En 1952 naquit le premier veau obtenu par insémination artificielle. Cette méthode est aujourd'hui pratiquement devenue la norme. Dans les années 1960 naquirent pour la première fois des veaux issus d'embryons transférés d'une vache à l'autre. Cette technologie signifie qu'une vache laitière particulièrement performante peut être amenée, au moyen d'injections hormonales, à produire des dizaines d'ovules d'un coup. Elle sera alors inséminée artificiellement avec la semence d'un taureau premier prix, puis les embryons seront extraits de sa matrice par rinçage et transplantés dans des vaches de remplacement de moindre valeur à travers une incision dans leur flanc. Ainsi un troupeau entier peut-il être engendré en peu de temps à partir d'une souche d'élite. La possibilité de congeler les embryons, qui fut développée au cours des années 1970, a facilité la commercialisation du transfert d'embryons et 150 000 transferts sont maintenant tentés chaque année aux États-

Unis, engendrant au moins 100 000 veaux. Le génie génétique, et peut-être le clonage, seront les prochaines étapes de ces efforts incessants pour créer des animaux toujours plus productifs[112].

Traditionnellement, les animaux élevés en Amérique pour produire de la viande de bœuf ont parcouru librement les vastes espaces découverts que nous voyons dans les films de cow-boys. Mais comme l'indique un article qui se voulait humoristique paru dans le *Peoria Journal Star*, les aires de pâturage modernes ne sont plus ce qu'elles étaient : « J'vous le dis, la place du cow-boy n'est plus nécessairement dans la prairie. Plus souvent qu'autrement, sa place est dans un parc d'engraissage où les bœufs n'approchent la senteur de la sauge que lorsqu'ils se retrouvent dans une marmite. Voilà le cow-boy à la moderne. Voilà les Norris Farms où au lieu de faire courir 700 têtes sur 8 000 hectares de prairie clairsemée, ils font courir 7 000 têtes sur quatre hectares et demi de béton[113]. »

Encore aujourd'hui, les animaux élevés pour la viande de bœuf, comparés aux poulets, porcs, veaux d'élevage et vaches laitières, voient de plus près les grands espaces, mais le temps qui leur est donné pour cela a été raccourci. Il y a vingt ans, le bétail était en liberté pendant environ deux ans. Aujourd'hui, la plupart d'entre eux sont rassemblés après quelque six mois pour être « finis » – c'est-à-dire pour être amenés au poids et dans l'état qui conviennent pour la vente, grâce à une nourriture plus riche que l'herbe. Pour cela ils sont transportés sur de longues distances vers des parcs d'engraissage (*feedlots*). Là, pendant six à huit mois ils mangeront du maïs et d'autres céréales. Ensuite ils seront envoyés à l'abattage.

La tendance dominante dans l'industrie du bœuf a été à la multiplication des grands parcs d'engraissage. Sur les 34 millions de bœufs abattus en 1987 aux États-

Unis, 70 % venaient de parcs d'engraissage. Les grands parcs produisent maintenant le tiers du bœuf consommé aux États-Unis. Il s'agit d'entreprises commerciales importantes, souvent financées par les compagnies pétrolières ou par de l'argent de Wall Street à la recherche d'avantages fiscaux. Les parcs d'engraissage sont rentables parce que le bétail prend plus vite du poids quand il est nourri avec du grain qu'avec de l'herbe. Pourtant, l'estomac des bœufs, comme celui des vaches laitières, n'est pas adapté à la nourriture concentrée qu'ils y reçoivent. Souvent, pour tenter d'obtenir plus de fibres que ne leur en procure la nourriture qu'on leur donne, les animaux lèchent leur pelage et celui de leurs compagnons. La grande quantité de poils que reçoit leur rumen peut provoquer des abcès [114]. Mais le fait de diluer le grain avec les fibres dont les bœufs ont besoin et pour lesquels ils ont un appétit intense ralentirait leur prise de poids.

Le bétail n'est pas confiné dans les parcs d'engraissage aussi sévèrement que les poules dans leurs cages, ou les truies, les veaux, et souvent les vaches laitières dans leurs boxes. Les densités de population se sont accrues mais même lorsqu'elles atteignent jusqu'à 900 bœufs dans un parc d'une acre (0,4 ha), chaque animal dispose de 4,5 m^2 et peut se déplacer dans tout l'enclos, sans être isolé des autres. Le problème vient non de la restriction du mouvement, mais de l'ennui qu'engendre un environnement pauvre où rien de nouveau n'arrive.

Un problème très sérieux résulte de l'exposition du bétail aux éléments naturels. Les animaux peuvent se retrouver en été au soleil sans aucun ombrage ; et en hiver sans protection contre des conditions météorologiques auxquelles ils ne sont pas naturellement adaptés. Après les tempêtes de neige de 1987, certains éleveurs firent état de lourdes pertes, évaluant la mortalité jusqu'à 25 à 30 % pour les veaux et 5 à 10 % pour les adultes. Un éleveur du Colorado rapporta : « Il y avait peu de protection pour les veaux. La plupart de ces veaux sont morts en raison du mauvais temps. Nous avons eu une neige mouillée suivie immédiatement de gel. » Dans un autre cas, soixante-quinze veaux sur cent furent perdus suite à la tempête [115].

En Europe, certains producteurs de bœuf ont suivi l'exemple des industries de la volaille, du porc et du veau et ont enfermé leurs animaux. Aux États-Unis, en Grande-Bretagne et en Australie, le confinement permanent n'est pas considéré comme économiquement justifié. Les animaux confinés sont protégés des intempéries, mais toujours au prix d'un entassement beaucoup plus grand, puisque l'éleveur désire obtenir un revenu maximal du capital qu'il a investi dans le bâtiment. Les bœufs élevés intensivement en confinement sont généralement gardés en groupes, dans des enclos plutôt que dans des boxes individuels. Le sol est souvent en lattes à claire-voie pour rendre le nettoyage facile, bien que les bœufs, comme les porcs et les veaux, se sentent mal sur les lattes et puissent y contracter des infirmités.

Aucun aspect de l'élevage des animaux n'est à l'abri des pénétrations de la technologie et de la pression à intensifier la production. Les jeunes agneaux, ces joyeux symboles du printemps, ont déjà gagné les intérieurs obscurs des unités de confinement [116]. Au Centre de recherche sur les lapins de l'université d'État de l'Oregon, des chercheurs ont mis au point un système de cages pour l'élevage des lapins et font des essais avec des densités correspondant à 450 cm^2 par lapin [117]. En Australie, des moutons sélectionnés produisant une laine superfine ont maintenant été amenés en confinement, dans des enclos individuels ou collectifs – le but étant de garder leurs poils propres et longs. La laine de ces moutons se vend cinq ou six fois le prix habituel [118]. Bien que l'industrie de la fourrure aime à mettre l'accent sur les peaux provenant d'élevages afin d'atténuer la mauvaise publicité que lui vaut le piégeage des animaux sauvages, les conditions dans les « fermes à fourrure » sont très intensives. Les visons, ratons laveurs, furets et autres animaux à fourrure sont gardés dans de petites cages grillagées. Le magnifique renard arctique, par exemple, parcourt normalement des milliers d'hectares de toundra – mais élevé pour sa fourrure, il dispose d'une cage en grillage de 107 cm sur 114[119].

Nous avons maintenant complété notre survol des principales tendances de l'élevage, qui ont amené les méthodes traditionnelles à être remplacées par une production animalière industrielle. Du point de vue des animaux, il faut malheureusement dire qu'il n'y a eu que très peu d'améliorations depuis la parution de la première édition de ce livre, il y a quinze ans. À ce moment-là il était déjà clair que les méthodes modernes d'élevage étaient incompatibles avec tout souci réel du bien-être des animaux. Le dossier en ce sens avait été compilé pour la première fois par Ruth Harrison dans son livre pionnier *Animal Machines*, publié en 1964, et s'est vu appuyer par toute l'autorité du comité Brambell, désigné par le ministre britannique de l'Agriculture, et composé des meilleurs experts qualifiés disponibles. En plus de Brambell, lui-même zoologiste réputé, il comprenait W. H. Thorpe, directeur du département de comportement animal de l'université de Cambridge, et d'autres experts en science vétérinaire, en élevage et en agriculture. Après une enquête approfondie, le comité publia en 1965 un rapport officiel de quatre-vingt-cinq pages. Dans celui-ci, les auteurs rejetèrent avec fermeté l'argument selon lequel la productivité serait une indication suffisante pour juger de l'absence de souffrance – le fait même qu'un animal prenne du poids peut, disaient-ils, constituer un « état pathologique ». Ils rejetèrent aussi l'idée que les animaux d'élevage ne souffrent pas du confinement parce qu'ils sont sélectionnés pour être confinés et qu'ils y sont habitués. Dans une annexe importante au rapport, Thorpe insista sur le fait que les observations du comportement des animaux domestiques ont montré qu'ils sont « encore essentiellement ce qu'ils étaient dans leur environnement naturel préhistorique », avec des besoins et des modèles comportementaux innés qui restent présents même si l'animal n'a jamais vécu dans des conditions naturelles. Thorpe concluait : « Certains faits élémentaires sont assez clairs pour justifier que l'on agisse. Tout en acceptant la nécessité de beaucoup de restriction, nous devons placer la limite quand les conditions où sont mis les animaux étouffent complètement toute ou presque toute expression des pulsions naturelles et instinctives et des besoins comportementaux qui caractérisent les actes appropriés dans le haut degré d'organisation sociale que l'on trouve chez les espèces sauvages ancestrales, et qui ont peu ou pas du tout été éliminés par sélection au cours du processus de domestication. En particulier il est clairement cruel de restreindre un animal pendant une bonne partie de sa vie d'une façon qui l'empêche de mettre en œuvre aucun de ses modèles comportementaux locomoteurs [120]. »

En conséquence, les recommandations du comité se fondaient sur le principe suivant, modeste mais fondamental : « En tant que principe nous désapprouvons que l'on confine un animal à un degré qui frustre nécessairement la plupart des activités majeures qui constituent son comportement naturel [...] Un animal devrait au moins disposer de suffisamment de liberté de mouvement pour pouvoir sans difficulté se tourner, faire sa toilette, se lever, se coucher et étirer ses membres [121]. »

Ces « cinq libertés fondamentales », comme on les a depuis appelées – se tourner, faire sa toilette, se lever, se coucher et étirer librement ses membres – sont encore refusées à toutes les poules en cage, à toutes les truies en attache ou dans des boxes, et à tous les veaux à viande gardés dans des boxes. Pourtant, depuis la parution du rapport du comité Brambell, une littérature scientifique copieuse en a confirmé le verdict dans tous ses aspects majeurs. En ce qui concerne, par exemple, les commentaires de Thorpe sur la persistance des modèles comportementaux naturels chez les animaux domestiques, nous avons déjà vu comment ils ont été pleinement étayés par l'étude de l'université d'Édimbourg sur les porcs placés dans un environnement semi-naturel [122]. La fausseté de l'argument selon lequel les animaux sont forcément satisfaits dès lors qu'ils sont productifs est maintenant également universellement admise parmi les scientifiques. Une recherche datant de 1986 et publiée dans la revue *American Scientist* représente une opinion informée à ce propos : « En ce qui concerne les animaux domestiqués, néanmoins, cet argument est susceptible d'induire en erreur pour plusieurs raisons. Les animaux d'élevage ont été sélectionnés pour leur capacité à croître et à se reproduire sous une large gamme de conditions et de circonstances, dont certaines sont défavorables. Les poules, par exemple, peuvent continuer à pondre normalement même lorsqu'elles sont gravement atteintes. De plus, la croissance et la reproduction sont souvent manipulées par des pratiques comme l'altération de la photopériode [rythme de l'éclairage] ou l'ajout à la nourriture de substances à action anabolisante, tels les antibiotiques. Enfin, dans une ferme moderne d'élevage intensif où un seul travailleur s'occupera de 2 000 têtes de bétail ou de 250 000 poulets de chair chaque année, la pratique consistant à mesurer la croissance ou la reproduction en termes de nombre d'œufs ou de kilogrammes de viande produits par rapport aux coûts investis dans les bâtiments, le combustible ou la nourriture, fournit peu de renseignements sur le statut productif de tel ou tel individu[123]. »

Le Dr Bill Gee, directeur fondateur du Bureau de santé animale du gouvernement australien, a déclaré : « On affirme que la productivité des animaux d'élevage est un signe direct de leur bien-être. Cette idée fausse doit être enterrée une fois pour toutes. Le "bien-être" se réfère au fait pour un animal individuel de se sentir bien, alors que la "productivité" désigne le rendement par dollar investi ou par unité de ressources[124]. »

J'ai pris soin de documenter la fausseté de cet argument à plusieurs reprises dans ce chapitre. Il serait agréable de croire possible de l'enterrer une fois pour toutes, mais nul doute qu'il continuera à refaire surface chaque fois que les glorificateurs de l'agrobusiness jugeront utile de bercer les consommateurs pour leur faire croire que tout va bien du côté de la ferme.

Une certaine reconnaissance du poids du dossier contre les méthodes intensives d'élevage fut donnée par le Parlement européen quand, en 1987, il examina un rapport sur le bien-être des animaux et adopta une résolution contenant les points suivants :

- Que soit mis fin à la pratique de garder les veaux d'élevage dans des boxes individuels, et de les priver de fer et de fibres ;
- Que soient supprimées progressivement les cages de batteries sur une période de dix ans ;
- Que soit mis fin à la pratique de garder les truies en attache ou dans des boxes individuels ;
- Que soit mis fin aux mutilations de routine telles que la coupe de la queue ou la castration des porcs mâles[125].

Ces propositions furent adoptées par 150 voix contre 0, avec 2 abstentions. Mais comme nous l'avons déjà remarqué, bien que le Parlement européen soit un corps composé de représentants élus de tous les pays de la Communauté européenne, son avis n'est que consultatif. Le puissant lobby de l'agrobusiness travaille fort pour empêcher que cette résolution ne soit mise en pratique. Elle n'en demeure pas moins en tant que marque de ce que pense l'opinion européenne informée au sujet de ces questions. Pour ce qui est des actes, et non des mots, une véritable amélioration de la situation des animaux depuis la publication de la première édition de ce livre n'a eu lieu qu'en de rares cas. En Suisse, l'élimination progressive des cages de batteries pour les poules sera complète début 1992, et les œufs provenant de poules maintenues dans des systèmes alternatifs sont déjà largement disponibles dans le commerce. Ces nouveaux systèmes permettent aux oiseaux de circuler librement, de gratter le sol, de prendre des bains de poussière, de voleter jusqu'à un perchoir et de pondre dans des pondoirs protégés garnis d'un matériau convenable. Les œufs obtenus de cette manière ne sont pourtant qu'un peu plus chers que ceux venant de poules enfermées dans des cages[126]. En Grande-Bretagne, le seul véritable signe d'un progrès pour les animaux d'élevage est l'interdiction des boxes individuels pour les veaux. C'est la Suède qui se trouve aujourd'hui en tête pour ce qui est du bien-être des animaux, comme cela a déjà souvent été le cas pour d'autres réformes sociales ; les lois suédoises votées en 1988 transformeront la condition de l'ensemble de tous les animaux d'élevage.

Tout au long de ce chapitre, j'ai concentré mon attention sur les conditions d'élevage aux États-Unis et en Grande-Bretagne. Le lecteur vivant dans un autre pays sera peut-être porté à croire que chez lui les conditions ne sont pas aussi mauvaises ; mais si le sien est un des pays industrialisés (autre que la Suède) il n'a pas de quoi se réjouir. Dans la plupart des pays, les conditions sont beaucoup plus proches de celles qui existent aux États-Unis que de celles qui sont recommandées plus haut.

Enfin, il est important de se rappeler que bien que les « cinq libertés » du Comité Brambell, ou les résolutions du Parlement européen, ou même les nouvelles lois suédoises, représentent si elles étaient mises en œuvre un progrès majeur en Grande-Bretagne, aux États-Unis, et presque partout ailleurs où existe l'élevage industriel, aucune de ces réformes n'accorde une considération égale aux intérêts similaires des animaux et des humains. Elles représentent, à des degrés divers, une forme plus éclairée et plus humaine de spécisme, mais une forme de spécisme malgré tout. Dans aucun pays encore, aucun organisme gouvernemental n'a jamais remis en question l'idée selon laquelle les intérêts des animaux comptent moins que les intérêts semblables des humains. La question que l'on pose est toujours de savoir s'il existe certaines souffrances qui « puissent » être évitées, et par cela on entend qu'elles puissent être évitées sans empêcher que l'on continue à produire les mêmes produits animaux, à un prix qui n'en soit pas sensiblement augmenté. Le présupposé jamais contesté est que les humains peuvent légitimement utiliser les animaux pour leurs propres fins, et les élever et les tuer pour satisfaire leur préférence pour une alimentation comportant de la chair animale.

J'ai mis l'accent dans ce chapitre sur les méthodes modernes intensives d'élevage parce que le grand public est dans une large mesure peu averti de la souffrance qu'elles engendrent ; mais il n'y a pas que l'élevage intensif qui fasse souffrir les animaux. On a fait souffrir les animaux pour le bénéfice des humains que ce soit dans l'élevage moderne ou dans l'élevage traditionnel. Une part de cette souffrance résulte de pratiques tenues pour normales pendant des siècles. Ce fait peut nous amener à ne pas accorder d'attention à ces pratiques, mais ne console en rien l'animal qui les subit. Voyons, par exemple, certaines des opérations de routine auxquelles est encore soumis le bétail.

Presque tous les éleveurs de bœufs coupent les cornes à leurs animaux, les marquent au fer rouge et les castrent. Toutes ces opérations sont susceptibles de causer une douleur physique grave. On coupe les cornes aux bœufs parce que sans cela ils prennent plus de place devant leur mangeoire ou lors du transport, et qu'ils peuvent se blesser les uns les autres lorsqu'ils sont fortement entassés. Les carcasses meurtries et les cuirs abîmés rapportent moins. Les cornes ne sont pas une simple masse osseuse insensible. Leur ablation implique la section d'artères et d'autres tissus, et le sang gicle, surtout s'il ne s'agit pas d'un veau né depuis peu.

La castration est pratiquée en vertu de l'idée que les bœufs castrés prennent plus de poids que les taureaux – bien qu'en fait il ne s'agisse apparemment que de graisse – et en raison de la crainte que les hormones mâles ne communiquent un mauvais goût à la chair. Les animaux castrés sont en outre plus faciles à manier. La plupart des éleveurs admettent que l'opération est cause pour l'animal de choc et de douleur. Les animaux ne sont généralement pas anesthésiés. La procédure consiste à immobiliser l'animal par terre et à inciser la peau des bourses avec un couteau, mettant les testicules à nu. Vous saisissez ensuite chaque testicule à son tour et vous tirez dessus jusqu'à rompre le cordon qui le retient ; dans le cas d'un animal plus âgé, il peut être nécessaire de couper le cordon[127].

Certains éleveurs, c'est tout à leur honneur, sont troublés par cette chirurgie douloureuse. Dans un article intitulé « En finir avec le couteau de castration », C. G. Scruggs, directeur de la revue *The Progressive Farmer*, évoque le « stress extrême que provoque la castration » et suggère que puisque la viande maigre est de plus en plus demandée, les animaux mâles pourraient être laissés entiers[128]. Le même point de vue a été exprimé dans l'industrie du porc, où la pratique est semblable. Selon un article de la revue britannique *Pig Farming* : « La castration elle-même est une affaire éprouvante, même pour l'éleveur de porcs professionnel endurci. Je suis seulement surpris de ce que le lobby antivivisectionniste n'ait pas lancé contre cette pratique une attaque résolue. »

Et puisque la recherche a maintenant trouvé un moyen de détecter le mauvais goût que présente parfois la viande de verrat, cet article suggère que l'on « songe à laisser nos couteaux de castration au repos[129] ».

Le marquage du bétail au fer rouge est largement pratiqué, pour pouvoir identifier les animaux égarés ou comme protection contre les voleurs de bétail (il en existe encore dans certaines régions), et aussi pour en faciliter la gestion. La peau des bovins a beau être plus épaisse que celle des humains, elle ne l'est pas assez pour les protéger contre un fer chauffé au rouge appliqué directement à sa surface – le poil ayant été préalablement coupé – et maintenu en place pendant cinq secondes. Pour rendre l'opération possible, l'animal est jeté au sol et immobilisé. Une autre possibilité consiste à le tenir dans un engin appelé « glissière de contention » (*squeeze chute*), formé d'une caisse de largeur réglable. Même ainsi serré, comme le note un manuel, « généralement l'animal sursaute au moment où on lui applique le fer[130] ».

Comme mutilation supplémentaire, les animaux risquent fort de se faire entailler les oreilles avec un couteau acéré, selon des formes particulières qui permettront de les identifier à distance, ou de face ou de dos, le marquage au fer n'étant pas visible sous ces angles[131].

Voilà donc quelques-unes des opérations courantes que comportent les méthodes traditionnelles d'élevage des bœufs. D'autres animaux subissent des traitements analogues lorsqu'ils sont élevés pour la nourriture. Et enfin, quand on évalue le bien-être des animaux dans les systèmes traditionnels, il importe de se souvenir que presque toutes les méthodes comportent la séparation précoce entre la mère et son petit, ce qui occasionne aux deux une détresse considérable. Aucune forme d'élevage ne permet aux animaux de grandir et de prendre place dans une communauté d'animaux d'âges variés, comme cela se produirait dans les conditions naturelles.

Bien que la castration, le marquage au fer rouge et la séparation de la mère et de son petit aient été depuis des siècles une cause de souffrance chez les animaux domestiques, c'est la cruauté que représentent le transport et l'abattage qui a provoqué les appels les plus angoissés de la part du mouvement humanitaire du XIXe siècle. Aux États-Unis, les animaux étaient refoulés depuis leurs pâturages dans les Rocheuses jusqu'aux vallées où aboutissaient les lignes de chemin de fer, puis entassés dans des wagons pour voyager plusieurs jours sans nourriture, jusqu'à l'arrivée de leur train à Chicago. C'est là, dans des parcs à bestiaux gigantesques empestant le sang et la chair pourrissante, que ceux qui avaient survécu au voyage attendaient que vienne leur tour d'être traînés et piqués et poussés dans la rampe au sommet de laquelle se tenait l'homme avec le merlin. S'ils avaient de la chance, l'homme visait juste ; mais beaucoup n'avaient pas de chance.

Depuis cette époque, certaines choses ont changé. En 1906 fut votée une loi fédérale qui limite le temps qu'un animal peut passer dans un wagon de chemin de fer sans nourriture ni eau à vingt-huit heures, ou trente-six dans des cas spéciaux. Après ce laps de temps les animaux doivent être débarqués pendant au moins cinq heures, nourris et abreuvés, et doivent se reposer avant la reprise du trajet. Bien entendu, vingt-huit à trente-six heures passées dans un wagon cahotant sans nourriture ni eau est une durée encore suffisante pour être cause de détresse, mais cette limitation était une amélioration. En ce qui concerne l'abattage, des améliorations ont eu lieu aussi. La plupart des animaux sont aujourd'hui étourdis avant d'être abattus, ce qui signifie, en théorie, qu'ils meurent sans douleur – bien qu'il subsiste, comme nous le verrons, des doutes à ce sujet, et aussi d'importantes exceptions. À cause de ces améliorations, le transport et l'abattage sont aujourd'hui devenus des problèmes de moindre importance, à mon avis, que les méthodes de production industrielles qui font des animaux des machines à convertir du fourrage à bon marché en viande de bon prix. Néanmoins, aucun rapport sur ce que subit votre repas quand c'est encore un animal ne serait complet sans une description des méthodes de transport et d'abattage.

Le transport des animaux n'inclut pas seulement leur dernier trajet vers l'abattage. À l'époque où les abattoirs étaient concentrés dans de grands centres comme Chicago, ce dernier voyage était le plus long, et souvent le seul, qu'ils faisaient. Ils grandissaient jusqu'à atteindre leur poids de vente sur les pâturages où ils étaient nés. Lorsque les techniques de réfrigération eurent permis de décentraliser l'abattage, le voyage vers l'abattoir fut raccourci d'autant. D'un autre côté, il est aujourd'hui bien moins fréquent que les animaux, en particulier les bœufs, naissent et grandissent jusqu'à leur poids de vente dans la même région. Les jeunes veaux nés dans un État – disons en Floride – peuvent se voir transporter par camion vers des pâturages à des centaines, voire des milliers de kilomètres de là – peut-être dans l'ouest du Texas. Des bœufs qui ont passé un an dans les pâturages de l'Utah ou du Wyoming peuvent être rassemblés et expédiés vers des parcs d'engraissage en Iowa ou en Oklahoma. Ces animaux sont parfois confrontés à des trajets de trois mille kilomètres. Pour eux, le voyage vers le parc d'engraissage risque d'être plus long et plus éprouvant que celui qui les mènera à l'abattoir.

La loi fédérale de 1906 stipulait que les animaux transportés par chemin de fer devaient se reposer, manger et boire au moins toutes les trente-six heures. Elle ne mentionnait pas les animaux transportés par camion. À l'époque, on n'utilisait pas les camions pour le transport du bétail. Plus de quatre-vingts ans plus tard, le transport des animaux par camion n'est toujours pas réglementé au niveau fédéral. Des tentatives répétées ont été faites pour aligner la législation concernant ce mode de transport sur celle du chemin de fer, mais aucune, à cette date, n'a réussi. En conséquence, les animaux passent souvent jusqu'à quarante-huit ou même soixante-douze heures dans un camion sans en descendre. Les camionneurs ne laisseront pas tous leur bétail pendant si longtemps sans repos, sans nourriture et sans eau, mais certains d'entre eux se soucient davantage de finir leur travail que de livrer leur cargaison en bon état.

Les animaux qui se retrouvent dans un camion pour la première fois de leur vie risquent fort d'être effrayés, surtout s'ils ont été maniés à la hâte et sans douceur lors du chargement. Le mouvement du véhicule est aussi une expérience nouvelle, laquelle peut les rendre malades. Après une ou deux journées passées dans un camion sans nourriture ni eau, les animaux souffrent désespérément de soif et de faim. Normalement, les bovins mangent fréquemment tout au long de la journée ; leur estomac particulier exige un apport constant de nourriture pour que leur rumen puisse fonctionner correctement. Si le voyage se passe en hiver, les vents glacés peuvent provoquer de graves refroidissements ; en été, le soleil et la chaleur ajoutent à la déshydratation. Il est difficile pour nous d'imaginer ce que cette combinaison de peur, de mal du voyage, de soif, de faim sévère, d'épuisement et éventuellement de refroidissement grave fait ressentir aux animaux. Dans le cas de jeunes veaux qui peuvent avoir subi l'épreuve du sevrage et de la castration seulement quelques jours auparavant, l'effet est encore pire. Les experts vétérinaires recommandent que les jeunes veaux, simplement pour augmenter leurs chances de survie, soient sevrés, castrés et vaccinés au moins trente jours avant le transport. Ainsi ont-ils une chance de récupérer après une expérience éprouvante avant d'en subir une autre. Ces recommandations ne sont cependant pas toujours suivies[132].

Bien que les animaux ne puissent décrire leurs expériences, leur corps nous en dit quelque chose par ses réactions. Il y a deux réactions principales : le « rétrécissement » et la « fièvre des transports ». Les animaux perdent toujours du poids au cours du transport. Une part de cette perte est due à la déshydratation et au vidage des intestins. Cette part se regagne facilement ; mais des pertes plus durables sont également la règle. Il n'est pas rare pour un jeune bœuf de 350 kg de perdre 30 kg, soit 9 % de son poids, lors d'un seul voyage ; et il peut lui falloir plus de trois semaines pour récupérer ce poids. Le « rétrécissement », comme on appelle ce phénomène dans la profession, est considéré par les chercheurs comme une indication du stress qu'a subi l'animal. Il préoccupe bien sûr l'industrie de la viande, qui vend les animaux au poids.

L'autre signe majeur du stress du voyage est la « fièvre du transport », forme de pneumonie qui frappe le bétail après son déplacement. Son agent est un virus auquel le bétail en bonne santé résiste facilement ; mais le stress sévère diminue la résistance des animaux.

Le rétrécissement et la vulnérabilité à la fièvre sont des signes que les animaux ont subi un stress extrême ; mais ceux qui rétrécissent et qui contractent la fièvre du transport sont ceux qui survivent. D'autres meurent avant d'arriver à destination, ou y arrivent avec des fractures aux pattes ou avec d'autres blessures. En 1986, les inspecteurs du ministère américain de l'Agriculture déclarèrent incomestibles plus de 7 400 bœufs, 3 100 veaux et 5 500 porcs parce qu'ils étaient morts ou gravement blessés avant d'arriver à l'abattoir, tandis que 570 000 bovins, 57 000 veaux et 643 000 porcs étaient blessés assez gravement pour qu'une ou plusieurs parties de leur corps soient déclarées incomestibles[133].

Les animaux qui meurent en transit ne meurent pas d'une mort douce. Ils gèlent jusqu'à la mort en hiver ou s'effondrent de soif et d'épuisement dans la chaleur de l'été. Ils meurent, abandonnés dans un parc à bestiaux, de blessures contractées en glissant d'une rampe d'embarquement. Ils meurent étouffés sous le poids de leurs congénères dans des camions trop ou mal chargés. Ils meurent de soif ou de faim quand des employés négligents oublient de les abreuver ou de les nourrir. Et ils meurent aussi tout simplement du stress qu'engendre l'ensemble de cette expérience terrifiante. L'animal que vous aurez peut-être à table ce soir n'est mort d'aucune de ces façons-là ; mais ces morts font et ont toujours fait partie intégrante du processus qui fournit aux gens leur viande.

Tuer un animal est en soi un acte troublant. Il a été dit que s'il nous fallait tuer nous-mêmes pour obtenir notre viande nous serions tous végétariens. Ce qui est sûr c'est que très peu de gens vont visiter un jour un abattoir, et que la télévision ne se rue pas pour montrer des films portant sur les opérations qui s'y déroulent. Certains espéreront que la viande qu'ils achètent provient d'un animal dont la mort fut sans douleur ; mais ils ne tiennent pas vraiment à le savoir. Pourtant, ceux qui, par leurs achats, imposent que des animaux soient tués ne méritent pas qu'on leur cache ni cet aspect ni aucun autre de la production de la viande qu'ils achètent.

La mort, bien que jamais agréable, n'est pas nécessairement douloureuse. Si tout fonctionne comme prévu, dans les pays industrialisés dotés de lois stipulant que l'abattage doit se faire humainement, la mort survient rapidement et sans douleur. Les animaux doivent être étourdis par un courant électrique ou par un pistolet d'abattage et être encore inconscients au moment où leur sera tranchée la gorge. Peut-être ressentent-ils de la terreur peu de temps avant de mourir, lorsqu'ils sont sur la rampe, aiguillonnés vers l'abattage, sentant l'odeur du sang de ceux qui sont passés avant eux ; mais le moment de la mort elle-même peut être, en théorie, complètement indolore. Malheureusement, il y a souvent une différence entre la théorie et la pratique. Un journaliste du *Washington Post* a récemment décrit un abattoir de l'État de Virginie géré par Smithfield, le plus gros conglomérat de conditionnement de viande de la côte est des États-Unis :

> Le processus de fabrication de la viande de porc se termine dans une usine dernier cri hautement automatisée où le bacon et le jambon proprement enfermés dans de petits emballages plastiques hermétiques tombent du tapis roulant. Mais elle commence dehors derrière l'usine, dans la puanteur d'un enclos à porcs boueux et sanglant. Dans l'abattoir Gwaltney of Smithfield les visiteurs ne sont autorisés que quelques minutes, de peur que la puanteur des porcs morts ne leur colle aux vêtements et à la peau encore longtemps après leur départ.
>
> Le processus débute lorsque les porcs couinants sont poussés hors de leurs enclos sur une planche en bois inclinée où un employé les étourdit d'un choc électrique au crâne. Au moment où ils tombent, un autre employé les accroche la tête en bas sous une chaîne roulante, les pattes arrière tenues dans un crampon métallique. Parfois un porc étourdi tombe de la chaîne et reprend conscience,

et les employés doivent se précipiter pour le soulever et replacer ses pattes arrière dans les crampons avant qu'il ne se mette à courir sauvagement à travers la pièce. Les porcs sont tués pour de bon par un employé qui enfonce un couteau dans la veine jugulaire de l'animal étourdi mais qui se tortille souvent encore, et laisse s'écouler la plus grande partie du sang. Les porcs fraîchement tués quittent alors l'abattoir maculé de sang pour passer dans l'eau bouillante[134].

Une bonne part de la souffrance qui survient dans les abattoirs résulte de la cadence frénétique que doit maintenir la chaîne d'abattage. La compétition économique fait que chaque abattoir s'efforce de tuer plus d'animaux par heure que ses concurrents. Entre 1981 et 1986, par exemple, dans une des grandes usines américaines, la vitesse de la chaîne est passée de 225 carcasses par heure à 275. La pression pour augmenter la cadence implique un travail moins soigneux – et il n'y a pas que les animaux qui en pâtissent. En 1988 un comité du Congrès des États-Unis rapporta qu'aucune autre industrie américaine n'a un taux plus élevé de maladies et d'accidents corporels que l'industrie de l'abattage. Les données recueillies indiquaient que 58 000 employés d'abattoir sont victimes d'accidents corporels chaque année, soit environ 160 par jour. Si les humains sont l'objet de si peu d'égards, quel doit être le sort des animaux ? Un autre problème majeur dans cette industrie est que, parce que le travail y est si peu agréable, les employés n'y restent pas longtemps, et un turn-over annuel entre 60 et 100 % est courant dans beaucoup d'établissements. Il en résulte un flot constant d'employés inexpérimentés maniant des animaux effrayés dans un environnement étrange[135].

En Grande-Bretagne, où les abattoirs sont en principe sévèrement contrôlés par une législation d'humanisation de l'abattage, le Conseil sur le bien-être des animaux d'élevage, organisme gouvernemental, y fit des inspections et en rapporta : « Nous sommes arrivés à la conclusion qu'au cours de beaucoup d'opérations d'abattage sont admises l'inconscience et la perte de sensibilité [de l'animal] à des moments où il est hautement probable que le degré n'en est pas suffisant pour rendre l'animal insensible à la douleur. »

Le Conseil ajouta que bien qu'il existât des lois stipulant que les animaux soient étourdis efficacement et sans douleur évitable par un personnel qualifié utilisant un équipement approprié, « nous ne sommes pas convaincus qu'elles soient appliquées de façon adéquate[136] ».

Depuis la publication de ce rapport, un scientifique britannique respecté a exprimé des doutes sur le caractère indolore de l'étourdissement électrique, même quand l'opération est faite dans les règles. Le Dr Harold Hillman, professeur de physiologie et directeur du Unity Laboratory in Applied Neurobiology de l'université du Surrey, note que les gens ayant eu l'expérience d'un choc électrique, que ce soit par accident ou lors d'un traitement psychiatrique électro-convulsif, font état d'une grande douleur. Il est significatif, souligne-t-il, que la thérapie électro-convulsive se pratique aujourd'hui normalement sous anesthésie générale. Si l'électrochoc rendait le patient instantanément incapable de ressentir la douleur, l'anesthésie ne serait pas nécessaire. Pour cette raison, le Dr Hillman doute que l'électrocution, utilisée comme méthode d'exécution capitale dans certains États américains, soit une méthode humaine ; il se peut que le prisonnier dans la chaise électrique soit quelque temps paralysé, en restant conscient. Le Dr Hillman se tourne ensuite vers l'étourdissement électrique utilisé dans les abattoirs : « L'étourdissement est tenu pour humain, parce qu'on pense que les animaux ne souffrent ni douleur ni détresse. Cela est presque certainement faux, pour les mêmes raisons que celles qui ont été indiquées pour la chaise électrique[137]. » Il est donc tout à fait possible que l'abattage ne soit pas du tout indolore, même lorsqu'il se pratique dans les règles dans un abattoir moderne.

Même si ces problèmes pouvaient être résolus, il en resterait un autre concernant l'abattage. Dans de nombreux pays, dont la Grande-Bretagne et les États-Unis, il existe une exception permettant l'abattage selon les rites juifs et islamiques qui exigent que les animaux soient pleinement conscients au moment d'être tués. Une seconde exception importante aux États-Unis est que la Loi pour l'abattage humain (Humane Slaughter Act), loi fédérale adoptée en 1958, ne s'applique qu'aux abattoirs qui fournissent de la viande au gouvernement américain ou aux institutions qui en dépendent et ne s'applique pas à la catégorie la plus nombreuse d'animaux tués : les volailles.

Voyons d'abord la seconde de ces lacunes. Il existe environ 6 100 abattoirs aux États-Unis, mais moins de 1 400 d'entre eux ont été inspectés par le gouvernement fédéral aux termes de la loi sur l'abattage humain. Il est donc tout à fait légal pour les 4 700 autres d'utiliser l'antique et barbare merlin ; et cette méthode est encore en usage dans certains abattoirs américains.

Le merlin est une sorte de lourd marteau de forgeron à long manche. L'employé le brandit au-dessus de sa tête et tente d'assommer d'un seul coup l'animal devant lui. Le problème est que la cible est mobile alors que le mouvement ample du marteau doit être précis ; car pour que le coup soit réussi il doit atteindre un point particulier du crâne, et un animal effrayé tend beaucoup à agiter la tête. Si le mouvement tombe ne serait-ce qu'une fraction de seconde à côté du point visé le marteau peut écraser un œil ou le nez ; alors, pour assommer l'animal qui se débat dans la pièce, devenu fou de terreur et de douleur, il faudra peut-être encore plusieurs coups. On ne peut attendre de l'assommeur même le plus habile qu'il réussisse un coup parfait à chaque fois. Comme son travail peut être d'étourdir quatre-vingts animaux ou plus par heure, si son coup manque seulement une fois sur cent, il en résultera encore une terrible douleur pour plusieurs animaux chaque jour. Il importe aussi de garder à l'esprit que pour qu'un assommeur débutant devienne assommeur exercé, il lui faudra beaucoup s'exercer. L'entraînement se fera sur les animaux vivants.

Pourquoi ces méthodes si primitives et universellement condamnées comme inhumaines sont-elles encore employées ? La raison est la même que celle qui joue dans d'autres domaines de l'élevage : si les méthodes humaines coûtent plus cher ou réduisent le nombre d'animaux que l'on peut tuer par heure, l'entreprise ne peut se permettre de les adopter alors que ses rivales continuent à employer les anciennes. Le prix de la cartouche qui arme le pistolet d'abattage, de seulement quelques cents par animal, suffit pour dissuader les abattoirs d'en faire usage. L'étourdissement électrique coûte moins cher à long terme, mais l'installation en est onéreuse. Si la loi ne les y contraint pas, il se peut que les abattoirs n'adoptent pas ces méthodes.

L'autre lacune majeure dont souffrent les lois sur l'abattage humain est qu'elles n'imposent pas l'étourdissement préalable des animaux tués selon des rites religieux. Les lois alimentaires des musulmans et juifs orthodoxes interdisent la consommation de la viande d'un animal qui ne soit pas « en bonne santé et mobile » au moment de sa mort. L'étourdissement, qui est considéré comme une blessure précédant l'égorgement, est de ce fait inacceptable. L'idée derrière ces exigences a pu être d'interdire la consommation de la viande d'un animal trouvé malade ou mort ; mais telle que l'interprètent aujourd'hui les religieux orthodoxes cette loi exclut aussi que l'animal soit rendu inconscient quelques secondes avant d'être tué. La mort doit être administrée au moyen d'une seule incision d'un couteau aiguisé dans la veine jugulaire et les artères carotides. À l'époque où elle fut inscrite dans la loi juive cette méthode d'abattage était probablement plus humaine que toute autre ; aujourd'hui, néanmoins, dans le meilleur des cas, elle est moins humaine que l'emploi par exemple d'un pistolet d'abattage pour rendre l'animal instantanément insensible.

De plus, aux États-Unis, il y a des circonstances particulières qui font de cette méthode d'abattage une parodie grotesque de toute intention humanitaire qui a pu à une époque la motiver. Cela résulte de l'addition des exigences de l'abattage rituel à celles de la Loi sur la pureté des produits alimentaires et pharmaceutiques (Pure Food and Drug Act) de 1906, qui stipule pour des raisons sanitaires qu'un animal abattu ne doit pas tomber dans le sang d'un autre abattu avant lui. En pratique, cela signifie que l'animal doit être tué non pas étendu sur le sol de l'abattoir mais suspendu à une chaîne roulante ou maintenu en l'air de quelque autre manière. Cette exigence n'affecte pas le bien-être d'un animal rendu totalement inconscient avant d'être tué, puisque l'étourdissement précède la suspension ; mais les conséquences en sont horribles quand l'animal doit être conscient au moment de sa mort. Les animaux abattus rituellement aux États-Unis, au lieu d'être rapidement jetés au sol et tués presque immédiatement comme c'est le cas ailleurs, peuvent se voir enchaîner par une patte arrière, hisser en l'air et rester suspendus, entièrement conscients, la tête en bas sous la chaîne roulante, pendant une période de deux à cinq minutes – et parfois beaucoup plus longtemps en cas d'imprévu sur la « chaîne d'abattage » – avant que ne vienne le coup de couteau. Voici une description du déroulement de cette procédure : « Lorsqu'une lourde chaîne d'acier est agrippée à la patte d'un gros bovin de 1 000 à

2 000 livres (450 à 900 kg), et que l'animal se voit brusquement hissé dans les airs, la peau glisse et s'ouvre mettant l'os à nu. Souvent l'os canon casse ou se fracture[138]. »

L'animal, suspendu la tête en bas, les articulations rompues et une patte souvent cassée, se tord violemment dans la terreur et la douleur, et il faut donc souvent l'agripper par le cou ou le tenir par une pince insérée dans les narines pour qu'il soit possible de le tuer d'un seul geste, comme l'exige la loi religieuse. Il est difficile d'imaginer d'exemple plus clair de la façon dont l'observance stricte de la lettre d'une loi peut en pervertir l'esprit. (Il est bon toutefois de noter que même les rabbins orthodoxes ne sont pas unanimes à soutenir l'interdiction de l'étourdissement préalable ; en Suède, en Norvège et en Suisse, par exemple, les rabbins ont accepté une législation qui exige l'étourdissement sans dérogation pour l'abattage rituel. Beaucoup de musulmans aussi ont accepté l'étourdissement préalable[139].)

La Société américaine pour la prévention de la cruauté envers les animaux (American Society for the Prevention of Cruelty to Animals) a mis au point un appareil baptisé *casting pen* qui permet de tuer un animal conscient en respectant la réglementation sanitaire américaine sans avoir à le suspendre par une patte. Ce dispositif est maintenant utilisé pour environ 80 % du gros bétail soumis à l'abattage rituel, mais pour moins de 10 % des veaux. Selon Temple Grandin, de la Grandin Livestock Handling Systems, Inc. : « Puisque l'abattage rituel est exempté des prescriptions de la Humane Slaughter Act, certains établissements ne sont pas disposés à dépenser de l'argent par souci d'humanité[140]. »

Ceux qui ne suivent pas les prescriptions alimentaires juives ou islamiques pensent sans doute que la viande qu'ils achètent n'a pas été tuée de cette manière désuète ; mais il se peut qu'ils se trompent. Pour qu'une viande soit déclarée « cachère » par les rabbins orthodoxes, il lui faut, en plus du fait de provenir d'un animal conscient au moment d'être tué, avoir été débarrassée de certains tissus interdits tels que les veines, les ganglions lymphatiques et le nerf sciatique et ses ramifications. Il est long et laborieux de retirer ces éléments des quartiers arrière de l'animal et donc seuls les quartiers avant sont vendus comme viande cachère, le reste se retrouvant généralement dans les rayons des supermarchés sans indication particulière de provenance. Il en découle que bien plus d'animaux sont abattus sans étourdissement préalable qu'il n'en faudrait pour satisfaire à la demande pour ce type de viande. En Grande-Bretagne, le Conseil sur le bien-être des animaux d'élevage a estimé qu'une « forte proportion » de la viande abattue selon les méthodes rituelles est vendue sur le marché libre[141].

Le slogan de la « liberté religieuse » et l'accusation d'antisémitisme portée contre les adversaires de l'abattage rituel ont suffi pour empêcher toute intervention législative dans cette pratique aux États-Unis, en Grande-Bretagne et dans beaucoup d'autres pays. Mais il est évident qu'il n'est pas nécessaire d'être antisémite ou antimusulman pour s'opposer à ce qui est fait aux animaux au nom de la religion. Il est temps pour les croyants de ces deux religions de se redemander si les interprétations actuelles des lois relatives à l'abattage sont vraiment en accord avec l'esprit des enseignements religieux au sujet de la compassion. En attendant, ceux qui ne désirent pas manger de viande abattue autrement que selon les prescriptions actuelles de leur religion ont une solution de rechange simple : ils peuvent ne pas manger de viande du tout. En leur faisant cette suggestion, je n'en demande pas plus aux croyants que je n'en demande à moi-même ; la seule différence est que les raisons sont plus fortes dans leur cas à cause de la souffrance supplémentaire qui entre en jeu dans la production de la viande qu'ils consomment.

Nous vivons une époque de courants contradictoires. Au moment où certains insistent à continuer de tuer des animaux selon des méthodes d'abattage datant de l'époque biblique, nos scientifiques sont occupés à mettre au point des techniques révolutionnaires par lesquelles ils espèrent changer jusqu'à la nature des animaux eux-mêmes. Un pas énorme vers un monde d'animaux conçus par les êtres humains fut fait en 1988 lorsque l'Institut des brevets et des marques des États-Unis accorda un brevet à des chercheurs de l'université de Harvard pour une souris manipulée par génie génétique, spécialement faite pour être prédisposée au cancer afin de servir à tester les substances éventuellement cancérigènes. Cette décision survenait après un arrêt rendu en 1980 par la Cour suprême qui rendait possible de breveter les micro-organismes fabriqués par l'être humain ; mais c'était la première fois qu'on brevetait un animal [142].

Une coalition s'est aujourd'hui formée entre autorités religieuses, militants des droits des animaux, écologistes et éleveurs de bétail (ces derniers s'inquiétant d'avoir à payer des redevances pour rester compétitifs) pour mettre un terme au brevetage des animaux. Pendant ce temps, des entreprises de génie génétique collaborent d'ores et déjà avec des intérêts de l'agrobusiness pour investir dans des recherches visant à créer de nouveaux animaux. Si la pression publique ne fait pas cesser ces projets, il y aura d'énormes fortunes à faire à partir d'animaux qui prennent plus de poids ou qui produisent plus de lait ou d'œufs en moins de temps.

La menace qui pèse sur le bien-être des animaux est déjà évidente. Des chercheurs de l'institut agricole du ministère américain de l'Agriculture à Beltsville, au Maryland, ont introduit des gènes d'hormones de croissance dans des porcs. Ces animaux génétiquement modifiés souffrirent de graves effets secondaires, dont la pneumonie, des hémorragies internes et une forme sévère d'arthrite paralysante. Il semble qu'un seul d'entre eux ait atteint l'âge adulte, et ensuite ne vécut que deux ans. Ce porc fut montré à la télévision britannique, dans une émission intitulée de façon assez pertinente *The Money Programme*. Il était incapable de se tenir debout[143]. Un des chercheurs responsables déclara au *Washington Times* : « Nous en sommes au stade des essais des frères Wright comparés au Boeing 747. Nous allons nous écraser et brûler au sol pendant plusieurs années et pas monter très haut pendant un moment. »

Mais ce sont les animaux qui vont « s'écraser et brûler au sol », pas les chercheurs. Le *Washington Times* cita aussi des défenseurs du génie génétique rejetant l'argumentation sur le bien-être des animaux en disant : « Les gens ont croisé, domestiqué, abattu et exploité par d'autres façons les animaux depuis des siècles. Il n'y aura rien de changé au niveau fondamental[144]. »

Comme l'a montré ce chapitre, cela est vrai. Nous avons depuis longtemps traité les animaux comme des choses pour notre service, et durant les trente dernières années nous avons appliqué nos plus récentes techniques scientifiques pour leur faire mieux servir nos buts. Le génie génétique, si révolutionnaire qu'il soit dans un sens, n'est dans un autre sens qu'une manière de plus de soumettre les animaux à nos fins. Le vrai besoin est que les attitudes et les pratiques soient changées au niveau fondamental.

CHAPITRE IV

Devenir végétariens...

Ou comment produire moins de souffrance et plus de nourriture à un coût environnemental réduit

Maintenant que nous avons compris ce qu'est le spécisme et que nous avons vu quelles en sont les conséquences pour les animaux non humains, il est temps de nous demander : que pouvons-nous faire à ce sujet ? Il y a beaucoup de choses que nous pouvons et devons faire contre le spécisme. Nous devons, par exemple, écrire des lettres à nos élus pour leur parler des questions abordées dans ce livre ; nous devons amener nos amis à prendre conscience de ces questions ; nous devons apprendre à nos enfants à se préoccuper du bien-être de tous les êtres sensibles ; et nous devons protester publiquement en faveur des animaux non humains chaque fois qu'une occasion sérieuse se présente de le faire.

Nous devons faire tout cela, mais il y a une autre chose que nous pouvons faire et dont l'importance est capitale ; c'est elle qui donnera leur force, leur cohérence et leur sens à toutes nos autres activités en faveur des animaux. Cette chose particulière que nous devons faire est de prendre entre nos mains la responsabilité de nos propres vies, et de les débarrasser autant que faire se peut de toute cruauté. Le premier pas que nous devons faire est de cesser de manger les animaux.

Beaucoup de gens qui sont opposés à la cruauté envers les animaux mettent là la frontière qu'ils ne veulent pas franchir, et refusent de devenir végétariens. C'est sur ces personnes qu'écrivait Oliver Goldsmith, le penseur humanitariste du XVIIIe siècle : « Ils s'apitoient, et ils mangent l'objet de leur compassion [1]. »

Au niveau strictement logique, peut-être n'y a-t-il pas de contradiction dans le fait de s'intéresser aux animaux à la fois comme objets de compassion et de gastronomie. Celui qui s'oppose au fait de faire souffrir les animaux, mais non au fait de les tuer sans douleur, pourrait sans se contredire manger des animaux qui auraient vécu sans souffrances avant d'être abattus de façon instantanée et indolore. Néanmoins, sur le plan tant pratique que psychologique, il est impossible d'être cohérent dans sa préoccupation pour les animaux non humains tout en continuant à les mettre dans son assiette. Si nous sommes prêts à prendre la vie à un autre être dans le seul but de satisfaire le goût que nous avons pour un certain type de nourriture, alors cet être n'est rien de plus qu'un moyen pour notre fin. Avec le temps nous en viendrons à considérer les porcs, les bœufs et les poulets comme des choses qui seraient là pour notre usage, et cela quelle que puisse être la force de notre compassion ; et quand nous nous trouverons face à la nécessité, pour continuer à pouvoir nous approvisionner en corps de ces animaux à un prix qui soit à notre portée, de changer un peu leurs conditions de vie, il est assez improbable que nous considérerons ces changements d'un œil très critique. L'élevage intensif n'est rien d'autre que le résultat de l'application de la technologie à l'idée que les animaux sont des moyens pour nos fins. Nos habitudes alimentaires nous sont chères et nous n'en changeons pas facilement. Nous avons un intérêt puissant à nous convaincre nous-mêmes de ce que notre préoccupation pour les autres animaux n'exige pas que nous cessions de les manger.

Quiconque est accoutumé à manger un certain animal ne peut être complètement objectif quand il juge si les conditions dans lesquelles cet animal est élevé le font souffrir.

Il n'est pas possible dans la pratique d'élever les animaux pour la consommation sur une grande échelle sans leur infliger une quantité considérable de souffrance. Même sans les méthodes intensives, l'élevage traditionnel comporte la castration, la séparation de la mère et de ses petits, la rupture des groupes sociaux, le marquage au fer rouge, le transport jusqu'à l'abattoir, et enfin l'abattage lui-même. Il est difficile d'imaginer comment on pourrait élever des animaux pour la nourriture sans leur infliger ces formes de souffrance. Peut-être cela serait-il possible sur une petite échelle, mais nous ne pourrions jamais nourrir les énormes populations urbaines actuelles avec de la viande produite de cette façon. La chair animale produite sans souffrance serait, si tant est qu'elle puisse exister, considérablement plus chère que n'est la viande aujourd'hui – alors que l'élevage est déjà une méthode coûteuse et inefficace pour produire des protéines. La chair d'animaux qui auraient été élevés et tués en accordant l'égalité de considération à leur bien-être pendant leur vie serait un article de luxe à la portée des seuls riches.

Cette question est, de toute façon, sans rapport avec le problème immédiat du bien-fondé moral de notre alimentation quotidienne. Quelles que puissent être les possibilités théoriques d'élever les animaux sans souffrance, le fait est que la viande que l'on trouve dans les boucheries et les supermarchés provient d'animaux qui n'ont bénéficié pendant leur vie d'aucune considération réelle quelle qu'elle soit. Ce que nous devons nous demander n'est donc pas : « Peut-il *jamais* être moralement juste de manger de la viande ? », mais plutôt : « Est-il moralement juste de manger *cette viande-ci* ? » Ici je pense que ceux qui s'opposent au fait de tuer les animaux sans nécessité, et ceux qui s'opposent seulement au fait de les faire souffrir, doivent s'unir et donner à cette question la même réponse négative.

Devenir végétarien n'est pas simplement un geste symbolique. Et il ne s'agit pas non plus d'une tentative de s'isoler des hideuses réalités du monde, de se maintenir pur et sans tache, et donc sans responsabilités dans la cruauté et le carnage qui nous entourent. Devenir végétarien est un geste hautement pratique et efficace que l'on peut faire pour contribuer à mettre fin tant à la mort qu'à la souffrance que l'on inflige aux animaux non humains. Supposons, pour l'instant, que nous ne désapprouvions que cette souffrance, et non cette mort. Comment pouvons-nous faire cesser l'emploi des méthodes intensives d'élevage qui ont été décrites dans le chapitre précédent ?

Tant que les gens seront disposés à acheter les produits de l'élevage intensif, les formes habituelles de protestation et d'action politique n'aboutiront jamais à une réforme majeure. Même en Grande-Bretagne, pays où on a la réputation d'aimer les animaux, malgré la large controverse publique soulevée par la publication d'*Animal Machines* de Ruth Harrison qui avait forcé le gouvernement à nommer un groupe d'experts impartiaux (le comité Brambell) chargé d'enquêter sur la question des mauvais traitements infligés aux animaux et de proposer des solutions, le gouvernement refusa de donner suite aux recommandations qu'il reçut de ce comité dans son rapport. En 1981, la Commission de l'agriculture de la Chambre des Communes mena encore une autre enquête sur l'élevage intensif, laquelle aboutit elle aussi à des recommandations pour éliminer les pires des abus. À nouveau, aucune suite ne leur fut donnée[2]. Si tel fut le sort du mouvement réformateur en Grande-Bretagne, on ne peut rien espérer de mieux aux États-Unis, pays où le lobby de l'agrobusiness est encore plus puissant.

Je ne veux pas dire par là que les voies normales de protestation et d'action politique sont inutiles et qu'elles doivent être abandonnées. Au contraire, elles représentent un élément indispensable dans le combat global en faveur d'un réel changement dans la façon dont sont traités les animaux. En Grande-Bretagne, en particulier, des organisations comme Compassion in World Farming ont maintenu la question présente à l'attention du public, et ont même réussi à mettre fin à l'usage des boxes pour les veaux. Plus récemment, des groupes américains ont eux aussi commencé à sensibiliser le public à la question de l'élevage intensif. Mais en elles-mêmes, ces méthodes ne suffisent pas.

Ceux qui tirent profit de l'exploitation de nombreux animaux n'ont pas besoin de notre approbation. Ils ont besoin de notre argent. L'achat du cadavre des animaux qu'ils élèvent représente la principale forme de soutien que les éleveurs industriels demandent au public (l'autre forme étant, dans beaucoup de pays, les importantes subventions que leur verse le gouvernement). Ils emploieront les méthodes intensives aussi longtemps qu'ils pourront en vendre les produits ; ils auront les ressources qui leur permettront de s'opposer à la réforme au niveau politique ; et ils seront en position de se défendre contre la critique en répondant qu'ils ne font que fournir au public ce qu'il leur demande.

De là la nécessité pour chacun d'entre nous de cesser d'acheter les produits de l'élevage moderne – même si nous ne sommes pas convaincus qu'il serait mal de manger des animaux qui auraient vécu des vies agréables et qui seraient morts sans douleur. Le végétarisme est une forme de boycott. Pour la plupart des végétariens il s'agit d'un boycott définitif, puisqu'une fois brisée l'habitude qu'ils avaient de manger de la chair, ils ne peuvent plus approuver que l'on abatte des animaux pour satisfaire aux désirs futiles de leur palais. Mais l'obligation morale de boycotter la viande disponible aujourd'hui dans les boucheries et les supermarchés est tout aussi incontournable pour ceux qui désapprouvent seulement la souffrance infligée, et non le fait de tuer. Tant que nous ne boycottons pas la viande, ainsi que tous les autres produits de l'élevage industriel, chacun de nous, individuellement, contribue à la perpétuation, à la prospérité et à la croissance de l'élevage industriel et de toutes les autres pratiques cruelles qui sont utilisées pour élever les animaux pour la nourriture.

C'est ici que les conséquences du spécisme entrent directement dans notre vie, et que nous sommes obligés de témoigner personnellement de la sincérité de notre préoccupation pour les animaux non humains. Ici, nous avons une occasion de faire quelque chose, plutôt que de nous contenter de parler et de regretter que les politiciens ne fassent rien. Il est facile de prendre position sur une question à mille lieues de chez soi, mais les spécistes, tout comme les racistes, dévoilent leur vrai visage quand le problème les touche de plus près. Protester contre la corrida en Espagne, contre la consommation de la viande de chien en Corée du Sud, ou contre l'abattage des bébés phoques au Canada, tout en continuant à manger des œufs venant de poules qui ont passé leur vie entassées dans des cages, ou de la viande de veaux qui ont été privés de leur mère, d'un régime alimentaire convenable et de la liberté de se coucher en étirant leurs pattes, est comme dénoncer l'apartheid en Afrique du Sud tout en demandant à votre voisin de ne pas vendre sa maison à des Noirs.

Pour rendre le végétarisme en tant que boycott encore plus efficace, nous ne devons pas nous montrer timides dans notre refus de manger de la chair animale. Les végétariens vivant dans des sociétés omnivores se voient sans cesse demander les raisons de leur étrange régime. Cela peut être agaçant, voire gênant, mais donne aussi l'occasion de parler aux gens de cruautés dont ils peuvent ignorer l'existence. (J'appris moi-même l'existence de l'élevage industriel par un végétarien qui prit le temps de m'expliquer pourquoi il ne mangeait pas la même chose que moi.) Si le boycott est la seule façon de faire cesser la cruauté, alors nous devons encourager autant de personnes que possible à se joindre à ce boycott. Nous ne pouvons y arriver que si nous-mêmes donnons l'exemple.

Les gens tentent parfois de justifier leur consommation de chair en disant que l'animal était déjà mort au moment de l'achat. La faiblesse de cette rationalisation *a posteriori* – que j'ai déjà vu utiliser, avec grand sérieux, de nombreuses fois – devrait être évidente dès lors que nous considérons le végétarisme sous l'angle du boycott. Les raisins produits par des travailleurs non syndiqués que l'on trouvait dans les magasins pendant le boycott inspiré par les efforts de Cesar Chávez pour améliorer le salaire et les conditions d'emploi des cueilleurs de raisin avaient déjà été produits par des ouvriers sous-payés, et il ne nous était pas plus possible d'augmenter le salaire que ces ouvriers avaient déjà reçu pour cueillir ces raisins-là, qu'il ne nous est possible de faire revivre une tranche de bifteck. Dans les deux cas, le but du boycott n'est pas de modifier le passé mais d'empêcher la continuation d'un état de fait auquel nous nous opposons.

J'ai mis l'accent sur le caractère de boycott du végétarisme au point de risquer d'amener le lecteur à se demander si, dans le cas où ce boycott n'arriverait pas à s'étendre et à se montrer efficace, le fait d'être devenu végétarien pourra avoir servi à quelque chose. Mais nous devons souvent nous hasarder à agir même quand nous ne pouvons être assurés du succès de nos actes, et ce ne serait pas là un argument valable contre le fait de devenir végétarien si c'était tout ce qu'on pouvait lui opposer, puisque aucun des grands mouvements contre l'oppression et l'injustice n'aurait existé si leurs leaders avaient attendu pour faire un effort d'avoir la certitude du succès. Cela dit, dans le cas du végétarisme, je pense que nous obtenons bien quelque chose par nos actes individuels, même si le boycott général ne devait pas aboutir. George Bernard Shaw disait que seraient présents à son enterrement les nombreux moutons, vaches, bœufs, porcs et poulets, ainsi qu'un banc entier de poissons, tous reconnaissants d'avoir été épargnés de l'abattage et de la mort grâce à son alimentation végétarienne. Bien que nous ne puissions jamais identifier aucun animal individuel qui ait bénéficié de notre décision de devenir végétarien, nous pouvons supposer que ce choix alimentaire que nous faisons, ensemble avec celui que fait le grand nombre d'autres personnes qui déjà évitent la viande, aura un certain impact sur le nombre d'animaux qui naîtront et vivront dans les élevages industriels et qui seront abattus pour la consommation. Cette supposition est raisonnable parce que le nombre d'animaux qui sont élevés et abattus dépend de la rentabilité de cette opération, et que cette rentabilité dépend en partie de la demande qui existe pour le produit. Plus la demande est faible, plus les prix sont bas et moins l'opération est rentable. Moins l'opération est rentable, moins nombreux seront les animaux élevés et abattus. Il s'agit là de règles économiques élémentaires, et il est possible de constater, en consultant par exemple les tables publiées par les journaux professionnels d'éleveurs de volaille, qu'il existe une corrélation directe entre le prix de la chair de poulet et le nombre de « poulets de chair » placés dans des hangars pour y entreprendre leur existence sans joie.

Le végétarisme repose donc en fait sur des bases encore plus solides que la plupart des autres boycotts et formes de protestation. L'acte de la personne qui refuse d'acheter les produits sud-africains dans le but de mettre fin à l'apartheid reste sans effets si le boycott ne parvient pas à obliger les Sud-Africains blancs à modifier leur politique (bien que cet effort puisse bien en valoir la peine, quel que puisse être le résultat) ; mais le végétarien, lui, sait que son acte contribue effectivement à la réduction de la souffrance et du nombre d'animaux abattus, qu'il voie ou non de son vivant ses efforts réussir à déclencher un boycott massif de la viande et mettre fin à la cruauté dans l'élevage.

En plus de tout cela, le fait de devenir végétarien porte un poids particulier parce que le végétarien constitue la réfutation en chair et en os d'un argument courant mais totalement faux utilisé pour défendre les méthodes de l'élevage industriel. Il est parfois dit que ces méthodes sont indispensables pour nourrir la population mondiale en accroissement constant. La vérité à ce sujet est d'une importance telle – suffisante, en fait, pour constituer une plaidoirie convaincante en faveur du végétarisme sur des bases tout à fait indépendantes de la question du bien-être animal sur laquelle porte l'accent de ce livre – que je vais ici me livrer à une courte digression à propos des principes fondamentaux de la production alimentaire.

En ce moment même, des millions de gens en de nombreux endroits du monde n'obtiennent pas assez à manger. Des millions d'autres encore mangent suffisamment en quantité, mais la nourriture qu'ils mangent n'est pas celle qu'il leur faut ; ils manquent en premier lieu de protéines. La question qui se pose est la suivante : le fait d'élever des animaux pour produire de la nourriture par les méthodes utilisées dans les pays aisés contribue-t-il à la solution du problème de la faim ?

Tout animal élevé doit pouvoir manger lui-même pour croître et atteindre la taille et le poids auxquels il sera considéré comme prêt à être mangé par les êtres humains. Si un veau, par exemple, broute l'herbe sauvage qui pousse sur des terres incultes qui ne pourraient servir à produire du blé ou toute autre récolte comestible pour les êtres humains, il en résultera un gain net de protéines pour ceux-ci, puisque le veau devenu grand nous fournira des protéines que nous ne pouvons – à ce jour – extraire de façon économique directement de l'herbe. Mais si nous prenons ce même veau et que nous le plaçons dans un parc d'engraissage, ou dans tout autre système de confinement, le tableau n'est plus le même. Le veau doit maintenant être nourri. Aussi faible que soit la surface sur laquelle on les entassera lui et ses compagnons, il reste nécessaire de consacrer des terres agricoles à la culture du maïs, du sorgho, du soja ou de toute autre plante qu'on lui donnera à manger. Il mange alors de la nourriture que nous-mêmes pourrions manger. Il a besoin de la plus grande partie de cette nourriture pour le maintien des processus physiologiques ordinaires de la vie quotidienne. Aussi sévèrement que l'on puisse le priver de tout exercice physique, son corps doit encore consommer de la nourriture simplement pour se maintenir en vie. Une autre part sert à la formation de parties non comestibles de son corps tels les os. Seule la nourriture non utilisée pour la satisfaction de ces besoins peut être transformée en chair, pour être en fin de compte mangée par les êtres humains.

Quelle proportion de protéines que le veau reçoit dans sa ration brûle-t-il pour lui-même, et quelle proportion garde-t-il disponible pour les êtres humains ? La réponse est surprenante. Il faut donner 21 kg de protéines à un veau pour produire un seul kilogramme de protéines animales pour les humains. Nous récupérons moins de 5 % de ce que nous avons investi. Il n'est pas étonnant que Frances Moore Lappé ait qualifié ce genre d'agriculture d'« usine à protéines à l'envers[3] » !

Nous pouvons envisager la question sous un autre angle. Supposons que nous disposions d'un hectare de terre fertile. Nous pouvons utiliser cette surface pour cultiver une plante comestible à haut rendement en protéines, par exemple des petits pois ou des haricots. Nous obtiendrons alors de notre hectare entre 300 et 550 kg de protéines. À l'inverse, nous pouvons consacrer cette surface à des cultures dont nous nourrirons des animaux, et ensuite tuer et manger ces animaux. De notre hectare nous tirerons alors en fin de compte entre 45 et 60 kg de protéines. Il est intéressant de noter que, même si la plupart des animaux convertissent les protéines végétales en protéines animales plus efficacement que ne le font les bovins – le porc, par exemple, exige 8 kg « seulement » de protéines pour produire 1 kg pour les humains – cet avantage disparaît presque entièrement quand nous considérons la quantité de protéines produite par hectare, parce que les bovins peuvent mettre à profit des sources de protéines que les porcs ne digèrent pas. Ainsi la plupart des estimations concluent-elles que la nourriture végétale apporte environ dix fois plus de protéines par hectare que ne le fait la viande, bien que les estimations puissent varier, le rapport allant parfois jusqu'à vingt[4].

Si au lieu de tuer les animaux pour manger leur chair nous les utilisons pour obtenir du lait ou des œufs, notre rendement s'améliore considérablement. Cependant, les animaux devront encore consommer des protéines pour leurs propres besoins, et les formes de production de lait ou d'œufs les plus efficaces ne fournissent en protéines par hectare pas plus que le quart de ce que peuvent fournir les plantes comestibles.

Les protéines ne sont évidemment qu'un des nombreux nutriments qui nous sont nécessaires. Si nous comparons la nourriture végétale à la nourriture animale du point de vue du nombre total de calories que nous en obtenons, le résultat est encore entièrement en faveur des plantes. L'examen de l'apport en calories d'un hectare planté d'avoine ou de brocolis, ou de plantes fourragères pour produire du lait ou de la viande de porc, de poulet ou de bœuf, montre qu'avec de l'avoine on obtient six fois plus de calories par hectare qu'avec la viande de porc, qui est la plus efficace de ces productions animales de ce point de vue. Avec les brocolis on obtient près de trois fois plus de calories par hectare qu'avec la viande de porc. L'avoine produit plus de vingt-cinq fois plus de calories par hectare que le bœuf. L'examen de la situation concernant quelques autres nutriments détruit encore d'autres mythes entretenus par les industries de la viande et des produits laitiers. Par exemple, un hectare de brocolis produit vingt-quatre fois plus de fer que ne le fait un hectare utilisé pour la viande de bœuf, et un hectare d'avoine seize fois plus. Bien qu'à l'inverse le lait fournisse plus de calcium par hectare que ne le fait l'avoine, les brocolis font encore mieux, donnant cinq fois plus de calcium que le lait[5].

Les conséquences que nous pouvons tirer de tout cela concernant la situation alimentaire mondiale donnent le vertige. En 1974, Lester Brown, du Overseas Development Council, estima que si les Américains réduisaient leur consommation de viande de seulement 10 %, cela dégagerait chaque année au moins 12 millions de tonnes de céréales pour la consommation humaine – de quoi nourrir 60 millions de personnes. Don Paarlberg, ancien secrétaire adjoint à l'Agriculture, aux États-Unis, a affirmé que si l'on réduisait simplement de moitié la population des animaux élevés pour la nourriture aux États-Unis, on rendrait disponible près de quatre fois la quantité de nourriture nécessaire pour combler le déficit calorique des pays sous-développés non socialistes[6]. Et de fait, la nourriture gaspillée aujourd'hui par la production animale dans les pays aisés suffirait, si on la distribuait de façon appropriée, à remédier tant à la faim qu'à la malnutrition sur toute la surface de la planète. La réponse simple à la question que j'ai posée est donc : le fait d'élever des animaux pour produire de la nourriture par les méthodes utilisées dans les pays industrialisés ne contribue pas à la solution du problème de la faim.

La production de viande pèse également lourdement sur d'autres ressources. Alan Durning, chercheur dans un groupe de réflexion environnemental basé à Washington, le Worldwatch Institute, calcula que 100 grammes de bifteck venant d'un bœuf élevé en parc d'engraissage coûtent 500 grammes de céréales, 2 000 litres d'eau, l'équivalent en énergie de près d'un litre d'essence, et l'érosion d'environ 3,5 kilogrammes de terre arable. Plus d'un tiers de l'Amérique du Nord est consacré au pâturage, et près de la moitié de la surface cultivée aux États-Unis produit de la nourriture pour les animaux d'élevage, lesquels reçoivent plus de la moitié de toute l'eau consommée dans ce pays[7]. De tous ces points de vue, les aliments végétaux sont bien moins exigeants pour nos ressources et notre environnement.

Voyons d'abord ce qu'il en est de la consommation d'énergie. On pourrait penser que l'agriculture représente une façon d'utiliser la fertilité de la terre et l'énergie que nous apporte le soleil pour augmenter la quantité d'énergie à notre disposition. C'est là précisément ce que fait l'agriculture traditionnelle. Le maïs cultivé au Mexique, par exemple, produit 83 calories alimentaires pour chaque calorie d'énergie fossile qu'elle consomme. Cependant, dans les pays développés, l'agriculture dépend d'une forte consommation d'énergie fossile. La forme de production alimentaire la plus efficace au plan énergétique aux États-Unis – la culture de l'avoine, à nouveau – produit à peine 2,5 calories alimentaires par calorie d'énergie fossile consommée, alors que les pommes de terre en fournissent un peu plus de 2, et le blé et le soja environ 1,5. Mais même ces maigres résultats sont remarquablement élevés quand on les compare à la production animale aux États-Unis, dont toutes les formes consomment plus d'énergie qu'elles n'en fournissent. La moins inefficace – l'élevage extensif des bovins – consomme plus de 3 calories de combustibles fossiles pour chaque calorie alimentaire qu'elle produit ; et la plus inefficace – l'élevage des bovins en parcs d'engraissage – coûte 33 calories de combustibles par calorie alimentaire. Au niveau de leur efficacité énergétique, les œufs, le lait et la viande d'agneau et de poulet se situent entre ces deux formes de production de viande de bœuf. En d'autres termes, si nous nous limitons à l'agriculture pratiquée aux États-Unis, la culture de plantes destinées à la consommation humaine est généralement au moins cinq fois plus rentable au plan énergétique que le pâturage des bœufs, environ vingt fois plus que la production de poulets, et plus de cinquante fois plus que l'élevage de bœufs en enclos [8]. La production animale des États-Unis n'est viable que parce qu'elle consomme l'énergie solaire fossile accumulée au cours de millions d'années et emmagasinée dans le sous-sol sous forme de pétrole et de charbon. Cela paraît sensé du point de vue économique pour les compagnies de l'agrobusiness parce que la viande vaut plus cher que le pétrole ; mais du point de vue de l'utilisation rationnelle à long terme de nos ressources limitées, il s'agit d'un non-sens total.

La production animale fait aussi mauvaise figure quand on la compare à la production végétale du point de vue de l'utilisation de l'eau. La production d'un kilogramme de viande exige cinquante fois plus d'eau qu'une quantité comparable de blé[9]. La revue *Newsweek* a décrit ce volume d'eau de façon imagée : « L'eau qui entre dans la production d'un bœuf de 500 kg ferait flotter un destroyer[10]. » Les exigences de la production animale sont en train d'épuiser les vastes nappes phréatiques dont dépendent tant de régions sèches aux États-Unis, en Australie et dans d'autres pays. Ainsi, dans le « pays du bétail » qui s'étend de l'ouest du Texas jusqu'au Nebraska, le niveau des nappes baisse et les puits s'assèchent à mesure qu'un énorme lac souterrain, la nappe aquifère d'Ogallala – encore une autre ressource dont la formation, comme celle du pétrole et celle du charbon, demanda des millions d'années – continue de servir à produire de la viande[11].

Il y a aussi ce que la production animale fait à l'eau dont elle ne se sert pas. Les statistiques du British Water Authorities Association (association des services publics de l'eau) relèvent en 1985 plus de 3 500 cas de pollution de l'eau dus aux élevages. En voici un seul exemple pour cette année-là : suite à la rupture d'un réservoir dans un élevage de porcs, un quart de million de litres d'excréments de porcs se sont déversés dans une rivière, le Perry, provoquant la mort de 110 000 poissons. Plus de la moitié des poursuites intentées aujourd'hui par les services de l'eau pour pollution grave des rivières le sont contre des agriculteurs[12]. Cela n'a rien d'étonnant, puisqu'une modeste usine à œufs de 60 000 poules produit 82 tonnes d'excréments chaque semaine, et 2 000 porcs excrètent sur la même période 27 tonnes de fumier et 32 tonnes d'urine. Les fermes hollandaises produisent 94 millions de tonnes de fumier chaque année, dont seulement 50 millions peuvent sans risques être absorbées par le sol. L'excédent remplirait, a-t-on calculé, un train de marchandises de 16 000 kilomètres de long s'étendant d'Amsterdam jusqu'aux rives les plus éloignées du

Canada. Mais cet excédent n'est pas expédié au loin ; il est simplement déversé sur le sol où il pollue les réserves d'eau et tue ce qui reste de végétation naturelle dans les régions agricoles des Pays-Bas[13]. Aux États-Unis, les animaux d'élevage produisent 2 milliards de tonnes de fumier chaque année – soit à peu près dix fois plus que la population humaine – et la moitié de cette masse provient d'animaux élevés de façon intensive, dont les excréments ne retournent pas de façon naturelle à la terre[14]. Comme l'a dit un éleveur de porcs : « Tant que l'engrais que j'achète ne coûte pas plus cher que la main-d'œuvre, ces déchets n'auront pour moi que très peu de valeur[15]. » Ainsi le fumier qui devrait redonner leur fertilité à nos terres se retrouve en train de polluer nos ruisseaux et nos rivières.

Ce sera toutefois la dilapidation des forêts qui restera comme la plus grande de toutes les folies qu'aura causée notre demande pour la viande. Historiquement, ce fut le désir d'obtenir des pâturages pour les animaux qui représenta la principale motivation poussant à la déforestation. Cela reste vrai aujourd'hui. Au Costa Rica, en Colombie, au Brésil, en Malaisie, en Thaïlande et en Indonésie, les forêts tropicales sont abattues pour faire place à des pâturages pour le bétail. Mais la viande fournie par ce bétail ne profite pas aux pauvres de ces pays. Elle est vendue aux populations aisées des grandes villes, ou alors elle est exportée. Au cours des vingt dernières années, près de la moitié des forêts tropicales d'Amérique centrale ont été détruites, en grande partie pour approvisionner en viande de bœuf l'Amérique du Nord[16]. 90 % peut-être des espèces végétales et animales de cette planète vivent sous les tropiques, beaucoup d'entre elles restant encore non répertoriées par les scientifiques[17]. Si la déforestation se poursuit à son rythme actuel, ces espèces sont vouées à disparaître. De plus, le déboisement accroît l'érosion, augmente le ruissellement, provoque de ce fait des inondations, prive les paysans du bois qui leur sert de combustible, et diminue peut-être les précipitations [18].

Nous sommes en train de perdre ces forêts au moment même où nous commençons à comprendre à quel point elles sont d'une importance vitale pour nous. Depuis la sécheresse nord-américaine de 1988, beaucoup de gens ont entendu parler de l'effet de serre et de la menace qu'il pose à notre planète. La cause en est en premier lieu l'augmentation de la quantité de gaz carbonique présent dans l'atmosphère. Les forêts emmagasinent d'énormes quantités de carbone ; on a estimé que malgré toute la déforestation qui a déjà eu lieu, les forêts restantes renferment encore quatre cents fois la quantité de carbone rejetée chaque année dans l'atmosphère par la consommation humaine de combustibles fossiles. La destruction d'une forêt relâche dans l'atmosphère sous forme de gaz carbonique le carbone qui y était contenu. À l'inverse, une nouvelle forêt, au cours de sa croissance, absorbe du gaz carbonique de l'atmosphère et en emprisonne le carbone dans sa matière vivante. La destruction des forêts existantes amplifiera l'effet de serre ; c'est dans un reboisement massif, ajouté à d'autres mesures pour réduire les émissions de gaz carbonique, que se trouve le seul espoir que nous avons de l'atténuer [19]. Faute de quoi, le réchauffement de la planète sera cause, d'ici à une cinquantaine d'années, de sécheresses étendues, de destructions supplémentaires de forêts en raison des changements climatiques, de la disparition d'innombrables espèces incapables de faire face aux changements dans leur habitat, et d'une fonte des calottes polaires qui élèvera le niveau de la mer, inondant des villes et des plaines côtières. Une élévation d'un mètre du niveau de la mer inonderait 15 % du Bangladesh, touchant 10 millions de personnes ; elle menacerait l'existence même de certains pays dans les îles peu élevées du Pacifique comme les Maldives, Tuvalu et Kiribati [20].

Les forêts sont en concurrence avec les animaux élevés pour la viande pour la même terre. Le prodigieux appétit pour la viande dont font preuve les pays aisés fait que l'agrobusiness peut payer plus que ne le peuvent ceux qui veulent préserver ou restaurer les forêts. Nous sommes, très littéralement, en train de jouer avec l'avenir de notre planète... pour l'amour des hamburgers.

Jusqu'où devons-nous aller ? Les raisons qui rendent nécessaire une rupture radicale dans nos habitudes alimentaires sont claires ; mais ne devons-nous manger que des aliments végétaux ? Où exactement faut-il tracer la ligne ?

Il est toujours difficile de tracer des lignes de façon précise. J'émettrai quelques suggestions à ce sujet, mais le lecteur pourra bien trouver ici mes propos moins convaincants que quand je traitais de cas plus tranchés. Vous devez décider pour vous-même où vous allez tracer la ligne, et votre décision ne coïncidera pas forcément exactement avec la mienne. Cela n'est pas très grave. On peut distinguer les hommes chauves des hommes qui ne le sont pas sans avoir à se prononcer sur chaque cas limite. Ce qui importe, c'est l'accord sur les questions fondamentales.

J'espère que tout lecteur arrivé à ce point de ce livre reconnaîtra la nécessité morale de refuser d'acheter ou de manger la chair et les autres produits provenant d'animaux gardés dans les conditions de l'élevage industriel moderne. Ce cas est le plus clair de tous, il représente le minimum absolu que quiconque possède la capacité de voir au-delà des limites étroites de la considération de ses propres intérêts devrait pouvoir accepter.

Voyons ce que signifie ce minimum. Il implique que nous devons, à moins de pouvoir être sûrs de la provenance du produit particulier que nous achetons, éviter le poulet, la dinde, le lapin, le porc, le veau, le bœuf et les œufs. À l'heure actuelle, on trouve relativement peu de viande venant d'agneaux élevés selon l'élevage intensif ; mais il en existe quand même, et il se peut qu'on en trouve de plus en plus. La probabilité pour que votre viande de bœuf provienne d'un parc d'engraissage ou d'une autre forme de confinement – ou d'un pâturage obtenu par la destruction d'une forêt tropicale – dépendra du pays où vous vivez. Il est possible de se fournir en viandes de toutes ces sortes qui ne proviennent pas d'élevages intensifs, mais à moins de vivre dans des zones rurales cela exige beaucoup d'efforts. La plupart des bouchers n'ont aucune idée de la façon dont furent élevés les animaux dont ils vendent le corps. Pour certains types de viande, les méthodes traditionnelles d'élevage ont si totalement disparu qu'il est par exemple presque impossible d'acheter un poulet qui ait été libre de circuler en plein air ; et la viande de veau est un article tout simplement impossible à produire humainement. Même la qualification de viande « biologique » peut ne rien impliquer de plus que l'absence des doses habituelles d'antibiotiques, d'hormones et d'autres médicaments dans la nourriture de l'animal ; ce qui est une maigre consolation pour celui qui est privé de la liberté de circuler au-dehors. Quant aux œufs, dans de nombreux pays il est facile de trouver des « œufs de poules élevées en plein air », bien qu'aux États-Unis ils soient encore dans la plupart des endroits très difficiles à obtenir.

À partir du moment où vous avez cessé de manger de la volaille, du porc, du veau, du bœuf et des œufs en batterie, le pas suivant consiste à refuser de manger de tout oiseau ou mammifère abattu. Il ne s'agit là que d'un très petit pas supplémentaire, étant donné combien peu nombreux sont les oiseaux et les mammifères communément mangés qui ne proviennent pas d'élevages intensifs. Les gens qui n'ont jamais vu par eux-mêmes à quel point un régime végétarien imaginatif peut être satisfaisant penseront peut-être qu'il s'agit là d'un sacrifice important. À cela je ne peux que répondre : « Faites-en l'essai ! » Procurez-vous un bon livre de cuisine végétarienne et vous verrez que le fait d'être végétarien n'est pas un sacrifice du tout. Ce pas supplémentaire peut être motivé par l'idée qu'il est mal de tuer ces êtres pour un motif aussi futile que le plaisir du palais ; ou encore, par la conscience de ce que même quand ces animaux ne sont pas élevés dans l'élevage intensif ils souffrent des diverses autres façons qui sont décrites dans le chapitre précédent.

Nous en arrivons alors à d'autres questions plus difficiles. Jusqu'où devons-nous descendre dans l'échelle de l'évolution ? Devons-nous cesser de manger les poissons ? Qu'en est-il des crevettes ? Et des huîtres ? Pour répondre à ces questions nous devons garder à l'esprit le principe central sur lequel se fonde notre préoccupation pour les autres êtres. Comme je l'ai dit dans le premier chapitre, la seule frontière légitime à notre prise en compte des intérêts des autres êtres est celle au-delà de laquelle il n'est plus exact de dire que les êtres possèdent des intérêts. Pour qu'il possède des intérêts, dans un sens strict, non métaphorique, il faut qu'un être soit capable de souffrir ou de ressentir le plaisir. Si un être souffre, il ne peut y avoir de justification morale pour ne pas prendre en compte cette souffrance, ou pour refuser de lui donner autant de poids qu'à une souffrance semblable ressentie par un autre être. Mais la réciproque également est vraie. Si un être n'est pas capable de souffrir, ni de ressentir le plaisir, il n'y a rien à prendre en compte.

Le problème de déterminer où nous devons tracer la ligne revient donc à déterminer quand il est justifié ou non d'admettre qu'un être est capable de souffrir. Dans la discussion que j'ai faite précédemment sur les raisons que nous avons de croire les animaux non humains capables de souffrir, j'ai suggéré deux indicateurs : le comportement de l'être – ses contorsions et cris, ses tentatives d'échapper à la source de la douleur, et ainsi de suite – et la ressemblance que possède son système nerveux avec le nôtre. À mesure que nous descendons dans l'échelle de l'évolution, nous trouvons que sur ces deux terrains la force des raisons que nous avons de croire que l'être peut ressentir la douleur s'amoindrit. Dans le cas des oiseaux et des mammifères, ces raisons sont sans appel. Chez les reptiles et les poissons, le système nerveux diffère de celui des mammifères par certains aspects importants mais partage avec lui sa structure fondamentale basée sur des voies nerveuses à organisation centrale. Les poissons et les reptiles manifestent la plupart des mêmes comportements face à la douleur que les mammifères. Chez la plupart des espèces il existe même des vocalisations, qui sont toutefois inaudibles pour nos oreilles. Les poissons, par exemple, émettent des sons vibratoires, et des chercheurs ont pu distinguer divers « appels », comprenant des sons d'« alarme » et d'« irritation[21] ». Les poissons exhibent de plus des symptômes de détresse quand on les sort de l'eau et qu'on les laisse se débattre dans un filet ou sur la terre jusqu'à ce qu'ils meurent. Assurément ce n'est que parce que ces animaux ne geignent ni ne gémissent de manière audible pour nos oreilles que des personnes qui, sous d'autres rapports, sont des gens corrects peuvent classer comme manière agréable de passer l'après-midi le fait de rester assis au bord de l'eau en laissant pendre un hameçon pendant que des poissons déjà attrapés agonisent à leurs côtés.

En 1976, en Grande-Bretagne, la Royal Society for the Prevention of Cruelty to Animals (RSPCA) constitua une commission d'enquête indépendante sur la chasse et sur la pêche à la ligne, présidée par Lord Medway, zoologiste de renom, et composée d'experts extérieurs à la RSPCA. Au cours de son enquête, cette commission examina en détail les données connues pour savoir si les poissons peuvent ou non ressentir la douleur, et conclut sans équivoque que les raisons pour répondre par l'affirmative sont aussi fortes que chez les autres animaux vertébrés[22]. Les personnes dont la préoccupation est plus d'éviter de faire souffrir que d'éviter de tuer diront peut-être : en admettant que les poissons peuvent souffrir, il reste à savoir combien ils souffrent réellement au cours du déroulement normal de la pêche commerciale. Il pourrait sembler que les poissons, à la différence des oiseaux et des mammifères, n'aient pas à souffrir quand on les élève pour notre table, puisque le plus souvent on ne les élève pas du tout : les êtres humains n'interviennent dans leur vie qu'au moment où ils les attrapent et les tuent. En fait cela n'est pas toujours vrai : la pisciculture – forme d'élevage industriel aussi intensive que l'élevage des bœufs en enclos – est une activité en croissance rapide. Tout d'abord on n'élevait que des poissons d'eau douce comme les truites, mais ensuite les Norvégiens développèrent une technique pour produire des saumons dans des cages dans la mer, et d'autres pays emploient maintenant cette méthode pour divers poissons marins. Les problèmes que posent éventuellement ces méthodes pour le bien-être des poissons d'élevage, en raison des densités de peuplement élevées, de la frustration des pulsions migratoires, du stress dû aux manipulations, et ainsi de suite, n'ont même pas été étudiés. Mais même quand les poissons ne sont pas élevés, il y a le problème de leur mort, qui est beaucoup plus lente pour les poissons pêchés commercialement que dans le cas d'un poulet, par exemple, puisqu'on se contente de les hisser hors de l'eau et de les laisser mourir. Leurs branchies peuvent extraire l'oxygène de l'eau mais non de l'air, et donc les poissons hors de l'eau ne peuvent respirer. Ceux qui sont vendus dans votre supermarché sont peut-être morts lentement, par asphyxie. S'il s'agit de poissons des profondeurs, ils ont été ramenés à la surface dans le filet d'un chalutier, et ont peut-être connu une mort douloureuse par décompression.

Quand il s'agit de poissons pêchés plutôt qu'élevés, l'argument écologique contre la consommation des animaux élevés intensivement ne s'applique pas. On ne gaspille pas de céréales ou de soja pour nourrir les poissons dans la mer. Il y a pourtant un autre argument écologique à l'encontre de la pêche commerciale maritime à grande échelle telle qu'elle est pratiquée aujourd'hui, à savoir que nous sommes en train de vider rapidement l'océan de ses poissons. Ces dernières années, les prises ont baissé de façon spectaculaire. Plusieurs espèces auparavant abondantes, comme le hareng en Europe du Nord, la sardine en Californie et l'aiglefin en Nouvelle-Angleterre, se sont raréfiées au point d'être aujourd'hui considérées, au plan commercial, comme éteintes. Les flottes modernes parcourent leur zone de pêche en raclant le fond avec des filets à mailles fines qui attrapent tout sur leur passage. Les espèces sans valeur commerciale – formant ce que la profession appelle le « déchet » – peuvent constituer jusqu'à la moitié de la prise[23]. Leurs corps sont jetés par-dessus bord. Comme la pêche au chalut implique de traîner un énorme filet sur le fond de la mer, elle endommage l'écologie fragile de ce milieu jusque-là non perturbé. Tout comme les autres façons de produire des aliments d'origine animale, ce genre de pêche gaspille des combustibles fossiles, consommant plus d'énergie qu'elle n'en produit[24]. L'industrie de la pêche au thon prend en outre dans ses filets des milliers de dauphins chaque année, les piégeant sous l'eau où ils se noient. En plus de la forte perturbation que cause à l'écologie marine toute cette pêche intensive, il y a aussi les conséquences négatives pour les humains. Aux quatre coins de la planète, de petits villages côtiers qui vivent de la pêche voient leur source traditionnelle de nourriture et de revenu se tarir. Depuis les communautés de la côte ouest de l'Irlande jusqu'aux villages de pêcheurs de Birmanie et de Malaisie, l'histoire est la même. L'industrie de la pêche des pays développés est devenue une forme de plus de redistribution des pauvres vers les riches.

Ainsi, par souci tant des poissons que des êtres humains, nous devons éviter de manger du poisson. Il est certain que les personnes qui continuent à en manger tout en refusant de consommer d'autres animaux ont fait un grand pas les éloignant du spécisme ; celles qui s'abstiennent aussi du poisson ont fait un pas de plus.

Si nous considérons, au-delà des poissons, les autres formes d'animaux marins que les humains ont l'habitude de manger, nous ne pouvons plus être aussi certains de l'existence d'une capacité à ressentir la douleur. Les crustacés – tels les homards, les crabes, les écrevisses et les crevettes – ont un système nerveux très différent du nôtre. Néanmoins, le Dr John Baker, zoologiste à l'université d'Oxford et membre de la Royal Society, a déclaré que leurs organes sensoriels sont très développés, que leur système nerveux est complexe, que leurs cellules nerveuses sont très semblables aux nôtres, et qu'ils répondent à certains stimuli de façon immédiate et vigoureuse. Le Dr Baker pense donc que les homards, par exemple, peuvent ressentir la douleur. Il lui paraît également clair que la méthode habituelle utilisée pour tuer les homards – qui consiste à les plonger dans l'eau bouillante – peut leur occasionner de la douleur durant deux minutes. Il expérimenta d'autres méthodes parfois tenues pour plus humaines, comme celle qui consiste à placer l'animal dans l'eau froide et à le chauffer lentement, ou à le mettre dans de l'eau douce jusqu'à ce qu'il cesse de bouger ; il trouva qu'avec ces deux méthodes l'animal se débat, et, apparemment, souffre pendant plus longtemps encore[25]. Si les crustacés peuvent souffrir, il y a certainement une grande somme de souffrance impliquée, non seulement dans la façon dont on les tue, mais aussi dans la manière dont ils sont transportés et maintenus en vie sur les lieux de vente. Pour qu'ils restent frais, on se contente souvent de les entasser les uns sur les autres, vivants. Ainsi même s'il subsiste une place pour le doute quant à la capacité des crustacés à ressentir la douleur, le fait qu'il soit possible qu'ils souffrent énormément, ajouté à l'absence de toute nécessité pour nous de les manger, rend le verdict clair : on leur doit le bénéfice du doute.

Les animaux comme les huîtres, les moules, les palourdes et les coquilles Saint-Jacques sont des mollusques, lesquels sont en général des organismes très simples. (Il y a une exception : les poulpes, seiches et calmars sont des mollusques beaucoup plus évolués, et sans doute plus sensibles, que leurs lointains cousins.) Les doutes qui existent concernant la capacité d'êtres comme les huîtres à ressentir la douleur sont considérables ; et dans la première édition de ce livre je suggérai que quelque part entre les crevettes et les huîtres pouvait bien être un endroit aussi valable qu'un autre pour tracer la ligne. En conséquence, je continuai à manger occasionnellement les huîtres, coquilles Saint-Jacques et moules pendant quelque temps après que je fus devenu, sous tous autres rapports, végétarien. Néanmoins, tout comme on ne peut dire avec quelque confiance que ces êtres ressentent la douleur, de même est-il tout aussi peu sûr qu'ils ne la ressentent pas. De plus, si de fait ces animaux sont sensibles, un repas d'huîtres ou de moules fera souffrir un nombre considérable d'êtres. Puisqu'il est si facile d'éviter de les manger, aujourd'hui je considère préférable de m'en abstenir[26].

Nous sommes donc arrivés au bas de l'échelle de l'évolution, en ce qui concerne les êtres que nous mangeons habituellement ; pour l'essentiel, nous voilà donc végétariens. Le régime végétarien traditionnel inclut cependant des produits animaux comme les œufs et le lait. Certains ont voulu à ce sujet accuser les végétariens d'incohérence. Le mot « végétarien », disent-ils, a la même racine que « végétal » et les végétariens devraient se limiter à la nourriture d'origine végétale. En tant que querelle verbale, cette critique est historiquement inexacte. Le mot « végétarien » est passé dans l'usage courant à la suite de la formation de la Vegetarian Society, en Angleterre, en 1847. Puisque les règles de cette société permettent l'emploi des œufs et du lait, le mot « végétarien » peut être utilisé de façon appropriée pour décrire des personnes qui utilisent ces produits animaux. Prenant acte de ce fait accompli linguistique, ceux qui ne mangent ni chair animale ni œufs ni produits laitiers se disent « végétaliens ». La question verbale n'est cependant pas la plus importante. Ce que nous devons nous demander, c'est si l'emploi de ces autres produits animaux est moralement justifiable. Il s'agit d'une question réelle car il est possible de se nourrir de façon satisfaisante sans consommer aucun produit animal – ce fait n'est pas très connu, bien que la plupart des gens aujourd'hui sachent que les végétariens peuvent vivre longtemps et en bonne santé. J'en dirai plus au sujet de la nutrition plus loin dans ce chapitre ; pour le moment il suffira de savoir que nous pouvons nous passer des œufs et du lait. Mais y a-t-il une raison de le faire ? Nous avons vu que l'industrie de l'œuf est une des formes d'élevage industriel moderne les plus impitoyablement intensives dans l'exploitation implacable qu'elle fait des poules pour obtenir une production maximale au moindre coût. L'obligation que nous avons de boycotter cette forme de production est aussi forte que celle que nous avons de boycotter le porc ou le poulet d'élevage intensif. Mais qu'en est-il des œufs de poules élevées en plein air, lorsqu'ils sont disponibles ? À leur sujet, les objections éthiques sont bien moins fortes. Les poules qui disposent à la fois d'un abri et d'un parcours extérieur où elles peuvent marcher et gratter le sol vivent une vie confortable. Elles ne semblent pas gênées par l'enlèvement de leurs œufs. La principale objection que l'on peut faire est que les poussins mâles des races pondeuses sont tués à la naissance, et que les poules sont elles-mêmes tuées quand elles cessent de pondre de façon productive. La question est donc de savoir si la vie plaisante que mènent ces poules (en y ajoutant le bienfait que représentent pour nous leurs œufs) suffit à compenser les mises à mort inhérentes au système. La réponse dépendra de la position adoptée au sujet du problème d'infliger la mort, en tant que question distincte du problème d'infliger la souffrance. Les questions philosophiques relatives à ce problème sont discutées plus avant dans le dernier chapitre de ce livre[27]. Conformément aux raisons que j'y donne, je ne m'oppose pas, au vu du pour et du contre, à la production d'œufs de poules élevées en plein air.

Le lait et les produits laitiers tels le fromage et le yaourt soulèvent d'autres problèmes. Nous avons vu au chapitre III que la production laitière peut être source de détresse pour les vaches et pour leurs veaux à plus d'un titre : la vache doit être rendue enceinte, et après la naissance on la sépare de son veau ; le degré de confinement s'accroît dans beaucoup d'exploitations ; la très grande richesse de l'alimentation des vaches et la sélection de races produisant toujours plus de lait engendrent chez elles des problèmes de santé et de stress ; et bientôt à ce stress risque de s'ajouter celui causé par l'injection quotidienne d'hormone de croissance des bovins (BST).

En théorie, il n'y a pas de problème à se passer des produits laitiers. De fait, dans beaucoup de régions d'Asie et d'Afrique, le seul lait jamais consommé est le lait d'humain que boivent les nourrissons. Beaucoup d'adultes dans ces parties du monde ne peuvent digérer le lactose contenu dans le lait, et deviennent malades s'ils en boivent. Les Chinois et les Japonais utilisent depuis longtemps le soja pour fabriquer nombre de produits que nous préparons à partir du lait de vache. Le lait de soja est maintenant fort répandu, dans les magasins des pays occidentaux, et les crèmes glacées à base de tofu (« caillé » de lait de soja) sont très appréciées de ceux qui tentent de réduire leur consommation de graisse et de cholestérol. On trouve même des fromages, des pâtes à tartiner et des yaourts faits à partir de soja.

Les végétaliens, par conséquent, ont raison de dire que nous ne devrions pas utiliser de produits laitiers. Chacun d'eux est la démonstration vivante du fait qu'une alimentation libre de toute exploitation des autres animaux est à la fois praticable et sensée sur le plan nutritionnel. En même temps, il faut dire qu'il n'est pas facile, dans le monde spéciste où nous vivons aujourd'hui, de s'en tenir de façon aussi stricte à ce qui est moralement juste. Un plan d'action raisonnable et défendable est de changer son alimentation à un rythme mesuré avec lequel on puisse se sentir confortable. Bien qu'en principe tous les produits laitiers soient remplaçables, en pratique dans les sociétés occidentales il est bien plus difficile de supprimer à la fois la viande et les produits laitiers qu'il ne l'est de supprimer la viande seule. Tant qu'on ne s'est pas mis à lire les étiquettes sur les aliments dans les magasins en essayant d'éviter les produits laitiers, on arrive difficilement à imaginer la fréquence avec laquelle on les rencontre. Même arriver à acheter un sandwich à la tomate devient un problème, puisque selon toute probabilité dans celui qu'on vous propose le pain est recouvert soit de beurre, soit d'une margarine contenant du petit-lait ou du lait écrémé. Les animaux ne gagnent pas grand-chose si vous renoncez à manger la chair animale et les œufs en batterie en vous contentant de les remplacer par une quantité accrue de fromage. Par contre, la stratégie suivante est, sinon idéale, du moins raisonnable et praticable :

• remplacez la chair animale par des aliments végétaux ;

• remplacez les œufs en batterie par des œufs de poules élevées en plein air si vous pouvez vous en procurer ; sinon, évitez les œufs ;

• remplacez le lait et le fromage que vous achetez par du lait de soja, du tofu, ou d'autres aliments végétaux, mais ne vous sentez pas obligé de faire tout votre possible pour ne manger aucun aliment contenant des produits laitiers.

Éliminer le spécisme de ses habitudes alimentaires est très difficile à faire d'un seul coup. Les personnes qui adoptent la stratégie que je préconise ici de ce fait prennent clairement et publiquement position en faveur du mouvement contre l'exploitation animale. La tâche la plus urgente pour le mouvement de libération animale est de persuader le plus possible de personnes de se prononcer ainsi, de manière à ce que le boycott s'étende et attire l'attention. Si en raison d'un désir admirable de faire cesser immédiatement toutes les formes d'exploitation animale nous donnons l'impression que ceux qui ne renoncent pas aux produits laitiers ne valent pas mieux que ceux qui mangent encore de la chair animale, le résultat pourra bien être que beaucoup de gens seront dissuadés de faire quoi que ce soit, et que l'exploitation animale continuera comme avant.

Voilà, pour le moins, quelques réponses aux problèmes que risque de rencontrer le non-spéciste quand il se demande ce qu'il doit ou ne doit pas manger. Comme je l'ai dit au début de cette section, ces remarques ne sont rien de plus que des suggestions. Les non-spécistes sincères peuvent bien ne pas s'accorder entre eux sur les détails. Aussi longtemps que l'accord se fait sur les questions fondamentales, cela ne devrait pas nuire aux efforts en vue d'un objectif commun.

Beaucoup sont prêts à admettre que l'argumentation en faveur du végétarisme est convaincante. Mais trop souvent il y a une distance entre la conviction intellectuelle et l'action nécessaire pour briser l'habitude de toute une vie. Un livre ne peut annuler cette distance ; en dernier ressort, c'est à chacun de nous qu'il revient de mettre ses convictions en pratique. Mais je peux tenter, dans les quelques pages qui suivent, de raccourcir cette distance. Mon but est de rendre la transition d'une alimentation omnivore vers une alimentation végétarienne beaucoup plus facile et attrayante, de façon que le lecteur, au lieu d'y voir un triste devoir, se réjouisse à l'avance de la découverte d'une cuisine nouvelle et intéressante, riche d'aliments frais et de plats non carnés peu courants venus d'Europe, de Chine et du Moyen-Orient, de plats si variés que le régime habituel de viande, de viande et de viande que mangent la plupart des Occidentaux paraîtra fade et répétitif en comparaison. Le plaisir d'une telle cuisine est augmenté par la connaissance de ce que son bon goût et ses qualités nutritives nous viennent directement de la terre, sans gaspiller ce qu'elle produit, et sans non plus impliquer la souffrance et la mort d'un être sensible quel qu'il soit.

Le végétarisme porte avec lui une nouvelle relation aux aliments, aux plantes, et à la nature. La chair corrompt nos repas. Quels que soient les efforts que nous puissions faire pour nous le cacher, le fait demeure que la pièce centrale de notre dîner nous vient de l'abattoir, dégouttant de sang. Sans traitement spécial ni réfrigération, elle a tôt fait de se mettre à pourrir et à puer. Quand nous la mangeons, elle pèse lourd sur notre estomac, bloquant nos processus digestifs, en attendant le moment où, plusieurs jours plus tard, nous nous débattons pour l'évacuer[28]. Lorsque nous mangeons des plantes, les aliments prennent une autre qualité. Nous cueillons de la terre une nourriture prête pour nous et qui ne lutte pas contre nous quand nous la prenons. Sans la viande qui émousse le palais, nous éprouvons un délice supplémentaire à déguster les légumes frais issus directement du sol. Personnellement, l'idée de cueillir mon propre repas me parut une si grande source de satisfaction que peu de temps après que je sois devenu végétarien je me mis à bêcher une partie de notre arrière-cour pour y planter quelques-unes de mes propres plantes potagères – activité à laquelle je n'avais jamais pensé avant, mais que pratiquaient aussi plusieurs de mes amis végétariens. C'est ainsi que l'élimination de la viande de chair de mon alimentation me rapprocha des plantes, de la terre et des saisons.

La cuisine est une autre activité à laquelle je ne me suis intéressé qu'une fois devenu végétarien. Pour les gens nourris dès l'enfance avec les menus anglo-saxons traditionnels, où le plat principal consiste en une viande accompagnée de deux légumes trop cuits, l'élimination de la viande représente un défi stimulant pour l'imagination. Quand je parle en public des questions discutées dans ce livre, on me demande souvent ce que l'on peut manger à la place de la viande, et il est clair d'après la façon dont la question est formulée que celui qui la pose a mentalement soustrait de son assiette la côtelette ou le morceau de bœuf haché, y laissant la purée de pommes de terre et le chou bouilli, et se demande ce qu'il pourrait donc mettre là où était la viande. Un tas de graines de soja pourrait-il convenir ?

Peut-être certains trouveraient-ils un tel repas à leur goût, mais pour la plupart des gens la solution est de repenser complètement le concept de plat principal, et de l'envisager sous l'angle d'une combinaison d'ingrédients, peut-être accompagnée d'une salade, plutôt que comme une collection de pièces détachées. Les bons plats chinois, par exemple, sont de superbes combinaisons comprenant un ou plusieurs ingrédients riches en protéines – dans la cuisine chinoise végétarienne, il peut s'agir de tofu, de noix, de haricots germés, de champignons ou de gluten de blé, accompagnés de légumes frais légèrement cuits et de riz. Un curry indien à base de lentilles pour les protéines, servi sur du riz complet avec quelques tranches de concombre frais pour alléger, constitue un repas tout aussi satisfaisant, au même titre que les lasagnes italiennes végétariennes accompagnées de salade. Vous pouvez même confectionner des « boulettes de viande » à base de tofu à mettre sur vos spaghettis. Un repas plus simple pourrait se composer de céréales complètes et de légumes. La plupart des Occidentaux mangent très peu de millet, de blé complet ou de sarrasin, mais ces céréales peuvent être à la base d'un plat constituant un changement rafraîchissant. Dans la première édition de ce livre, je donnais quelques recettes et informations diverses sur la cuisine végétarienne afin d'aider le lecteur à faire la transition vers ce qui était, à l'époque, une façon encore peu courante de s'alimenter ; mais entre-temps ont été publiés tant d'excellents livres de cuisine végétarienne que l'aide que je pouvais fournir alors paraît aujourd'hui tout à fait superflue. Certaines personnes trouvent difficile, au début, de changer la façon dont ils conçoivent un repas. S'habituer à des menus sans plat central en chair animale peut prendre du temps, mais une fois l'habitude prise, vous vous trouverez face à l'obligation de choisir entre un si grand nombre de nouveaux plats intéressants que vous vous demanderez pourquoi vous n'avez jamais pensé qu'il vous serait difficile de vous passer de viande.

En plus de se préoccuper de la saveur de leurs repas, les gens qui envisagent de devenir végétariens risquent aussi de se demander si leur régime sera adéquat du point de vue nutritionnel. De telles inquiétudes sont tout à fait sans fondement. Dans de nombreuses régions du monde il existe des populations de culture végétarienne dont les membres jouissent d'une santé aussi bonne, voire meilleure, que les non-végétariens de régions comparables. Les hindous de stricte obédience sont végétariens depuis plus de deux mille ans. Gandhi, qui fut végétarien toute sa vie, avait près de quatre-vingts ans quand la balle d'un assassin mit un terme à son active existence. En Grande-Bretagne, où depuis maintenant plus de cent quarante ans existe un mouvement végétarien officiel, on trouve des végétariens de troisième et de quatrième génération. De nombreux végétariens éminents, tels Léonard de Vinci, Léon Tolstoï et George Bernard Shaw, ont vécu de longues vies immensément créatives. On peut même dire que la plupart des gens qui ont vécu une vie exceptionnellement longue ont mangé peu ou pas de viande. Les habitants de la vallée de Vilcabamba, en Équateur, deviennent souvent centenaires, et les scientifiques y ont même trouvé des hommes âgés de 123 et de 142 ans ; ces gens mangent moins de cinq grammes de viande par jour. Une étude portant sur tous les centenaires vivants en Hongrie a trouvé qu'ils étaient largement végétariens[29]. Le fait que la viande n'est pas nécessaire à l'endurance physique est attesté par la longue liste des athlètes de haut niveau qui n'en mangent pas, au nombre desquels on trouve Murray Rose, champion olympique de nage à longue distance ; Paavo Nurmi, célèbre coureur de fond finlandais ; Bill Walton, champion de basket ; le triathlète Dave Scott surnommé « l'homme de fer » ; et Edwin Moses, champion olympique du 400 mètres haies.

Beaucoup de végétariens disent se sentir plus en forme, en meilleure santé et plus vifs qu'à l'époque où ils mangeaient de la viande. Une masse de données récentes soutient ces affirmations. Le rapport de 1988 sur la nutrition et la santé du ministère de la Santé des États-Unis cite une étude de grande envergure dont il ressort que le taux de mortalité par crise cardiaque chez les végétariens américains âgés de 35 à 64 ans n'est que de 28 % de ce qu'il est dans l'ensemble de la population du même groupe d'âge. Dans la population plus âgée, ce taux était encore plus de deux fois moindre chez les végétariens que chez les non-végétariens. La même étude trouvait chez les végétariens qui mangent des œufs et des produits laitiers un taux de cholestérol de 16 % plus bas que chez les mangeurs de viande, et chez les végétaliens un taux de 29 % inférieur. Les principales recommandations de ce rapport étaient de réduire la consommation de cholestérol et de graisses (particulièrement de graisses saturées), et d'augmenter celle de céréales complètes et de leurs dérivés, de légumes (y compris de légumes secs et de pois), et de fruits. Dans les faits, recommander que l'on réduise sa consommation de cholestérol et de graisses saturées revient à recommander que l'on évite la viande (sauf peut-être le poulet sans la peau), la crème, le beurre et tous les produits laitiers sauf ceux à faible teneur en matières grasses[30]. Ce rapport fut très critiqué pour n'avoir pas été plus explicite à ce sujet – ce manque de précision résultait semble-t-il des pressions exercées par le lobby de groupes comme la National Cattlemen's Association (« association nationale des éleveurs de bétail ») et le syndicat professionnel du lait[31]. Les pressions quelles qu'elles fussent ne parvinrent cependant pas à empêcher le rapport d'indiquer dans sa section relative au cancer qu'un lien a été trouvé entre le cancer du sein et la consommation de viande, et un autre entre la consommation de viande, particulièrement de bœuf, et le cancer du côlon. L'American Heart Association elle aussi recommande aux Américains, depuis de nombreuses années, de réduire leur consommation de viande[32]. Les régimes conçus pour la santé et la longévité tels que le « plan Pritikin » et le « plan McDougall » sont en plus grande partie ou totalement végétariens[33].

Les spécialistes de la nutrition ne débattent plus entre eux pour savoir si la chair animale est indispensable ; aujourd'hui ils s'accordent pour dire qu'elle ne l'est pas. Si les gens ordinaires ont encore des doutes à ce sujet, ceux-ci sont fondés sur l'ignorance. La plupart du temps, cette ignorance porte sur la question des protéines. On nous dit souvent que les protéines représentent un élément important dans un régime équilibré, et que la viande en contient beaucoup. Ces deux énoncés sont vrais, mais il y a deux autres choses qu'on nous dit moins souvent. La première est que l'Américain moyen mange trop de protéines. Son apport en protéines dépasse de 45 % les recommandations déjà larges faites à ce sujet par l'Académie nationale des sciences. Selon d'autres estimations la plupart des Américains consomment de deux à quatre fois plus de viande que ne peut en utiliser leur corps. Les protéines en excès ne peuvent être stockées. Une partie est éliminée, et une autre convertie par l'organisme en glucides, ce qui représente une façon onéreuse d'augmenter son apport en glucides[34].

La deuxième chose à savoir au sujet des protéines est que la viande n'est qu'un élément d'une large gamme d'aliments qui en contiennent, sa principale particularité étant d'en être la source la plus onéreuse. À une époque, on pensait que les protéines de la viande étaient d'une qualité supérieure, mais déjà en 1950 le Comité sur la nutrition de l'Association médicale britannique déclarait : « Il est généralement admis comme sans importance que les unités protéiques essentielles proviennent d'aliments d'origine végétale ou animale, du moment que ceux-ci fournissent un mélange approprié de ces unités sous une forme assimilable[35]. »

Des recherches plus récentes ont apporté des confirmations supplémentaires à cette conclusion. Nous savons maintenant que la valeur nutritionnelle des protéines réside dans leur contenu en acides aminés, puisque ce contenu détermine dans quelle proportion l'organisme peut les utiliser. Il est vrai que les produits animaux, particulièrement les œufs et le lait, ont un très bon équilibre en acides aminés, mais on trouve aussi une large gamme de ces nutriments dans les produits végétaux comme le soja et les noix. De plus, en combinant différentes sortes de protéines végétales, il est facile de confectionner un repas qui fournisse des protéines tout à fait équivalentes aux protéines animales. On parle alors de « complémentation des protéines », mais pour mettre ce principe en pratique il n'est pas nécessaire d'en savoir beaucoup au sujet de la nutrition. Le paysan qui mange ses haricots ou ses lentilles avec du riz ou du maïs pratique la complémentation des protéines. Il en est de même de la mère, qui donne à son enfant une tartine de pâte d'arachide sur du plain complet – combinant ainsi ces deux sources de protéines que sont l'arachide et le blé. La façon dont se combinent les différentes formes de protéines apportées par différents aliments consommés ensemble amène l'organisme à en absorber plus au total que quand ces aliments sont mangés séparément. Mais même sans l'effet de complémentation obtenu avec différentes protéines, la plupart des aliments végétaux que nous mangeons – non seulement les noix, les petits pois et les haricots mais également le blé, le riz et les pommes de terre – contiennent assez de protéines en eux-mêmes pour répondre aux besoins de notre corps. Si nous évitons les aliments sans valeur nutritive riches seulement en sucre ou en graisses, pratiquement la seule façon que nous avons de manquer de protéines est de suivre un régime déficient en calories[36].

La viande ne contient pas que des protéines, mais les autres nutriments qu'on y trouve s'obtiennent tous facilement à partir d'une alimentation végétarienne sans qu'on n'ait à y porter d'attention particulière. Seuls les végétaliens, qui ne consomment aucun produit animal quel qu'il soit, ont des précautions spéciales à prendre au sujet de leur alimentation. Il semble exister un nutriment et un seul qui soit nécessaire et qu'on ne trouve pas normalement dans les aliments végétaux, à savoir la vitamine B12. On la trouve dans les œufs et le lait, mais pas dans les aliments végétaux sous une forme qui soit facilement assimilable. On peut toutefois l'obtenir à partir d'algues comme le varech, ou de la sauce de soja quand elle est faite selon la méthode de fermentation traditionnelle japonaise, ou encore du tempeh, graines de soja fermentées consommées dans certaines régions d'Asie et que l'on trouve aujourd'hui dans les magasins diététiques des pays occidentaux. Il se peut également que la vitamine B12 soit produite par des micro-organismes dans nos propres intestins. Des études faites sur des végétaliens qui n'avaient consommé aucune source apparente de vitamine B12 depuis de nombreuses années ont trouvé chez eux un taux sanguin de cette vitamine se situant encore à l'intérieur de la fourchette normale. Cependant, pour se garantir contre toute carence, il est facile et peu onéreux de se procurer des comprimés de vitamine B12. Celle-ci provient de bactéries cultivées sur des aliments végétaux. Des études d'enfants nés dans des familles végétaliennes ont montré qu'ils se développent normalement avec une alimentation supplémentée en vitamine B12 mais ne contenant aucun produit animal après le sevrage[37].

J'ai tenté dans ce chapitre de répondre à celles des inquiétudes concernant le végétarisme que l'on peut facilement formuler et exprimer. Mais chez certaines personnes il y a une résistance plus profonde qui les fait hésiter. La raison de cette hésitation est peut-être la peur d'être perçus par leurs amis comme des casse-pieds ou des excentriques. À l'époque où mon épouse et moi-même avions commencé à envisager de devenir végétariens, nous discutâmes entre nous de ce problème. Nous avions peur de nous couper de nos amis non végétariens, et à ce moment aucun de ceux que nous connaissions de longue date n'était végétarien. Le fait de tous deux faire ce changement ensemble nous a certainement à l'un comme à l'autre rendu la décision plus facile, mais après coup il est apparu que nous avions eu tort de nous inquiéter. Nous avons expliqué notre décision à nos amis et ils ont vu que nous avions de bonnes raisons de la prendre. Tous ne sont pas devenus végétariens, mais n'ont pas non plus cessé d'être nos amis ; en fait je pense qu'ils trouvaient plutôt plaisir à nous inviter à dîner et à nous montrer leur habileté à cuisiner sans viande. Bien sûr, il se peut que vous rencontriez des gens qui voient en vous un excentrique. La probabilité que cela arrive est bien moindre aujourd'hui qu'il y a quelques années, parce que les végétariens sont bien plus nombreux. Mais si cela devait se produire, souvenez-vous que vous êtes en bonne compagnie. Tous les meilleurs réformateurs – ceux qui furent les premiers à s'opposer au commerce des esclaves, aux guerres nationalistes, et à l'exploitation des enfants dans les usines avec les journées de quatorze heures de la Révolution industrielle – furent tout d'abord raillés et traités de casse-pieds et d'excentriques par ceux qui avaient intérêt à la poursuite des abus qu'ils dénonçaient.

CHAPITRE V

La domination de l'homme...

Une courte histoire du spécisme

Pour mettre fin à une tyrannie nous devons d'abord la comprendre. En termes concrets, la domination de l'animal humain sur les autres animaux s'exprime de la façon que nous avons examinée aux chapitres II et III, et aussi dans les pratiques qui y sont liées, comme la chasse et l'abattage des animaux sauvages pour le loisir ou pour la fourrure. Il ne faudrait pas considérer ces pratiques comme des aberrations isolées. On ne peut les comprendre correctement que comme autant de manifestations de l'idéologie de notre espèce, c'est-à-dire des attitudes que nous, en tant qu'animal dominant, avons envers les autres animaux.

Dans ce chapitre, nous verrons comment, à différentes époques, des penseurs occidentaux de premier plan ont formulé et défendu les attitudes envers les animaux que nous avons reçues en héritage. Je me concentre ici sur le monde dit occidental non pas parce que les autres cultures seraient inférieures – c'est le contraire qui est vrai, du moins en ce qui concerne les attitudes envers les animaux – mais parce que les idées occidentales, au cours des deux ou trois derniers siècles, se sont répandues en dehors de l'Europe au point de conditionner aujourd'hui la façon de penser de la plupart des sociétés humaines, qu'elles soient capitalistes ou communistes.

Bien que le matériel qui suit soit de caractère historique, le but que je poursuis en le présentant ne l'est pas. Quand une attitude est à tel point profondément enracinée dans notre façon de penser que nous la prenons pour une vérité incontestée, toute remise en question sérieuse et cohérente court le risque du ridicule. Il est peut-être possible de briser l'assurance avec laquelle cette attitude est affirmée au moyen d'une attaque frontale. C'est ce que j'ai essayé de faire dans les chapitres qui précèdent. Une autre stratégie consiste à tenter de miner la vraisemblance de l'attitude dominante en en dévoilant les origines historiques.

Les attitudes des générations passées envers les animaux ne sont plus convaincantes parce qu'elles dépendaient de présuppositions – religieuses, morales, métaphysiques – qui aujourd'hui sont obsolètes. Parce que nous ne justifions plus nos attitudes envers les animaux comme saint Thomas d'Aquin, par exemple, justifiait les siennes, nous serons peut-être prêts à admettre que celui-ci se servait des idées religieuses, morales et métaphysiques de son temps pour masquer la motivation purement et simplement égoïste des rapports que les humains entretenaient avec les autres animaux. Si nous pouvons voir que les générations passées acceptaient comme justes et naturelles des attitudes que nous reconnaissons aujourd'hui pour de simples camouflages idéologiques de pratiques au service d'intérêts égoïstes – et si, en même temps, il nous est impossible de nier que nous continuons à nous servir des animaux pour satisfaire nos propres intérêts secondaires au détriment de leurs intérêts essentiels – cela nous persuadera peut-être de regarder d'un œil plus sceptique ces autres arguments avancés pour justifier nos propres pratiques et que nous-mêmes avons admis comme justes et naturels.

Les attitudes occidentales envers les animaux sont enracinées dans deux traditions : le judaïsme et l'Antiquité grecque. Celles-ci s'unirent dans le christianisme, et c'est à travers cette religion qu'elles furent amenées à prédominer en Europe. Une façon plus éclairée de voir nos relations avec les animaux n'émergea que progressivement, à mesure que les penseurs se mirent à adopter des positions plus indépendantes de l'Église ; et sous certains aspects fondamentaux nous n'avons toujours pas coupé nos liens avec ces attitudes qui furent admises en Europe sans contestation jusqu'au XVIIIe siècle. Nous pourrons donc diviser notre discussion historique en trois parties : la pensée préchrétienne, la pensée chrétienne, et à partir du siècle des Lumières.

La pensée préchrétienne

La création de l'univers me paraît un bon endroit pour commencer. L'histoire de la Création décrite dans la Bible pose très clairement la nature de la relation entre l'homme et l'animal telle que la concevait le peuple hébreu. Il s'agit d'un superbe exemple de mythe faisant écho à la réalité :

> Dieu dit : « Que la terre produise des êtres vivants selon leur espèce : bestiaux, bestioles, bêtes sauvages selon leur espèce » et il en fut ainsi.
>
> Dieu fit les bêtes sauvages selon leur espèce, les bestiaux selon leur espèce et toutes les bestioles du sol selon leur espèce, et Dieu vit que cela était bon.
>
> Dieu dit : « Faisons l'homme à notre image, comme notre ressemblance, et qu'il domine sur les poissons de la mer, les oiseaux du ciel, les bestiaux, toutes les bêtes sauvages et toutes les bestioles qui rampent sur la terre. »
>
> Dieu créa l'homme à son image, à l'image de Dieu il le créa, homme et femme il les créa.

> Dieu les bénit et leur dit : « Soyez féconds, multipliez, emplissez la terre et soumettez-la ; dominez sur les poissons de la mer, les oiseaux du ciel et tous les animaux qui rampent sur la terre [1]. »

Selon la Bible, Dieu créa l'homme à sa propre image. Nous pouvons y voir l'homme créant Dieu à sa propre image. D'une manière comme de l'autre, aux humains échoit une position spéciale dans l'univers, en tant qu'êtres qui, seuls parmi toutes choses vivantes, sont comme Dieu. De plus, il est explicitement dit que Dieu a donné à l'homme la domination sur toute chose vivante. Certes, il se peut bien que, dans le jardin d'Éden, cette domination n'ait pas impliqué de tuer les autres animaux pour les manger. Genèse I, 29 suggère qu'au début les êtres humains vivaient des herbes et des fruits des arbres, et le jardin d'Éden a souvent été dépeint comme une scène de paix parfaite, et dans ce contexte un acte de tuer quel qu'il fût aurait paru déplacé. L'homme régnait, mais dans ce paradis terrestre son despotisme était un despotisme bienveillant.

Après la Chute (dont la Bible tient une femme et un animal pour responsables), le fait de tuer les animaux devint clairement permis. Dieu lui-même habilla Adam et Ève de peaux d'animaux avant de les chasser du jardin d'Éden. Leur fils Abel était berger et faisait au Seigneur des offrandes prélevées sur son troupeau. Puis vint le déluge, au cours duquel le reste de la création fut presque anéanti pour punir l'homme de sa méchanceté. Quand les eaux se furent retirées, Noé remercia Dieu en faisant brûler des offrandes « de tous les animaux purs et de tous les oiseaux purs ». En retour, Dieu bénit Noé et apposa son cachet final au règne de l'homme :

> Dieu bénit Noé et ses fils et il leur dit : « Soyez féconds, multipliez, emplissez la terre.

« Soyez la crainte et l'effroi de tous les animaux de la terre et de tous les oiseaux du ciel, comme de tout ce dont la terre fourmille et de tous les poissons de la mer : ils sont livrés entre vos mains.

« Tout ce qui se meut et possède la vie vous servira de nourriture, je vous donne tout cela au même titre que la verdure des plantes [2]. »

Telle est la position fondamentale des anciens écrits hébreux envers les non-humains. Il reste cette suggestion curieuse selon laquelle dans l'état originel d'innocence nous aurions été végétariens, mangeant seulement « la verdure des plantes », mais qu'après la Chute, l'état de méchanceté qui lui fit suite, et le déluge, nous aurions reçu la permission d'ajouter les animaux à notre régime. Sur le fond que forme l'acceptation de la domination humaine qu'implique cette permission, une ligne de pensée plus compatissante émerge encore de-ci de-là. Le prophète Isaïe condamna les sacrifices animaux, et le livre d'Isaïe contient une belle vision du jour où le loup habitera avec l'agneau, le lion mangera de la paille comme le bœuf, et « on ne fait plus de mal ni de ravages sur toute ma sainte montagne ». Cette vision, cependant, a le caractère d'une utopie, et non d'un ordre auquel il faudrait immédiatement obéir. Il y a d'autres passages dispersés dans l'Ancien Testament qui encouragent un degré ou un autre de bonté envers les animaux, de sorte qu'il est possible de défendre l'idée que la cruauté gratuite serait interdite, et que la « domination » serait plutôt à assimiler à une « gérance », qui nous ferait responsables envers Dieu du soin et du bien-être des êtres placés sous notre empire. Il n'y a cependant rien qui remette sérieusement en cause le point de vue général, énoncé dans la Genèse, selon lequel l'espèce humaine est le couronnement de la création, et a la permission reçue de Dieu de tuer et manger d'autres animaux.

La seconde tradition ancienne aux origines de la pensée occidentale est celle de la Grèce. Ici nous trouvons, tout d'abord, des tendances contradictoires. La pensée grecque n'était pas uniforme, mais divisée en écoles rivales, chacune tirant ses doctrines fondamentales de la pensée d'un grand fondateur. L'un de ceux-ci, Pythagore, était végétarien et encourageait ses disciples à traiter les animaux avec respect, apparemment parce qu'il croyait que l'âme des humains morts migrait dans le corps des animaux. Mais la plus importante des écoles fut celle de Platon et de son élève, Aristote.

La position d'Aristote soutenant l'esclavage est bien connue ; il pensait que certains humains sont esclaves par nature et que l'esclavage est dans leur cas à la fois juste et opportun. Je mentionne ce fait non pour discréditer Aristote, mais parce qu'il est essentiel à la compréhension de son attitude envers les animaux. Aristote soutient que les animaux existent pour servir les fins des êtres humains, bien que, contrairement à l'auteur de la Genèse, il ne place pas un abîme entre ceux-ci et le reste du monde animal.

Aristote ne nie pas que l'homme soit un animal ; de fait, il le définit comme un animal rationnel. Le fait de partager une même nature animale ne suffit cependant pas à justifier une considération égale. Pour Aristote, l'homme qui est par nature un esclave reste indubitablement un être humain, et tout aussi capable de ressentir du plaisir ou de la douleur que n'importe quel autre être humain ; cependant, en raison de son infériorité supposée comparativement à l'homme libre en termes de capacités de raisonnement, Aristote le considère comme un « instrument vivant ». Aristote juxtapose sans détours ces deux éléments dans une seule phrase : l'esclave est celui qui « bien qu'il demeure un être humain, est également un article de propriété[3] ».

Si les différences de capacité de raisonnement entre êtres humains suffisaient pour Aristote à faire de certains d'entre eux des maîtres et d'autres la propriété de ces maîtres, les droits des humains à dominer les autres animaux ont dû lui paraître trop évidents pour avoir besoin d'être beaucoup argumentés. La nature, disait-il, est essentiellement une hiérarchie où les êtres de capacité de raisonnement inférieure existent pour le bien de ceux de capacité de raisonnement supérieure :

> Les plantes existent pour le bien des animaux et les bêtes sauvages pour le bien de l'homme – les animaux domestiques pour son usage et sa nourriture, les animaux sauvages (ou du moins la plupart d'entre eux) pour la nourriture et autres accessoires de la vie, comme les vêtements et divers outils.
>
> Comme la nature ne fait jamais rien inutilement ou en vain, il est indéniablement vrai qu'elle a fait tous les animaux pour le bien de l'homme[4].

Ce sont les idées d'Aristote, plutôt que celles de Pythagore, qui allaient contribuer à la formation de la tradition occidentale ultérieure.

La pensée chrétienne

Le christianisme arriva à temps pour unir les idées juives et grecques au sujet des animaux. Mais cette religion fut fondée et acquit sa puissance sous l'Empire romain, et nous pouvons mieux voir son effet initial si nous comparons les attitudes chrétiennes avec celles dont elles prirent la place.

L'Empire romain s'édifia par des guerres de conquête, et dut consacrer beaucoup de son énergie et de ses ressources aux forces militaires chargées de défendre et d'étendre son vaste territoire. Ces conditions n'étaient pas favorables au développement de sentiments de sympathie envers les faibles. Les vertus martiales donnaient le ton à la société. Dans Rome même, loin des régions frontalières et des combats qui s'y déroulaient, le caractère des citoyens était censé s'endurcir au contact de ce que l'on appelait les « jeux ». Bien que tout écolier apprenne que les chrétiens étaient jetés en pâture aux lions au Colisée, la signification de ces jeux en tant qu'indication des limites possibles à la sympathie et à la compassion chez un peuple en apparence – et sous certains rapports réellement – civilisé se voit rarement appréciée à sa juste valeur. Les hommes et les femmes voyaient en la mise à mort, tant d'êtres humains que d'autres animaux, une source normale de divertissement ; et il en fut ainsi pendant des siècles pratiquement sans que quiconque prononçât un mot de protestation.

Voici la description que donna au siècle dernier l'historien W. E. H. Lecky de la façon dont les jeux romains évoluèrent à partir de leur forme originale où l'on opposait deux gladiateurs : « La simple lutte finit par perdre de sa saveur, et des trésors d'ingéniosité furent mis en œuvre pour inventer toute forme possible d'atrocité permettant de stimuler l'intérêt fléchissant. Une fois c'était un ours et un taureau, enchaînés l'un à l'autre, qu'on envoyait rouler dans l'arène en un combat féroce ; une autre fois, des criminels revêtus de peaux de bêtes sauvages étaient confrontés à des taureaux rendus furieux au moyen de fers chauffés au rouge ou de fléchettes trempées dans de la poix brûlante. Quatre cents ours périrent en un jour sous le règne de Caligula [...] Sous le règne de Néron, quatre cents tigres combattirent contre des taureaux et des éléphants. En une seule journée, lors de la consécration du Colisée par Titus, cinq mille animaux trouvèrent la mort. Sous Trajan, les jeux se prolongèrent pendant cent vingt-trois journées consécutives. Des lions, des tigres, des éléphants, des rhinocéros, des hippopotames, des girafes, des taureaux, des cerfs, et même des crocodiles et des serpents servirent à donner de la nouveauté au spectacle. La souffrance humaine sous toutes ses formes ne faisait pas non plus défaut [...] Dix mille hommes combattirent pendant les jeux de Trajan. Néron éclairait ses jardins pendant la nuit au moyen de chrétiens brûlant dans leurs chemises détrempées de poix. Sous Domitien, une armée de nains chétifs furent obligés de se battre [...] Si intense était la soif de sang, qu'un prince perdait moins en popularité à négliger la distribution du grain qu'à négliger les jeux[5]. »

Les Romains n'étaient pas dépourvus de tout sentiment moral. Ils attachaient une grande importance à la justice, à l'accomplissement du devoir public, et même à la bonté envers autrui. Ce que montrent les jeux, avec une terrible clarté, c'est l'existence d'une limite au-delà de laquelle ces sentiments moraux s'arrêtaient net. Quand un être se situait à l'intérieur de cette limite, lui faire subir quelque chose de comparable à ce que l'on faisait dans les jeux aurait été considéré comme scandaleux et intolérable ; mais si l'être se trouvait en dehors de la sphère de la préoccupation morale, le faire souffrir était seulement divertissant. Certains humains – les criminels et les prisonniers de guerre en particulier – ainsi que tous les animaux tombaient en dehors de cette sphère.

C'est par rapport à ce contexte que doit être apprécié l'impact du christianisme. Cette religion introduisit dans le monde romain l'idée du caractère unique de l'espèce humaine, qu'elle avait hérité de la tradition juive mais sur laquelle elle mettait encore plus d'insistance en raison de l'importance qu'elle accordait à l'âme humaine et à son immortalité. Les êtres humains, et eux seuls de tous les êtres qui vivaient sur la terre, étaient destinés à une vie après la mort de leur corps. Avec cette idée venait la notion singulièrement chrétienne du caractère sacré de toute vie humaine.

Il y a eu des religions, en particulier en Orient, qui ont enseigné que toute vie est sacrée ; et beaucoup d'autres qui ont tenu pour très grave de tuer un membre de son propre groupe social, religieux ou ethnique ; mais le christianisme, lui, propagea l'idée que toute vie humaine – et seule la vie humaine – est sacrée. Même l'enfant nouveau-né et le fœtus dans le sein de sa mère ont une âme immortelle, et leur vie est donc aussi sacrée que celle des adultes.

Dans son application aux êtres humains, la nouvelle doctrine avait à bien des égards un caractère progressiste, et elle eut pour effet d'étendre considérablement la sphère morale limitée des Romains ; pour ce qui concerne les autres espèces, par contre, le résultat de cette même doctrine fut de confirmer et d'aggraver la position subalterne attribuée aux non-humains dans l'Ancien Testament. Celui-ci, tout en affirmant la suprématie humaine sur les autres espèces, manifestait au moins quelques lueurs de préoccupation pour leurs souffrances ; alors que le Nouveau Testament est totalement dépourvu de toute injonction à s'abstenir de la cruauté envers les animaux, ou de toute recommandation de prendre en compte leurs intérêts. Jésus lui-même y est décrit comme manifestant une indifférence apparente envers le sort des non-humains lorsqu'il amena deux mille porcs à se jeter dans la mer – un acte qui semblait ne répondre à aucune nécessité, puisqu'il était bien en son pouvoir de chasser des démons sans les infliger à une autre créature[6]. Saint Paul insista pour réinterpréter la vieille loi mosaïque qui interdisait de museler le bœuf qui foule le blé : « Dieu s'inquiète-t-il des bœufs ? » demande-t-il avec dédain. Non, fut sa réponse, car la raison de la loi était « pour nous seuls[7] ».

L'exemple qu'avait donné Jésus ne fut pas perdu pour les chrétiens plus tardifs. Se référant à l'incident des porcs et à l'épisode où Jésus maudit un figuier, saint Augustin écrivit : « Le Christ lui-même montre que se retenir de tuer les animaux ou de détruire les plantes est le comble de la superstition, car jugeant qu'il n'y a pas de droits en commun entre nous et les bêtes et les arbres, il expédia les démons dans un troupeau de porcs, et d'une malédiction fit se dessécher l'arbre où il n'avait pas trouvé de fruits [...] Certainement les porcs n'avaient pas péché, et l'arbre non plus. »

Jésus essayait, selon Augustin, de nous montrer que nous n'avons pas à régler notre conduite envers les animaux selon les règles morales qui gouvernent notre conduite envers les humains. Voilà pourquoi il avait transféré les démons dans les porcs plutôt que de les détruire, comme il aurait pu facilement le faire[8].

Sur cette base, le résultat de l'interaction entre les attitudes romaines et chrétiennes est facile à prévoir. Il se voit très clairement si l'on observe ce qu'il advint des jeux romains après la conversion de l'empire au christianisme. L'enseignement chrétien s'opposait vigoureusement aux combats de gladiateurs. Le gladiateur qui survivait en tuant son adversaire était considéré comme un meurtrier. Le simple fait d'assister à ces combats rendait un chrétien passible d'excommunication, et dès la fin du IVe siècle les combats entre humains avaient été complètement abolis. Par contre, le statut moral de l'acte de tuer ou de torturer un non-humain quel qu'il soit demeura inchangé. Les combats d'animaux se poursuivirent sous le christianisme, et ne déclinèrent semble-t-il par la suite que parce que l'appauvrissement de l'empire et la perte de territoires rendirent plus difficile l'approvisionnement en animaux sauvages. Et de fait, ces combats se poursuivent encore, sous la forme moderne de la corrida, en Espagne et en Amérique latine.

Ce qui est vrai des jeux romains l'est aussi sur un plan plus global. Le christianisme laissa les non-humains aussi fermement en dehors de la sphère de la sympathie qu'ils l'avaient jamais été à l'époque romaine. En conséquence, pendant que les attitudes envers les êtres humains s'adoucissaient et s'amélioraient au point de devenir méconnaissables, les attitudes envers les autres animaux demeuraient aussi impitoyables et brutales qu'à l'époque romaine. Et même, non seulement le christianisme omit de tempérer les pires des attitudes romaines envers les autres animaux, mais il réussit malheureusement aussi à étouffer pour très longtemps l'étincelle d'une compassion moins limitée qu'avaient maintenue en vie un petit nombre de personnes plus douces et plus bienveillantes.

Il n'y avait eu qu'une poignée de Romains pour manifester de la compassion face à la souffrance d'un être quel qu'il fût, et de la répulsion envers l'utilisation des êtres sensibles pour le plaisir des humains, que ce fût à la table du gourmet ou dans l'arène. Ovide, Sénèque, Porphyre et Plutarque écrivirent tous en ce sens, à ce dernier revenant l'honneur, selon Lecky, d'avoir été le premier à plaider vigoureusement en faveur de la bonté dans le traitement des animaux sur la base d'une bienveillance universelle, indépendamment de toute croyance en la transmigration des âmes[9]. Il faudra attendre ensuite près de seize siècles avant de trouver un auteur chrétien qui dénonce la cruauté envers les animaux avec une insistance et une précision semblables en se fondant sur autre chose que le risque d'encourager une tendance à la cruauté envers les humains.

Un petit nombre de chrétiens ont manifesté quelque souci pour les animaux. Il y a une prière écrite par saint Basile qui nous exhorte à la bonté envers eux, une remarque faite par saint Jean Chrysostome dans le même sens, et un enseignement de saint Isaac le Syrien. Il y eut même quelques saints qui, tel saint Neot, sabotèrent des chasses en sauvant des cerfs et des lièvres que poursuivaient les chasseurs[10]. Mais ces quelques figures ne réussirent pas à détourner de sa préoccupation exclusivement spéciste le courant principal de la pensée chrétienne. Pour démontrer cette absence d'influence, plutôt que de suivre le développement des idées chrétiennes sur les animaux depuis les premiers Pères de l'Église jusqu'aux scolastiques médiévaux – parcours laborieux, car on y trouve plus de répétitions que de développements – mieux vaudra étudier plus en détail qu'il ne serait possible de le faire autrement la position de saint Thomas d'Aquin.

L'énorme *Somme théologique* de Thomas d'Aquin représentait une tentative pour saisir la somme des connaissances théologiques de l'époque et tenter de la concilier avec la sagesse pratique des philosophes ; bien que pour Thomas d'Aquin, Aristote occupât une place si prééminente dans son domaine que pour le désigner il disait simplement « le Philosophe ». S'il fallait nommer un seul auteur représentatif de la philosophie chrétienne avant la Réforme, et de la philosophie catholique jusqu'à ce jour, c'est Thomas d'Aquin qu'il faudrait choisir.

Nous pouvons commencer par nous demander si, selon Thomas d'Aquin, l'interdiction chrétienne de tuer s'applique aux créatures autres que les humains, et sinon, quelle raison il en donne. Thomas d'Aquin répond :

> Il n'y a pas de péché à utiliser une chose pour le but pour laquelle elle est. Eh bien, l'ordre des choses est tel que les choses imparfaites sont pour les choses parfaites [...] Les choses comme les plantes qui ont simplement la vie, sont toutes pareillement pour les animaux, et tous les animaux sont pour l'homme. D'où il découle qu'il n'est pas illicite pour les hommes d'utiliser les plantes pour le bien des animaux, et les animaux pour le bien de l'homme, comme le dit le Philosophe (*Politique*, I, 3).

> Eh bien l'utilisation la plus nécessaire semblerait être le fait que les animaux utilisent les plantes, et les hommes les animaux, comme nourriture, et cela ne peut se faire sans les priver de la vie, d'où il découle qu'il est licite d'enlever la vie aux plantes pour l'usage des animaux, comme des animaux pour l'usage des hommes. En fait, cela est en accord avec le commandement de Dieu lui-même (*Genèse* I, 29, 30 et *Genèse* IX, 3) [11].

Pour Thomas d'Aquin, la question n'est pas que tuer pour manger serait en soi nécessaire et donc justifiable (puisqu'il avait connaissance de sectes comme les manichéens chez qui tuer les animaux était interdit, il ne pouvait être totalement ignorant du fait que les êtres humains peuvent vivre sans viande, mais nous passerons là-dessus pour l'instant) ; ce sont seulement les « plus parfaits » qui ont le droit de tuer pour cette raison. Les animaux qui tuent les êtres humains pour les manger tombent dans une tout autre catégorie : « La sauvagerie et la brutalité tirent leur nom de la ressemblance avec les bêtes sauvages. Car les animaux de cette sorte attaquent l'homme pour se nourrir de son corps, et non mus par quelque intention de justice, dont la considération n'appartient qu'à la seule raison [12]. »

Les êtres humains, bien entendu, ne tueraient pas pour se nourrir s'ils n'avaient auparavant considéré la justesse de leur acte !

Ainsi donc les êtres humains peuvent tuer les autres animaux et s'en nourrir ; mais peut-être y a-t-il d'autres choses que nous ne devons pas leur faire ? La souffrance des autres créatures est-elle en elle-même un mal ? Si oui, ne serait-il pas pour cette raison mal de les faire souffrir, ou du moins de les faire souffrir sans nécessité ?

Thomas d'Aquin ne dit pas que la cruauté envers les « animaux irrationnels » est un mal en soi. Il n'y a pas la place pour condamner ce type d'actes dans son schéma moral, car il classe les péchés en péchés contre Dieu, péchés contre soi-même et péchés contre son prochain. Ainsi les limites de la moralité excluent-elles encore une fois les non-humains. Il n'y a pas de catégorie où classer les péchés commis contre eux[13].

Peut-être malgré tout, même si ce n'est pas pécher que d'être cruel envers les non-humains, ne serait-ce pas un acte de charité d'être bon pour eux ? Eh bien non, Thomas d'Aquin exclut explicitement cette possibilité elle aussi. La charité, dit-il, ne s'étend pas aux créatures irrationnelles pour trois raisons : elles ne sont pas, « à proprement parler, compétentes à posséder le bien, cela étant le propre des créatures rationnelles » ; nous n'avons pas de sentiment de communauté avec elles ; et enfin, « la charité repose sur la communauté du bonheur éternel, que la créature irrationnelle ne peut atteindre ». Il n'est possible d'aimer ces créatures, nous dit-on, que « si nous les considérons comme les bonnes choses que nous désirons pour autrui », c'est-à-dire, « pour l'honneur de Dieu et l'usage de l'homme ». En d'autres termes, nous ne pouvons nourrir des dindes avec amour parce qu'elles ont faim, mais seulement en les voyant en tant que futurs repas de Noël pour les humains[14].

Tout cela pourrait nous amener à soupçonner que Thomas d'Aquin ne croit tout simplement pas que les animaux autres que les êtres humains soient capables de souffrir du tout. Cette idée a été défendue par d'autres philosophes et, aussi absurde qu'elle paraisse, en l'attribuant à Thomas d'Aquin on le laverait au moins de l'accusation d'avoir été indifférent à la souffrance. Cette interprétation, cependant, est exclue par les propres paroles de Thomas d'Aquin. Dans le cours d'une discussion de quelques-unes des timides injonctions qui figurent dans l'Ancien Testament à l'encontre de la cruauté envers les animaux, il propose que nous distinguions entre la raison et la passion. Pour ce qui est de la raison, il nous dit : « Il n'importe comment l'homme se comporte envers les animaux, parce que Dieu a soumis toutes les choses au pouvoir de l'homme et c'est dans ce sens que l'Apôtre dit que Dieu ne se soucie pas des bœufs, parce que Dieu ne demande pas à l'homme ce qu'il fait des bœufs ou d'autres animaux. »

D'un autre côté, pour ce qui est de la passion, notre pitié est éveillée par les animaux, parce que « même les animaux irrationnels sont sensibles à la douleur » ; néanmoins, Thomas d'Aquin considère la douleur dont peuvent souffrir les animaux comme une raison insuffisante pour justifier les injonctions de l'Ancien Testament, et ajoute par conséquent : « Eh bien il est évident que si un homme exerce une affection pitoyable envers les animaux, il est d'autant plus disposé à prendre pitié de ses semblables humains, c'est pourquoi il est écrit (Proverbes XII, 10) : “Le juste prend soin de la vie de ses bêtes[15].” »

Ainsi Thomas d'Aquin aboutit-il à l'idée qui devait être souvent répétée par la suite selon laquelle la seule raison pour ne pas être cruel envers les animaux est que cela risque d'amener à être cruel envers les êtres humains. Aucun argument ne pourrait révéler l'essence du spécisme plus clairement.

L'influence de Thomas d'Aquin ne fut pas de courte durée. Encore au milieu du XIXe siècle, le pape Pie IX refusa d'autoriser la création à Rome d'une société protectrice des animaux, parce qu'une telle autorisation eût impliqué que les êtres humains ont des devoirs envers les animaux[16]. Et nous pouvons prolonger ce compte rendu jusqu'à la seconde moitié du XXe siècle sans trouver de modification significative dans la position officielle de l'Église catholique romaine. Il est instructif de comparer le passage suivant, tiré d'un texte catholique américain, avec l'extrait cité plus haut écrit il y a sept cents ans par Thomas d'Aquin : « Dans l'ordre de la nature, l'imparfait existe pour le parfait, l'irrationnel pour servir le rationnel. À l'homme, en tant qu'animal rationnel, il est permis d'utiliser les choses placées en dessous de lui dans cet ordre de la nature pour ses justes besoins. Il a besoin de manger les plantes et les animaux pour entretenir sa vie et sa force. Pour manger les plantes et les animaux, il faut les tuer. Ainsi le fait de tuer n'est-il pas, en lui-même, un acte immoral ou injuste[17]. »

Le point à noter dans ce passage est que l'auteur s'en tient si fidèlement au texte de Thomas d'Aquin qu'il va jusqu'à répéter l'affirmation selon laquelle il est nécessaire pour les êtres humains de manger les plantes et les animaux. L'ignorance de Thomas d'Aquin à ce sujet peut surprendre, mais reste excusable compte tenu de l'état des connaissances scientifiques à son époque ; mais qu'un auteur moderne, qui n'aurait eu qu'à consulter un ouvrage courant sur la nutrition ou à prendre note de l'existence de végétariens en bonne santé, puisse perpétuer la même erreur est un fait incroyable.

Ce n'est qu'en 1988 qu'on trouve une déclaration officielle de l'Église catholique qui dénote un début d'influence du mouvement environnementaliste sur les enseignements catholiques. Dans son encyclique *Solicitudo Rei Socialis* (« Des préoccupations sociales »), le pape Jean-Paul II insistait pour que le développement humain inclue un « respect pour les êtres qui constituent le monde naturel » et ajoutait : « La domination accordée à l'homme par le Créateur n'est pas un pouvoir absolu, et l'on ne peut non plus parler d'une liberté "d'user et d'abuser", ou de disposer des choses à sa guise [...] Pour ce qui a rapport au monde naturel, nous sommes soumis non seulement à des lois biologiques, mais aussi à des lois morales, lesquelles ne peuvent être transgressées impunément[18]. »

Qu'un pape rejette si clairement l'idée de la domination absolue est un fait très prometteur, mais il est trop tôt pour dire si cela annonce un changement d'orientation historique fort indispensable dans la doctrine catholique au sujet des animaux et de l'environnement.

Il y a eu, bien entendu, de nombreux catholiques bienveillants qui ont fait de leur mieux pour améliorer la position de leur Église face aux animaux, et leurs efforts ont abouti en quelques occasions à des succès. En soulignant la tendance avilissante de la cruauté, certains auteurs catholiques se sont crus en position de condamner les pires des pratiques humaines à l'égard des autres animaux. Pourtant, la plupart d'entre eux restèrent limités par la perspective fondamentale de leur religion. C'est ce qu'illustre le cas de saint François d'Assise.

Saint François représente l'exception remarquable à la règle qui veut que le catholicisme décourage la préoccupation pour le bien-être des non-humains. « Si seulement je pouvais être présenté à l'empereur, est-il réputé avoir dit, je le prierais, pour l'amour de Dieu, et de moi, d'émettre un édit interdisant à quiconque d'attraper ou d'emprisonner mes sœurs les alouettes, et ordonnant à tous ceux qui possèdent un bœuf ou un âne de les nourrir particulièrement bien à Noël. » De nombreuses légendes parlent de sa compassion, et le récit de ses sermons aux oiseaux semble certainement indiquer que le fossé entre ces derniers et les humains était moins large que ne le supposaient d'autres chrétiens.

Mais on risque d'en rester sur une impression erronée au sujet des idées de saint François si l'on s'en tient à son attitude envers les alouettes et autres animaux. Il n'y avait pas que des créatures sensibles parmi celles que saint François appelait ses sœurs : le soleil, la lune, le vent, le feu, tous et toutes étaient pour lui des frères et des sœurs. Ses contemporains le décrivent comme éprouvant « un ravissement intérieur et extérieur face à presque toute créature, et quand il les touchait ou les regardait son esprit semblait être au ciel plutôt que sur la terre ». Ce ravissement englobait l'eau, les rochers, les fleurs et les arbres. Cette description est celle d'une personne en état d'extase religieuse, profondément habitée par un sentiment d'unité avec la nature entière. Dans diverses religions et traditions mystiques, des adeptes paraissent avoir connu de telles expériences, et avoir exprimé de semblables sentiments d'amour universel. En voyant saint François sous cet angle on trouve plus facilement compréhensible l'ampleur de son amour et de sa compassion. Mais on comprend aussi alors comment cet amour pour toutes les créatures pouvait coexister avec une position théologique tout à fait orthodoxe dans son spécisme. Saint François affirma que « chaque créature proclame : "Dieu m'a créé pour toi, ô homme !" » Le soleil lui-même, pensait-il, brille pour l'homme. Ces croyances faisaient partie d'une cosmologie qu'il ne contesta jamais ; la force de son amour pour la création entière, cependant, n'avait pas à être liée par de telles considérations.

Ce genre d'amour universel extatique peut s'avérer une merveilleuse source de compassion et de bonté, mais le manque de réflexion rationnelle peut aussi pour une large part en neutraliser les conséquences bénéfiques. Si nous aimons les rochers, les arbres, les plantes, les hirondelles et les bœufs de façon égale, nous risquons de perdre de vue les différences essentielles entre eux, et, ce qui est le plus important, les différences de niveau de sensibilité. Nous pourrons alors penser que puisqu'il nous faut manger pour survivre, et puisque nous ne pouvons manger sans tuer quelque chose que nous aimons, peu importe laquelle nous tuons. C'est peut-être pour cette raison que l'amour de saint François pour les oiseaux et pour les bœufs ne semble pas l'avoir amené à cesser de les manger ; et quand il rédigea les règles de conduite de l'ordre religieux qu'il avait fondé, il n'ordonna pas que l'on s'abstînt de manger de la viande, sauf certains jours maigres [19].

On aurait pu penser que la Renaissance, avec la montée de la pensée humaniste en opposition à la scolastique médiévale, allait briser la conception médiévale de l'univers et avec elle provoquer la chute des idées plus anciennes sur le statut des humains vis-à-vis des autres animaux. Mais l'humanisme de la Renaissance était après tout un *humanisme* ; et le sens de ce terme n'a rien à voir avec l'humanitarisme, la tendance à agir de manière humaine.

La caractéristique fondamentale de l'humanisme de la Renaissance est l'insistance qu'elle met sur la valeur et la dignité des êtres humains, et sur la place centrale qu'ils occupent dans l'univers. « L'homme est la mesure de toutes choses » : cette expression des Grecs anciens à laquelle la Renaissance redonna vie correspond au thème de la période. À la place de l'accent quelque peu déprimant qu'avait mis l'époque antérieure sur le péché originel et la faiblesse humaine face à la puissance infinie de Dieu, les humanistes de la Renaissance insistèrent sur le caractère unique des êtres humains, sur leur libre arbitre, leur potentialité et leur dignité ; et ils opposèrent tout cela à la nature limitée des « animaux inférieurs ». Tout comme l'insistance mise par les premiers chrétiens sur le caractère sacré de la vie humaine, c'était là à certains égards un progrès appréciable dans les attitudes envers les êtres humains, mais qui laissait les non-humains aussi loin en dessous des humains qu'ils l'avaient jamais été.

On vit ainsi les auteurs de la Renaissance s'encenser eux-mêmes dans des essais où ils disaient que « rien dans le monde ne peut être trouvé de plus digne d'admiration que l'homme [20] » et décrivaient les humains comme « le centre de la nature, le milieu de l'univers, la chaîne du monde[21] ». Si la Renaissance marque à certains égards le début de la pensée moderne, concernant les attitudes envers les animaux, les modes de pensée plus anciens maintenaient toujours leur emprise.

Vers cette époque cependant nous pouvons remarquer les premiers véritables dissidents : Léonard de Vinci se vit railler par ses amis parce qu'il se souciait des souffrances des animaux au point d'être devenu végétarien[22] ; et Giordano Bruno, influencé par la nouvelle astronomie copernicienne qui permettait de penser qu'il puisse exister d'autres planètes, dont certaines pourraient être habitées, s'aventura à affirmer que « l'homme n'est pas plus qu'une fourmi en présence de l'infini ». Bruno mourut sur le bûcher en 1600 pour avoir refusé d'abjurer ses hérésies.

L'auteur préféré de Michel de Montaigne était Plutarque, et l'attaque qu'il mena contre les présupposés humanistes de son époque se serait attiré l'approbation de ce Romain bienveillant : « La présomption est notre maladie naturelle et originelle. [...] C'est par la vanité de cette même imagination que [l'homme] s'égale à Dieu, qu'il s'attribue les conditions divines, qu'il se trie soi-même et sépare de la presse (*foule*) des autres créatures [...][23]. »

Ce n'est sûrement pas une coïncidence si le même qui rejetait ce genre d'autoglorification fut également, avec son essai *De la cruauté*, l'un des très rares auteurs depuis l'époque romaine à affirmer que la cruauté envers les animaux est un mal en soi, tout à fait indépendamment de la tendance qu'elle peut avoir à mener à la cruauté envers les êtres humains.

Peut-être, alors, à partir de ce point du développement de la pensée occidentale le statut des non-humains n'allait-il pas forcément s'améliorer ? L'ancienne conception de l'univers, avec la place centrale qu'elle attribuait aux êtres humains, perdait lentement du terrain ; la science moderne allait débuter son ascension aujourd'hui bien connue ; et, après tout, le statut des non-humains était à ce moment si médiocre qu'on pourrait penser qu'il ne pouvait que s'améliorer.

Mais le pire absolu était encore à venir. La dernière, la plus bizarre et – pour les animaux – la plus pénible des conséquences des doctrines chrétiennes émergea au cours de la première moitié du XVIIe siècle, dans la philosophie de Descartes. Celui-ci était un penseur éminemment moderne. On le considère comme le père de la philosophie moderne, et aussi de la géométrie analytique, d'où une bonne part des conceptions mathématiques modernes tirent leur origine. Mais c'était également un chrétien, et ses croyances concernant les animaux naquirent de la combinaison de ces deux aspects de sa pensée.

Sous l'influence de la mécanique, science nouvelle et enthousiasmante, Descartes soutint que tout ce qui était fait de matière était régi par des principes mécaniques, comme ceux qui gouvernent une horloge. Un problème évident auquel se heurtait cette conception était celui de notre propre nature. Le corps humain est composé de matière, et fait partie de l'univers physique. Il semblerait donc que les êtres humains doivent eux aussi être des machines, dont le comportement serait déterminé par les lois de la science.

Descartes fut en mesure d'éviter la conclusion désagréable et hérétique selon laquelle les humains sont des machines en introduisant l'idée de l'âme. Il y a, disait Descartes, non pas une mais deux sortes de choses dans l'univers, il y a les choses de l'esprit ou de l'âme en plus des choses de nature physique ou matérielle. Les êtres humains sont conscients, et la conscience ne peut trouver son origine dans la matière. Descartes identifia la conscience avec l'âme immortelle, laquelle survit à la décomposition du corps physique, et affirma que l'âme était créée spécialement par Dieu. De tous les êtres matériels, disait Descartes, seuls les humains ont une âme. (Les anges et les autres êtres immatériels ont une conscience et rien de plus.)

C'est ainsi que, dans la philosophie de Descartes, la doctrine chrétienne selon laquelle les animaux ne possèdent pas une âme immortelle a cette conséquence extraordinaire qu'ils n'ont pas non plus de conscience. Ce ne sont, dit-il, que de simples machines, des automates. Ils ne ressentent ni plaisir, ni douleur, ni quoi que ce soit d'autre. Bien qu'ils puissent pousser des cris quand on les coupe avec un couteau, ou se contorsionner dans leurs efforts pour échapper au contact d'un fer chaud, cela ne signifie pas, disait Descartes, qu'ils ressentent de la douleur dans ces situations. Ils sont gouvernés par les mêmes principes qu'une horloge, et si leurs actions sont plus complexes que celles d'une horloge, c'est parce que celle-ci est une machine construite par les humains, alors que les animaux sont des machines infiniment plus complexes, faites par Dieu[24].

Cette « solution » au problème de la situation de la conscience dans un monde matérialiste nous semble paradoxale, comme elle l'a semblé à de nombreux contemporains de Descartes, mais à son époque elle paraissait aussi comporter d'importants avantages. Elle fournissait une raison de croire à l'existence d'une vie après la mort, ce qui dans l'opinion de Descartes était un sujet « des plus importants » puisque « d'imaginer que l'âme des bêtes soit de même nature que la nôtre, et que, par conséquent, nous n'avons rien à craindre, ni à espérer, après cette vie, non plus que les mouches et les fourmis » était une erreur susceptible d'encourager les conduites immorales. L'explication de Descartes éliminait par ailleurs cette ancienne et vexante énigme théologique qu'était la question de savoir pourquoi un Dieu juste permettrait que les animaux – qui n'avaient pas hérité du péché d'Adam, et qui n'étaient pas récompensés dans une vie après la mort – puissent souffrir[25].

Descartes était aussi conscient des avantages plus pratiques : « Mon opinion n'est pas tant cruelle envers les animaux qu'indulgente envers les humains – du moins envers ceux qui ne donnent pas dans les superstitions de Pythagore – puisqu'elle les absout du soupçon de crime lorsqu'ils mangent ou tuent des animaux[26]. »

Pour Descartes le scientifique, de cette doctrine découlait encore une autre conséquence heureuse. C'est à cette époque que la pratique des expériences sur animaux vivants devint courante en Europe. Puisqu'il n'y avait pas à l'époque d'anesthésiques, ces expériences ont dû amener les animaux à se comporter d'une manière qui, aux yeux de la plupart d'entre nous, indiquerait qu'ils souffrent d'une douleur extrême. La théorie de Descartes permettait aux expérimentateurs d'écarter tous scrupules et hésitations qu'ils auraient pu avoir en ces circonstances. Descartes lui-même disséqua des animaux vivants dans le but d'étendre ses connaissances de l'anatomie, et beaucoup parmi les physiologistes les plus avancés de l'époque se déclarèrent cartésiens et mécanistes. Le compte rendu suivant, témoignage *de visu* qui décrit certains de ces expérimentateurs dans leur travail au séminaire janséniste de Port-Royal vers la fin du XVIIe siècle, montre clairement les avantages pratiques de la théorie de Descartes : « Ils battaient des chiens avec une parfaite indifférence, et se gaussaient de ceux qui plaignaient ces créatures comme si elles ressentaient la douleur. Ils disaient que les animaux étaient des horloges ; que les cris qu'ils émettaient lorsqu'on les frappait n'étaient que le bruit d'un petit ressort qui avait été touché, mais que le corps dans son ensemble était insensible. Ils clouèrent de pauvres animaux sur des planches par les quatre pattes pour les vivisectionner et observer la circulation du sang qui était un grand sujet de conversation[27]. »

Arrivé à ce point, il est effectivement vrai que le statut des animaux ne pouvait que s'améliorer.

À partir du siècle des Lumières

La nouvelle vogue de l'expérimentation animale a peut-être été elle-même en partie responsable d'un changement dans les attitudes envers les animaux, puisque ces expériences révélèrent entre ceux-ci et les êtres humains une remarquable similitude de physiologie. En toute rigueur, cela n'était pas incompatible avec ce que Descartes avait dit, mais ses idées en devenaient moins plausibles, comme l'a bien exprimé Voltaire : « Des barbares saisissent ce chien, qui l'emporte si prodigieusement sur l'homme en amitié ; ils le clouent sur une table, et ils le dissèquent vivant pour te montrer les veines mésaraïques. Tu découvres dans lui tous les mêmes organes de sentiment qui sont dans toi. Réponds-moi, machiniste ; la nature a-t-elle arrangé tous les ressorts du sentiment dans cet animal, afin qu'il ne sente pas[28] ? »

S'il n'y eut pas de changement radical, diverses influences se combinèrent toutefois pour améliorer les attitudes envers les animaux. Progressivement, on en arriva à admettre que les autres animaux souffrent et qu'on leur doit une certaine considération. On ne pensait pas qu'ils avaient des droits, et leurs intérêts passaient après ceux des humains ; malgré cela, le philosophe écossais David Hume exprimait un sentiment assez répandu quand il dit que nous sommes « tenus par les règles d'humanité de donner un usage doux à ces créatures[29] ».

« Un usage doux » est, effectivement, l'expression qui résume avec élégance l'attitude qui commença à se répandre au cours de cette période : que nous sommes fondés à utiliser les animaux, mais que nous devrions le faire avec douceur. La tendance dominante de l'époque était à plus de raffinement et de civilité, plus de bienveillance et moins de brutalité, et les animaux bénéficièrent de cette tendance en même temps que les humains.

Le XVIIIe siècle fut aussi celui où nous redécouvrîmes la « Nature » : le bon sauvage de Jean-Jacques Rousseau, flânant nu à travers bois, cueillant fruits et noix sur son passage, représenta l'apogée de cette idéalisation de la nature. En nous percevant nous-mêmes comme partie de la nature, nous retrouvâmes un sentiment de parenté avec « les bêtes ». Cette relation de parenté n'était cependant en aucune façon égalitaire. Au mieux, à l'homme revenait le rôle du père bienveillant de la famille des animaux.

Les idées religieuses attribuant un statut spécial aux êtres humains ne disparurent pas. Elles se retrouvèrent mêlées à la nouvelle attitude plus bienveillante. Alexander Pope, par exemple, s'opposa à la pratique consistant à ouvrir le ventre à des chiens pleinement conscients en arguant que, bien que la « création inférieure » eût été « soumise à notre pouvoir », nous devrons répondre de sa « mauvaise gestion [30] ».

Enfin, et particulièrement en France, la croissance du sentiment anticlérical fut favorable au statut des animaux. Voltaire, qui prenait grand plaisir à combattre les dogmes de toutes sortes, compara défavorablement les pratiques chrétiennes à celles des hindous. Il alla plus loin que ses contemporains anglais partisans du traitement bienveillant des animaux quand il parla de la « coutume barbare qui veut que nous nous nourrissions de la chair et du sang de créatures comme nous-mêmes » ; cela malgré le fait qu'il ait apparemment continué à pratiquer cette coutume lui-même [31]. Rousseau, lui aussi, semble avoir reconnu la force des arguments en faveur du végétarisme sans aller jusqu'à le pratiquer ; son traité sur l'éducation, *Émile*, contient un long extrait de Plutarque, en grande partie hors de propos, dans lequel celui-ci attaque l'utilisation des animaux pour la nourriture en la qualifiant de meurtre sanguinaire contre nature et non nécessaire[32].

Le siècle des Lumières n'affecta pas tous les penseurs de façon égale dans leurs attitudes envers les animaux. En 1780, Emmanuel Kant, dans ses cours sur l'éthique, disait encore à ses étudiants : « Pour ce qui a trait aux animaux, nous n'avons pas de devoirs directs. Les animaux ne sont pas conscients d'eux-mêmes, et n'existent qu'à titre de moyens pour une fin. Cette fin est l'homme[33]. »

Mais au cours de cette même année, Jeremy Bentham complétait son *Introduction to the Principles of Morals and Legislation*, et y donnait, dans un passage que j'ai déjà cité dans le premier chapitre de ce livre, cette réponse définitive à Kant : « La question n'est pas : peuvent-ils *raisonner* ? ni : peuvent-ils *parler* ? mais : peuvent-ils *souffrir* ? » Lorsqu'il compara la condition des animaux à celle des esclaves noirs, et anticipa le jour « où le reste de la création animale acquerra ces droits qui n'auraient jamais pu être refusés à ses membres autrement que par la main de la tyrannie », Bentham devint peut-être le premier à dénoncer la « domination de l'homme » comme tyrannie plutôt que gouvernement légitime.

Le progrès intellectuel accompli au cours du XVIIIe siècle fut suivi, au IXe siècle, de quelques améliorations pratiques dans la condition des animaux. Celles-ci prirent la forme de lois contre la cruauté gratuite à leur égard. Les premières batailles pour l'obtention de droits juridiques pour les animaux furent menées en Grande-Bretagne, et la réaction initiale dont fit preuve le Parlement britannique nous indique que les idées de Bentham n'avaient eu que peu d'impact sur ses concitoyens.

La première proposition de loi pour prévenir le mauvais traitement des animaux visait à interdire le *bull-baiting*, « sport » consistant à faire harceler un taureau par des chiens. La proposition fut présentée à la Chambre des Communes en 1800. George Canning, le ministre des Affaires étrangères, la qualifia d'« absurde » et posa à son sujet cette question rhétorique : « Que pourrait-il y avoir de plus innocent que le *bull-baiting*, la boxe, ou la danse ? » Puisque aucune tentative n'était en cours pour interdire ces deux dernières activités, il apparaît que le sens de la proposition à laquelle s'opposait cet homme d'État avisé lui avait échappé – il croyait comprendre qu'il s'agissait d'une tentative de prévenir les rassemblements de la « populace » susceptibles d'encourager les conduites immorales [34]. Le présupposé qui rendait possible cette erreur d'interprétation était qu'une conduite qui ne lèse qu'un animal ne peut certainement valoir la peine qu'on légifère à son sujet – présupposé que partageait le *Times*, qui consacra un éditorial au principe selon lequel « est tyrannie tout ce qui interfère avec l'usage privé et personnel que l'homme fait de son temps ou de sa propriété. Tant qu'aucune autre personne n'est lésée il n'y a pas de place pour l'intervention du pouvoir. » La proposition de loi fut repoussée.

En 1821, Richard Martin, gentleman et propriétaire terrien irlandais et membre du Parlement pour le comté de Galway, présenta une proposition de loi pour interdire le mauvais traitement des chevaux. Le compte rendu suivant traduit le ton du débat qui s'ensuivit : « Quand le conseiller C. Smith suggéra que l'on devrait protéger les ânes, il y eut de tels hurlements de rire que le journaliste du *Times* eut du mal à entendre ce qui se disait. Lorsque le Président de la Chambre répéta cette proposition, le rire reprit de plus belle. Un autre parlementaire dit que Martin n'allait pas tarder à légiférer au sujet des chiens, ce qui déclencha une autre crise d'hilarité, et quand quelqu'un cria "Et des chats !" la Chambre fut prise de convulsions[35]. »

Cette proposition de loi fut elle aussi repoussée, mais l'année suivante Martin arriva à en faire passer une autre qui rendait illégal de maltraiter « gratuitement » certains animaux domestiques, « propriété d'une ou plusieurs autres personnes ». Pour la première fois, la cruauté envers des animaux devenait une infraction punissable. En dépit de l'hilarité qui avait saisi la Chambre l'année précédente, les ânes furent inclus dans le champ de la loi ; les chiens et les chats restaient cependant encore en dehors. Fait plus significatif, Martin avait été obligé de formuler sa proposition pour la faire ressembler à une mesure destinée à protéger des articles de propriété privée, pour le bénéfice du propriétaire, plutôt que pour celui des animaux eux-mêmes[36].

La proposition était maintenant devenue loi, mais il restait à la faire appliquer. Puisque les victimes ne pouvaient porter plainte, Martin avec un certain nombre d'autres humanitaristes éminents formèrent une association pour recueillir les témoignages et initier les poursuites. Ainsi fut fondée la première organisation pour le bien-être des animaux, qui devait plus tard devenir la RSPCA (Royal Society for the Prevention of Cruelty to Animals).

Quelques années après le vote de ce premier modeste texte réglementaire interdisant la cruauté envers les animaux, Charles Darwin écrivit dans son journal : « L'homme dans son arrogance pense être une grande œuvre, digne de l'acte d'un dieu. Plus humble et, à mon avis, plus vrai de le voir comme créé à partir des animaux[37]. » Vingt ans devaient encore s'écouler avant que Darwin ne décidât, en 1859, de considérer qu'il avait accumulé suffisamment de données en soutien à sa théorie pour la rendre publique. Même alors, dans son *Origine des espèces*, Darwin évita soigneusement toute discussion relative à l'application éventuelle à l'homme de sa théorie de l'évolution des espèces les unes à partir des autres, disant seulement que son travail jetterait de la lumière sur « les origines de l'homme et son histoire ». En fait, il avait déjà à ce moment-là accumulé de nombreuses notes concernant la théorie de l'évolution de l'espèce *Homo sapiens* à partir d'autres animaux, mais il décida que s'il publiait ces informations il « ne ferait qu'alimenter les préjugés à l'encontre de [ses] idées[38] ». Ce n'est qu'en 1871, quand de nombreux scientifiques avaient déjà accepté la théorie de l'évolution en général, que Darwin publia *L'Origine de l'homme*, explicitant ainsi ce qu'il avait dissimulé dans une phrase unique de son livre précédent.

Ainsi débuta une révolution dans la compréhension humaine de la relation entre nous-mêmes et les animaux non humains... du moins, c'est ce qu'on aurait pu croire. On se serait attendu à ce que le bouleversement intellectuel déclenché par la publication de la théorie de l'évolution provoquât un net changement dans les attitudes humaines envers les animaux. Dès lors que le poids des données scientifiques qui militaient en faveur de la théorie était devenu apparent, pratiquement toutes les justifications antérieures de la place suprême que nous nous donnions dans la création et de la domination que nous exercions sur les animaux avaient besoin d'être révisées. Au niveau intellectuel la révolution darwinienne était réellement révolutionnaire. Les êtres humains savaient désormais qu'ils n'étaient pas la création toute particulière de Dieu, modelée selon son image divine et mise à part des animaux ; au contraire, les êtres humains prenaient conscience de ce qu'ils étaient eux-mêmes des animaux. De plus, pour appuyer sa théorie de l'évolution,

Darwin faisait ressortir que les différences entre les êtres humains et les animaux n'étaient pas aussi grandes qu'on le supposait le plus souvent. Le chapitre III de *L'Origine de l'homme* est consacré à la comparaison entre les facultés intellectuelles des humains et celles des « animaux inférieurs », et Darwin en résume les résultats ainsi : « Nous avons vu que les sens et les intuitions, les diverses émotions et facultés, telles que l'amour, la mémoire, l'attention et la curiosité, l'imitation, la raison, etc., dont s'enorgueillit l'homme, peuvent se voir à l'état naissant, ou même parfois dans un état pleinement développé, chez les animaux inférieurs[39]. »

Le quatrième chapitre du même ouvrage va plus loin encore, affirmant que l'origine du sens moral humain peut elle aussi être trouvée dans les instincts sociaux des animaux qui les amènent à apprécier la compagnie de leurs congénères, à éprouver de la sympathie les uns pour les autres, et à se rendre mutuellement service. Dans un travail ultérieur, *L'Expression des émotions chez l'homme et les animaux*, Darwin fournit d'autres données étayant un grand nombre de parallèles entre la vie émotionnelle des êtres humains et celle d'autres animaux.

La tempête de résistance à laquelle dut faire face la théorie de l'évolution et de la naissance de l'espèce humaine à partir des animaux – résistance dont l'histoire est trop connue pour que j'aie ici à la retracer encore – indique à quel point les idées spécistes en étaient arrivées à dominer la pensée occidentale. L'idée que nous serions le produit d'un acte spécial de création, et que les autres animaux auraient été créés pour nous servir, n'allait pas nous quitter sans résistance. Le poids des données scientifiques indiquant une origine commune à l'espèce humaine et aux autres espèces était cependant irrésistible.

Avec l'acceptation dont finit par jouir la théorie de Darwin, nous en arrivons à la compréhension moderne de la nature, à une compréhension dont les modifications ultérieures ont porté sur les détails plus que sur les fondements. Seules les personnes qui préfèrent la foi religieuse aux croyances basées sur le raisonnement et les données peuvent encore maintenir que l'espèce humaine est le petit chéri de l'univers entier, ou que les autres animaux ont été créés pour que nous puissions manger, ou que nous avons une autorité divine sur eux, et la permission divine de les tuer.

Si nous mettons bout à bout cette révolution intellectuelle et la croissance du sentiment humanitaire dont elle avait été précédée, nous pourrions être amenés à croire que tout allait maintenant aller pour le mieux. Pourtant, comme les chapitres qui précèdent l'ont, je l'espère, clairement fait voir, la « main de la tyrannie » des humains pèse encore de tout son poids sur les autres espèces, et à l'heure actuelle, nous infligeons probablement plus de souffrances aux animaux qu'à toute époque antérieure de l'histoire. Qu'est-ce qui est donc allé de travers ? Si nous observons ce que les penseurs relativement avancés pour leur époque ont écrit au sujet des animaux à partir du moment, vers la fin du XVIIIe siècle, où l'idée commençait à être admise que les animaux avaient droit à un certain degré de considération, nous pouvons noter un fait intéressant. À quelques très rares exceptions près, ces auteurs, y compris les meilleurs d'entre eux, s'arrêtent net avant d'atteindre le point où leurs arguments les auraient mis face au choix de soit briser leur habitude profondément ancrée de manger la chair d'autres animaux, soit admettre que leurs actes ne sont pas à la hauteur des conclusions auxquelles aboutissent leurs propres arguments moraux. C'est là un schéma maintes fois répété. À partir de la fin du XVIIIe siècle, quand on parcourt les sources, on tombe souvent sur un passage dans lequel l'auteur dénonce le caractère moralement injustifié de notre manière de traiter les autres animaux en des termes si vigoureux que l'on se dit que, pour sûr, voici enfin quelqu'un qui s'est libéré entièrement des idées spécistes – et qui, donc, s'est également libéré de la plus répandue des pratiques spécistes, à savoir celle qui consiste à manger d'autres animaux. À part une ou deux exceptions remarquables (au XIXe siècle on trouve Lewis Gompertz et Henry Salt)[40], on est toujours déçu. Brusquement, une restriction apparaît dans le texte, ou quelque nouvelle considération est introduite, et l'auteur s'épargne à lui-même les inquiétudes concernant son alimentation que son argumentation semblait devoir à coup sûr engendrer. Quand viendra le temps d'écrire l'histoire du mouvement de libération animale, l'époque qui débuta avec Bentham sera connue comme l'ère des excuses et des dérobades.

Les excuses servies sont de divers types, et quelques-unes témoignent d'une certaine ingéniosité. Il vaut la peine d'examiner un spécimen de chacun des types principaux, car on les rencontre encore aujourd'hui.

Tout d'abord, et cela ne devrait pas nous étonner, il y a l'Excuse Divine. On peut l'illustrer au moyen de l'extrait suivant des *Principles of Moral and Political Philosophy* de William Paley (1785). En énonçant les « Droits généraux de l'Humanité » Paley pose la question de savoir si nous avons droit à la chair des animaux :

> Quelque excuse paraît nécessaire pour justifier la douleur et la perte que nous occasionnons aux bêtes, en restreignant leur liberté, en mutilant leur corps, et, enfin, en mettant fin à leur vie (laquelle nous supposons représenter la totalité de leur existence) pour notre plaisir ou notre convenance.
>
> [Il est] allégué en défense de cette pratique [...] que le fait que les diverses espèces de bêtes aient été créées pour se manger les unes les autres fournit une sorte d'analogie pour prouver que l'espèce humaine aurait été conçue pour se nourrir d'elles [...] [mais] l'analogie défendue est extrê-

> mement défectueuse ; puisque les bêtes n'ont pas de capacité de soutenir leur vie par aucun autre moyen, contrairement à nous ; car l'espèce humaine tout entière pourrait subsister en ne se nourrissant que de fruits, de légumes secs, d'herbes et de racines, comme le font effectivement bien des tribus d'hindous [...].
>
> Il me semble qu'il serait difficile de défendre ce droit par un argument quel qu'il soit puisé dans la lumière et l'ordre de la nature ; et que nous sommes redevables de ce droit à la permission inscrite dans l'Écriture, dans Genèse IX, 1, 2, 3 [41].

Paley n'est qu'un, parmi les nombreux auteurs, à avoir fait appel à la révélation lorsqu'ils se trouvèrent incapables de fournir une justification rationnelle à une alimentation faite à partir d'autres animaux. Henry Salt, dans son autobiographie *Seventy Years Amongst Savages* (« Soixante-dix ans chez les sauvages » – un compte rendu de sa vie en Angleterre), rapporte une conversation du temps où il enseignait au collège d'Eton. Il était depuis peu devenu végétarien ; et c'était le moment où il devait pour la première fois discuter de sa pratique avec un collègue, un distingué professeur de sciences. C'est avec quelque appréhension qu'il attendait le verdict de cet esprit scientifique au sujet de ses nouvelles croyances ; et lorsque ce verdict tomba, ce fut : « Mais ne pensez-vous pas que les animaux nous ont été *envoyés* comme nourriture [42] ? »

Un autre auteur, Lord Chesterfield, fit appel à la nature au lieu de Dieu : « Mes scrupules demeurèrent obstinément hostiles à la commission d'un si terrible repas, jusqu'à ce qu'après sérieuse réflexion je fusse devenu convaincu de sa légalité dans l'ordre général de la nature, laquelle a institué la prédation universelle du plus fort sur le plus faible comme l'un de ses premiers principes [43]. »

Nous ne savons pas si aux yeux de Lord Chesterfield cet argument justifiait le cannibalisme.

Benjamin Franklin employa le même argument – dont Paley avait montré la faiblesse – pour se justifier de retourner à une alimentation carnée après quelques années de végétarisme. Dans son *Autobiography*, il raconte qu'il regardait des amis pêcher, et qu'il remarqua que certains des poissons qu'ils avaient attrapés en avaient mangé d'autres. De là sa déduction : « Si vous vous mangez les uns les autres, je ne vois pas pourquoi nous ne devrions pas vous manger. » Franklin, cependant, était au moins plus honnête que certains autres qui utilisent cet argument, car il admet n'en être arrivé à cette conclusion que lorsque le poisson s'était retrouvé dans la poêle à frire et avait commencé à sentir « remarquablement bon » ; et il ajoute que l'un des avantages d'être une « créature raisonnable » est que cela permet de trouver une raison à quoi que ce soit que nous voulions faire[44].

Il est possible également pour un penseur profond d'éviter d'affronter la question gênante de l'alimentation en la considérant comme bien trop profonde pour la capacité humaine de compréhension. Ainsi écrivait le Dr Thomas Arnold de Rugby : « Le sujet de la création bestiale est pour moi dans sa totalité d'un mystère si douloureux que je n'ose m'en approcher[45]. »

L'historien Jules Michelet partageait la même attitude ; comme il était français, il l'exprima de façon moins prosaïque :

> L'animal, sombre mystère ! [...] monde immense de rêves et de douleurs muettes ! [...] Toute la nature proteste contre la barbarie de l'homme qui méconnaît, avilit, qui torture son frère inférieur...
>
> La vie, la mort, le meurtre quotidien qu'implique la nourriture animale, ces durs et amers problèmes se posaient devant mon esprit. Misérable contradiction ! [...] Espérons un autre globe où les basses, les cruelles fatalités de celui-ci pourront nous être épargnées[46].

Michelet semble avoir cru que nous ne pouvons vivre sans tuer ; auquel cas, son angoisse face à ladite « misérable contradiction » doit avoir été inversement proportionnelle au temps qu'il consacra à l'examiner.

Parmi ceux qui acceptèrent l'erreur confortable selon laquelle nous devons tuer pour vivre, on trouve encore Arthur Schopenhauer. Par son influence, il contribua à introduire les idées orientales dans le monde occidental, et dans plusieurs passages il met en relief le contraste qui existe entre les attitudes « scandaleusement grossières » qui prévalent envers les animaux dans la philosophie et la religion occidentales avec celles des bouddhistes et des hindous. Sa prose est vive et cinglante, et beaucoup des critiques pénétrantes qu'il fait des attitudes occidentales sont toujours valables aujourd'hui. Après un passage particulièrement mordant, pourtant, Schopenhauer examine brièvement la question de tuer pour la nourriture. Il peut difficilement nier que les êtres humains puissent vivre sans tuer – il en sait trop sur les hindous pour cela – mais il déclare que « sans nourriture animale la race humaine ne pourrait même pas exister *dans le Nord* ». Schopenhauer ne fournit aucune justification pour cette distinction géographique, tout en ajoutant néanmoins que la mort de l'animal devrait être rendue « encore plus facile » par l'emploi du chloroforme[47].

Même Bentham, qui formula si nettement la nécessité d'étendre les droits aux non-humains, flancha sur ce point : « Il y a de très bonnes raisons pour que l'on admette que nous mangions ceux d'entre eux que nous désirons manger ; nous ne nous en trouvons que mieux, et eux n'en sont jamais plus mal. Ils ne souffrent d'aucune de ces longues et pénibles appréhensions des malheurs futurs dont nous souffrons. La mort qu'ils reçoivent de nos mains est habituellement, et peut toujours être, plus rapide, et de ce fait moins pénible, que celle qui les attendrait dans le cours inévitable de la nature. »

On ne peut échapper à l'impression en lisant ces passages que Schopenhauer et Bentham y ont abaissé le niveau habituel qu'ils imposent à leur argumentation. Tout à fait indépendamment de la question de la justesse morale du fait de tuer sans douleur, ni Schopenhauer ni Bentham ne prennent en compte les souffrances qui interviennent nécessairement dans l'élevage et l'abattage des animaux à des fins commerciales. Quelles que puissent être les possibilités purement théoriques de tuer sans douleur, l'abattage des animaux à grande échelle pour la nourriture n'est pas sans douleur et ne l'a jamais été. À l'époque où écrivaient Schopenhauer et Bentham, l'abattage était une histoire encore plus effroyable qu'elle ne l'est *aujourd'hui.* On obligeait les animaux à parcourir de longues distances à pied, en les faisant pousser vers l'abattoir par des conducteurs de bestiaux dont le seul souci était de terminer leur journée au plus vite ; ils pouvaient ensuite rester deux ou trois jours dans la cour de l'abattoir, sans nourriture, et peut-être sans eau ; ils étaient ensuite abattus selon des méthodes barbares, sans aucune forme d'insensibilisation préalable[48]. Malgré ce qu'en dit Bentham, il n'est pas vrai qu'ils n'avaient aucune sorte d'appréhension de ce qui les attendait, du moins à partir du moment où ils pénétraient dans les dépendances de l'abattoir et sentaient l'odeur du sang de leurs congénères. Bentham et Schopenhauer n'auraient pas, bien sûr, approuvé ces pratiques, et pourtant ils continuèrent à soutenir ce processus en en consommant les produits, et en justifiant dans leurs écrits la pratique générale dont il était partie intégrante. À cet égard, Paley semble avoir eu une idée plus exacte de ce qui était en jeu dans la consommation de la chair. Lui pouvait toutefois regarder tranquillement la réalité en face, parce qu'il disposait du recours que constitue la permission divine ; alors que Schopenhauer et Bentham ne pouvaient se prévaloir de cette excuse, et étaient par conséquent obligés de détourner le regard de la hideuse réalité.

Quant à Darwin lui-même, il conserva lui aussi les attitudes morales envers les animaux qui avaient été celles des générations antérieures, bien qu'il en eût démoli les fondements intellectuels. Il continua de se nourrir de la chair de ces êtres qui, avait-il dit, étaient capables d'amour, de mémoire, de curiosité, de raison et de sympathie mutuelle ; et il refusa de signer une pétition poussant la RSPCA à faire pression pour obtenir un contrôle légal des expériences sur animaux [49]. Ses disciples firent tout pour souligner que, malgré notre appartenance à la nature et notre parenté avec les animaux, notre statut n'était en rien changé. En réponse à l'accusation lancée contre le darwinisme selon laquelle il sapait les fondements de la dignité de l'homme, T. H. Huxley, le plus grand champion de Darwin, déclara : « Personne n'est plus fortement convaincu que moi-même de la profondeur de l'abîme qui existe entre l'homme civilisé et les bêtes ; notre vénération pour la noblesse de l'humanité ne sera pas amoindrie par la connaissance de ce que l'homme est, en substance et en structure, le même que les bêtes [50]. »

Huxley est un vrai représentant des attitudes modernes ; il sait parfaitement bien que les anciennes raisons pour supposer l'existence d'un abîme profond entre « l'homme » et « la bête » ne tiennent plus debout, mais il continue à croire en l'existence de cet abîme malgré tout.

C'est ici que nous voyons le plus clairement le caractère idéologique des justifications que nous donnons de l'utilisation des animaux. C'est un trait caractéristique des idéologies que de résister à la réfutation. Si une position idéologique se retrouve brusquement privée de ses fondements, on lui en trouvera d'autres, ou alors, elle restera simplement suspendue en l'air, défiant l'équivalent dans le domaine logique des lois de la pesanteur. Concernant nos attitudes envers les animaux, c'est ce dernier cas qui semble s'être produit. Alors que la conception moderne de notre place dans le monde diffère énormément de toutes les conceptions antérieures que nous avons étudiées, au niveau de la question pratique de notre façon d'agir envers les autres animaux peu de choses ont changé. Si les animaux ne sont plus tout à fait exclus de notre sphère morale, ils sont encore logés dans une section particulière, placée tout près du bord extérieur. On ne permet à leurs intérêts de compter que quand ils n'entrent pas en conflit avec les intérêts humains. Si conflit il y a – ne serait-ce qu'un conflit entre une vie de souffrance pour un animal non humain et la préférence gastronomique d'un être humain – les intérêts du non-humain ne comptent plus. Les attitudes morales du passé sont trop profondément ancrées dans notre pensée et dans nos pratiques pour se laisser renverser par un simple changement dans la connaissance que nous avons de nous-mêmes et des autres animaux.

CHAPITRE VI

Le spécisme aujourd'hui...

Les défenses, rationalisations et objections contre la libération animale et les progrès accomplis pour les surmonter

Nous avons vu comment, en violation du principe moral fondamental d'égalité de considération des intérêts qui devrait gouverner nos relations avec tous les êtres, les humains infligent des souffrances aux non-humains pour des buts futiles ; et nous avons vu comment les penseurs occidentaux, une génération après l'autre, ont cherché à défendre le droit des humains d'agir de la sorte. Je vais me pencher, dans ce dernier chapitre, sur certaines des façons dont sont actuellement maintenues et promues les pratiques spécistes, et sur les divers arguments et excuses encore employés pour défendre l'esclavage animal. Certaines de ces argumentations ont été invoquées contre la position adoptée dans ce livre, et ce chapitre fournit donc une occasion de répondre à quelques-unes des objections les plus courantes à l'idée de la libération animale ; mais il se veut aussi un complément au précédent, révélant la persistance actuelle de l'idéologie dont nous avons retracé l'histoire depuis la Bible et la Grèce antique. Il est important de dévoiler et de critiquer cette idéologie, car même si les attitudes contemporaines envers les animaux sont suffisamment bienveillantes

– sur une base très sélective – pour permettre que certaines améliorations de leur situation aient lieu, ces améliorations resteront toujours précaires si nous ne modifions pas la position sous-jacente qui sanctionne l'exploitation brutale des non-humains à des fins humaines. Ce n'est qu'en rompant radicalement avec plus de deux mille ans de pensée occidentale sur les animaux que nous pourrons donner une assise solide à l'abolition de cette exploitation.

Nos attitudes envers les animaux commencent à prendre forme lorsque nous sommes très jeunes, et elles sont dominées par le fait que nous commençons très tôt à manger de la viande. Il est intéressant de remarquer qu'au début bien des enfants refusent de manger la chair animale et ne s'y habituent qu'après des efforts ardus de la part de leurs parents, qui croient à tort que la viande est nécessaire à la bonne santé. Néanmoins, quelle que soit la réaction première de l'enfant, ce qu'il importe de noter est que nous mangeons de la chair animale bien avant de pouvoir comprendre que ce que nous mangeons est le corps mort d'un animal. Nous ne prenons donc jamais une décision consciente et éclairée de manger de la chair animale sans être soumis à l'influence qu'exerce toute habitude invétérée, renforcée par toutes les pressions qui poussent au conformisme social. En même temps, les enfants éprouvent une sympathie naturelle pour les animaux, et notre société les encourage à être affectueux envers les chiens et les chats ou les doux animaux en peluche. Ces faits aident à expliquer la caractéristique la plus marquante dans la façon dont les enfants de notre société considèrent les animaux : plutôt qu'une seule attitude unifiée, l'enfant a envers eux deux attitudes opposées qui coexistent, soigneusement séparées, de telle manière que la contradiction qui leur est inhérente fasse rarement problème.

Il n'y a pas si longtemps, on nourrissait les enfants de contes de fées où les animaux, surtout les loups, apparaissaient comme les ennemis rusés de l'homme. Un heureux dénouement typique laissait le loup se noyer dans un étang, alourdi par des pierres qu'un ingénieux héros avait cousues dans son ventre pendant son sommeil. Et au cas où les enfants n'auraient pas saisi les implications de ces histoires, on leur faisait tous joindre les mains et chanter en chœur une chansonnette comme celle-ci :

Trois souris aveugles. Voyez comme elles courent.
Elles couraient toutes après la femme du fermier.
Elle leur a coupé la queue avec un couteau à découper.
Avez-vous déjà vu une chose pareille à
Trois souris aveugles ?

Pour les enfants élevés avec ces contes et ces chansonnettes, il n'y avait pas de contradiction entre ce qu'on leur apprenait et ce qu'ils mangeaient. De nos jours, toutefois, ce genre d'histoires est passé de mode, et en surface tout est douceur et légèreté, en ce qui concerne les attitudes des enfants envers les animaux. Si bien qu'un problème est apparu : qu'en est-il des animaux que nous mangeons ? Une des réponses données à ce problème consiste simplement à le fuir. L'affection que porte l'enfant aux animaux est orientée vers ceux d'entre eux que l'on ne mange pas : vers les chiens, chats et autres animaux de compagnie. Ce sont là les animaux qu'un enfant habitant en zone urbaine a le plus de chances de voir. Les doux animaux en peluche tendent plus à être des ours ou des lions que des cochons ou des vaches. Cependant, quand on mentionne les animaux de ferme dans les livres d'images, dans les histoires ou dans les émissions télévisées pour enfants, la fuite peut se transformer en tentative délibérée de tromper les enfants sur la nature des fermes modernes, et pour mettre ainsi un écran entre eux et la réalité que nous avons étudiée au chapitre III. Un exemple de cela est le livre populaire de la série Hallmark intitulé *Les Animaux de ferme*, qui montre à l'enfant des images de poules, de dindes, de vaches et de cochons, tous entourés de leurs petits et sans l'ombre d'une cage, d'un hangar ou d'une étable. Le texte nous dit que les cochons « dégustent un bon repas pour ensuite se rouler dans la boue et lancer un grognement » ! tandis que « les vaches n'ont rien d'autre à faire qu'agiter leur queue, brouter l'herbe et meugler [1] ». Des livres britanniques comme *La Ferme* dans la série à succès *Ladybird* donnent la même impression de simplicité rurale, montrant la poule courant librement dans un verger avec ses poussins, et tous les autres animaux vivant en compagnie de leurs petits dans des quartiers spacieux [2]. Avec ce genre de premières lectures, il n'est pas étonnant que les enfants grandissent en croyant que même si les animaux « doivent » mourir pour fournir la nourriture aux êtres humains, ils vivent heureux jusqu'à cette échéance.

Reconnaissant l'importance des attitudes forgées dans l'enfance, le mouvement féministe a réussi à favoriser le développement d'une nouvelle littérature pour enfants où de courageuses princesses sauvent à l'occasion des princes en détresse et où des filles occupent les rôles centraux et actifs jadis réservés aux garçons. Il sera moins facile de modifier les histoires d'animaux que nous lisons à nos enfants, car la cruauté n'est pas un sujet idéal d'histoires enfantines. Il devrait pourtant être possible d'éviter les détails les plus macabres tout en donnant aux enfants des livres d'images et des histoires qui incitent au respect des animaux en tant qu'êtres indépendants plutôt qu'en tant que jolies petites choses existant pour notre amusement et notre fourchette ; et à mesure que les enfants grandiront, on pourra les rendre conscients du fait que la plupart des animaux vivent dans des conditions qui ne sont pas très agréables. La difficulté sera que les parents non végétariens ne permettront pas que leurs enfants apprennent toute l'histoire, de peur que l'affection de l'enfant pour les animaux ne perturbe les repas familiaux. Même aujourd'hui on entend souvent parler d'un ami dont l'enfant, en apprenant que les animaux sont tués pour fournir la viande, a refusé d'en manger. Malheureusement, cette révolte instinctive risque beaucoup de se heurter à une forte résistance de la part de parents non végétariens, et la plupart des enfants sont incapables de maintenir leur refus face à l'opposition de parents qui leur fournissent les repas et leur disent que sans viande, ils ne deviendront pas grands et forts. On espère qu'à mesure que se répandront les connaissances sur la nutrition, davantage de parents s'apercevront que sur ce point, leurs enfants sont peut-être mieux avisés qu'eux[3]. Est significatif d'à quel point les gens sont actuellement coupés des animaux qu'ils mangent le fait que des enfants élevés avec des livres d'histoires leur présentant la ferme comme un endroit où les animaux se promènent librement dans des conditions idylliques puissent vivre toute leur vie sans jamais être obligés de réviser cette image dorée. Il n'y a pas de fermes dans les zones urbaines où vivent les gens, et même si au cours d'une promenade à la campagne on peut maintenant voir beaucoup de bâtiments de ferme et relativement peu d'animaux dans les champs, combien d'entre nous peuvent faire la différence entre une grange à foin et un hangar à poulets ? Les médias n'informent pas davantage le public en cette matière. La télévision américaine diffuse presque chaque soir des émissions sur les animaux dans la nature (ou censés y être – ils ont parfois été capturés et relâchés dans des espaces plus restreints pour faciliter le tournage) ; mais le temps d'antenne consacré à l'élevage intensif se limite aux plus brefs des aperçus inclus dans les rares émissions « spéciales » portant sur l'agriculture ou la production alimentaire. Le spectateur moyen doit en savoir plus sur la vie des guépards et des requins qu'il n'en sait sur celle des poulets ou des veaux à viande. Il en résulte que la plus grande source d'« information » sur les animaux d'élevage que l'on peut obtenir en regardant la télévision vient sous la forme de publicité payante, qui va de ridicules dessins animés montrant des cochons désireux d'être transformés en saucisses et des thons tentant de se faire mettre en conserve, jusqu'à des mensonges caractérisés sur les conditions d'élevage des poulets à rôtir. La presse écrite ne fait guère mieux. Sa façon de traiter le sujet des animaux non humains est dominée par les événements d'« intérêt humain » comme la naissance d'un bébé gorille au zoo, ou par le sort des espèces menacées ; mais rien n'est dit des évolutions dans les techniques d'élevage qui privent des millions d'animaux de la liberté de mouvement.

Avant les récents succès du mouvement de libération animale dévoilant les activités d'un ou deux laboratoires tristement célèbres, ce qui se passait dans la recherche animale n'était pas mieux connu que la vie à la ferme. Bien sûr, le public n'a pas accès aux laboratoires. Bien que les chercheurs publient leurs rapports dans les revues professionnelles, ils ne font connaître leurs résultats dans les médias que lorsqu'ils peuvent affirmer avoir découvert quelque chose d'importance particulière. Par conséquent, avant la réussite du mouvement de libération animale attirant l'attention des médias nationaux, le public n'avait aucune idée du fait que la plupart des expériences effectuées sur des animaux ne sont jamais publiées du tout, et que la plupart de celles qui sont publiées sont de toute manière futiles. Puisque, comme nous l'avons vu au chapitre II, personne ne sait exactement combien d'expériences sont effectuées sur les animaux aux États-Unis, il n'est pas étonnant que le public n'ait toujours pas la moindre idée de l'ampleur de l'expérimentation animale. Les installations de recherche sont habituellement conçues de telle façon que le public voit peu de chose des animaux vivants qui y entrent, ou des animaux morts qui en sortent. (Un manuel standard sur l'utilisation des animaux dans l'expérimentation conseille aux laboratoires d'installer un incinérateur, car la vue de dizaines de corps d'animaux morts rejetés comme des ordures ordinaires « n'augmentera certainement pas l'estime du public pour l'école ou le centre de recherche[4] ».)

L'ignorance est donc la première ligne de défense du spéciste. C'est toutefois une défense facile à percer pour quiconque a le temps et la détermination de découvrir la vérité. L'ignorance n'a prévalu si longtemps que parce que les gens ne désirent pas découvrir la vérité. « Ne m'en parlez pas, vous allez gâcher mon repas », telle est la réponse habituelle lorsqu'on tente de dire à quelqu'un comment au juste ce repas fut produit. Même les gens informés du fait que la ferme familiale traditionnelle est tombée sous la coupe de gros intérêts industriels, et de ce que certaines expériences contestables se déroulent dans les laboratoires, s'accrochent à une vague croyance que la situation ne doit pas être trop mauvaise, car sinon le gouvernement ou les sociétés de protection des animaux auraient fait quelque chose. Il y a quelques années, le Dr Bernhard Grzimek, directeur du zoo de Francfort et l'un des adversaires ouest-allemands les plus déclarés de l'élevage intensif, compara l'ignorance de ses concitoyens concernant ces élevages à l'ignorance d'une génération antérieure d'Allemands au sujet d'autres formes d'atrocités, également cachées de la plupart des regards[5] ; et dans les deux cas, sans doute, la cause de l'ignorance n'est pas tant l'incapacité de découvrir ce qui se passe qu'un désir de ne rien connaître de faits qui pourraient peser lourd sur la conscience – cela ajouté évidemment à l'idée rassurante qu'après tout, ces victimes ne sont pas des membres de son propre groupe.

L'idée que l'on puisse compter sur les sociétés protectrices des animaux pour veiller à ce que ceux-ci ne soient pas traités cruellement est une idée rassurante. La plupart des pays ont aujourd'hui au moins une société importante et bien établie de protection des animaux ; aux États-Unis, il y a l'American Society for the Prevention of Cruelty to Animals (ASPCA), l'American Humane Association (Association humanitaire américaine), et la Humane Society of the United States (Société humanitaire des États-Unis) ; en Grande-Bretagne, la Royal Society for the Prevention of Cruelty to Animals (RSPCA) demeure sans contredit la plus importante. Il est raisonnable de se demander pourquoi ces associations n'ont pas réussi à empêcher les cruautés caractérisées décrites aux chapitres II et III de ce livre. Plusieurs raisons expliquent que l'« establishment » de la protection animale n'ait pas agi contre les pires genres de cruauté. L'une est historique. Lors de leur création, la RSPCA et l'ASPCA étaient des groupes radicaux, très en avance sur l'opinion publique de leur époque, et opposés à toutes les formes de cruauté envers les animaux, y compris celle envers les animaux d'élevage, victimes, à cette époque comme aujourd'hui, d'un grand nombre des pires traitements. Petit à petit, cependant, à mesure que ces organisations gagnaient en richesse, en effectifs et en respectabilité, elles perdirent leur engagement radical et devinrent une partie de l'« establishment ». Elles tissèrent des liens étroits avec des membres de l'administration, et avec des hommes d'affaires et des scientifiques. Elles essayèrent d'utiliser ces contacts pour améliorer la situation des animaux, et quelques changements mineurs en résultèrent ; mais en même temps, les contacts qu'elles entretenaient avec ceux dont l'intérêt fondamental se trouvait dans l'utilisation d'animaux pour l'alimentation ou pour la recherche émoussèrent la critique radicale de l'exploitation animale qui avait inspiré leurs fondateurs. De façon répétée ces organisations compromirent leurs principes fondamentaux pour s'en tenir à des réformes futiles. Mieux vaut un peu de progrès immédiat que rien du tout, disaient-elles ; mais souvent les réformes visant à améliorer la situation des animaux s'avéraient inefficaces, et leur résultat était plutôt de rassurer le public, lui disant que rien de plus n'était nécessaire[6].

À mesure que les sociétés de protection des animaux devenaient plus riches, une autre considération prit de l'importance. Elles avaient été enregistrées comme œuvres de bienfaisance (*registered charities*). Ce statut leur donnait droit à d'importantes exonérations d'impôts ; mais une condition à l'enregistrement d'une organisation comme œuvre de bienfaisance, tant en Grande-Bretagne qu'aux États-Unis, est qu'elle ne s'engage pas dans des activités politiques. Malheureusement, l'activité politique est parfois le seul moyen d'améliorer la situation des animaux (surtout si une organisation est trop prudente pour appeler au boycott public des produits animaux), mais la plupart des grands groupes se sont tenus à l'écart de tout ce qui aurait pu mettre en danger leur statut d'œuvre de bienfaisance. Cela les a conduits à privilégier les activités sans risque comme recueillir les chiens errants et poursuivre en justice les cas individuels de cruauté gratuite, plutôt que de s'engager dans de larges campagnes contre la cruauté systématique.

En fin de compte, à un certain moment au cours des cent dernières années, les principales sociétés de protection des animaux perdirent leur intérêt pour les animaux d'élevage. Ce fut peut-être dû au fait que les membres et les administrateurs de ces sociétés venaient des villes et se souciaient davantage des chiens et des chats, qu'ils connaissaient mieux, que des cochons et des veaux. Quelle que soit la raison, pour la plus grande partie du siècle actuel, la littérature et la publicité des vieux groupes bien établis ont contribué de façon significative à l'attitude dominante selon laquelle les chiens et les chats et les animaux sauvages ont besoin de protection, mais pas les autres animaux. Les gens ont ainsi fini par considérer le « bien-être des animaux » comme une affaire intéressant les dames gentillettes entichées de chats plutôt que comme une cause fondée sur des principes fondamentaux de justice et d'éthique.

Au cours de la dernière décennie, les choses ont changé. Premièrement, des dizaines de groupes nouveaux plus radicaux qui luttent pour la libération animale et pour les droits des animaux ont vu le jour. De concert avec quelques organisations plus anciennes qui jusque-là n'avaient réussi à avoir qu'un impact relativement faible, ces nouveaux groupes ont beaucoup développé, dans le public, la prise de conscience de l'énorme cruauté systématique qui a cours dans la production intensive des animaux, dans les laboratoires et dans les zoos, dans les cirques et dans la chasse. En second lieu, peut-être en réaction à cette nouvelle vague d'intérêt pour la situation des animaux, des groupes plus établis comme la RSPCA en Grande-Bretagne et, aux États-Unis, l'ASPCA et la Humane Society of the United States, ont adopté une position beaucoup plus énergique contre la cruauté envers les animaux d'élevage et de laboratoire, appelant même à des boycotts de produits tels que le veau, le bacon et les œufs provenant de méthodes intensives d'élevage.

Parmi les facteurs qui s'opposent à la sensibilisation du public à propos des animaux, le plus difficile à surmonter est peut-être l'acceptation générale de l'idée qu'il faut mettre « les humains d'abord », et selon laquelle aucun problème concernant les animaux ne peut être comparable, en tant que question morale ou politique sérieuse, aux problèmes concernant les humains. Cette idée appelle quelques remarques. Pour commencer, elle est en elle-même un indice du spécisme. Comment est-il possible, pour quiconque n'ayant pas sérieusement étudié le sujet, de savoir que le problème des animaux est moins grave que ceux qui concernent la souffrance humaine ? On ne peut prétendre cela que si l'on suppose que les animaux n'ont réellement pas d'importance et que, quelle que soit l'ampleur de leur souffrance, elle importe moins que celle des humains. Mais la douleur c'est de la douleur, et l'importance qu'il y a à diminuer la douleur et la souffrance non nécessaires ne diminue pas du fait que l'être qui souffre n'est pas un membre de notre espèce. Que penserions-nous de la personne qui dirait « les Blancs d'abord » en en concluant que la pauvreté en Afrique ne pose pas un problème aussi sérieux que la pauvreté en Europe ?

Il est vrai que bien des problèmes dans le monde méritent que nous leur consacrions notre temps et notre énergie. La famine et la pauvreté, le racisme, la guerre et la menace d'anéantissement nucléaire, le sexisme, le chômage, la sauvegarde de notre fragile environnement : tous ces problèmes sont des questions majeures, et qui peut dire lequel d'entre eux est le plus important ? Néanmoins, si nous écartons de notre esprit les préjugés spécistes nous pouvons voir que l'oppression des non-humains par les humains a sa place parmi ces problèmes. La souffrance que nous infligeons aux êtres non humains peut être extrême, et le nombre d'individus impliqués est gigantesque : rien qu'aux États-Unis, plus de 100 millions de porcs, de bœufs et de moutons endurent chaque année les étapes décrites au chapitre III ; des milliards de poulets font de même ; et au moins 25 millions d'animaux subissent des expériences. Si mille êtres humains étaient forcés à se soumettre au genre d'essais que subissent les animaux pour évaluer la toxicité de produits domestiques, il en résulterait une tempête nationale de protestation. L'utilisation de millions d'animaux à cette fin devrait attirer au moins autant d'attention, d'autant plus que cette souffrance est si peu nécessaire et pourrait facilement être arrêtée si nous le voulions. La plupart des gens raisonnables veulent prévenir la guerre, les inégalités raciales, la pauvreté et le chômage ; le problème est que cela fait des années que nous tentons de prévenir ces choses, et il nous faut aujourd'hui admettre que, pour la plus grande part, nous ne savons pas vraiment comment nous y prendre. En comparaison, la réduction des souffrances des animaux non humains aux mains des humains sera relativement facile à réaliser, dès lors que les êtres humains s'y intéresseront.

De toute manière, l'idée qu'il faille mettre « les humains d'abord » sert plus souvent d'excuse pour ne rien faire ni pour les humains ni pour les autres animaux, qu'à exprimer un véritable choix entre deux solutions incompatibles. Car la vérité est qu'il n'y a pas ici d'incompatibilité. Il est vrai que chacun dispose d'une somme limitée de temps et d'énergie, et que le temps consacré à travailler activement pour une cause réduit le temps disponible pour une autre ; mais rien n'empêche ceux qui consacrent leur temps et leur énergie à des problèmes humains de participer au boycott des produits de la cruauté de l'agrobusiness. Cela ne prend pas plus de temps d'être végétarien que de manger de la chair animale. En fait, comme nous l'avons vu au chapitre IV, ceux qui disent se préoccuper du bien-être des êtres humains et de la préservation de notre environnement devraient, ne serait-ce que pour cette seule raison, devenir végétariens. Ce faisant, ils augmenteraient les quantités de grains disponibles pour nourrir les gens ailleurs dans le monde, réduiraient la pollution, économiseraient l'eau et l'énergie et cesseraient de contribuer à la déforestation ; de plus, puisqu'une alimentation végétarienne coûte moins cher qu'une alimentation à base de viande, ils auraient plus d'argent à consacrer au soulagement de la famine, au contrôle des naissances ou à toute autre cause sociale ou politique qu'ils estimeraient la plus urgente. Je ne contesterais pas la sincérité de végétariens peu intéressés à la libération animale en raison de la priorité qu'ils donneraient à d'autres causes ; mais quand les non-végétariens disent « les problèmes humains d'abord » je ne peux m'empêcher de me demander ce qu'ils font au juste pour les êtres humains qui les oblige à continuer à soutenir l'exploitation coûteuse et brutale des animaux d'élevage.

Il y a lieu ici de faire une digression historique. On entend souvent dire, comme un corollaire à l'idée qu'il faut mettre « les êtres humains d'abord », que les gens des mouvements de protection des animaux se soucient davantage des animaux que des êtres humains. Cela est sûrement vrai de certaines personnes. Historiquement cependant, ceux qui ont été à l'origine du mouvement de protection des animaux se sont beaucoup plus souciés des êtres humains que ne l'ont fait d'autres humains qui ne se souciaient pas du tout des animaux. Voire, la correspondance est considérable entre l'ensemble de ceux qui ont mené les mouvements contre l'oppression des Noirs et des femmes, et ceux qui ont mené les mouvements contre la cruauté envers les animaux ; cette correspondance est assez nette pour fournir une forme inattendue de confirmation du parallèle entre le racisme, le sexisme et le spécisme. Parmi la poignée de fondateurs de la RSPCA, par exemple, se trouvaient William Wilberforce et Fowell Buxton, deux des meneurs de la lutte contre l'esclavage des Noirs dans l'Empire britannique[7]. En ce qui concerne les premières féministes, Mary Wollstonecraft écrivit, en plus de sa *Vindication of the Rights of Woman*, une collection de contes pour enfants intitulée *Original*

Stories, expressément conçus pour inciter à plus de gentillesse dans les pratiques envers les animaux[8] ; et bon nombre des premières féministes américaines, parmi lesquelles Lucy Stone, Amelia Bloomer, Susan B. Anthony et Elizabeth Cady Stanton, étaient liées au mouvement végétarien. En compagnie de Horace Greeley, le rédacteur réformateur et antiesclavagiste du journal *The Tribune*, elles se réunissaient pour trinquer « aux droits des femmes et au végétarisme[9] ».

C'est encore au mouvement de protection des animaux que revient le mérite d'avoir engagé la lutte contre la cruauté envers les enfants. En 1874, on demanda à Henry Bergh, le pionnier des sociétés américaines de protection des animaux, de faire quelque chose pour un petit animal qui avait été cruellement battu. Le petit animal se révéla être un enfant ; cela n'empêcha pas Bergh de poursuivre avec succès la personne qui avait la garde de l'enfant en vertu d'une loi new-yorkaise de protection des animaux, loi qu'il avait lui-même préparée et dont il avait obtenu presque de force l'adoption par la législature. D'autres cas se présentèrent par la suite et la New York Society for the Prevention of Cruelty to Children (Société new-yorkaise pour la prévention de la cruauté envers les enfants) fut fondée. Lorsque ces nouvelles atteignirent la Grande-Bretagne, la RSPCA fonda une contrepartie britannique – la National Society for the Prevention of Cruelty to Children[10]. Lord Shaftesbury en fut l'un des fondateurs. En tant qu'illustre réformateur social, auteur des Factory Acts (« Lois de fabrique ») qui mirent fin au travail des enfants et aux journées de quatorze heures, et éminent militant contre l'expérimentation incontrôlée et contre d'autres formes de cruauté envers les animaux, le cas de Shaftesbury, comme celui de beaucoup d'autres humanitaristes, réfute clairement l'idée que ceux qui se soucient des non-humains ne se soucient pas des humains, ou que le fait de travailler pour une cause empêche de travailler pour l'autre.

Nos idées sur la nature des animaux non humains, et des erreurs de raisonnement à propos de ce qu'implique notre conception de la nature, aident aussi à étayer nos attitudes spécistes. Nous avons toujours aimé nous considérer comme moins sauvages que les autres animaux. Dire de quelqu'un qu'il est « humain » c'est dire qu'il est aimable ; dire qu'il est « bestial », « brutal », ou simplement qu'il se comporte « comme un animal », c'est suggérer qu'il est cruel et méchant. Nous nous arrêtons rarement au fait que l'animal qui tue avec le moins de raisons de le faire est l'animal humain. Nous considérons les lions et les loups comme sauvages parce qu'ils tuent ; mais il leur faut tuer, ou mourir de faim. Les humains tuent d'autres animaux par sport, pour satisfaire leur curiosité, pour embellir leur corps et pour flatter leur palais. Les êtres humains tuent en outre des membres de leur propre espèce par cupidité ou par désir du pouvoir. De plus, les êtres humains ne se contentent pas de simplement tuer. À travers toute l'Histoire, ils ont montré une tendance à tourmenter et à torturer tant leurs semblables humains que leurs semblables animaux avant de les mettre à mort. Aucun autre animal ne s'intéresse beaucoup à cela.

Tout en oubliant notre propre sauvagerie, nous exagérons celle des autres animaux. Par exemple, des investigations soignées faites sur le terrain par des zoologistes ont montré que le tristement célèbre loup, le loup méchant de tant de contes folkloriques, est un animal très sociable, un conjoint fidèle et affectueux – non pas pour une seule saison mais pour la vie – un parent dévoué, et un membre loyal de la meute. Les loups ne tuent presque jamais quand ce n'est pas pour manger. Si les mâles en viennent à se battre entre eux, le combat se termine par un geste de soumission où le perdant présente à son vainqueur le dessous de son cou, qui est la partie la plus vulnérable de son corps. Le vainqueur, les crocs éloignés de deux centimètres seulement de la veine jugulaire de son adversaire, se contentera de sa soumission et, contrairement au conquérant humain, ne tuera pas l'adversaire vaincu[11].

Conformément à notre peinture du monde des animaux comme scène sanglante de combat, nous méconnaissons le degré de complexité de la vie sociale d'autres espèces, où les individus se reconnaissent et entretiennent des rapports. Quand les êtres humains se marient, nous attribuons l'intimité qu'ils établissent entre eux à l'amour, et nous compatissons vivement à la peine d'un être humain qui a perdu son conjoint. Quand d'autres animaux s'unissent pour la vie, nous disons que seul l'instinct les pousse à se comporter de la sorte, et si un chasseur ou un trappeur tue un animal ou le capture pour la recherche ou pour un zoo, nous ne nous demandons pas s'il n'a pas un conjoint qui souffrira de son absence soudaine. De même, nous savons que la séparation d'une mère humaine de son enfant est une tragédie pour tous deux ; mais ni les agriculteurs ni les éleveurs d'animaux de compagnie ou de laboratoire ne pensent un instant aux sentiments des mères et des enfants non humains dont la séparation routinière fait partie intégrante de leur profession[12].

Curieusement, alors que les gens écartent souvent des aspects complexes du comportement animal comme n'étant que de « simples instincts » et par conséquent comme indignes d'être réellement comparés aux comportements humains en apparence similaires, ces mêmes gens, quand cela les arrange, oublient ou ignorent l'importance des schémas comportementaux instinctifs simples. Ainsi entend-on souvent dire des poules pondeuses, des veaux à viande et des chiens gardés en cage à des fins expérimentales qu'ils n'en souffrent pas, puisqu'ils n'ont jamais connu d'autres conditions de vie.

Nous avons vu au chapitre III que cela est faux. Les animaux ressentent le besoin de prendre de l'exercice, d'étirer leurs membres ou leurs ailes, de se nettoyer, de se retourner, qu'ils aient ou non jamais vécu dans des conditions qui leur permettaient de le faire. Les animaux grégaires sont perturbés lorsqu'on les isole des autres membres de leur espèce, même s'ils n'ont jamais connu d'autres conditions de vie, et à l'inverse leur immersion dans un trop gros troupeau peut avoir le même effet, en raison de l'incapacité où s'y trouve l'animal individuel de reconnaître les autres individus. Ces stress se manifestent sous forme de vices comme le cannibalisme.

L'ignorance généralisée de la nature des animaux non humains permet à ceux qui les traitent ainsi d'écarter les critiques en disant simplement qu'après tout, « ce ne sont pas des humains ». C'est vrai, ils n'en sont pas ; mais ils ne sont pas non plus des machines à convertir le fourrage en chair, ni des outils pour la recherche. Si l'on considère combien les connaissances du grand public sont en retard par rapport aux plus récentes découvertes des zoologistes et des éthologues qui, munis de carnets de notes et d'appareils photographiques, ont passé des mois, et parfois des années, à observer des animaux, le danger de tomber dans un anthropomorphisme sentimental est moins à craindre que ne l'est le danger contraire venant de l'idée commode et intéressée que les animaux sont des morceaux d'argile que nous pouvons modeler de quelque façon qu'il nous plaît de le faire.

La nature des animaux non humains sert de point d'appui à d'autres tentatives de justifier la manière dont nous les traitons. On dit souvent, en tant qu'objection au végétarisme, que puisque les autres animaux tuent pour manger, nous pouvons en faire autant. Cette analogie datait déjà en 1785, quand William Paley la réfuta en se référant au fait que si les êtres humains peuvent vivre sans tuer, certains animaux n'ont pas d'autre choix pour survivre que de tuer[13]. Cela est certainement vrai dans la plupart des cas ; on peut trouver quelques exceptions – des animaux existent qui pourraient survivre sans viande mais qui en mangent à l'occasion (les chimpanzés, par exemple) – mais ce sont rarement là les espèces que nous retrouvons dans notre assiette. Quoi qu'il en soit, même si d'autres animaux pouvant vivre d'une alimentation végétarienne tuent quelquefois pour manger, cela ne peut fournir aucun soutien à l'affirmation selon laquelle nous sommes moralement justifiés d'en faire autant. Il est étrange de voir que les humains, qui se considèrent habituellement comme tellement supérieurs aux autres animaux, sont prêts à utiliser, si cela semble soutenir leurs préférences alimentaires, un argument qui implique que nous devrions nous tourner vers les autres animaux pour puiser auprès d'eux notre inspiration et nos règles morales. Ce qu'il faut voir, bien sûr, c'est que les animaux non humains ne sont pas capables de réfléchir aux autres solutions, ou à la justesse morale du fait de tuer pour manger ; ils agissent ainsi, tout simplement. Nous pouvons déplorer que le monde soit ainsi, mais cela ne rime à rien de tenir les animaux non humains pour moralement responsables ou coupables de ce qu'ils font. En revanche, n'importe quel lecteur de ce livre est capable de faire un choix moral sur ce sujet. Nous ne pouvons prétendre échapper à la responsabilité que nous avons de faire un choix en imitant les actes d'êtres incapables de faire ce genre de choix.

(Eh bien, dira certainement quelqu'un, j'ai donc admis l'existence d'une différence significative entre les humains et les autres animaux, et j'ai de ce fait dévoilé la faille dans ma défense de l'égalité de tous les animaux. Celui à qui cette critique vient à l'esprit devrait lire plus attentivement le chapitre premier. Il verra alors qu'il a mal compris la nature de l'argumentation que j'y ai développée en faveur de l'égalité. Je n'ai jamais affirmé – ce serait absurde – qu'il n'y a pas de différence significative entre les humains adultes normaux et les autres animaux. Mon but n'est pas de montrer que les animaux sont capables d'agir moralement, mais que le principe moral d'égale considération des intérêts s'applique à eux comme il s'applique aux humains. Qu'il soit souvent juste d'inclure à l'intérieur de la sphère d'égale considération un être incapable de faire lui-même des choix moraux, est impliqué par la façon dont nous traitons les jeunes enfants et les autres humains qui, pour une raison ou pour une autre, n'ont pas la capacité mentale de comprendre ce qu'est un choix moral. Comme aurait pu le dire Bentham, il ne s'agit pas de savoir s'ils peuvent choisir, mais de savoir s'ils peuvent souffrir.)

Mais le sens de l'objection est peut-être autre. Comme nous l'avons vu au précédent chapitre, Lord Chesterfield se servit du fait que des animaux en mangent d'autres pour soutenir que faire cela fait partie de « l'ordre général de la nature[14] ». Il n'indiqua pas pourquoi nous devrions imaginer notre nature comme plus semblable à celle du tigre carnivore qu'à celle du gorille végétarien ou du chimpanzé qui l'est presque. Mais tout à fait indépendamment de cette objection, nous devons nous méfier des appels à la « nature » dans l'argumentation éthique. La nature est peut-être souvent « la plus sage », mais nous devons nous servir de notre propre jugement pour décider de quand nous devons la suivre. Pour autant que je sache, la guerre est « naturelle » pour les êtres humains – elle semble assurément avoir été un centre d'intérêt de bien des sociétés, dans des circonstances très diverses, sur une longue période de l'Histoire – mais je n'ai aucunement l'intention d'aller à la guerre pour m'assurer que j'agis en accord avec la nature. Nous avons la capacité de réfléchir à ce qui est le mieux à faire. Nous devons nous servir de cette capacité (et si vous voulez vraiment en appeler à la « nature », vous pouvez dire qu'il est pour nous naturel de nous en servir).

Il faut admettre pourtant que l'existence d'animaux carnivores pose un problème à l'éthique de la libération animale : devons-nous nous en préoccuper ? À supposer que les êtres humains puissent faire disparaître les espèces carnivores de la planète, et que la quantité totale de souffrance dans le monde s'en trouverait diminuée, devrions-nous le faire ?

La réponse courte et simple à cette question serait qu'une fois que nous aurons abandonné notre prétention à la « domination » sur les autres espèces, nous devrions cesser complètement de nous immiscer dans leur vie ; que nous devrions les laisser à leurs affaires autant que faire se peut, et qu'ayant renoncé au rôle du tyran, nous ne devrions pas à la place vouloir nous prendre pour Dieu.

Même si elle contient une part de vérité, cette réponse est trop courte et trop simple. Que cela nous plaise ou non, les êtres humains en savent plus que les autres animaux sur ce que peut réserver l'avenir, et cette connaissance peut nous placer dans une situation où il serait cruel de ne pas intervenir. En octobre 1988, les téléspectateurs du monde entier ont applaudi au succès des efforts américains et russes pour libérer deux baleines grises de Californie prises dans les glaces de l'Alaska. Certains critiques ont noté le paradoxe qu'il y avait à déployer tant d'efforts à sauver deux baleines alors qu'environ deux mille sont encore tuées chaque année par les chasseurs, sans parler des dauphins dont cent vingt-cinq mille d'entre eux environ se noient chaque année dans les filets de l'industrie du thon [15]. Néanmoins, seule une personne insensible pourrait affirmer que ce sauvetage était une mauvaise chose.

On peut donc concevoir que l'intervention humaine puisse améliorer la situation des animaux et soit ainsi justifiable. Mais lorsque nous envisageons un projet comme l'élimination des espèces carnivores, il s'agit d'une tout autre question. À en juger par notre conduite passée, toute tentative de modifier à grande échelle les systèmes écologiques fera bien plus de mal que de bien. Ne fût-ce que pour cette raison, il est juste de dire que sauf dans quelques cas très limités, nous ne pouvons pas et ne devons pas essayer de policer toute la nature. Nous en faisons assez si nous éliminons les tueries et la cruauté inutiles que nous-mêmes infligeons aux autres animaux[16].

Il y a encore un autre argument censé justifier notre manière de traiter les animaux qui se fonde sur le fait que dans leur état naturel, certains animaux en tuent d'autres. Les gens disent souvent que, aussi mauvaises que soient les conditions modernes d'élevage, elles ne sont pas pires que celles de la vie sauvage, où les animaux sont exposés au froid, à la faim et aux prédateurs ; cela impliquant que nous ne devrions pas condamner les conditions modernes d'élevage.

Il est intéressant de noter que les partisans de l'esclavage qui était imposé aux Africains ont souvent avancé un argument analogue. L'un d'eux écrivit : « Dans l'ensemble, comme il est évident au-delà de toute contestation possible que le retrait des Africains de l'état de brutalité, d'extrême pauvreté et de misère où ils se trouvent si profondément plongés dans leur pays, pour les amener en cette terre de lumière, d'humanité et de sagesse chrétienne, constitue pour eux un si grand bienfait ; si fautifs qu'aient pu être certains individus en matière de cruauté inutile pratiquée en ce domaine ; qu'on ne peut absolument plus douter que l'état général de subordination régnant ici qui résulte nécessairement de leur déplacement est conforme à la loi de la nature[17]. »

Il est certainement difficile de comparer deux ensembles de conditions aussi différentes que celles de la vie sauvage et celles de l'élevage intensif (ou celles d'Africains libres et celles des esclaves sur une plantation) ; mais s'il faut faire la comparaison, la vie en liberté sera certainement à préférer. Les animaux d'élevage intensif ne peuvent marcher, courir, s'étirer librement ou faire partie d'une famille ou d'un troupeau. Il est vrai que beaucoup d'animaux sauvages meurent dans l'adversité ou sont tués par des prédateurs ; mais les animaux d'élevage ne vivent pas, eux non plus, plus d'une fraction de la durée normale de leur vie. L'apport régulier de nourriture dans les élevages n'est pas un pur bienfait pour les animaux puisqu'il les prive de leur activité naturelle la plus fondamentale, à savoir la recherche de nourriture. Il en résulte une vie de total ennui avec absolument rien d'autre à faire que de rester couché dans une stalle et manger.

Quoi qu'il en soit, la comparaison entre les conditions de l'élevage intensif et les conditions naturelles n'est en réalité pas pertinente quant au caractère justifiable des fermes d'élevage intensif, car ce n'est pas là le choix qui se pose à nous. Abolir les fermes d'élevage intensif n'implique pas de relâcher les animaux qui y sont dans la nature. Les animaux actuellement dans les élevages intensifs sont là parce que les êtres humains les ont fait naître dans le but de les élever et de les vendre comme nourriture. Si le boycott prôné dans ce livre des produits de l'élevage intensif fait effet, la quantité de produits de l'élevage intensif qui seront achetés diminuera. Cela ne signifie pas que nous passerons du jour au lendemain de la situation actuelle à une situation où personne n'achètera de ces produits. (Je suis optimiste à propos de la libération animale mais pas complètement dans les nuages.) La diminution sera progressive. Elle rendra l'élevage d'animaux moins rentable. Les éleveurs se tourneront vers d'autres types d'agriculture et les firmes géantes investiront ailleurs leur capital. La conséquence en sera qu'on fera naître moins d'animaux. Le nombre d'animaux dans les élevages industriels déclinera parce que ceux qui sont abattus ne seront pas remplacés, et non pas parce que les animaux seraient « renvoyés » dans la nature. Il se peut qu'à la fin (et là, je laisse libre cours à mon optimisme) les seuls troupeaux de bœufs et de cochons qui resteront vivront dans de grandes réserves ressemblant un peu à nos parcs naturels. Le choix n'est donc pas entre la vie en élevage intensif et la vie dans la nature mais consiste plutôt à se demander si les animaux destinés à vivre dans un élevage intensif pour ensuite être abattus pour la consommation devraient naître ou non.

À ce point, une nouvelle objection peut être soulevée. Notant que si nous étions tous végétariens, il y aurait bien moins de cochons, de bœufs, de poulets et de moutons, quelques mangeurs de viande ont affirmé qu'ils rendaient en fait un service aux animaux qu'ils consomment puisque sans leur désir de manger de la viande, ces animaux ne seraient même pas nés [18] !

Dans la première édition de ce livre, j'ai rejeté ce point de vue en me basant sur le fait qu'il nous oblige à penser que de faire exister un être confère un bienfait à cet être – et que pour soutenir cela, nous devons tenir pour possible de faire du bien à un être privé d'existence. Cela était absurde, disais-je. Mais je n'en suis plus si sûr maintenant. (Le rejet non équivoque que je faisais de ce point de vue dans la première édition est, en fait, la seule question philosophique au sujet de laquelle j'ai depuis changé d'avis.) Après tout, la plupart d'entre nous conviendraient qu'il serait mal de faire naître un enfant si nous savions, avant sa conception, qu'il aurait un défaut génétique qui rendrait sa vie brève et misérable. Concevoir un tel enfant, c'est lui faire du mal. Peut-on alors vraiment nier que de donner la vie à un être qui aura une vie agréable, c'est faire du bien à cet être ? Pour nier cela, il faudrait expliquer en quoi les deux cas diffèrent, et je ne vois pas de manière satisfaisante pour cela[19].

Le présent argument soulève la question de l'immoralité du fait de tuer – question que j'ai maintenue jusqu'ici en arrière-plan, parce qu'elle est tellement plus compliquée que celle de l'immoralité du fait d'infliger la souffrance. Notre brève discussion vers la fin du premier chapitre a toutefois suffi à montrer que pour un être capable d'avoir des désirs pour l'avenir, il pourrait y avoir quelque chose de particulièrement mal dans le fait d'être tué, un mal que n'égale pas le bien qui résulte de la création d'un autre être. Le vrai problème se pose dans le cas d'êtres incapables d'avoir des désirs pour l'avenir – d'êtres que l'on peut se représenter comme vivant instant après instant plutôt que comme dotés d'une existence mentale continue. Certes, même dans ce cas, le fait de tuer paraît encore répugnant. Un animal peut se débattre contre une menace vitale, même s'il ne peut saisir qu'il a « une vie » dans un sens qui implique de comprendre ce que représente exister dans le temps. Mais en l'absence d'une forme ou d'une autre de continuité mentale, il n'est pas facile d'expliquer pourquoi la perte subie par l'animal tué ne serait pas, d'un point de vue impartial, compensée par la création d'un nouvel animal dont la vie serait également agréable[20].

J'ai encore des doutes sur cette question. L'idée que la création d'un être pourrait d'une certaine manière compenser la mort d'un autre semble bien avoir quelque chose de bizarre. Certes, si nous avions une base claire pour dire que tous les êtres sensibles ont un droit à la vie (même ceux qui sont incapables d'avoir des désirs concernant l'avenir), il serait alors facile de dire pourquoi le fait de tuer un être sensible est un mal d'une sorte qui ne peut être compensée par la création d'un autre. Mais une telle position a ses propres profondes difficultés philosophiques et pratiques, comme moi-même et d'autres l'avons indiqué ailleurs[21].

À un niveau purement pratique, on peut dire ceci : tuer des animaux pour s'en nourrir (sauf lorsque cela est nécessaire à la simple survie) nous amène à voir en eux des objets dont nous pouvons nous servir tranquillement pour nos propres fins accessoires. Compte tenu de ce que nous savons de la nature humaine, tant que nous persisterons à voir les animaux de la sorte, nous ne réussirons pas à changer les attitudes qui, lorsqu'elles sont mises en pratique par les êtres humains ordinaires, conduisent au manque de respect – et donc aux mauvais traitements – envers les animaux. Ainsi le mieux est-il peut-être de décider, comme principe général simple, d'éviter de tuer les animaux pour s'en nourrir sauf si cela est nécessaire à notre survie.

Cet argument contre le fait de tuer pour manger repose sur une prédiction quant aux conséquences d'une telle attitude. Il est impossible de prouver l'exactitude de cette prédiction ; c'est là une chose dont nous ne pouvons juger qu'en nous fondant sur ce que nous savons de nos semblables humains. Si cette prédiction n'est pas convaincante, l'argument que nous discutons n'en reste pas moins très limité dans son application. Il ne justifie certainement pas de manger la viande d'animaux d'élevage intensif, car ils endurent des vies d'ennui et de frustration, dans l'incapacité de satisfaire leurs besoins fondamentaux de se retourner, de se nettoyer, de s'étirer, de prendre de l'exercice ou de participer aux échanges sociaux propres à leur espèce. Leur donner la vie pour qu'ils vivent ce genre d'existence n'est en rien leur conférer un bienfait, mais plutôt leur faire un grand mal. Au plus, l'argument se basant sur le bienfait de faire exister un être pourrait impliquer qu'en certaines circonstances – lorsque les animaux mènent une vie agréable, qu'ils sont tués sans douleur, que leur mort n'est pas cause de souffrance pour d'autres animaux, et que la mort d'un animal rend possible son remplacement par un autre qui autrement n'aurait pas vécu – le fait de tuer des animaux dépourvus de conscience de soi peut ne pas être mal [22]. Cette position n'est pas spéciste, parce qu'elle autorise la mise à mort d'êtres non humains non pas en raison de leur non-appartenance à notre espèce, mais en raison du fait qu'ils n'ont pas la capacité de désirer continuer à vivre. Elle vaut au même titre pour les membres de notre propre espèce qui sont dépourvus de la capacité en question.

Un dernier point à propos de l'argument selon lequel la disparition d'un animal est compensée par la création d'un autre. Ceux qui utilisent cette ingénieuse défense de leur désir de manger du porc ou du bœuf vont rarement au bout de ses conséquences. Si faire exister un être est une bonne chose, on peut alors supposer, toutes choses étant égales par ailleurs, que nous devrions aussi faire exister le plus grand nombre possible d'êtres humains ; et si l'on ajoute à cela l'idée que les vies humaines sont plus importantes que les vies animales – idée que le mangeur de viande paraît certain d'accepter – on peut alors inverser l'argument, mettant en mauvaise posture celui qui l'a présenté au départ. Comme on peut nourrir davantage d'êtres humains si nous ne donnons pas nos grains aux animaux d'élevage, la conclusion du raisonnement est en fin de compte que nous devons devenir végétariens !

Le spécisme est une attitude si profondément ancrée et si répandue que ceux qui attaquent une ou deux de ses manifestations – comme l'abattage d'animaux sauvages par les chasseurs, ou les expériences cruelles, ou les corridas – participent souvent eux-mêmes à d'autres pratiques spécistes. Cela permet à ceux qui sont attaqués d'accuser leurs adversaires d'incohérence. « Vous dites que nous sommes cruels parce que nous tuons des cerfs, disent les chasseurs, mais vous, vous mangez de la viande. Quelle différence y a-t-il, sinon que vous payez quelqu'un d'autre pour tuer à votre place ? » ; « Vous condamnez le fait de tuer des animaux pour se vêtir de leur peau, disent les marchands de fourrure, mais vous-mêmes portez des chaussures en cuir. » Les expérimentateurs ont beau jeu de demander pourquoi, si les gens acceptent que l'on tue des animaux pour le plaisir du palais, ils devraient condamner que l'on tue des animaux pour faire progresser nos connaissances ; et si l'objection ne porte que sur la souffrance, ils peuvent faire remarquer que les animaux tués pour la viande n'ont pas non plus une vie exempte de souffrances. Même l'amateur de corrida peut affirmer que la mort du taureau dans l'arène donne du plaisir à des milliers de spectateurs, alors que la mort du bœuf dans l'abattoir ne donne de plaisir qu'aux quelques personnes qui en mangent une part ; et même si à la fin le taureau subit sans doute une douleur plus aiguë que le bœuf, sur la plus grande partie de leur vie, c'est le taureau qui est le mieux traité des deux.

L'accusation d'incohérence ne fournit en réalité aucun soutien logique à ceux qui défendent des pratiques cruelles. Comme l'a exprimé Brigid Brophy, il demeure vrai qu'il est cruel de casser les jambes aux gens, même si la personne qui le dit a coutume de leur casser les bras[23]. Pourtant, les gens dont la conduite contredit les idées qu'ils professent auront du mal à persuader les autres de leur justesse ; et ils auront encore plus de mal à les persuader d'agir en conséquence. Certes, il est toujours possible de trouver une raison pour distinguer entre, par exemple, le port de la fourrure et le port du cuir : beaucoup d'animaux à fourrure ne meurent qu'après des heures, voire des jours passés la patte prise dans un piège à mâchoires d'acier, alors qu'aux animaux dont la peau est transformée en cuir est épargnée cette agonie[24]. Ces subtiles distinctions ont toutefois tendance à émousser la force de la critique première ; et dans certains cas, je ne pense pas que de telles distinctions puissent du tout être valables. Pourquoi, par exemple, le chasseur qui tue un cerf pour sa chair est-il plus sujet à critique que la personne qui achète un jambon au supermarché ? Dans l'ensemble, c'est probablement le cochon élevé selon l'élevage intensif qui a le plus souffert.

Le premier chapitre de ce livre formule un principe éthique clair – le principe d'égale considération des intérêts de tous les animaux – qui nous permet de déterminer lesquelles de nos pratiques qui affectent des animaux non humains peuvent être justifiées et lesquelles ne le peuvent pas. En appliquant ce principe à nos propres vies, nous pouvons donner pleine cohérence à nos actes. Ainsi nous pourrons refuser à ceux qui ignorent les intérêts des animaux la possibilité de nous accuser d'incohérence.

Pour toute fin pratique, pour les habitants des zones urbaines des pays industrialisés, l'application du principe d'égale considération des intérêts exige que nous soyons végétariens. C'est là l'étape la plus importante, celle à laquelle j'ai donné le plus d'attention ; mais nous devons aussi, pour être cohérents, cesser d'utiliser d'autres produits dont la production a nécessité la mort ou la souffrance d'animaux. Nous ne devons pas porter de fourrures. Nous ne devons pas non plus acheter d'articles en cuir, puisque la vente des peaux pour le cuir joue un rôle significatif dans la rentabilité de l'industrie de la viande. Pour les pionniers végétariens du XIXe siècle, renoncer au cuir représentait un véritable sacrifice, car rares étaient les chaussures et les bottes faites d'autres matériaux. Lewis Gompertz, qui fut le deuxième secrétaire de la RSPCA et un végétarien strict qui refusait de voyager dans des voitures tirées par des chevaux, proposa que des animaux soient élevés dans des pâturages jusqu'à leur vieillesse et leur mort naturelle, après quoi l'on pourrait utiliser leur peau pour le cuir[25]. L'idée témoigne plus en faveur de l'humanité de Gompertz que de son sens économique, mais l'économie a aujourd'hui changé de côté. Des chaussures et des bottes en matériaux synthétiques sont aujourd'hui disponibles dans beaucoup de magasins à bon marché, pour bien moins cher que les chaussures en cuir ; et les espadrilles en toile et en caoutchouc sont devenues les chaussures standards de la jeunesse américaine. Les ceintures, sacs et autres articles jadis toujours en cuir se trouvent aujourd'hui facilement en divers matériaux.

D'autres problèmes qui à une époque pouvaient décourager les plus avancés des adversaires de l'exploitation des animaux ont également disparu. Les bougies, jadis exclusivement faites de suif, ne sont plus indispensables, et ceux qui en veulent encore peuvent les trouver en des matières non animales. Des savons à base d'huiles végétales plutôt que de graisses animales se trouvent dans les magasins de produits diététiques. Nous pouvons nous passer de la laine, et même si les moutons se déplacent en général librement, il y a une bonne raison de nous en passer compte tenu des nombreuses cruautés auxquelles ont été exposés ces doux animaux[26]. Les produits cosmétiques et les parfums, souvent obtenus à partir d'animaux sauvages tels le cerf porte-musc et la civette éthiopienne, peuvent de toute façon difficilement être qualifiés d'articles essentiels, mais ceux qui désirent s'en servir peuvent se procurer, par un certain nombre de magasins et d'organisations, des cosmétiques sans cruauté qui ne contiennent pas de substances animales et qui n'ont pas non plus été testés sur des animaux.

Bien que je mentionne ces solutions de rechange aux produits animaux afin de montrer qu'il n'est pas difficile de refuser de participer aux formes majeures de leur exploitation, je ne crois pas que la cohérence s'identifie avec, ou implique, une insistance rigide sur des normes de pureté absolue dans tout ce que l'on consomme ou que l'on porte. Le but de la modification de nos habitudes de consommation n'est pas de se garder sans tache loin du mal, mais de réduire la base économique de l'exploitation des animaux, et de persuader d'autres gens d'en faire autant. Ce n'est donc pas un péché que de continuer à porter les chaussures en cuir que vous avez achetées avant d'avoir commencé à penser à la libération animale. Quand elles seront usées, vous en achèterez d'autres sans cuir ; mais vous ne rendrez pas moins rentable le fait de tuer les animaux si vous jetez vos chaussures actuelles. Pour l'alimentation aussi, il est plus important de garder à l'esprit les objectifs principaux que de se préoccuper de détails comme la présence éventuelle dans le gâteau servi à une réception d'un œuf de batterie.

Nous sommes encore très loin du point où il sera possible d'exercer une pression sur les restaurants et les fabricants d'aliments pour qu'ils éliminent complètement les substances animales. Nous y serons lorsqu'une importante partie de la population boycottera la viande et les autres produits de l'élevage industriel. D'ici là, la cohérence exige seulement que nous ne contribuions pas de manière significative à la demande de produits animaux. Nous montrerons ainsi que nous n'en avons aucun besoin. Nous aurons de meilleures chances de persuader les autres de partager nos attitudes si nous laissons le bon sens tempérer nos idéaux, qu'en visant au genre de pureté qui sied davantage à une prescription alimentaire religieuse qu'à un mouvement éthique et politique.

Il n'est d'ordinaire pas tellement difficile d'être cohérent dans nos attitudes envers les animaux. Point n'est besoin de sacrifier quelque chose d'essentiel, car dans notre vie quotidienne il n'y a pas de grave conflit d'intérêt entre les humains et les autres animaux. Il faut toutefois admettre que l'on peut trouver des cas moins courants où a lieu un véritable conflit d'intérêts. Par exemple, il nous faut cultiver des légumes verts et des grains pour nous nourrir ; mais ces cultures peuvent être menacées par des lapins, des souris ou d'autres « nuisibles ». Nous avons ici un conflit d'intérêts clair entre humains et non-humains. Qu'implique que nous fassions dans ce cas le principe d'égale considération des intérêts ?

Notons d'abord ce que l'on fait actuellement face à ce problème. L'agriculteur cherchera à tuer ces « nuisibles » par la méthode la moins chère à sa disposition. Celle-ci sera le plus souvent le poison. Les animaux mangeront des appâts empoisonnés et mourront lentement dans la douleur. Aucune considération n'est accordée aux intérêts des « nuisibles » – appellation qui semble par son simple fait exclure toute considération éventuelle pour les animaux eux-mêmes[27]. Mais c'est nous qui classons ces animaux comme nuisibles, et le lapin « nuisible » est aussi capable de souffrir, et mérite autant de considération que le lapin blanc pris comme animal familier bien-aimé. Le problème est de trouver comment protéger nos propres ressources alimentaires essentielles tout en respectant les intérêts de ces animaux dans la mesure du possible. Notre technologie devrait pouvoir trouver une solution à ce problème qui serait, sinon entièrement satisfaisante pour tous ceux qui sont concernés, au moins la source de bien moins de souffrance que ne l'est la « solution » actuelle. L'utilisation d'appâts provoquant la stérilité, plutôt qu'une lente agonie, serait un progrès évident.

Lorsqu'il nous faut protéger nos ressources alimentaires des lapins, ou nos maisons et notre santé des souris et des rats, il est aussi naturel pour nous de nous en prendre violemment aux animaux qui envahissent notre propriété tout autant qu'il l'est pour ces derniers de chercher leur nourriture là où ils peuvent la trouver. Dans l'état actuel de nos attitudes envers les animaux, il serait absurde de s'attendre à ce que les gens modifient leur comportement dans ce domaine. Il se peut toutefois qu'avec le temps, lorsqu'il aura été porté remède aux abus plus graves, et que les attitudes envers les animaux auront changé, les gens en viendront à voir que même les animaux qui d'une certaine façon « menacent » notre bien-être ne méritent pas la mort cruelle que nous leur infligeons ; il se peut ainsi qu'à la longue, nous développions des méthodes plus humaines pour limiter le nombre de ceux des animaux dont les intérêts sont réellement incompatibles avec les nôtres.

On peut donner une réponse analogue aux chasseurs et gestionnaires de ce qu'on nomme de façon trompeuse « réserves de vie sauvage », selon lesquels pour prévenir la surpopulation de cerfs, de phoques ou de tel ou tel autre animal, il serait nécessaire de permettre périodiquement aux chasseurs de « récolter » la population excédentaire – et cela, laisse-t-on entendre, au nom des intérêts des animaux eux-mêmes. Cet emploi du terme « récolter » – que l'on retrouve souvent dans les publications des associations de chasse – contredit l'argument selon lequel cet abattage serait motivé par le souci des animaux. Le terme indique que le chasseur considère les cerfs ou les phoques comme s'ils étaient du blé ou du charbon, comme des objets n'ayant de valeur que dans la mesure où ils servent les intérêts humains. Cette attitude, qui est largement partagée par le Service américain des poissons et de la faune sauvage (US Fish and Wildlife Service) néglige ce fait essentiel que cerfs et autres animaux chassés sont capables de ressentir le plaisir et la douleur. Ils ne sont donc pas des moyens pour nos fins, mais des êtres possédant leurs propres intérêts. S'il s'avère que dans des circonstances particulières leur nombre peut s'accroître au point de détériorer leur propre environnement et de menacer leur propre survie ou celle d'autres animaux partageant leur habitat, alors l'intervention humaine peut devenir justifiée ; mais il est clair que si nous prenons en compte les intérêts des animaux, cette intervention ne consistera pas à permettre aux chasseurs d'en tuer un certain nombre, en en blessant nécessairement d'autres au passage, mais plutôt à réduire leur fertilité. Si nous nous donnions la peine de développer des méthodes plus humaines pour contrôler la population des animaux sauvages vivant dans les réserves, il ne serait pas difficile de trouver à faire mieux que ce que nous faisons actuellement. Le problème est que les autorités responsables de la faune sauvage pensent en termes de « récolte », et ne sont pas intéressées à trouver des techniques de contrôle de population qui réduiraient le nombre d'animaux à « récolter » par les chasseurs [28].

J'ai dit que la différence entre les animaux comme les cerfs – j'aurais pu aussi bien dire comme les cochons ou les poulets – que nous ne devrions pas envisager de « récolter », et les cultures comme le blé, que nous pouvons récolter, réside dans le fait que ces animaux sont capables de ressentir le plaisir et la douleur, alors que les plantes ne le sont pas. On est certain, à ce point de la discussion, de s'entendre demander : « Comment savons-nous que les plantes ne souffrent pas ? »

Cette objection peut être motivée par une véritable préoccupation pour le sort des plantes ; mais le plus souvent ceux qui la soulèvent n'envisagent pas sérieusement d'étendre leur considération jusqu'aux plantes si la preuve leur était faite qu'elles souffrent ; ils espèrent plutôt montrer que si nous agissions selon le principe que j'ai défendu, il nous faudrait cesser de manger non seulement les animaux mais aussi les plantes, et que nous mourrions par conséquent de faim. La conclusion qu'ils en tirent est que s'il est impossible de vivre sans enfreindre le principe d'égalité de considération, alors nous pouvons l'ignorer totalement, et que nous pouvons donc continuer à faire comme nous avons toujours fait, en mangeant et les plantes, et les animaux.

L'objection est faible tant par sa logique que par les faits sur lesquels elle se fonde. Il n'y a pas de données fiables indiquant que les plantes sont capables de ressentir le plaisir ou la douleur. Il y a quelques années, un livre populaire intitulé *La Vie secrète des plantes* leur attribuait toutes sortes de capacités remarquables, dont celle de lire les pensées des gens. Les expériences les plus frappantes citées dans ce livre n'avaient pas été faites dans des institutions de recherche sérieuses, et les tentatives pour les reproduire menées par des chercheurs dans de grandes universités n'ont donné aucun résultat positif. Les allégations de ce livre ont été maintenant totalement discréditées [29].

Dans mon premier chapitre, j'ai fourni trois bases distinctes pour penser que les animaux non humains peuvent ressentir la douleur : leur comportement, la nature de leur système nerveux, et l'utilité évolutionnaire de la douleur. Sur aucune de ces bases nous n'avons de raison de croire que les plantes ressentent la douleur. En l'absence de résultats expérimentaux scientifiquement crédibles, il n'y a pas de comportement observable suggérant la douleur ; rien qui ressemble à un système nerveux central n'a été trouvé chez les plantes ; et il est difficile d'imaginer pourquoi des espèces dont les membres sont incapables de s'éloigner d'une source de douleur, ou de mettre à profit d'aucune autre manière la sensation de douleur pour éviter la mort, auraient développé la capacité de ressentir la douleur. Par conséquent, l'idée que les plantes ressentent la douleur semble tout à fait injustifiée.

Voilà pour les faits sur lesquels se fonde cette objection. Voyons maintenant sa logique. Si improbable que cela paraisse, supposons que les chercheurs produisent effectivement un jour des résultats suggérant que les plantes ressentent la douleur. Il ne s'ensuivrait toujours pas que nous puissions aussi bien continuer à manger ce que nous avons toujours mangé. S'il nous faut infliger de la douleur sous peine de mourir de faim, alors nous devons choisir le moindre mal. On peut supposer qu'il serait encore vrai que les plantes souffrent moins que les animaux, et par conséquent il serait encore préférable de manger des plantes plutôt que des animaux. Mieux, cette conclusion resterait vraie même si les plantes étaient aussi sensibles que les animaux, puisque l'inefficacité de la production de viande signifie que ceux qui en mangent sont responsables de la destruction indirecte d'au moins dix fois plus de plantes que les végétariens ! J'admets que la discussion tourne ici à l'absurde, et je ne l'ai menée aussi loin que pour montrer que ceux qui soulèvent cette objection sans en poursuivre les implications ne cherchent en fait qu'une excuse pour continuer à manger de la viande.

Jusqu'ici, dans ce chapitre, nous avons examiné des attitudes qui sont celles de beaucoup des membres de nos sociétés occidentales, ainsi que des stratégies et des arguments qui sont couramment utilisés pour défendre ces attitudes. Nous avons vu que d'un point de vue logique ces stratégies et arguments sont très faibles. Plutôt que des arguments, ce sont des rationalisations et des excuses. Néanmoins, on pourrait se dire que la faiblesse des arguments avancés par les gens ordinaires doit provenir d'un certain manque de compétence spécialisée pour discuter de questions éthiques. C'est pour cela que dans la première édition de ce livre j'ai examiné ce qu'avaient dit quelques-uns des philosophes les plus en vue des années 1960 et du début des années 1970 à propos du statut moral des animaux non humains. Ce qui en ressortait ne faisait pas honneur à la philosophie.

La philosophie devrait mettre en discussion les présupposés fondamentaux de son époque. Examiner de part en part, avec soin et esprit critique, ce que la plupart d'entre nous prenons pour acquis constitue, je le crois, sa principale tâche, celle qui donne sa valeur à cette activité. Malheureusement, la philosophie réelle n'est pas toujours à la hauteur de son rôle historique. La défense par Aristote de l'esclavage sera toujours là pour nous rappeler que les philosophes sont des êtres humains et sont sujets à toutes les idées préconçues de la société dont ils font partie. Parfois ils réussissent à se libérer de l'idéologie dominante ; plus souvent ils en deviennent les plus sophistiqués des défenseurs.

Tel fut le cas des philosophes de l'époque précédant immédiatement la parution de la première édition de ce livre. Ils n'avaient remis en question aucune des idées préconçues concernant nos relations avec les autres espèces. La plupart des philosophes qui avaient traité de problèmes touchant à cette question montraient par leurs écrits qu'ils faisaient les mêmes présuppositions incontestées que la plupart des autres êtres humains ; et ce qu'ils disaient tendait à confirmer leurs lecteurs dans leurs confortables habitudes spécistes.

À cette époque, les discussions de philosophie morale et politique portant sur l'égalité et sur les droits étaient presque toujours formulées comme des problèmes d'égalité humaine et de droits humains. Il en résultait que la question de l'égalité animale ne se posait jamais aux philosophes et à leurs étudiants comme question en soi – ce qui indique déjà l'échec, jusqu'à cette date, de la philosophie à approfondir les idées reçues. Les philosophes eurent cependant du mal à discuter de la question de l'égalité humaine sans soulever des questions sur le statut des non-humains. La raison de cela – comme on s'en rend peut-être compte dans le premier chapitre de ce livre – a à voir avec la manière dont doit être interprété et défendu le principe d'égalité si on veut que ce principe soit défendable.

Pour les philosophes des années 1950 et 1960, le problème était de donner à l'idée que tous les êtres humains sont égaux une interprétation qui ne rende pas cette idée tout simplement fausse. Sous la plupart des rapports, les êtres humains ne sont pas égaux ; et si nous cherchons une caractéristique qu'ils possèdent tous, il s'agira nécessairement d'une sorte de plus petit dénominateur commun, choisi si bas qu'aucun être humain n'en sera dépourvu. Le hic est qu'aucune caractéristique possédée ainsi par tous les êtres humains ne sera propre aux seuls êtres humains. Par exemple, tous les humains, mais pas seulement eux, sont capables de ressentir la douleur ; et alors que seuls des humains sont capables de résoudre les problèmes mathématiques complexes, tous les humains ne le sont pas. Il s'avère donc que dans le seul sens où l'on peut vraiment dire, en tant qu'affirmation de fait, que tous les êtres humains sont égaux, au moins certains membres d'autres espèces sont eux aussi « égaux » – c'est-à-dire égaux aux humains.

Si par contre nous décidons que, comme je l'ai soutenu au chapitre premier, ces caractéristiques ne sont en réalité pas pertinentes pour le problème de l'égalité, et que celle-ci doit se fonder sur le principe moral de considération égale des intérêts plutôt que sur la possession de telle ou telle caractéristique, il est encore plus difficile de trouver une base quelconque pour exclure les animaux de la sphère de l'égalité.

Ce résultat n'est pas celui auquel au départ voulaient aboutir les philosophes égalitaristes de cette époque. Au lieu d'accepter la conclusion à laquelle tendaient naturellement leurs propres raisonnements, ils ont cherché à concilier leur adhésion à l'égalité humaine d'une part et à l'inégalité animale de l'autre au moyen d'arguments tortueux ou myopes. Par exemple, Richard Wasserstrom, un des philosophes très en vue à l'époque dans les discussions philosophiques sur l'égalité et professeur de philosophie et de droit à l'université de Californie à Los Angeles, définissait les « droits humains » dans son article *Rights, Human Rights and Racial Discrimination* comme ces droits qu'ont les êtres humains et que n'ont pas les non-humains. Il poursuivait en défendant l'existence de droits humains au bien-être et à la liberté. En défense de l'idée d'un droit humain au bien-être, il disait que refuser à une personne le soulagement d'une douleur physique aiguë lui rend impossible de vivre une vie pleine ou satisfaisante. Il poursuivait ainsi : « Dans un sens réel, la jouissance de ces biens différencie les entités humaines des entités non humaines [30]. » Le problème est que si nous remontons dans le texte pour trouver à quoi se réfère l'expression « ces biens », le seul exemple mentionné est le soulagement de la douleur physique aiguë – chose que les non-humains peuvent apprécier autant que les humains. Si donc on suppose que les êtres humains ont un droit au soulagement de la souffrance physique aiguë, ce droit ne peut être spécifiquement humain, au sens où l'a défini Wasserstrom. On doit supposer que les animaux l'ont aussi.

Les philosophes, confrontés à une situation où ils voyaient la nécessité de trouver quelque base au fossé moral qui, croit-on encore souvent, sépare les êtres humains des animaux, mais étant dans l'incapacité de trouver aucune différence concrète entre les êtres humains et les animaux qui puisse jouer ce rôle sans saper l'égalité humaine, ont eu tendance à faire dans l'emphase. Ils eurent recours à de belles expressions comme « la dignité intrinsèque de l'individu humain [31] ». Ils parlèrent de « la valeur intrinsèque de tous les hommes » (le sexisme allait de soi autant que le spécisme) comme si tous les hommes (ou êtres humains ?) avaient une valeur particulière non précisée que n'auraient pas les autres êtres [32]. Ou alors ils disaient que les êtres humains, et eux seuls, sont des « fins en soi » alors que « toute autre chose qu'une personne ne peut avoir de valeur que pour une personne [33] ».

Comme nous l'avons vu au chapitre précédent, l'idée d'une dignité et d'une valeur humaine spécifiques a une longue histoire derrière elle. Dans le siècle présent, jusque dans les années 1970, les philosophes s'étaient affranchis des liens métaphysiques et religieux qui accompagnaient à l'origine cette idée, et l'invoquaient librement sans ressentir aucun besoin de la justifier du tout. Pourquoi ne nous attribuerions-nous pas une « dignité intrinsèque » ou une « valeur intrinsèque » à nous-mêmes ? Pourquoi ne dirions-nous pas que nous sommes les seules choses dans l'univers à avoir une valeur intrinsèque ? Nos semblables êtres humains risquent peu de rejeter les honneurs que nous leur octroyons si généreusement, et ceux à qui nous les refusons sont incapables de protester. Et bien sûr, lorsque nous n'englobons dans notre champ visuel que les seuls êtres humains il peut être très libéral, très progressiste, de parler de la dignité de chacun d'entre eux. Ce faisant, nous condamnons implicitement l'esclavage, le racisme et autres violations des droits de l'homme. Nous admettons que nous-mêmes sommes en quelque sens fondamental égaux aux membres les plus pauvres et les plus ignorants de notre propre espèce. Ce n'est que lorsque nous regardons les êtres humains comme rien de plus qu'un petit sous-groupe de l'ensemble de ceux qui habitent notre planète que nous nous rendons peut-être compte que lorsque nous élevons notre propre espèce nous rabaissons en même temps le statut relatif de toutes les autres.

La vérité est que l'appel à la dignité intrinsèque des êtres humains ne semble résoudre les problèmes du philosophe égalitariste qu'aussi longtemps que personne ne la remet en question. Dès que nous demandons pourquoi tous les êtres humains – y compris les nourrissons, les handicapés mentaux, les psychopathes criminels, Hitler, Staline et ainsi de suite – auraient une dignité ou une valeur d'une certaine sorte telle qu'aucun éléphant, cochon ou chimpanzé ne pourra jamais l'avoir, nous voyons qu'il est aussi difficile de répondre à cette question qu'à notre exigence originelle de savoir quel fait pertinent justifie l'inégalité entre les humains et les autres animaux. En fait, ces deux questions n'en font qu'une : parler de dignité intrinsèque ou de valeur morale n'aide en rien, puisque toute défense satisfaisante de l'idée que tous les êtres humains, et eux seuls, ont une dignité intrinsèque doit nécessairement faire appel à quelque capacité ou caractéristique pertinente propre aux seuls êtres humains, en vertu de laquelle ceux-ci posséderaient cette dignité ou cette valeur unique. Il ne suffit pas d'introduire les idées de dignité et de valeur pour combler l'absence d'autres raisons de distinguer les humains des animaux. Les belles phrases sont le dernier recours de ceux qui ont épuisé leur stock d'arguments.

Pour le cas où le lecteur penserait encore possible de trouver quelque caractéristique pertinente qui distingue tous les êtres humains de tous les membres d'autres espèces, arrêtons-nous à nouveau au fait qu'il y a des êtres humains dont le niveau de perception, de conscience de soi, d'intelligence et de sensibilité est très clairement inférieur à celui de beaucoup d'êtres non humains. Je pense ici aux êtres humains affectés de lésions graves et irréversibles du cerveau, et aussi aux nouveau-nés humains ; pour éviter la complication que représente la potentialité chez les nouveau-nés, je me concentrerai toutefois sur les êtres humains profondément et irréversiblement retardés.

Les philosophes à la recherche d'une caractéristique pouvant distinguer les êtres humains des autres animaux ont rarement pris le parti d'abandonner ces groupes d'êtres humains en les mettant dans le même sac que les autres animaux. Il est facile de voir pourquoi ils ne l'ont pas fait ; car adopter cette position sans repenser nos attitudes envers les autres animaux signifierait que nous avons le droit d'effectuer pour des raisons futiles des expériences douloureuses sur les humains retardés ; cela impliquerait de même que nous avons le droit de les élever et de les tuer pour nous en nourrir.

Pour les philosophes discutant du problème de l'égalité, le meilleur moyen de se sortir de la difficulté que représente l'existence d'êtres humains profondément et irrémédiablement handicapés au niveau intellectuel consistait à l'ignorer. John Rawls, philosophe à Harvard, dans son épais livre *Théorie de la justice*, se heurta à ce problème en essayant d'expliquer pourquoi nous avons un devoir de justice envers les êtres humains mais pas envers les autres animaux, mais il l'écarta en remarquant : « Je ne peux pas ici examiner ce problème, mais je suppose que l'explication de l'égalité n'en serait pas matériellement affectée [34]. » C'est là une façon extraordinaire de traiter la question de l'égalité de traitement : elle semblerait impliquer soit que nous pouvons traiter les gens intellectuellement profondément et irrémédiablement handicapés comme nous traitons actuellement les animaux, soit que nous avons, contrairement à ce que dit Rawls lui-même, un devoir de justice envers les animaux.

Quel autre choix avaient les philosophes ? S'ils avaient honnêtement fait face au problème posé par l'existence d'êtres humains ne possédant aucune caractéristique moralement pertinente non possédée aussi par des êtres non humains, il leur aurait été impossible de se cramponner à l'égalité des êtres humains sans suggérer une révision radicale du statut des non-humains. Dans une tentative désespérée de sauver les idées habituellement admises, il fut même soutenu que nous devrions traiter les êtres selon ce qui est « normal pour l'espèce » plutôt que selon leurs caractéristiques effectives [35]. Pour prendre la mesure de l'extravagance de cette affirmation, imaginez que l'on trouve un jour des données indiquant qu'en l'absence même de tout conditionnement culturel, il serait normal que dans une société un plus grand nombre de femmes que d'hommes restent à la maison pour s'occuper des enfants plutôt que de sortir travailler. Cette conclusion serait, bien sûr, parfaitement compatible avec le fait évident qu'il existe des femmes moins aptes à s'occuper des enfants et plus aptes à sortir travailler, que certains hommes. Y aurait-il alors un philosophe pour soutenir qu'il faudrait traiter ces femmes exceptionnelles non selon leurs caractéristiques effectives, mais selon ce qui est « normal pour le sexe » – et qu'elles ne devraient donc pas être admises, par exemple, en faculté de médecine ? Je ne le pense pas. Il m'est difficile de voir dans cet argument autre chose qu'une défense de la préférence accordée aux intérêts des membres de notre propre espèce parce qu'ils sont membres de notre propre espèce.

Cet argument philosophique, comme d'autres arguments courants avant que l'idée d'égalité pour les animaux n'ait été prise au sérieux par les philosophes, peut servir de mise en garde contre la facilité avec laquelle non seulement les gens ordinaires, mais aussi ceux qui sont les plus exercés au raisonnement moral, peuvent tomber victimes d'une idéologie dominante. Aujourd'hui, néanmoins, je suis réellement heureux de pouvoir rapporter que la philosophie s'est depuis débarrassée de ses œillères idéologiques. Beaucoup des cours d'éthique dispensés de nos jours dans les universités poussent réellement les étudiants à repenser leurs attitudes envers toute une gamme de questions éthiques, parmi lesquelles une place éminente est donnée au statut des animaux non humains. Il y a quinze ans, je devais chercher beaucoup pour aboutir à une poignée de références de textes de philosophes académiques sur la question du statut des animaux ; aujourd'hui, j'aurais pu remplir ce livre entier à rendre compte de ce qui s'est écrit sur ce sujet durant les quinze dernières années. Des articles sur la façon dont nous devrions traiter les animaux font partie de presque tous les recueils de base utilisés dans les cours de morale appliquée. Ce sont les cas où il était complaisamment admis sans arguments que les animaux non humains sont moralement insignifiants qui sont devenus rares.

En fait, au cours des quinze dernières années, la philosophie académique a joué un rôle majeur en promouvant et en soutenant le mouvement de libération animale. Il suffit d'un coup d'œil à la récente bibliographie de Charles Magel qui recense les livres et articles sur les droits des animaux et sur des questions qui y sont liées pour constater le niveau d'activité autour du sujet. Depuis l'Antiquité jusqu'au début des années 1970, Magel ne trouve que 95 travaux dignes d'être mentionnés, dont seulement deux ou trois sont l'œuvre de philosophes professionnels. Au cours des dix-huit années suivantes, Magel trouve cependant 240 travaux sur les droits des animaux, dont beaucoup sont dus à des philosophes enseignant dans des universités[36]. De plus, les textes publiés ne reflètent que partiellement la situation ; partout aux États-Unis, en Australie, en Grande-Bretagne, au Canada et en bien d'autres pays aussi, dans les départements de philosophie des philosophes enseignent à leurs étudiants le sujet du statut moral des animaux. Beaucoup d'entre eux travaillent en outre activement pour changer les choses avec des groupes pour les droits des animaux, sur leur campus ou ailleurs.

Bien sûr, les philosophes ne sont pas unanimes à soutenir le végétarisme et la libération animale – sur quoi ont-ils déjà été unanimes ? Mais même ceux d'entre eux qui s'étaient montrés critiques envers les affirmations de leurs collègues défenseurs des animaux ont accepté des éléments importants de l'argumentation en faveur du changement. Par exemple, R. G. Frey de l'université d'État de Bowling Green dans l'Ohio, qui a plus écrit que tout autre philosophe en opposition à mes thèses sur les animaux, commence l'un de ses articles en posant sans façons : « Je ne suis pas un antivivisectionniste... » Mais il reconnaît ensuite : « Je n'ai ni ne connais rien qui me permette de dire, *a priori*, qu'une vie humaine de n'importe quelle qualité, si basse soit-elle, a plus de valeur qu'une vie animale de n'importe quelle qualité, si élevée soit-elle. »

Frey reconnaît en conséquence que « l'argument en faveur de l'antivivisectionnisme est beaucoup plus solide que ne l'admettent la plupart des personnes ». Il en conclut que si l'on cherche à justifier l'expérimentation sur des animaux non humains par les bienfaits qu'elle engendre (ce qui est, dans son optique, la seule façon dont peut être justifiée cette pratique), il n'y a pas de raison intrinsèque pour laquelle ces bienfaits ne justifieraient pas aussi des expériences sur des « humains dont la qualité de vie est inférieure ou égale à celle d'animaux ». Ainsi accepte-t-il les expériences sur animaux lorsque les bienfaits en sont suffisamment importants, mais au prix d'avoir à accepter la possibilité d'expériences similaires sur des humains[37].

Encore plus spectaculaire fut le changement de sentiment du philosophe canadien Michael Allen Fox. En 1986, la publication de son livre *The Case for Animal Experimentation* (« Les arguments en faveur de l'expérimentation animale ») semblait certaine de lui valoir un rôle éminent dans les conférences universitaires en tant que chef de file des philosophes défenseurs de l'industrie de la recherche animale. Les sociétés pharmaceutiques et les groupes de pression de l'expérimentation animale qui croyaient avoir là enfin un philosophe docile qu'ils pourraient utiliser pour se défendre contre les critiques morales ont dû cependant être consternés lorsque Fox, sans crier gare, désavoua son propre livre. En réaction à un compte rendu très critique paru dans la revue *The Scientist*, Fox écrivit dans une lettre à la rédaction qu'il était d'accord avec l'auteur du compte rendu : il était arrivé à la conclusion que les arguments de son livre étaient erronés, et qu'il n'était pas possible de justifier l'expérimentation animale sur un plan éthique. Par la suite, Fox poursuivit son courageux changement d'opinion en devenant végétarien[38].

L'émergence du mouvement de libération animale est peut-être un cas unique parmi les causes sociales modernes dans la mesure où elle a été liée au développement de la question comme sujet de discussion dans les cercles de la philosophie académique. En se penchant sur le statut des animaux non humains, la philosophie elle-même a subi une remarquable transformation : elle a abandonné le confortable conformisme de l'adhésion aux dogmes reçus pour retrouver son ancien rôle socratique.

Au centre de ce livre est la thèse selon laquelle la discrimination exercée contre des êtres uniquement sur la base de leur espèce est une forme de préjugé, forme immorale et indéfendable de la même façon qu'est immorale et indéfendable la discrimination sur la base de la race. Je ne me suis pas contenté en avançant cette thèse de simplement l'affirmer, ou de la présenter comme l'énoncé d'un point de vue personnel que chacun pourrait choisir ou non d'accepter. Je l'ai défendue par l'argumentation, en faisant appel à la raison plutôt qu'à l'émotion ou au sentiment. J'ai choisi ce chemin, non parce que j'ignorerais l'importance des sentiments de bienveillance et de respect envers les autres êtres, mais parce que la raison est plus universelle et son appel plus difficile à rejeter. Aussi grande que soit mon admiration pour ceux qui ont banni le spécisme de leur vie simplement parce que leur sympathie pour les autres englobait tous les êtres sensibles, je ne pense pas que le seul appel à la sympathie et à la bonté du cœur suffise à convaincre la plupart des gens de l'immoralité du spécisme. Même quand d'autres êtres humains sont en cause, les gens ont une capacité étonnante à limiter leur sympathie aux membres de leur propre nation ou race. Presque tout le monde est cependant disposé, au moins en principe, à écouter la raison. Il est vrai que certains se piquent d'un subjectivisme excessif en matière de moralité, affirmant qu'une morale en vaut toujours une autre ; mais lorsqu'on presse ces mêmes personnes de dire s'ils pensent que la morale de Hitler, ou des marchands d'esclaves, vaut celle d'Albert Schweitzer ou de Martin Luther King, ils s'aperçoivent qu'après tout ils croient certaines morales meilleures que d'autres.

Je me suis donc fondé, tout au long de ce livre, sur l'argumentation rationnelle. Si vous ne pouvez en réfuter l'argument central vous devez maintenant reconnaître que le spécisme est mauvais, et cela signifie que, si vous prenez la morale au sérieux, vous devez chercher à éliminer les pratiques spécistes de votre propre vie, et à vous y opposer par ailleurs. Faute de cela, aucune base ne vous reste pour critiquer, sans hypocrisie, le racisme ou le sexisme. J'ai de façon générale évité d'utiliser l'argument selon lequel nous devrions être bons envers les animaux parce que la cruauté à leur endroit mène à la cruauté envers les êtres humains. Peut-être est-il vrai que la bonté envers les êtres humains et celle envers les autres animaux vont souvent de pair ; mais que cela soit ou non vrai, dire, comme l'ont fait Thomas d'Aquin et Kant, que c'est là la véritable raison pour laquelle nous devrions être bons envers les animaux est une position pleinement spéciste. Nous devons considérer les intérêts des animaux parce qu'ils ont des intérêts et qu'on ne peut justifier de les exclure de la sphère de la préoccupation morale, faire dépendre cette considération de ses conséquences bénéfiques pour les êtres humains revient à accepter implicitement que les intérêts des animaux ne requièrent aucun respect en eux-mêmes.

J'ai de même évité de discuter longuement la question de savoir si une alimentation végétarienne est meilleure pour la santé qu'une alimentation comprenant de la chair animale. Bien des données suggèrent qu'elle l'est, mais je me suis contenté de montrer qu'un végétarien peut espérer une santé au moins aussi bonne qu'une personne mangeant de la viande. En allant plus loin, il devient difficile d'éviter de donner l'impression que, si des recherches ultérieures devaient montrer qu'une alimentation comprenant de la viande est acceptable du point de vue de la santé, la thèse en faveur du végétarisme s'effondrerait. Par contre, du point de vue de la libération animale, tant que nous pouvons vivre sans infliger à des animaux des vies de misère, c'est ainsi que nous devons vivre. Je crois que l'argumentation en faveur de la libération animale est logiquement convaincante, et qu'elle ne peut être réfutée ; mais la tâche de renverser le spécisme en pratique est formidable. Nous avons vu qu'il plonge ses racines historiques profondément dans la conscience de la société occidentale. Nous avons vu que l'élimination des pratiques spécistes menacerait les intérêts établis des sociétés géantes de l'agrobusiness et des associations professionnelles des chercheurs et des vétérinaires. Ces sociétés et ces organisations sont prêtes à dépenser lorsque cela sera nécessaire des millions de dollars pour défendre leurs intérêts, et le public sera alors bombardé de publicités niant les accusations de cruauté. De plus, le public a – ou pense avoir – un intérêt à voir se poursuivre la pratique spéciste de l'élevage et de l'abattage des animaux pour la consommation, et cela rend les gens prompts à se laisser rassurer qu'en ce domaine au moins, la cruauté est rare. Comme nous l'avons vu, les gens sont également disposés à accepter de faux raisonnements, du genre de ceux que nous avons examinés dans le présent chapitre, auxquels ils n'accorderaient pas le moindre crédit, n'était le fait que ces raisonnements paraissent justifier l'alimentation qu'ils préfèrent.

Quelle chance le mouvement de libération animale peut-il donc avoir face à ces préjugés millénaires, ces puissants intérêts établis et ces habitudes invétérées ? À part la raison et la morale, a-t-il quelque chose en sa faveur ? Il y a dix ans, il n'y avait aucune base concrète pour espérer que ses arguments pourraient prévaloir, autre que la confiance en la victoire ultime de la raison et de la moralité. Depuis, le mouvement a vu croître de façon spectaculaire le nombre de ses partisans et sa visibilité publique, et aussi, et c'est là le plus important, ses gains pour les animaux. Il y a dix ans, le mouvement de libération animale était largement perçu comme une histoire de cinglés, et l'effectif des groupes d'esprit réellement libérationniste était minuscule. Aujourd'hui, PETA (People for the Ethical Treatment of Animals – Personnes pour un traitement éthique des animaux) compte 250 000 membres, et la Humane Farming Association (Association pour une agriculture humaine), qui mène vigoureusement campagne contre les caisses à veaux, en compte 45 000[39]. Trans-Species Unlimited, au départ un groupe minuscule ne possédant qu'un seul bureau au milieu de la Pennsylvanie, est aujourd'hui une organisation nationale avec des branches à New York, dans le New Jersey, à Philadelphie et à Chicago. La Coalition pour l'abolition des tests de DL50 et de Draize (Coalition to Abolish the LD50 and Draize Tests) rassemble des groupes pour les droits des animaux et d'autres pour le bien-être des animaux, dont l'effectif total se chiffre en millions. Le mouvement de libération animale a atteint en 1988 une sorte de marque de reconnaissance officielle : un reportage de couverture conséquent dans *Newsweek*[40].

Nous avons mentionné certains des gains obtenus pour les animaux au fur et à mesure de notre discussion de chaque sujet particulier, mais il vaut la peine de les récapituler ici. Ils incluent l'interdiction des caisses à veaux en Grande-Bretagne et la disparition progressive des cages de batteries en Suisse et aux Pays-Bas, ainsi que la législation plus ambitieuse de la Suède qui éliminera les caisses à veaux, les cages de batteries, les stalles à truies et tous autres dispositifs qui restreignent les animaux dans leurs mouvements. Cette législation interdira aussi de garder des bovins sans leur permettre de brouter dans des pâturages pendant la belle saison. La campagne mondiale contre le commerce de fourrure a réussi à en réduire considérablement les ventes, particulièrement en Europe. En Grande-Bretagne, House of Fraser, une des principales chaînes de grands magasins, fut la cible de protestations contre la fourrure. En décembre 1989, elle annonça qu'elle fermait les salons de fourrures dans cinquante-neuf magasins sur les soixante qu'elle possédait, n'en gardant qu'un dans son célèbre magasin Harrods à Londres.

Aux États-Unis, rien n'a encore été obtenu pour les animaux d'élevage, mais plusieurs séries d'expériences particulièrement contestables ont été arrêtées. Le premier succès fut remporté en 1977, quand une campagne menée par Henry Spira persuada l'American Museum of Natural History de mettre fin à une série absurde d'expériences comportant la mutilation de chats pour étudier les effets sur leur vie sexuelle[41]. En 1981, ce fut la dénonciation par le militant de libération animale Alex Pacheco des conditions consternantes où vivaient dix-sept singes à l'Institute for Behavioural Research (Institut de recherches comportementales) d'Edward Taub, à Silver Springs dans le Maryland. Les National Institutes of Health coupèrent les crédits dont bénéficiait Taub, et celui-ci devint le premier chercheur des États-Unis condamné pour cruauté – bien que ce jugement ait été ultérieurement annulé pour la raison technique que les expérimentateurs sur animaux recevant des subventions d'origine fédérale ne sont pas tenus d'obéir aux lois anticruauté des États[42]. Entre-temps, l'affaire porta au-devant de la scène nationale un groupe tout nouveau : les People for the Ethical Treatment of Animals. Celui-ci dirigea en 1984 les efforts pour faire cesser les expériences de blessures à la tête que menait Thomas Gennarelli sur des singes à l'université de Pennsylvanie. Ces efforts furent déclenchés par d'extraordinaires enregistrements vidéo montrant les mauvais traitements infligés aux animaux, qui avaient été tournés par les expérimentateurs eux-mêmes avant d'être volés au cours d'un raid nocturne dans le laboratoire par le Front de libération animale. Gennarelli perdit les crédits qui lui avaient été accordés[43]. En 1988, après des mois de harcèlement par les piquets de Trans-Species Unlimited, un chercheur de l'université Cornell renonça à une ligne de crédit de 530 000 dollars destinée à financer l'étude, sur le chat, de l'accoutumance et de la dépendance aux barbituriques[44]. Vers la même époque, la chaîne italienne de mode Benetton annonça qu'elle ne ferait plus de tests sur animaux pour évaluer l'innocuité de ses nouveaux produits cosmétiques et de toilette. Benetton avait été la cible d'une campagne internationale, coordonnée par PETA, et à laquelle participaient des militants de libération animale de sept pays. La Noxell Corporation, fabricant américain de produits cosmétiques, n'avait pas fait l'objet d'une telle campagne lorsqu'elle prit d'elle-même la décision de faire appel à des cultures de cellules plutôt qu'au test de Draize sur les lapins pour déterminer si ses produits sont susceptibles d'endommager l'œil humain. Noxell prit cette décision dans le contexte d'un mouvement régulier de la part des principaux fabricants de produits cosmétiques, de toilette et pharmaceutiques en direction de l'emploi d'autres solutions, mouvement initié et constamment aiguillonné par la Coalition to Abolish the LD50 and Draize Tests[45]. Des années de dur labeur portèrent leurs fruits lorsqu'en 1989 Avon, Revlon, Fabergé, Mary Kay, Amway, Elizabeth Arden, Max Factor, Christian Dior et plusieurs petites sociétés annoncèrent qu'ils cessaient, ou au moins suspendaient, toute expérimentation animale. Au cours de cette même année, la Commission européenne, responsable des tests d'innocuité pour les dix pays de la Communauté européenne, annonça qu'elle accepterait d'autres solutions que les tests de Draize et de DL50, et invita tous les pays membres de l'OCDE (groupe qui inclut les États-Unis et le Japon) à œuvrer pour le développement de tests d'innocuité alternatifs communs. Tant le test de Draize que le test de DL50 sont maintenant interdits par la réglementation gouvernementale dans les États de Victoria et des Nouvelle-Galles du Sud, les deux États les plus peuplés d'Australie, ceux où était effectuée la plus grande part des expériences animales[46].

Aux États-Unis, un mouvement prend aussi de l'élan sur la question de la dissection dans les lycées. L'opiniâtre résistance contre la dissection de la part d'une unique lycéenne californienne, Jenifer Graham – et son insistance à ne pas être pénalisée dans ses notes pour son objection de conscience – menèrent à l'adoption, en 1988, de la « loi sur les droits des étudiants de Californie » qui accorde aux élèves des écoles primaires et secondaires de cet État le droit de refuser de disséquer sans se voir pénalisés. Des projets de loi similaires sont actuellement en cours dans le New Jersey, le Massachusetts, le Maine, à Hawaii et en plusieurs autres États américains.

À mesure que le mouvement gagne en visibilité et en soutien, la vague de fond des gens qui y participent chacun à son niveau se développe. Des musiciens de rock ont aidé à diffuser le message de la libération animale. Des vedettes de cinéma, des mannequins et des grands couturiers ont fait vœu d'éviter les fourrures. Le succès international de la chaîne de magasins Body Shop a rendu plus attrayants et facilement accessibles les produits cosmétiques sans cruauté. Les restaurants végétariens prolifèrent et même les restaurants non végétariens se mettent à proposer des plats végétariens. Tout cela rend plus facile aux nouveaux venus de rejoindre ceux qui font déjà, dans leur vie quotidienne, ce qu'ils peuvent pour limiter la cruauté envers les animaux.

Il reste pourtant que la libération animale exigera des êtres humains un altruisme plus grand que tout autre mouvement de libération. Les animaux sont incapables d'exiger eux-mêmes leur propre libération, ou de protester contre leur situation par des votes, des manifestations ou des boycotts. Les humains ont le pouvoir de continuer à opprimer les autres espèces soit indéfiniment, soit jusqu'au jour où nous aurons rendu cette planète inhabitable pour les êtres vivants. Notre tyrannie se continuera-t-elle, confirmant ainsi ce qu'ont toujours dit les plus cyniques des poètes et des philosophes, que la morale ne compte pour rien lorsqu'elle entre en conflit avec l'intérêt égoïste ? Ou au contraire nous élèverons-nous à la hauteur du défi et prouverons-nous notre capacité à l'altruisme authentique en mettant fin à notre impitoyable exploitation des espèces en notre pouvoir, non pas parce que des rebelles ou des terroristes nous y auront obligés, mais parce que nous aurons admis que notre position est moralement indéfendable ? Notre réponse à cette question dépend de la façon dont chacun de nous, individuellement, y aura répondu.

NOTES

CHAPITRE PREMIER. Tous les animaux sont égaux

1. Mary Wollstonecraft, *Défense des droits de la femme*, Paris, Payot, coll. « Petite Bibliothèque Payot », 2005.

2. Pour la philosophie morale de Bentham, voir son *Introduction to the Principles of Morals and Legislation*, et pour celle de Sidgwick, *The Methods of Ethics*, 1907 – Le passage cité est de la septième édition ; réimpression, Londres, Macmillan, 1963, p. 382. Pour des exemples de philosophes moraux contemporains marquants qui incorporent dans leur théorie une exigence d'égalité de considération des intérêts, voir R.M. Hare, *Freedom and Reason*, New York, Oxford University Press, 1963, et John Rawls, *Théorie de la justice* (1972), Paris, Seuil, 1987. Pour un bref compte rendu de l'accord fondamental de ces positions entre elles et avec d'autres sur cette question, voir R. M. Hare, « Rules of war and moral reasoning », *Philosophy and Public Affairs*, nº 1 (2), 1972.

3. Lettre à Henry Gregoire, 25 février 1809.

4. Souvenirs de Francis D. Gage, dans Susan B. Anthony, *The History of Woman Suffrage*, vol. 1 ; le passage est cité dans l'extrait publié par Leslie Tanner dans *Voices from Women's Liberation*, New York, Signet, 1970.

5. Je dois le mot « spécisme » à Richard Ryder (*speciesism*). Ce mot est tombé dans l'usage courant depuis la première édition de ce livre, et figure maintenant dans l'*Oxford English Dictionary*, 2e édition, Oxford, Clarendon Press, 1989.

6. Jeremy Bentham, *Introduction to the Principles of Morals and Legislation*, chapitre 17.

7. Voir M. Levin, « Animal rights evaluated », *Humanist*, n° 37, juillet-août 1977, p. 14-15 ; M. A. Fox, « Animal liberation : A critique », *Ethics*, n° 88, 1978, p. 134-138 ; C. Perry, G. E. Jones, « On animal rights », *International Journal of Applied Philosophy*, n° 1, 1982, p. 39-57.

8. Lord Brain, « Presidential address », *in* C.A. Keele, R. Smith (dir.), *The Assessment of Pain in Men and Animals*, Londres, Universities Federation for Animal Welfare, 1962.

9. *Ibid.*, p. 11.

10. Richard Serjeant, *The Spectrum of Pain*, Londres, Hart Davis, 1969, p. 72.

11. Voir les rapports du Committee on Cruelty to Wild Animals (Command Paper 8266, 1951), paragraphes 36 à 42 ; du Departmental Committee on Experiments on Animals (Command Paper 2641, 1965), paragraphes 179 à 182 ; et du Technical Committee to Enquire into the Welfare of Animals Kept under Intensive Livestock Husbandry Systems (Command Paper 2836, 1965), paragraphes 26 à 28, Londres, Her Majesty's Stationery Office.

12. Voir Stephen Wallcer, *Animal Thought*, Londres, Routledge and Kegan Paul, 1983 ; Donald Griffin, *La Pensée animale*, Paris, Denoël, 1988 ; et Marian Stamp Dawkins, *La Souffrance animale. L'étude objective du bien-être animal*, Maisons-Alfort, Le Point vétérinaire, 1983.

13. Voir Eugene Linden, *Apes, Men and Language*, New York, Penguin, 1976 ; pour des comptes rendus grand public de quelques travaux plus récents, voir Erik Eckholm, « Pygmy chimp readily learns language skill », *The New York Times*, 24 juin 1985 ; et « The wisdom of animals », *Newsweek*, 23 mai 1988.

14. Jane Goodall, *In the Shadow of Man*, Boston, Houghton Mifflin, 1971, p. 225. Michael Peters avance un argument semblable dans « Nature and culture », *in* Stanley Godlovitch, Roslind Godlovitch, John Harris (dir.), *Animals, Men and Morals*, New York, Taplinger, 1972. Pour quelques exemples d'incohérences dans les refus d'admettre que des êtres sans langage puissent ressentir la douleur, voir Bernard Rollin, *The Unheeded*

Cry : Animal Consciousness, Animal Pain, and Science, Oxford, Oxford University Press, 1989.

15. Je laisse de côté ici les perspectives religieuses, telle la doctrine selon laquelle tous les humains et eux seuls posséderaient une âme immortelle, ou auraient été créés à l'image de Dieu. Au niveau historique, ces idées ont joué un rôle très important, et sont sans nul doute en partie responsables de l'attribution à la vie humaine d'un caractère sacré particulier. (Pour une discussion historique plus approfondie, voir le chapitre V.) Au niveau logique, cependant, ces doctrines laissent à désirer, puisqu'elles ne fournissent aucune explication raisonnée de la croyance selon laquelle tous les humains auraient une âme immortelle, alors qu'aucun non-humain n'en posséderait une. On peut donc soupçonner cette croyance elle-même d'être une forme de spécisme. De toute manière, les défenseurs du point de vue du « caractère sacré de la vie » tendent à éviter de fonder leur position sur des doctrines purement religieuses, puisque l'acceptation de celles-ci n'est plus aussi universelle qu'auparavant.

16. Pour une discussion générale de ces questions, voir mon *Practical Ethics*, Cambridge, Cambridge University Press, 1979, et pour une discussion plus détaillée du traitement des jeunes enfants handicapés, voir Helga Kuhse, Peter Singer, *Should the Baby Live ?*, Oxford, Oxford University Press, 1985.

17. Pour un développement de ce thème, voir mon essai, « Life's uncertain voyage », *in* P. Pettit, R. Sylvan, J. Norman (dir.), *Metaphysics and Morality*, Oxford, Blackwell, 1987, p. 154-172.

18. La discussion précédente, que je n'ai modifiée que légèrement depuis la parution de la première édition, a souvent échappé à l'attention de ceux qui critiquent le mouvement de libération animale. Une tactique couramment employée pour tenter de ridiculiser la position de la libération animale consiste à affirmer, comme l'a fait récemment un expérimentateur, que « certaines de ces personnes pensent que chaque insecte, chaque souris, a autant de droit à la vie qu'un humain ». (Dr Irving Weissman, tel que cité par Katherine Bishop, *in* « From shop to lab to farm, animal rights battle is felt », *The New York Times*, 14 janvier 1989.) Il serait intéressant de voir le Dr Weissman

nommer des militants de la libération animale en vue qui défendent cette opinion. En tout cas, la position qu'il décrit (en admettant qu'elle se réfère au droit à la vie d'un être humain possédant des capacités mentales très différentes de celles d'un insecte ou d'une souris) n'est pas la mienne. Je doute qu'elle soit celle de beaucoup de gens – si tant est qu'il y en ait – dans le mouvement de la libération animale.

CHAPITRE II. Outils de recherche

1. US Air Force, School of Aerospace Medicine, Report No. USAFSAM-TR-82-24, août 1982.
2. US Air Force, School of Aerospace Medicine, Report No. USAFSAM-TR-87-19, octobre 1987.
3. *Ibid.*, p. 6.
4. Donald J. Barnes, « A matter of change », *in* Peter Singer (dir.), *In Defense of Animals*, Oxford, Blackwell, 1985.
5. *Air Force Times*, 28 novembre 1973 ; *The New York Times*, 14 novembre 1973.
6. B. Levine *et al.*, « Determination of the chronic mammalian toxicological effects of TNT : Twenty-six week subchronic oral toxicity study of trinitrotoluene (TNT) in the beagle dog », Phase II, Final Report (US Army Medical Research and Development Command, Fort Detrick, Maryland, juin 1983).
7. Carol G. Franz, « Effects of mixed neutron-gamma total-body irradiation on physical activity performance of rhesus monkeys », *Radiation Research*, n° 101, 1985, p. 434-441.
8. *Proceedings of the National Academy of Science*, n° 54, 1965, p. 90.
9. *Engineering and Science*, n° 33, 1970, p. 8.
10. *Maternal Care and Mental Health*, World Health Organisation Monograph Series, n° 2, 1951, p. 46.
11. *Engineering and Science*, n° 33, 1970, p. 8.
12. *Journal of Comparative and Physiological Psychology*, n° 80 (1), 1972, p. 11.
13. *Behavior Research Methods and Instrumentation*, n° 1, 1969, p. 247.
14. *Journal of Autism and Childhood Schizophrenia*, n° 3 (3), 1973, p. 299.

15. *Journal of Comparative Psychology*, n° 98, 1984, p. 35-44.

16. *Developmental Psychology*, n° 17, 1981, p. 313-318.

17. *Primates*, n° 25, 1984, p. 78-88.

18. Les chiffres cités concernant la recherche furent compilés par Martin Stephens, Ph. D., et rapportés dans *Maternal Deprivation Experiments in Psychology : A Critique of Animal Models*, rapport préparé pour l'American Anti-Vivisection Society, la National Anti-Vivisection Society et la New England Anti-Vivisection Society (Boston, 1986).

19. *Statistics of Scientific Procedures on Living Animals, Great Britain, 1988*, Command Paper 743, Londres, Her Majesty's Stationery Office, 1989.

20. US Congress Office of Technology Assessment (OTA), *Alternatives to Animal Use in Research, Testing and Education*, Washington, DC, Government Printing Office, 1986, p. 64.

20. Auditions du Subcommittee on Livestock and Feed Grains du Committee on Agriculture, US House of Representatives, 1966, p. 63.

21. Voir A. Rowan, *Of Mice, Models and Men : A Critical Evaluation of Animal Research*, Albany, State University of New York Press, 1984, p. 71 ; les chiffres révisés proviennent d'une communication personnelle d'A. Rowan auprès de l'Office of Technology Assessment (OTA) ; voir *Alternatives to Animal Use in Research, Testing and Education*, *op. cit.*, p. 56.

22. *Ibid.*, p. 56.

23. *Experimental Animals*, n° 37, 1988, p. 105.

24. *Nature*, n° 334, 4 août 1988, p. 445.

25. *The Harvard Bioscience Whole Rat Catalog*, South Natick, Mass., Harvard Bioscience, 1983.

26. Rapport du Littlewood Committee, p. 53 et 166 ; cité par Richard Ryder, « Experiments on Animals », *in* Stanley et Roslind Godlovitch, John Harris (dir.), *Animals, Men, and Morals*, New York, Taplinger, 1972, p. 43.

27. Chiffres calculés par Lori Gruen à partir de rapports chiffrés fournis par les rapports du US Public Health Service, *Computer Retrieval of Information on Scientific Projects* (CRISP).

28. *Journal of Comparative and Physiological Psychology*, nº 67 (1), avril 1969, p. 110.
29. *Bulletin of the Psychonomic Society*, nº 24, 1986, p. 69-71.
30. *Behavioral and Neural Biology*, nº 101, 1987, p. 296-299.
31. *Pharmacology, Biochemistry, and Behavior*, nº 17, 1982, p. 645-649.
32. *Journal of Experimental Psychology : Animal Behavior Processes*, nº 1, 1984, p. 307-323.
33. *Journal of Abnormal and Social Psychology*, nº 48 (2), avril 1953, p. 291.
34. *Journal of Abnormal Psychology*, nº 73 (3), juin 1968, p. 256.
35. *Animal Learning and Behavior*, nº 12, 1984, p. 332-338.
36. *Journal of Experimental Psychology : Animal Behavior and Processes*, nº 12, 1986, p. 277-290.
37. *Psychological Reports*, nº 57, 1985, p. 1027-1030.
38. *Progress in Neuro-Psychopharmacology and Biological Psychiatry*, nº 8, 1984, p. 434-446.
39. *Journal of the Experimental Analysis of Behavior*, nº 19 (1), 1973, p. 25.
40. *Journal of the Experimental Analysis of Behavior*, nº 41, 1984, p. 45-52.
41. *Aggressive Behavior*, nº 8, 1982, p. 371-383.
42. *Animal Learning and Behavior*, nº 14, 1986, p. 305-314.
43. *Behavioral Neuroscience*, nº 100 (2), 1984, p. 90-99, et nº 98 (3), 1984, p. 541-555.
44. OTA, *Alternatives to Animal Use in Research, Testing and Education*, *op. cit.*, p. 132.
45. A. Heim, *Intelligence and Personality*, Baltimore, Penguin, 1971, p. 150 ; pour une splendide discussion du phénomène dans sa totalité, voir Bernard Rollin, *The Unheeded Cry : Animal* Consciousness, Animal Pain, and Science, New York, Oxford University Press, 1989.
46. Chris Evans, « Psychology is about people », *New Scientist*, 31 août 1972, p. 453.
47. *Statistics of Scientific Procedures on Living Animals, Great Britain, 1988*, *op. cit.*, tables 7, 8 et 9.

48. J. P. Griffin, G. E. Diggle, *British Journal of Clinical Pharmacology*, n° 12, 1981, p. 453-463.

49. OTA, *Alternatives to Animal Use in Research, Testing and Education*, *op. cit.*, p. 168.

50. *Journal of the Society of Cosmetic Chemists*, n° 13, 1962, p. 9.

51. OTA, *Alternatives to Animal Use in Research, Testing and Education*, *op. cit.*, p. 64.

52. *Toxicology*, n° 15 (1), 1979, p. 31-41.

53. David Bunner *et al.*, « Clinical and hematological effects of t-2 toxin on rats », Interim Report (US Army Medical Research and Development Command, Fort Detrick, Frederick, Maryland, 2 août 1985). Les citations du Département d'État proviennent du *Report to the Congress for Secretary of State Alexander Haig, March 22, 1982 : Chemical Warfare in S.E. Asia and Afghanistan* (US Department of State Special Report No. 98, Washington, D.C., 1982).

54. M. N. Gleason *et al.* (dir.), *Clinical Toxicology of Commercial Products*, Baltimore, Williams and Wilkins, 1969.

55. *PCRM Update* (lettre d'information du Physicians Committee for Responsible Medicine, Washington, DC), juillet-août 1988, p. 4.

56. S. F. Paget (dir.), *Methods in Toxicology*, Oxford, Blackwell Scientific Publications, 1970, p. 4 et p. 134-139.

57. *New Scientist*, 17 mars 1983.

58. Concernant le Practolol, voir W.H. Inman, F. H. Goss (dir.), *Drug Monitoring*, New York, Academic Press, 1977 ; concernant le Zipeprol, voir C. Moroni *et al.*, *The Lancet*, 7 janvier 1984, p. 45. Je dois ces références à Robert Sharpe, *The Cruel Deception*, Wellingborough, Northants, Thorsons, 1988.

59. S. F. Paget (dir.), *Methods in Toxicology*, *op. cit.*, p. 132.

60. G. F. Somers, *Quantitative Method in Human Pharmacology and Therapeutics*, Elmsford, NY, Pergamon Press, 1959, cité par Richard Ryder, *Victims of Science*, Fontwell, Sussex, Centaur Press/State Mutual Book, 1983, p. 153.

61. Note d'agence parue dans *West County Times* (Californie), 17 janvier 1988.

62. Citation telle que rapportée dans *DVM : The Newsmagazine of Veterinary Medicine*, n° 9, juin 1988, p. 58.

63. *The New York Times*, 15 avril 1980.

64. Pour plus de détails voir Henry Spira, « Fighting to win », *in* Peter Singer (dir.), *In Defense of Animals : The Second Wave*, Oxford, Blackwell, 2006.

65. *PETA News* (People for the Ethical Treatment of Animals, Washington, DC), n° 9 4 (2), mars-avril 1989, p. 19.

66. « Noxell significantly reduces animal testing », communiqué de presse, Noxell Corporation, Hunt Valley, Maryland, 28 décembre 1988 ; Douglas McGill, « Cosmetics companies quietly ending animal tests », *The New York Times*, 2 août 1989, p. 1.

67. « Avon validates draize substitute », communiqué de presse, Avon Products, New York, 5 avril 1989.

68. *The Alternatives Report* (Center for Animals and Public Policy, Tufts School of Veterinary Medicine, Grafton, Massachusetts), n° 2, juillet-août 1989, p. 2 ; « Facts about Amway and the environment », Amway Corporation, Ada, Michigan, 17 mai 1989.

69. « Avon announces permanent end to animal testing », communiqué de presse, Avon Products, New York, 22 juin 1989.

70. Douglas McGill, « Cosmetics companies quietly ending animal tests », art. cité, p. 1.

71. « Industry toxicologists keen on reducing animal use », *Science*, 17 avril 1987.

72. Barnaby J. Feder, « Beyond white rats and rabbits », *The New York Times*, 28 février 1988, Buisness section, p. 1 ; voir aussi Constance Holden, « Much work but slow going on alternatives to draize test », *Science*, 14 octobre 1985, p. 185.

73. Judith Hampson, « Brussels drops need for lethal animal tests », *New Scientist*, n° 7 octobre 1989.

74. Coalition to Abolish LD50, Coordinators Report 1983 (New York, 1983), p. 1.

75. H. C. Wood, *Fever : A Study of Morbid and Normal Physiology*, Smithsonian Contributions to Knowledge, n° 357 (Lippincott, 1880).

76. *The Lancet*, 17 septembre 1881, p. 551.

77. *Journal of the American Medical Association*, n° 89 (3), 1927, p. 177.

78. *Journal of Pediatrics*, n° 45, 1954, p. 179.

79. *Indian Journal of Medical Research*, n° 56 (1), 1968, p. 12.

80. S. Cleary (dir.), *Biological Effects and Health Implications of Microwave Radiations*, US Public Health Service Publication PB 193, 1969, p. 898.

81. *Thrombosis and Diathesis Haemorrhagica*, n° 26 (3), 1971, p. 417.

82. *Archives of Internal Medicine*, n° 131, 1973, p. 688.

83. G. Hanneman, J. Sershon, « Tolerance endpoint for evaluating the effects of heat stress in dogs », FAA Report, n° FAA-AM-84-5, juin 1984.

84. *Journal of Applied Physiology*, n° 53, 1982, p. 1171-1174.

85. *Aviation, Space and Environmental Medicine*, n° 57, 1986, p. 659-663.

86. B. Zweifach, « Aspects of comparative physiology of laboratory animals relative to problems of experimental shock », *Federal Procedings*, n° 20, 1961, suppl. 9, p. 18-29 ; cité dans *Aviation, Space and Environmental Medicine*, n° 50 (8), 1979, p. 8-19.

87. *Annual Review of Physiology*, n° 8, 1946, p. 335.

88. *Pharmacological Review*, n° 6 (4), 1954, p. 489.

89. K. Hobler, R. Napodano, *Journal of Trauma*, n° 14 (8), 1974, p. 716.

90. Martin Stephens, *A Critique of Animal Experiments on Cocaine Abuse*, rapport préparé pour l'American Anti-Vivisection Society, la National Anti-Vivisection Society et la New England Anti-Vivisection Society (Boston, 1985).

91. *Health Care*, n° 2 (26), 28 août-10 septembre 1980.

92. *Journal of Pharmacology and Experimental Therapeutics*, n° 226 (3), 1983, p. 783-789.

93. *Psychopharmacology*, n° 88, 1986, p. 500-504.

94. *Bulletin of the Psychonomic Society*, n° 22 (1, 1984), p. 53-56.

95. *European Journal of Pharmacology*, n° 40, 1976, p. 114-115.

96. *Newsweek*, 26 décembre 1988, p. 50 ; « TSU shuts down Cornell cat lab », *The Animals' Agenda*, n° 9 (3), mars 1989, p. 22-25.

97. Stuart Milgram, *Obedience to Authority*, 1974 (trad. fr. *Soumission à l'autorité*, Paris, Calmann-Lévy, 1990). Notons que ces expériences ont été largement critiquées sur des bases éthiques parce qu'elles impliquaient des êtres humains sans leur consentement. On peut effectivement se demander si Milgram aurait dû tromper les participants à son expérience comme il l'a fait ; mais quand nous comparons ce qui a été fait à ces derniers avec ce que l'on fait couramment aux animaux non humains, nous pouvons mesurer à quel point la sensibilité de la plupart des gens est plus aiguisée quand ils jugent de la moralité de l'expérimentation sur humains.

98. *Monitor*, publication de l'American Psychological Association, mars 1978.

99. Donald J. Barnes, « A matter of change », *in* Peter Singer, (dir.), *In Defense of Animals*, *op. cit.*, p. 160 et 166.

100. *The Death Sciences in Veterinary Research and Education*, New York, United Action for Animals, p. III.

101. *Journal of the American Veterinary Medical Association*, n° 163 (9), 1er novembre 1973, p. 1.

102. Voir annexe 3 pour l'adresse.

103. *Journal of Comparative and Physiological Psychology*, n° 55, 1962, p. 896.

104. *Scope* (Durban, Afrique du Sud), 30 mars 1973.

105. Robert J. White, « Anti-vivisection : The reluctant hydra », *The American Scholar*, n° 40, 1971 ; reproduit *in* T. Regan, P. Singer (dir.), *Animal Rights and Human Obligations*, première édition, Englewood Cliifs, N.J., Prentice Hall, 1976, p. 169.

106. *The Plain Dealer*, 3 juillet 1988.

107. *Birmingham News*, Birmingham, Alabama, 12 février 1988.

108. « The Price of Knowledge », émission diffusée le 12 décembre 1974 à New York, sur WNET/13, transcription aimablement fournie par WNET/13 et Henry Spira.

109. Cité dans le rapport de l'OTA, *Alternatives to Animal Use in Research, Testing and Education*, *op. cit.*, p. 277.

110. National Health and Medical Research Council, *Code of Practice for the Care and Use of Animals for Experimental Purposes*, Australian Government Publishing Service, Canberra,

1985. Une version révisée du code a récemment été acceptée ; voir « Australian code of practice », *Nature*, nº 339, 8 juin 1989, p. 412.

111. OTA, *Alternatives to Animal Use in Research, Testing and Education*, *op. cit.*, p. 377.

112. Pat Monaghan, « The use of animals in medical research », *New Scientist*, 19 novembre 1988, p. 54.

113. Pour un résumé des amendements de 1985, et de l'état de la législation et de la réglementation à ce moment-là, voir OTA, *Alternatives to Animal Use in Research, Testing and Education*, *op. cit.*, p. 280-28.

114. *Ibid.*, p. 286-287.

115. *Ibid.*, p. 287 et 298.

116. National Research Council, *Use of Laboratory Animals in Biomedical and Behavioral Research*, Washington, DC, National Academy Press, 1988. Voir particulièrement la *Individual Statement* de C. Stevens.

117. *The Washington Post*, 19 juillet 1985, p. A10. Pour une relation plus détaillée de l'affaire Gennareffi, voir Lori Gruen, Peter Singer, *Animal Liberation : A Graphic Guide*, Londres, Camden Press, 1987, p. 10.-23.

118. « Group charges Gillette abuses lab animals », *Chemical and Engineering News*, 6 octobre 1986, p. 5.

119. H. Beecher, « Ethics and clinical research », *New England Journal of Medicine*, nº 274, 1966, p. 1354-1360 ; D. Rothman, « Ethics and Human experimentation : Henry Beecher revisited », *New England Journal of Medicine*, nº 317, 1987, p. 1195-1199.

120. De la transcription du « Procès des médecins », affaire I, États-Unis contre Brandt *et al.* Cité par W. L. Shirer, *The Rise and Fall of the Third Reich*, New York, Simon and Schuster, 1960, p. 985 (trad. fr. *Le IIIᵉ Reich. Des origines à la chute*, Paris, Stock, 1990). Pour d'autres descriptions de ces expériences, voir R. J. Lifton, *The Nazi Doctors*, New York, Basic Books, 1986 (trad. fr. *Les Médecins nazis : le meurtre médical et la psychologie du génocide*, Paris, Robert Laffont, 1989).

121. British Journal of Experimental Pathology, nº 61, 1980, p. 39 ; cité par R. Ryder, « Speciesism in the laboratory », *in* Peter Singer (dir.), *In Defense of Animals*, *op. cit.*, p. 85.

122. I. B. Singer, *Enemies : A Love Story*, New York, Farrar, Straus and Giroux, 1972, (trad. fr. *Ennemies, une histoire d'amour*, Paris, Stock, 1980).

123. Voir James Jones, *Bad Blood : The Tuskegee Syphilis Experiment*, New York, Free Press, 1981.

124. Sandra Coney, *The Unfortunate Experiment*, Auckland, Penguin Books, 1988.

125. E. Wynder, D. Hoffman, dans *Advances in Cancer Research*, n° 8, 1964 ; voir aussi le rapport du Royal College of Physicians, *Smoking and Health* (Londres, 1962) et les études du US Health Department. Je dois ces références à Richard Ryder, « Experiments on Animals », *in* Scanley et Roslind Godlovitch, John Harris (dir.), *Animals, Men and Morals*, *op. cit.*, p. 78.

126. « US Lung cancer epidemic abating, death rates show », *The Washington Post*, 18 octobre 1989, p. 1.

127. « The cancer watch », *US News & World Report*, 15 février 1988.

128. *Science*, n° 241, 1988, p. 79.

129. « Colombians develop effective malaria vaccine », *The Washington Post*, 10 mars 1988.

130. « Vaccine produces AIDS antibodies », *Washington Times*, 19 avril 1988.

131. « AIDS policy in die making », Science, n° 239, 1988, p. 1087.

132. T. McKeown, *The Role of Medicine : Dream, Mirage or Nemesis ?*, Oxford, Blackwell, 1979.

133. D. St. George, « Life expectancy, truth, and the ABPI », *The Lancet*, 9 août 1986, p. 346.

134. J. B. McKinlay, S. M. McKinlay, R. Beaglehole, « Trends in death and disease and die contribution of medical measures », *in* H. E. Freeman, S. Levine (dir.), *Handbook of Medical Sociology*, Englewood Cliffs, NJ, Prentice Hall, 1988, p. 16.

135. Voir William Paton, *Man and Mouse*, Oxford, Oxford University Press, 1984 ; Andrew Rowan, *Of Mice, Models and Men : A Critical Evaluation of Animal Research*, *op. cit.*, chap. 12 ; Michael DeBakey, « Medical advances resulting from animal research », *in* J. Archibald, J. Ditchfield, H. Rowsell

(dir.), *The Contribution of Laboratory Animal Science to the Welfare of Man and Animals : Part, Present and Future*, New York, Gustav Fischer Verlag, 1985 ; OTA, *Alternatives to Animal Use in Research, Testing and Education*, *op. cit.*, chap. 5 ; et National Research Council, *Use of Animals in Biomedical and Behavioral Research*, Washington, DC, National Academy Press, 1988, chap. 3.

136. Le meilleur de tous les travaux argumentant contre les affirmations en faveur de l'expérimentation animale est sans doute celui de Robert Sharpe, *The Cruel Deception*, *op. cit.*

137. « The costs of AIDS », *New Scientist*, 17 mars 1988, p. 22.

CHAPITRE III. Du côté de la ferme-usine...

1. *The Washington Post*, 3 octobre 1971 ; voir aussi les témoignages de septembre et octobre 1971 devant le Subcommittee on Monopoly du Select Committee on Small Business du Sénat des États-Unis, dans les « Hearings on the Role of Giant Corporations », et particulièrement le témoignage de Jim Hightower du Agribusiness Accountability Project. Concernant la taille atteinte par les élevages de poules pondeuses, voir *Poultry Tribune*, juin 1987, p. 27.

2. Ruth Harrison, *Animal Machines*, Londres, Vincent Stuart, 1964, p. 3.

3. *Broiler Industry*, décembre 1987, p. 22.

4. Konrad Lorenz, *King Solomon's Ring*, Londres, Methuen and Company, 1964, p. 147.

5. *Farming Express*, 1er février 1962, cité par Ruth Harrison, *Animal Machines*, *op. cit.*, p. 18.

6. F. D. Thornberry, W. O. Crawley, W. F. Krueger, « Debeaking : Laying stock to control cannibalism », *Poultry Digest*, mai 1975, p. 205.

7. Citation rapportée dans l'*Animal Welfare Institute Quarterly*, automne 1987, p. 18.

8. *Report of the Technical Committee to Enquire into the Welfare of Animals Kept Under Intensive Livestock Husbandry Systems*, Command Paper 2836, Londres, Her Majesty's Stationery Office, 1965, paragraphe 97.

9. A. Andrade, J. Carson, « The effect of age and methods

of debeaking on future performance of white leghorn pullets », *Poultry Science*, n° 54, 1975, p. 666-674 ; M. Gentle, B. Huges, R. Hubrecht, « The effect of beak trimming on food intake, feeding behavior and body weight in adult hens », *Applied Animal Ethology*, n° 8, 1982, p. 147-159 ; M. Gentle, « Beak trimming in poultry », *World's Poultry Science Journal*, n° 42, 1986, p. 268-275.

10. J. Breward, M. Gentle, « Neuroma formation and abnormal afferent nerve discharges after partial beak amputation (beak triniming) in poultry », *Experienta*, n° 41, 1985, p. 1132-1134.

11. M. Gentle, « Beak trimming in poultry », art. cité.

12. US Department of Agriculture Yearbook for 1970, p. XXXIII.

13. *Poultry World*, 5 décembre 1985.

14. *American Agriculturist*, mars 1967.

15. C. Riddell, R. Springer, « An epizootiological study of acute death syndrome and leg weakness in broiler chickens in western Canada », *Avian Disease*, n° 29, 1986, p. 90-102 ; P. Steele, J. Edgar, « Importance of acute death syndrome in mortalities in broiler chicken flocks », *Poultry Science*, n° 61, 1982, p. 63-66.

16. R. Newberry, J. Hunt, E. Gardiner, « Light intensity effects on performance, activity, leg disorders, and sudden death syndrome of roaster chickens », *Poultry Science*, n° 66, 1987, p. 1446-1450.

17. Trevor Bray, tel que rapporté dans *Poultry World*, 14 juin 1984.

18. Voir les études par C. Riddell et R. Springer, et par P. Steele et J. Edgar, citées dans la note 15 ci-dessus.

19. D. Wise, A. Jennings, « Dyschondrioplasia in domestic poultry », *Veterinary Record*, n° 91, 1972, p. 285 et 286.

20. G. Carpenter *et al.*, « Effect of internal air filtration on the performance of broilers and the aerial concentrations of dust and bacteria », *British Poultry Journal*, n° 27, 1986, p. 471-480.

21. « Air in your shed a risk to your health », *Poultry Digest*, décembre 1987-janvier 1988.

22. *The Washington Times*, 22 octobre 1987.

23. *Broiler Industry*, décembre 1987, et *Hippocrates*, sep-

tembre-octobre 1988. F. Perdue m'a confirmé dans une lettre personnelle que ses poulets sont débecqués. Voir aussi la publicité de Animal Rights International : « Frank, dites-vous la vérité au sujet de vos poulets ? », *The New York Times*, 20 octobre 1989, p. A17.

24. F. Proudfoot, H. Hulan, D. Ramey, « The effect of four stocking densities on broiler carcass grade, the incidence of breast blisters, and other performance traits », *Poultry Science*, n° 58, 1979, p. 791-793.

25. *Turkey World*, novembre-décembre 1986.

26. *Poultry Tribune*, janvier 1974.

27. *Farmer and Stockbreeder*, 30 janvier 1982, cité par Ruth Harrison, *Animal Machines*, *op. cit.*, p. 50.

28. *Feedstuffs*, 25 juillet 1983.

29. *American Agriculturist*, juillet 1966.

30. Les statistiques du USDA (ministère de l'Agriculture) indiquent qu'en 1986 la population de pondeuses utilisées à des fins commerciales était de 246 millions. Si l'on admet que le rapport mâles/femelles est d'environ 50 %, et que chaque oiseau est remplacé tous les dix-huit mois, il apparaît que l'estimation citée représente un minimum.

31. *American Agriculturist*, mars 1967.

32. *Upstate*, 5 août 1973, reportage de Mary Rita Kiereck.

33. *National Geographic Magazine*, février 1970.

34. *Poultry Tribune*, février 1974.

35. *Federal Register*, 24 décembre 1971, p. 24926.

36. *Poultry Tribune*, novembre 1986.

37. Premier rapport de l'Agriculture Committee, House of Commons, 1980-198 1, *Animal Welfare in Poultry, Pig and Veal Production*, Londres, Her Majesty's Stationery Office, 1981, paragraphe 150.

38. B. M. Freeman, « Floor space allowance for the caged domestic fowl », *The Veterinary Record*, 11 juin 1983, p. 562 et 563.

39. *Poultry Tribune*, mars 1987, p. 30 ; « Swiss federal regulations on animal protection », 29 mai 1981.

40. Information sur les Pays-Bas fournie par Compassion in World Farming, et l'ambassade des Pays-Bas à Londres. (Voir aussi *Farmer's Guardian*, 29 septembre 1989.) Concernant la

Suède, voir Steve Lohr, « Swedish farm animals get a new bill of rights », *The New York Times*, 25 octobre 1988.

41. *Poultry Tribune*, mars 1987.

42. Parlement européen, session 1986-1987, minutes des actes de la séance du 20 février 1987, document A2-211/86.

43. *Poultry Tribune*, novembre 1986.

44. *Upstate*, 5 août 1973.

45. *Animal Liberation (Victoria) Newsletter*, mai 1988 et février 1989.

46. Roy Bedichek, *Adventures with a Naturalist*, cité par Ruth Harrison, *Animal Machines*, *op. cit.*, p. 154.

47. *Upstate*, 5 août 1973.

48. *Der Spiegel*, n° 47, 1980, p. 264 ; cité in *Intensive Egg and Chicken Production*, Huddersfield, RU, Chickens' Lib.

49. I. Duncan, V. Kite, « Some investigations into motivation in the domestic fowl », *Applied Animal Behaviour Science*, n° 18, 1987, p. 387 et 388.

50. *New Scientist*, 30 janvier 1986, p. 33, rapportant une étude par H. Huber, D. Fölsch et U. Stahli, publiée dans *British Poultry Science*, n° 26, 1985, p. 367.

51. A. Black, B. Hughes, « Patterns of comfort behaviour and activity in domestic fowls : A comparison between cages and pens », *British Veterinary Journal*, n° 130, 1974, p. 23-33.

52. D. Van Liere, S. Bokma, « Short-term feather maintenance as a function of dust-bathing in laying hens », *Applied Animal Behaviour Science*, n° 18, 1987, p. 197-204.

53. H. Simonsen, K. Vestergaard, P. Willeberg, « Effect of floor type and density on the integument of egg layers », *Poultry Science*, n° 59, 1980, p. 2202-2206.

54. K. Vestergaard, « Dustbathing in the domestic fowl - Diurnal rhythm and dust deprivation », *Applied Animal Behaviour Science*, n° 17, 1987, p. 380.

55. H. Simonsen, K. Vestergaard, P. Willeberg, « Effect of floor type and density on the integument of egg layers », art. cité.

56. J. Bareham, « A comparison of the behaviour and production of laying hens in experimental and conventional battery cages », *Applied Animal Ethology*, n° 2, 1976, p. 291 à 303.

57. J. Craig, T. Craig, A. Dayton, « Fearful behavior by

caged hens of two genetic stocks », *Applied Animal Ethology*, n° 10, 1983 p. 263-273.

58. M. Dawkins, « Do hens suffer in battery cages ? Environmental preferences and welfare », *Applied Animal Behaviour*, n° 25, 1977, p. 1034-1046. Voir aussi M. Dawkins, *La Souffrance animale, ou l'Étude objective du bien-être animal*, Maisons-Alfort, Le Point Vétérinaire, 1983, chapitre VII.

59. *Plain Truth* (Pasadena, California), mars 1973.

60. C. E. Ostrander, R. J. Young, « Effects of density on caged layers », *New York Food and Life Sciences*, n° 3 (3), 1970.

61. UK Ministry of Agriculture, Fisheries and Food, Poultry Technical Information Booklet n° 13 ; cité dans *Intensive Egg and Chicken Production*, Huddersfield, RU, Chickens' Lib.

62. *Poultry Tribune*, mars 1974.

63. Ian Duncan, « Can the psychologist measure stress ? », *New Scientist*, 18 octobre 1973.

64. R. Dunbar, « Farming fit for animals », *New Scientist*, 29 mars 1984, p. 12-15 ; D. Wood-Gush, « The attainment of humane housing for farm livestock », *in* M. Fox, L. Mickley (dir.), *Advances in Animal Welfare Science*, Washington, DC, Humane Society of the United States, 1985.

65. *Farmer's Weekly*, 7 novembre 1961, cité par Ruth Harrison, *Animal Machines*, *op. cit.*, p. 97.

66. R. Dantzer, P. Mormede, « Stress in farm animals : A need for reevaluation », *Journal of Animal Science*, n° 57, 1983, p. 6-18.

67. D. Wood-Gush, R. Beilharz, « The enrichment of a bare environment of animals in confined conditions », *Applied Animal Ethology*, n° 20, 1983, p. 209-217.

68. US Department of Agriculture, Fact Sheet : Swine Management, AFS-3-8-12, Department of Agriculture, Office of Governmental and Public Affairs, Washington, DC.

69. F. Butler, cité *in* John Robbins, *Se nourrir sans faire souffrir*, Montréal, Stanké, 1990, p. 94.

70. D. Fraser, « The role of behaviour in swine production : A review of research », *Applied Animal Ethology*, n° 11, 1984, p. 332.

71. D. Fraser, « Attraction to blood as a factor in tail biting

by pigs », *Applied Animal Behaviour Sc*ience, n° 17, 1987, p. 61-68.

72. *Farm Journal*, mai 1974.

73. Les études sur ce sujet sont résumées par Michael W. Fox, *Farm Animals : Husbandry, Behavior, Veterinary Practice*, University Park Press, 1984, p. 126.

74. *Farmer and Stockbreeder*, 22 janvier 1963 ; cité par Ruth Harrison, *Animal Machines*, *op. cit.*, p. 95.

75. Hubbard Milling Company, « Swine production management », Mankato, Minnesota, 1984.

76. Wilhiani Robbins, « Down on the superfarm : Bigger share of profits », *The New York Times*, 4 août 1987.

77. *Feedstuffs*, 6 janvier 1986, p. 6.

78. *Hog Farm Management*, décembre 1975, p. 16.

79. Bob Frase, cité par Orville Schell dans *Modern Meat*, New York, Random House, 1984, p. 62.

80. *Farmer and Stockhreeder*, 11 janvier 1961 ; cité par Ruth Harrison, *Animal Machines*, *op. cit.*, p. 148.

81. J. Messersmith, cité *in* J. Robbins, *Se nourrir sans faire souffrir*, *op. cit.*, p. 89.

82. *Agscene* (Petersfield, Hampshire, Angleterre), juin 1987, p. 9.

83. *Farm Journal*, mars 1973.

84. « Mechanical sow keeps hungry piglets happy », *The Western Producer*, 11 avril 1985.

85. *National Hog Farmer*, mars 1978, p. 27.

86. US Department of Agriculture, Fact Sheet : Swine Management, AFS-3-8-12, Department of Agriculture, Office of Governmental and Public Affairs, Washington, DC.

87. US Department of Agriculture, Fact Sheet : Swine Housing, AFS-3-8-9, Department of Agriculture, Office of Governmental and Public Affairs, Washington, DC.

88. G. Cronin, « The development and significance of abnormal stereotyped behaviour in tethered sow », thèse de doctorat, Université de Wageningen, Pays-Bas, p. 85.

89. Roger Ewbank, « The trouble with being a farm animal », *New Scientist*, 18 octobre 1973.

90. Scottish Farm Buildings Investigation Unit, « Does

Close Confinement Cause Distress in Sows ? », Aberdeen, juillet 1986, p. 6.

91. Farm Animal Welfare Council, *Assessment of Pig Production Systems*, Surbiton, Surrey, Angleterre, Farm Animal Welfare Council, 1988, p. 6.

92. A. Lawrence, M. Appleby, H. MacLeod, « Measuring hunger in the pig using operant conditioning : The effect of food restriction », *Animal Production*, n° 47, 1988.

93. *The Stall Street Journal*, juillet 1972.

94. J. Webster, C. Saville, D. Welchman, « Improved husbandry systems for veal calves », Animal Health Trust et Farm Animal Care Trust, sans date, p. 5 ; voir aussi J. Webster *et al.*, « The effect of different rearing systems on the development of calf behavior », et « Some effects of different rearing systems on health, cleanliness and injury in calves », *British Veterinary Journal*, n° 1141, 1985, p. 249 et 472.

95. J. Webster, C. Saville, D. Welchman, « Improved husbandry systems for veal calves », art. cité, p. 6.

96. *Ibid.*, p. 2.

97. *The Stall Street Journal*, novembre 1973.

98. *Ibid.*, avril 1973.

99. *Ibid.*, novembre 1973.

100. *Farmer and Stockbreeder*, 13 septembre 1960, cité par Ruth Harrison, *Animal Machines*, *op. cit.*, p. 70.

101. *The Stall Street Journal*, avril 1973.

102. G. Van Putten, « Some general remarks concerning-farm animal welfare in intensive farming systems », article non publié du Research Institute for Animal Husbandry, « Schoonoord », Driebergeseweg, Zeist, Pays-Bas, p. 2.

103. *Ibid.*, p. 3.

104. *The Vealer*, mars-avril 1982.

105. UK Ministry of Agriculture, Fisheries and Food, Welfare of Calves Regulations, 1987, Londres, Her Majesty's Stationery Office, 1987.

106. J. Webster, « Health and welfare of animals in modern husbandry systems – Dairy cade », *In Practice*, mai 1986, p. 85.

107. Gordon Harvey, « Poor cow », *New Scientist*, 29 septembre 1983, p. 940-943.

108. *The Washington Post*, 28 mars 1988.

109. D. S. Kronfeld, « Biologic and economic risks associated with bovine growth hormone », conférence sur l'hormone de croissance, Parlement européen, 9 décembre 1987, article non publié, p. 4.

110. *Ibid.*, p. 5.

111. Bob Holmes, « Secrecy over cow hormone experiment », *Western Morning News*, 14 janvier 1988.

112. Keith Schneider, « Better farm animals duplicated by cloning », *New York Times*, 17 février 1988 ; voir aussi Jan Wilmut, John Clark, Paul Simons, « A revolution in animal breeding », *New Scientist*, 7 juillet 1988.

113. *The Peoria Journal Star*, 5 juin 1988.

114. « Is pain die price of farm efficiency ? », *New Scientist*, 13 octobre 1973, p. 171.

115. *Feedstuffs*, 6 avril 1987.

116. *Farm Journal*, août 1967, mars 1968.

117. S. Lukefahr, D. Caveny, P. R. Cheeke, N. M. Patton, « Rearing weanling rabbits in large cages », *The Rabbit Rancher*, cité *in* Australian Federation of Animal Societies, *Submission to the Senate Select Committee of Inquiry into Animal Welfare in Australia*, vol. 2, Melbourne, 1984.

118. *The Age* (Melbourne), 25 mai 1985.

119. Cette taille de cage est celle recommandée par l'association finlandaise des éleveurs de fourrure. Concernant le vison, la UK Fur Breeders Association recommande des cages de 75 cm sur 22,5 cm. Voir Fur Trade Fact Sheet, Lynx, 1986, Great Dunmow, Essex.

120. *Report of the Technical Committee to Enquire into the Welfare of Animals Kept Under Intensive Livestock Husbandry Systems*, appendix.

121. *Ibid.*, paragraphe 37.

122. Voir p. 207.

123. Joy Mensch, An Van Tienhove, « Farm Animal Welfare », *American Scientist*, novembre-décembre 1986, p. 599, citant un article de D.W. Fölsch, « Egg production - Not necessarily a reliable indicator for die state of health of injured hens », dans *Fifth European Poultry Conference*, Malte, 1976.

124. B. Gee, *The 1985 Muresk Lecture*, Muresk Agricultural College, Western Australian Institute of Technology, p. 8.

125. Parlement européen, session 1986-1987, minutes des actes de la séance du 20 février 1987, document A2-2l 1/86.

126. D. W. Fölsch *et al.*, « Research on alternatives to die battery system for laying eggs », *Applied Animal Behaviour Science*, n° 20, 1988, p. 29-45.

127. *Dehorning, Castrating, Branding, Vaccinating Cattte*, publication n° 384 du Mississippi State University Extension Service, en collaboration avec le USDA ; voir aussi *Beef Cattle : Dehorning, Castrating, Branding and Marking*, USDA, *Farmers' Bulletin*, n° 2141, septembre 1972.

128. *Progressive Farmer*, février 1969.

129. *Pig Farming*, septembre 1973.

130. *Hot-iron Branding*, University of Georgia College of Agriculture, circulaire 551.

131. *Beef Cattle : Dehorning, Castrating, Branding and Marking*, *op. cit.*

132. R. F. Bristol, « Preconditioning of feeder cattle prior to interstate shipment », rapport d'un séminaire sur le préconditionnement tenu à l'université d'État d'Oklahoma, septembre 1967, p. 65.

133. US Department of Agriculture Statistical Summary, Federal Meat and Poultry Inspection for Fiscal Year, 1986.

134. *The Washington Post*, 30 septembre 1987.

135. Colman McCarthy, « Those who eat meat share in die guilt », *The Washington Post*, 16 avril 1988.

136. Farm Animal Welfare Council, *Report on the Welfare of Livestock (Red Meat Animals) at the Time of Slaughter*, Londres, Her Majesty's Stationery Office, 1984, paragraphes 88 et 124.

137. Harold Hillman, « Death by electricity », *The Observer* (Londres), 9 juillet 1989.

138. « Animals into meat : A report on die pre-slaughter handling of livestock », *Argus Archives* (New York), n° 2, mars 1970, p. 16 et 17 ; la description est de John MacFarlane, un vice-président de Livestock Conservation, Inc.

139. Farm Animal Welfare Council, *Report on the Welfare of Livestock When Slaughtered by Religious Methods*, Londres, Her Majesty's Stationery Office, 1985, paragraphe 50.

140. Temple Grandin, lettre datée du 7 novembre 1988.

141. Farm Animal Welfare Council, *Report on the Welfare of Livestock When Slaughtered by Religious Methods*, *op. cit.*, paragraphe 27.

142. *Science*, n° 240, 6 mai 1988, p. 718.

143. Caroline Murphy, « The "new genetics" and die welfare of animals », *New Scientist*, 10 décembre 1988, p. 20.

144. « Genetic juggling raises concerns », *The Washington Times*, 30 mars 1988.

CHAPITRE IV. Devenir végétarien...

1. Oliver Goldsmith, *The Citizen of the World*, *in* A. Friedman (dir.), *Collected Works*, Oxford, Clarendon Press, 1966, vol. 2, p. 60. Il semble cependant que Goldsmith lui-même fît partie de cette catégorie, puisque selon Howard Williams dans *The Ethics of Diet* (édition abrégée, Manchester et Londres, 1907, p. 149), sa sensibilité était plus forte que la maîtrise qu'il avait de lui-même.

2. En tentant après la parution de la première édition de ce livre de réfuter l'argumentation que je présentais dans ce chapitre en faveur du végétarisme, R. G. Frey décrivit les réformes proposées en 1981 par la Commission de l'agriculture de la Chambre des Communes, et ajouta : « Il reste encore à la Chambre des Communes dans son ensemble à statuer sur ce rapport, et il se peut bien que son contenu s'en trouve dilué ; mais même dans ce cas, il est impossible de douter de ce que ce rapport représente une avancée significative dans la lutte contre les abus de l'élevage industriel. » Ce rapport, argumenta ensuite Frey, montrait que ces abus pouvaient être surmontés par des tactiques qui n'allaient pas jusqu'à préconiser un boycott des produits animaux. (R. G. Frey, *Rights, Killing and Suffering*, Oxford, Blackwell, 1983, p. 207.) Il s'agit là d'une occasion particulière où j'aurais sincèrement aimé voir les faits donner raison à mon critique ; mais la Chambre des Communes ne prit pas la peine de « diluer » le rapport de sa Commission de l'agriculture – elle l'ignora tout simplement. Huit ans plus tard, rien n'a changé pour l'énorme majorité des animaux élevés selon l'élevage intensif en Grande-Bretagne. La seule exception concerne les veaux à viande ; et dans leur cas, justement, un boycott des consommateurs joua un rôle significatif.

3. Frances Moore Lappé, *Diet for a Small Planet*, New York, Friends of the Earth/Ballantine, 1971, p. 4-11. Ce livre constitue la meilleure introduction courte à cette question, et les chiffres que je cite dans la présente section sans autre indication d'origine en sont tirés. (Une édition revue parut en 1982.) Les principales sources originales sont : *The World Food Problem*, un rapport du President's Science Advisory Committee, 1967 ; *Feed Situation*, février 1970, US Department of Agriculture ; et *National and State Livestock-Feed Relationships*, US Department of Agriculture, Economic Research Service, Statistical Bulletin n° 446, février 1970.

4. Le chiffre le plus élevé est de Folke Dovring, dans « Soybeans », *Scientific American*, février 1974. Keith Akers présente un autre ensemble de chiffes dans *A Vegetarian Sourcebook*, New York, Putnam, 1983, chapitre x. Ses tables comparent le rendement nutritif à l'hectare de l'avoine, des brocolis, du porc, du lait, de la volaille et du bœuf. Bien que l'avoine et les brocolis ne soient pas des aliments hautement protéinés, aucun des aliments animaux ne donnait même seulement la moitié des protéines que donnent les aliments végétaux. Les sources originales utilisées par Akers sont : US Department of Agriculture, *Agricultural Statistics*, 1979 ; US Department of Agriculture, *Nutritive Value of American Foods*, Washington, DC, US Government Printing Office, 1975 ; et C. W. Cook, « Use of rangelands for future meat production », *Journal of Animal Science*, n° 45, 1977, p. 1476.

5. Keith Akers, *A Vegetarian Sourcebook*, *op. cit.*, p. 90 et 91, selon les sources précitées.

6. Boyce Rensberger, « Curb on US waste urged to help world's hungry », *The New York Times*, 25 octobre 1974.

7. *Science News*, 5 mars 1988, p. 153, qui citait *Worldwatch*, janvier-février 1988.

8. Keith Akers, *A Vegetarian Sourcebook*, *op. cit.*, p. 100, selon D. Pimental et M. Pimental, *Food, Energy and Society*, New York, Wiley, 1979, p. 56 et 59, et US Department of Agriculture, *Nutritive Value of American Foods*, *op. cit.*

9. G. Borgstrom, Harvesting the Earth, New York, Abelard-Schuman, 1973, p. 64 et 65 ; cité par Keith Akers, *A Vegetarian Sourcebook*, *op. cit.*

10. « The browning of America », *Newsweek*, 22 février 1981, p. 26 ; cité par John Robbins, *Se nourrir sans faire souffrir*, Montréal, Stanké, p. 420.

11. « The browning of America », art. cité, p. 26.

12. Fred Pearce, « A green unpleasant land », *New Scientist*, 24 juillet 1986, p. 26.

13. Sue Armstrong, « Marooned in a mountain of manure », *New Scientist*, 26 novembre 1988.

14. J. Mason, P. Singer, *Animal Factories*, New York, Crown, 1980, p. 84, citant R. C. Loehr, *Pollution Implications of Animal Wastes - A Forward Oriented Review*, Water Pollution Control Research Series, US Environmental Protection Agency, Washington, DC, 1968, p. 26 et 27 ; H. A. Jasiorowski, « Intensive systems of animal production », *in* R. L. Reid (dir.), *Proceedings of the II World Conference on Animal Production*, Sydney, Sydney University Press, 1975, p. 384 ; et J. W. Robbins, *Environmental Impact Resulting from Unconfined Animal Production*, Cincinnati, Environmental Research Information Center, US. Environmental Protection Agency, 1978, p. 9.

15. « Handling waste disposal problems », *Hog Farm Management*, avril 1978, p. 17, cité *in* J. Mason, P. Singer, *Animal Factories*, *op. cit.*, p. 88.

16. Information provenant du Rainforest Action Network, *The New York Times*, 22 janvier 1986, p. 7.

17. E. O. Williams, *Biophilia*, Cambridge, Harvard University Press, 1984, p. 137.

18. Keith Akers, *A Vegetarian Sourcebook*, *op. cit.*, p. 99 et p. 100 ; basé sur H. W. Anderson *et al.*, *Forests and Water : Effects of Forest Management on Floods, Sedimentation and Water Supply*, US Department of Agriculture Forest Service General Technical Report PSW-18/1976 ; et J. Kittridge, « The influence of the forest on the weather and other environmental factors », in *Forest Influences*, Organisation des Nations Unies pour l'alimentation et l'agriculture, Rome, 1962.

19. Fred Pearce, « Planting trees for a cooler world », *New Scientist*, 15 octobre 1988, p. 21.

20. David Dickson, « Poor countries need help to adapt to rising sea level », *New Scientist*, 7 octobre 1989, p. 4 ; Sue Wells

et Alasdaire Edwards, « Gone with the waves », *New Scientist*, 11 novembre 1989, p. 29-32.

21. L. Milne, M. Milne, *The Senses of Men and Animals*, Middlesex et Baltimore, Penguin Books, 1965, chapitre V.

22. *Report of the Panel of Enquiry into Shooting and Angling*, publié par la commission en 1980 et disponible auprès de la RSPCA (Royaume-Uni), paragraphes 15 à 57.

23. Geoff Maslen, « Bluefin, the making of the mariners », *The Age* (Melbourne), 26 janvier 1985.

24. D. Pimental, M. Pimental, *Food, Energy and Society*, New York, Wiley, 1979, chapitre IX ; je dois cette référence à Keith Akers, *A Vegetarian Sourcebook*, *op. cit.*, p. 117.

25. Voir J. R. Baker, *The Humane Killing of Lobsters and Crabs*, The Humane Education Centre, Londres, non daté ; J. R. Baker et M. B. Dolan, « Experiments on the humane killing of lobsters and crabs », *Scientific Papers of the Humane Education Centre*, n° 2, 1977, p. 1-24.

26. Mon changement d'avis concernant les mollusques fait suite à des conversations avec R. J. Sikora.

27. Voir *infra* pages 366-368.

28. En disant que nous nous « débattons » je ne plaisante pas entièrement. Selon une étude comparative publiée dans *The Lancet* (30 décembre 1972), le « temps de transit moyen » de la nourriture à travers le système digestif était, dans un groupe échantillon de non-végétariens consommant un régime de type occidental, compris entre 76 et 83 heures ; et chez les végétariens, de 42 heures. Les auteurs suggèrent un lien entre la durée pendant laquelle les selles restent dans le côlon et l'incidence du cancer du côlon et des maladies apparentées, qui ont rapidement crû dans les pays dont la consommation de viande a augmenté, mais qui sont pratiquement inconnues parmi les Africains ruraux, dont le régime est pauvre en viande et riche en fibres, comme celui des végétariens.

29. David Davies, « A Shangri-La in Ecuador », *New Scientist*, 1er février 1973. Se fondant sur d'autres études, Ralph Nelson de la Mayo Medical School a suggéré qu'une consommation élevée de protéines nous amènerait à « augmenter le rythme de notre moteur métabolique » (*Medical World News*,

8 novembre 1974, p. 106). Cela pourrait expliquer la corrélation entre longévité et consommation faible ou nulle de viande.

30. *The Surgeon General's Report on Nutrition and Health*, Washington, DC, US Government Printing Office, 1988.

31. Selon le rapport d'une agence d'information cité dans *Vegetarian Times*, novembre 1988.

32. *The New York Times*, 25 octobre 1974.

33. N. Pritikin, P. McGrady, *The Pritikin Program for Diet and Exercise*, New York, Bantam, 1980 ; J. J. McDougall, *The McDougall Plan*, Piscataway, NJ, New Century, 1983.

34. Frances Moore Lappé, *Diet for a Small Planet*, *op. cit.*, p. 28 et 29 ; voir aussi *The New York Times*, 25 octobre 1974 ; *Medical World News*, 8 novembre 1974, P. 106.

35. Cité dans F. Wokes, « Proteins », *Plant Foods for Human Nutrition*, n° 1, 1968, p. 38.

36. Dans la première édition de son *Diet for a Small Planet* (1971), Frances Moore Lappé mit l'accent sur la complémentation des protéines pour montrer qu'un régime végétarien peut fournir assez de protéines. Dans l'édition revue (New York, Ballantine, 1982) cet accent a disparu, et se trouve remplacé par la démonstration de ce qu'un régime végétarien sain contiendra nécessairement assez de protéines même sans complémentation. Pour un autre rapport sur le caractère convenable des aliments végétaux en ce qui concerne les protéines, voir Keith Akers, *A Vegetarian Sourcebook*, *op. cit.*, chapitre II.

37. F. R. Ellis, W. M. E. Montegriffo, « The health of vegans », *Plant Foods for Human Nutrition*, n° 2, 1971, p. 93-101. Selon certains végétaliens, les suppléments de vitamine B12 ne seraient pas nécessaires, en raison de la capacité qu'aurait l'intestin humain à synthétiser cette vitamine à partir d'autres vitamines du groupe B. La question est cependant de savoir si cette synthèse a lieu assez tôt dans le processus digestif pour que la B12 soit absorbée plutôt qu'évacuée. À l'heure actuelle, la question de savoir si un régime purement végétal sans supplémentation peut être convenable reste une question ouverte ; il semble donc plus sûr de prendre de la B12 en supplément. Voir aussi F. Wokes, « Proteins », art. cité, p. 37.

CHAPITRE V. La domination de l'homme...

1. Genèse I, 24-28, *La Bible de Jérusalem*.

2. Genèse IX, 1-3.

3. La Politique (citation retraduite de l'anglais ; *Politics*, Everyman's Library, Londres, J. M. Dent & Sons, 1959, p. 10).

4. *La Politique* (citation retraduite de l'anglais ; *ibid.*, p. 16).

5. W. E. H. Lecky, *History of European Morals from Augustus to Charlemagne*, Londres, Longmans, 1869, vol. 1, p. 280-282.

6. Marc 5.1-13.

7. 1 Corinthiens IX, 9-10 (*TOB*).

8. Saint Augustin, *The Catholic and Manichaean Ways of Life*, retraduit de la trad. anglaise de D. A. Gallagher et I. J. Gallagher, Boston, The Catholic University Press, 1966, p. 102. Je dois cette référence à John Passmore, *Man's Responsibility for Nature*, New York, Scribner's, 1974, p. 11.

9. W. E. H. Lecky, *History of European Morals from Augustus to Charlemagne*, *op. cit.*, vol. 1, p. 244 ; concernant Plutarque, voir particulièrement son essai : « S'il est loisible de manger chair », dans *Trois traités pour les animaux*, présentés par Élisabeth de Fontenay, Paris, POL, 1992.

10. Concernant Basile, voir John Passmore, « The treatment of animals », *The Journal of the History of Ideas*, n° 36, 1975, p. 198 ; concernant Chrysostome, voir Andrew Linzey, *Animal Rights : A Christian Assessment of Man's Treatment of Animals*, Londres, SCM Press, 1976, p. 103 ; et concernant saint Isaac le Syrien, voir A. M. Allchin, *The World is a Wedding : Explorations in Christian Spirituality*, Londres, Darton, Longman and Todd, 1978, p. 85. Je dois ces références à R. Attfield, « Western traditions and environmental ethics », *in* R. Eliot, A. Gare (dir.), *Environmental Philosophy*, St. Lucia, University of Queensland Press, 1983, p. 201-230. Pour une discussion plus avant voir le livre de R. Attfield, *The Ethics of Environmental Concern*, Oxford, Blackwell, 1982 ; K. Thomas, *Dans le jardin de la nature. La mutation des sensibilités en Angleterre à l'époque moderne (1500-1800)*, Paris, Gallimard, 1985, p. 152-153 de l'édition anglaise (*Man and the Natural World*) ; et R. Ryder, *Animal Revolution : Changing Attitudes Towards Speciesism*, Oxford, Blackwell, 1989, p. 34 et p. 35.

11. *Somme théologique* II, II, Q64, art. I (citation retraduite de l'anglais).

12. *Ibid.*, II, II, Q159, art. 2 (*idem*).

13. *Ibid.*, I, II, Q72, art. 4 (*idem*).

14. *Ibid.*, II, II, Q25, art. 3 (*idem*).

15. *Ibid.*, II, I, Q102, art. 6 (*idem*) ; voir également *Summa contra Gentiles*, III, 11, 112 pour un point de vue similaire.

16. E. S. Turner, *All Heaven in a Rage*, Londres, Michael Joseph, 1964, p. 163.

17. V. J. Bourke, *Ethics*, New York, Macmillan, 1951, p. 352.

18. Jean-Paul II, *Solicitudo Rei Socialis*, citation retraduite de l'anglais, Homebush, NSW, St. Paul Publications, 1988, sec. 34, p. 73 et p. 74.

19. *St. Francis of Assisi, His Life and Writings as Recorded His Contemporaries*, retraduit de la traduction anglaise de L. Sherley-Price, Londres, Mowbray, 1959, voir particulièrement p. 145.

20. Pic de La Mirandole, *Oration on the Dignity of Man* (citation retraduite de l'anglais).

21. Marsile Ficin, *Theologica Platonica*, III, 2 et XVI, 3 (citation retraduite de l'anglais) ; voir aussi Giannozzo Manetti, *The Dignity and Excellence of Man.*

22. E. McCurdy, *The Mind of Leonardo da Vinci*, Londres, Cape, 1932, p. 78.

23. Montaigne, « Apologie de Raimond Sebond », *Les Essais*, livre II, ch. 12.

24. Descartes, *Discours de la méthode*, cinquième partie ; voir aussi sa lettre à Henry More, 5 février 1649. J'ai rapporté ici l'interprétation traditionnelle des écrits de Descartes, qui correspond à la façon dont ses positions furent comprises par ses contemporains, ainsi que par la plupart de ses lecteurs depuis cette époque et encore aujourd'hui ; mais l'idée a été récemment émise que cette interprétation traditionnelle serait une erreur, et que Descartes ne voulait pas réellement nier que les animaux puissent souffrir. Pour plus de détails, voir John Cottingham, « "A brute to the brutes ?" Descartes' treatment of animals », *Philosophy*, n° 53, 1978, p. 551-559.

25. John Passmore dit de la question « pourquoi les animaux souffrent-ils ? » qu'elle fut « des siècles durant, le problème des

problèmes. Elle inspira des solutions d'une complexité fantastique. Malebranche (un contemporain de Descartes) dit de façon très explicite que pour des raisons purement théologiques il était nécessaire de nier que les animaux puissent souffrir, puisque toute souffrance résulte du péché d'Adam et que les animaux ne descendent pas d'Adam ». Voir John Passmore, *Man's Responsibility for Nature*, *op. cit.*, p. 114n.

26. Lettre à Henry More, 5 février 1649 (original en latin, citation retraduite de l'anglais).

27. Nicholas Fontaine, *Mémoires pour servir à l'histoire de Port-Royal*, Cologne, 1738, vol. 2, p. 52-53 ; original en français, retraduit ici de la traduction anglaise citée dans L. Rosenfield, *From Beast-Machine to Man-Machine : The Theme of Animal Soul in French Letters from Descartes to La Mettrie*, New York, Oxford University Press, 1940.

28. Voltaire, *Dictionnaire philosophique*, article « Bêtes ».

29. David Hume, *Enquête sur les principes de la morale*, chapitre III.

30. *The Guardian*, 21 mai 1713.

31. Voltaire, *Éléments de la philosophie de Newton*, vol. 5 (retraduit ici de l'anglais) ; voir aussi *Essai sur les mœurs et l'esprit des nations*.

32. Jean-Jacques Rousseau, *L'Émile*, livre II.

33. Emmanuel Kant, *Lecture on Ethics*, retraduit de la traduction anglaise de L. Infield, New York, Harper Torchbooks, 1963, p. 239 et 240.

34. *Hansard's Parliamentary History*, 18 avril 1800.

35. E. S. Turner, *All Heaven in Rage*, *op. cit.*, p. 127. D'autres détails que je donne dans la présente section viennent des chapitres IX et X de ce livre.

36. Il a été dit que le premier texte législatif destiné à protéger les animaux contre la cruauté fut institué par la Colonie de la Baie de Massachusetts en 1641. La section 92 du « Body of Liberties », imprimé cette année-là, déclare : « Aucun homme n'exercera ni tyrannie ni cruauté envers aucune Créature bestiale habituellement gardée pour l'usage de l'homme » ; et la section suivante impose une période de repos pour les animaux quand on les force à se déplacer. Il s'agit là d'un document remarquablement avancé pour son époque ; on pourrait discuter de savoir

s'il s'agit au sens technique d'une « loi », mais il est clair que Nathaniel Ward le rédacteur de ce « Body of Liberties », mérite que l'on se souvienne de lui aux côtés de Richard Martin en tant que pionnier dans le domaine législatif. Pour plus d'informations, voir Emily Leavitt, *Animals and Their Legal Rights*, Washington, DC, Animal Welfare Institute, 1970.

37. Cité dans E. S. Turner, *All Heaven in a Rage*, *op. cit.*, p. 162. Pour une exploration des implications de cette remarque, constituant un supplément de valeur à la présente discussion, voir James Rachels, *Created From Animals : The Moral Implications of Darwinism*, Oxford, Oxford University Press, 1990.

38. Charles Darwin, *The Descent of Man* (Londres, 1871), p. 1.

39. *Ibid.*, p. 193.

40. Voir Lewis Gompertz, *Moral Inquiries on the Situation of Man and of Brutes* (Londres, 1824) ; H. S. Salt, *Animals' Rights* (Londres, 1892 ; nouvelle édition, Clark's Sununit Pennsylvania, Society for Animal Rights, 1980), ainsi que d'autres travaux. Je dois à *Animals' Rights* quelques-unes des citations des pages suivantes.

41. William Paley, *Principles of Moral and Political Philosophy* (1785), livre 2, chapitre XI ; la même idée se trouve aussi chez Francis Wayland, *Elements of Moral Science* (1835), réimprimé par J. L. Blau, Cambridge, Harvard University Press, 1963, p. 364, qui fut peut-être l'ouvrage de philosophie morale le plus largement utilisé dans l'Amérique du XIXe siècle.

42. Cité par S. Godlovitch, « Utilities », dans Stanley Godlovitch, Roslind Godlovitch, John Harris (dir.), *Animals, Men and Morals*, New York, Taplinger, 1972.

43. Cité dans H. S. Salt, *Animals' Rights*, *op. cit.*, p. 15.

44. Benjamin Franklin, *Autobiography*, New York, Modern Library, 1950, p. 41.

45. Cité dans H. S. Salt, *Animals' Rights*, *op. cit.*, p. 15.

46. *La Bible de l'humanité* (première partie, chapitre « L'Inde », VI : « Rédemption de la nature ») ; citée dans H. Williams, *The Ethics of Diet* (édition condensée, Manchester et Londres, 1907), p. 214.

47. Schopenhauer, *On the Basis of Morality*, trad. anglaise EFJ. Payne, Library of Liberal Arts, 1965, p. 182 (citations retra-

duites ici de l'anglais) ; voir aussi *Pargera und Paralipomena*, chapitre XV.

48. Voir E. S. Turner, *All Heaven in a Rage*, *op. cit.*, p. 143.

49. *Ibid.*, p. 205.

50. T. H. Huxley, *Man's Place in Nature*, Ann Arbor, University of Michigan Press, 1959, chapitre II.

CHAPITRE VI. Le spécisme aujourd'hui...

1. Dean Walley, Frieda Staake, *Farm Animals*, Kansas City, Hallmark Children's Editions, non daté.

2. M. E. Gagg, C. F. Tunnicliffe, *The Farm*, Loughborough, Angleterre, Ladybird Books, 1958.

3. À titre d'exemple : Lawrence Kohlberg, un psychologue de Harvard connu pour son travail sur le développement du sens moral, rapporte que son fils, alors âgé de quatre ans, exprima sa première résolution morale en refusant de manger de la viande parce que, disait-il, « c'est mal de tuer les animaux ». Il fallut à Kohlberg six mois et force discussions pour parvenir à faire changer d'avis son fils, dont la position était basée, selon Kohlberg, sur un défaut de distinction entre les cas où il est justifié de tuer et les cas où il ne l'est pas, et indiquait que son fils n'en était qu'au stade le plus primitif de développement moral. (L. Kohlberg, « From is to ought », *in* T. Mischel (dir.), *Cognitive Development and Epistemology*, New York, Academic Press, 1971, p. 191-192.) La morale de l'histoire : si vous rejetez un préjugé humain profondément ancré, c'est que vous ne pouvez pas être moralement développé.

4. W. L. Gay, *Methods of Animal Experimentation*, New York, Academic Press, 1965, p. 191 ; cité par Richard Ryder in *Victims of Science*, Londres, Davis-Poynter, 1974.

5. Bernhard Grzimek, « Gequälter Tiere : Unglilck fur die Landwirtschaft », *Das Tier* (Berne, Suisse), supplément spécial.

6. On peut citer comme exemples la British Cruelty to Animals Act de 1876 et, aux États-Unis, l'Animal Welfare Act de 1966-1970, toutes deux votées en réponse à une préoccupation pour les animaux utilisés dans les expériences, mais qui ont eu peu de résultats en faveur de ces animaux.

7. E. S. Turner, *All Heaven in a Rage*, Londres, Michael Joseph, 1964, p. 129.

8. *Ibid.*, p. 83.

9. Gerald Carson, *Cornflake Crusade*, New York, Rinehart, 1957, p. 19 et p. 53-62.

10. E. S. Turner, *All Heaven in a Rage*, *op. cit.*, p. 234-235 ; Gerald Carson, *Men, Beasts and God*, New York, Scribner's, 1972, p. 103.

11. Voir Farley Mowat, *Never Cry Wolf*, Boston, Atlantic Monthly Press, 1963, et Konrad Lorenz, *King Solomon's Ring*, Londres, Methuen, 1964, p. 186-189. Je dois la première de ces références à Mary Midgley, « The Concept of Beastliness : Philosophy, Ethics and Animal Behavior », *Philosophy*, n° 48, 1973, p. 114.

12. Voir, en plus des références ci-dessus, les travaux de Niko Tinbergen, Jane Van Lawick-Goodall, George Schaller et Irenaus Eibl-Eibesfeldt.

13. Voir *infra* pages 333-334.

14. Voir *infra* page 334.

15. Voir Judy Mann, « Whales, hype, hypocrisy », *The Washington Post*, 28 octobre 1988.

16. On me demande souvent : « Que devons-nous faire concernant nos chats et chiens ? » Certains végétariens ont des scrupules fort compréhensibles à acheter de la viande pour leurs compagnons non humains, car cela revient encore à soutenir l'exploitation des animaux. En fait, il n'est pas difficile d'élever un chien avec un régime végétarien – les paysans irlandais qui ne pouvaient se payer de la viande les ont nourris de lait et de pommes de terre pendant des siècles. Les chats, eux, représentent un problème plus difficile, car ils ont en particulier besoin de taurine, un acide azoté peu présent dans les plantes. Il est néanmoins aujourd'hui possible d'obtenir un supplément fabriqué par un groupe américain, les Harbingers of a New Age, et contenant de la taurine. Ce supplément est également commercialisé en France. Cela, dit-on, rend possible pour les chats d'être en bonne santé avec un régime végétarien, mais la santé de tels chats est à surveiller de près. D'autres informations à ce sujet sont également disponibles auprès de la Vegetarian Society britannique.

17. « On the legality of enslaving the Africans », par un étudiant de Harvard ; cité par Louis Ruchames in *Racial Thought*

in America, Amherst, University of Massachusetts Press, 1969, p. 154-156.

18. Voir Leslie Stephen, *Social Rights and Duties*, Londres, 1896, citée par Henry Salt dans « The logic of the larder », *in* dans H. Salt, *The Humanities of Diet*, Manchester, The Vegetarian Society, 1914, p. 34-38, et réimprimé dans T. Regan, P. Singer (dir.), *Animal Rights and Human Obligations*, Englewood Cliffs, NJ., Prentice Hall, 1976.

19. S. F. Sapontzis a développé une argumentation selon laquelle l'existence éventuellement heureuse d'un enfant normal et l'existence éventuellement malheureuse d'un enfant déformé sont toutes deux des raisons pour respectivement avoir ou ne pas avoir cet enfant uniquement à partir du moment où celui-ci existe déjà, et que par conséquent il n'y a pas d'asymétrie. (S. F. Sapontzis, *Morals, Reason and Animals*, Philadelphie, Temple University Press, 1987, p. 193-194.) Mais cela impliquerait qu'il ne serait pas mal de décider de concevoir un enfant misérable, bien qu'il le soit de décider de le maintenir en vie une fois son existence commencée. Qu'en serait-il alors si on savait, au moment de la conception de l'enfant, qu'on ne disposera d'aucune possibilité d'avortement ou, après la naissance, d'euthanasie ? Nous avons dans ce cas un enfant misérable, et il semblerait donc qu'un mal doit avoir été commis. Mais selon le point de vue de Sapontzis, il ne semble y avoir aucun moment auquel ce mal peut avoir été fait. Je ne vois pas comment sa suggestion résout le problème.

20. Voir mon *Practical Ethics*, Cambridge, Cambridge University Press, 1979, chapitres IV et VI. Pour une discussion plus avant, voir Michael Lockwood, « Singer on killing and the preference for life », *Inquiry*, n° 22 (1-2), p. 157-170 ; Edward Johnson, « Life, death and animals », et Dale Jamieson, « Killing persons and other beings », tous deux *in* Harlan Miller, William Williams (dir.), *Ethics and Animals*, Clifton, NJ, Humana Press, 1983 ; l'essai par Johnson a été reproduit *in* T. Regan, P. Singer (dir.), *Animal Rights and Human Obligations*, Englewood Cliffs, NJ, Prentice Hall, 2e édition, 1989. Voir aussi S. F. Sapontzis, *Morals, Reason and Animals*, *op. cit.*, chapitre X. Pour comprendre les arguments autour desquels tourne tout le

débat, la source indispensable (bien qu'ardue !) est Derek Parfit, *Reasons and Persons*, Oxford, Clarendon Press, 1984, partie IV.

21. Le défenseur le plus éminent des droits des animaux est Tom Regan ; voir son *Case for Animal Rights*, Berkeley et Los Angeles, University of California Press, 1983. J'ai indiqué pourquoi mon point de vue diffère du sien dans « Utilitarianism and vegetarianism », *Philosophy and Public Affairs*, n° 9, 1980, p. 325-337 ; « Ten years of animal liberation », *The New York Review of Books*, 25 avril 1985 ; et « Animal liberation or animal rights », *The Monist*, n° 70, 1987, p. 3-14. Pour une argumentation détaillée du point de vue selon lequel un être dépourvu de la capacité à se voir comme existant dans la durée ne peut avoir un droit à la vie, voir Michael Tooley, *Abortion and Infanticide*, Oxford, Clarendon Press, 1983.

22. R. M. Hare défend une telle position dans son article, « Why I am only a demi-vegetarian », in *Essays on Bioethics*, Oxford, Clarendon press, 1993.

23. Brigid Brophy, « In pursuit of a fantasy », *in* Stanley Godlovitch, Roslind Godlovitch, John Harris (dir.), *Animals, Men and Morals*, New York, Taplinger, 1972, p. 132.

24. Voir Cleveland Amory, *Man Kind ?*, New York, Harper and Row, 1974, p. 237.

25. Lewis Gompertz, *Moral Inquiries on the Situation of Man and of Brutes*, Londres, 1824.

26. Pour un compte rendu puissant de la cruauté inhérente à l'industrie australienne de la laine, voir Christine Townend, *Pulling the Wool*, Sydney, Hale and Iremonger, 1985.

27. Pour des exemples montrant à quel point la « destruction des nuisibles » peut être brutale et douloureuse, voir Jo Olsen, *Slaughter the Animals, Poison the Earth*, New York, Simon and Schuster, 1971, p. 153-164.

28. Une poignée de chercheurs dispersés ont commencé à travailler sur la contraception pour les animaux sauvages ; pour une bibliographie, voir J. F. Kirkpatrick, J. W. Turner, « Chemical fertility control and wildlife management », *Bioscience*, n° 35, 1985, p. 485-491. Mais les ressources allouées à ce domaine restent minuscules comparées à celles employées à tuer par poison, par balle ou par piège.

29. Peter Tompkins, Christopher Bird, *La Vie secrète des*

plantes, Paris, Laffont, 1975 ; et *Natural History*, nº 83 (3), mars 1974, p. 18.

30. Dans A. I. Melden (dir.), *Human Rights*, Belmont, Ca, Wadsworth, 1970, p. 106.

31. W. Frankena, « The concept of social justice », *in* R. Brandt, *Social Justice*, Englewood Cliffs, NJ, Prentice-Hall, 1962, p. 23.

32. H. A. Bedau, « Egalitarianism and the idea of equality », *in* J. R. Pennock, J. W. Chapman, (dir.), *Nomos IX : Equality*, New York, 1967.

33. G. Vlastos, « Justice and equality », *in* R. Brandt, *Social Justice*, *op. cit.*, p. 48.

34. J. Rawls, *A Theory of Justice*, Cambridge, Harvard University Press, 1972, p. 510 (trad. fr. *Théorie de la justice*, Paris, Seuil, 1987). Pour un autre exemple, voir Bernard Williams, « The idea of equality », *in* P. Laslett, W. Runciman (dir.), *Philosophy, Politics and Society*, second series, Oxford, Blackwell, 1962, p. 118.

35. Pour un exemple, voir de Stanley Benn, « Egalitarianism and equal consideration of interests », *Nomos IX : Equality*, *op. cit.*, p. 62 *sq.*

36. Voir Charles Magel, *Keyguide to Information Sources in Animal Rights*, Jefferson, NC, McFarland, 1989. Les travaux de quelques-uns seulement de ces philosophes sont cités en annexe 1.

37. R. G. Frey, « Vivisection, morals and medicine », *Journal of Medical Ethics*, nº 9, 1983, p. 95-104. Le principal ouvrage de Frey critiquant mon travail est *Rights, Killing and Suffering*, Oxford, Blackwell, 1983, mais voir également son *Interests and Rights : The Case Against Animals*, Oxford, Clarendon Press, 1980. Je réponds (trop brièvement) à ces livres dans « Ten years of animals liberation », art. cité.

38. Voir M. A. Fox, *The Case for Animal Experimentation*, Berkeley, University of California Press, 1986, et la lettre de Fox dans *The Scientist*, 15 décembre 1986 ; voir aussi son « Animal experimentation : A philosopher's changing views », *Between the Species*, nº 3, 1987, p. 55-60, et l'interview de M. A. Fox dans *Animals' Agenda*, mars 1988.

39. Katherine Bishop, « From Shop to lab to farm, animal rights battle is felt », *The New York Times*, 14 janvier 1989.

40. « The barde over animal rights », *Newsweek*, 26 décembre 1988.

41. Voir Henry Spira, « Fighting to win », *in* Peter Singer (dir.), *In Defense of Animals*, Oxford, Blackwell, 1985, p. 194-208.

42. Voir Alex Pacheco avec Anna Francione, « The silver spring monkeys », in *ibid.*, p. 135-147.

43. Voir chapitre II, note 118.

44. *Newsweek*, 26 décembre 1988, p. 50-51.

45. Barnaby J. Feder, « Research looks away from laboratory animals », *The New York Times*, 29 janvier 1989, p. 24 ; pour une image moins récente du travail accompli par la Coalition to Abolish the LD50 and Draize Tests, voir Henry Spira, « Fighting to win », *op. cit.*

46. Gouvernement de l'État de Victoria, *Prevention of Cruelty to Animals Regulations*, n° 24, 1986. Ce texte réglementaire couvre l'essai de toute préparation de nature chimique, cosmétique, de toilette, domestique ou industrielle. Elle interdit l'emploi à cette fin du sac conjonctif des lapins, ainsi que tout test dans lequel des animaux sont soumis à une gamme de doses croissantes et où le nombre de morts sert à calculer un résultat statistiquement valable. Concernant la Nouvelle-Galles du Sud, voir *Animal Liberation : The Magazine* (Melbourne), n° 27, janvier-mars 1989, p. 23.

BIBLIOGRAPHIE SÉLECTIVE

On ne trouvera pas ici la liste complète des sources utilisées dans cet ouvrage – elles sont plutôt citées dans les notes – mais une sélection de livres d'une importance particulière, y compris pour ce qui a trait à l'argumentation en faveur du végétarisme. Pour une bibliographie commentée et très complète, voir l'ouvrage de Charles Magel, *Keyguide to Information Sources in Animal Rights*, Londres, Mansell, 1989, et Jefferson, NC, McFarland, 1989.

Ouvrages généraux

BEKOFF Marc, *Les Émotions des animaux*, Paris, Payot, 2009. Un scientifique explore la vie émotionnelle des animaux et montre que nous devrions les traiter autrement.

BEKOFF Marc (dir.), *Encyclopedia of Animal Rights and Animal Welfare*, 2e éd., Westport, Conn., Greenwood Press, 2009. Un précieux ouvrage de référence.

CAVALIERI Paola, *The Animal Question. Why Nonhuman Animals Deserve Human Rights*, New York, Oxford University Press, 2001 [version remaniée de *La questione animale. Per una teoria allargata dei diritti umani*, Torino, Bollati Boringhieri, 1999]. Un livre court, mais une puissante argumentation en faveur des droits des animaux.

DAWN Karen, *Thanking the Monkey. Rethinking the Way We Treat Animals*, New York, Harper, 2008. Un regard neuf et vivant sur le mouvement contemporain des droits des animaux et les questions qu'il soulève.

DEGRAZIA David, *Animal Rights. A Very Short Introduction*, Oxford, Oxford University Press, 2002. Un aperçu, en 120 pages, des principales questions.

GODLOVITCH Stanley et Roslind, HARRIS John (dir.), *Animals, Men and Morals*, New York, Grove, 1974. Un recueil d'articles qui fit date.

GOMPERTZ Lewis, *Moral Inquiries on the Situation of Man and of Brutes*, Londres, 1924. Un des premiers livres soigneusement argumentés prônant une attitude radicalement différente envers les animaux.

GRUEN Lori, SINGER Peter, HINE David, *Animal Liberation. A Graphic Guide*, Londres, Camden Press, 1987. Ce petit livre illustré et destiné au grand public expose la théorie et la pratique du mouvement de libération animale.

MIDGLEY Mary, *Animals and Why They Matter*, Athens, University of Georgia Press, 1984. Une discussion en profondeur de ce que peut changer l'appartenance d'espèce.

RACHELS James, *Created from Animal. The Moral Implications of Darwinism*, Oxford et New York, Oxford University Press, 1990. Expose les implications morales – encore largement ignorées – de la théorie de l'évolution relativement à notre traitement des animaux.

REGAN Tom, *The Case for Animal Rights*, Berkeley, University of California Press, 1983. L'élaboration la plus complète de l'argumentation philosophique en faveur de l'attribution de droits aux animaux.

REGAN Tom, SINGER Peter (dir.), *Animal Rights and Human Obligations* (1976), 2e éd., Englewood Cliffs, NJ, Prentice Hall, 1989. Anthologie d'écrits, de l'Antiquité à nos jours, en provenance des deux camps.

ROLLIN Bernard, *The Unheeded Cry*, Oxford, Oxford University Press, 1989. Un compte rendu très accessible des tentatives faites pour nier la sensibilité chez les animaux et des raisons de leur échec.

RYDER Richard D., *Animal Revolution. Changing Attitudes Toward Speciesism*, Oxford, Blackwell, 1989. Un survol historique des attitudes des humains envers les animaux selon les époques, qui insiste sur les deux dernières décennies, écrit par un des principaux penseurs et militants de cette période.

SALT Henry, *Animals' Rights Considered in Relation to Social Progress* (1892), Clarks Summit, Pennsylvanie, Society for Animal Rights, et Fontwell, Sussex, Centaur Press/State Mutual Book, 1985. Un classique.

SAPONTZIS Steve, *Morals, Reason, and Animals*, Philadelphie, Temple University Press, 1987. Une analyse philosophique détaillée des arguments concernant la libération animale.

SINGER Peter, *Ethics into Action. Henry Spira and the Animal Rights Movement*, Lanham, Md., Rowman & Littlefield, 1998. Conférences sur l'activisme à partir de l'exemple du plus efficaces des activistes américains (mouvement de libération, années 1970 et 1980).

SINGER Peter (dir.), *In Defense of Animals. The Second Wave*, Oxford, Blackwell, 2006. Recueil d'essais inédits rédigés par d'éminents militants et penseurs.

THOMAS Keith, *Dans le jardin de la nature. La mutation des sensibilités en Angleterre à l'époque moderne (1500-1800)*, Paris, Gallimard, 1985. Une étude très accessible bien qu'académique sur les diverses attitudes des Anglais envers les animaux au cours de cette période.

TURNER E. S., *All Heaven in a Rage*, Londres, Michael Joseph, 1964. L'histoire du mouvement de protection animale racontée de façon enrichissante et agréable.

WYNNE-TYSON Jon (dir.), *The Extended Circle. A Commonplace Book of Animal Rights*, New York, Paragon House, 1988 et Londres, Penguin, 1989. Des centaines de courts extraits des écrits des penseurs humanitaires de toutes époques.

Sur les animaux dans la recherche

NUFFIELD COUNCIL ON BIOETHICS, *The Ethics of Research Involving animals*, Londres, Nuffield Council on Bioethics, 2005. Bien que les conclusions de ce rapport soient discutables, c'est une mine d'informations utiles.

ORLANS F. Barbara, *In the Name of Science. Issues in Responsible animal Experimentation*, New York, Oxford University Press, 1993. Un exposé des questions éthiques et scientifiques.

ROWAN Andrew, *Of Mice, Models, and Men. A Critical Evaluation of Animal Research*, Albany, State University of New York Press, 1984. Un examen critique de la recherche par un chercheur.

RYDER Richard, *Victims of Science*, Fontwell, Sussex, Centaur Press/State Mutual Book, 1983. Aujourd'hui encore, ce livre reste une des meilleures descriptions globales de l'expérimentation animale.

SHARPE Robert, *The Cruel Deception*, Wellingborough, Northants, Thorsons, 1988. L'auteur développe l'argument scientifique à l'encontre de l'expérimentation animale, en contestant son rôle dans l'amélioration de la santé publique et en mettant en avant que ses résultats peuvent même être tout à fait trompeurs.

Sur les animaux d'élevage et l'industrie de la viande

BAUR Gene, *Farm Sanctuary. Changing Hearts and Minds About Animals and Food*, New York, Touchstone, 2008. Par son fondateur, l'histoire de l'organisation américaine Farm Sanctuary, qui recueille et défend les animaux de ferme.

BRAMBELL F. W. R. (président), *Report of the Technical Committee to Enquire into the Welfare of Animals Kept Under Intensive Livestock Husbandry Systems*, Londres, Her Majesty's Stationery Office, 1965. Le rapport de la première enquête gouvernementale détaillée sur l'élevage industriel.

DAVIS Karen, *Prisoned Chickens, Poisoned Eggs*, Summertown, Tenn., Book Publishing Company, 1996. Les industries de la volaille et de l'œuf, vues de l'intérieur.

DAWKINS Marian, *La Souffrance animale, ou l'étude objective du bien-être animal*, Maisons-Alfort, Le Point vétérinaire, 1983. Une discussion scientifique des méthodes pour mesurer objectivement la souffrance animale.

HARRISON Ruth, *Animal Machines*, Londres, Vincent Stuart, 1964. Le livre qui lança la campagne d'opinion contre l'élevage industriel.

MASON Jim, SINGER Peter, *Animal Factories*, New York, Crown, 1980. Les implications de l'élevage industriel sur la santé, l'écologie et le bien-être animal. Le livre reproduit une remarquable série de photographies.

MASON Jim, SINGER Peter, *The Ethics of What We Eat*, New York, Rodale, 2006. Sur les principales questions éthiques soulevées par nos choix alimentaires.

MARCUS Erik, *Meat Market. Animals, Ethics and Money*, New York, Brio, 2005. Un livre impertinent qui développe les arguments les plus forts – et exagérés – contre la viande.

Sur le végétarisme

AKERS Keith, *A Vegetarian Sourcebook. The Nutrition, Écology, and Ethics of a Natural Foods Diet*, Arlington, Virginie, Vegetarian Press, 1989. Des informations scientifiques bien à jour sur de nombreux aspects du végétarisme.

GOLD Mark, *Living Without Cruelty*, Basingstoke, Hants, Green Print, 1988. Couvre tous les détails des questions qui se posent quand on veut vivre sans maltraiter les animaux.

KAPLEAU Roshi P., *To Cherish All Life. A Buddhist View of Animal Slaughter and Meat Eating*, Rochester, N.Y., The Zen Center, 1981. Écrit par un éminent bouddhiste américain.

LAPPÉ Frances Moore, *Sans viande et sans regrets*, Montréal, Étincelle, 1987. Contre la production de viande, une argumentation sur des bases écologiques.

MARCUS Erik, *Vegan Guide*, Santa Cruz, CA, Vegan.com, 2009. Tout ce que vous devez savoir si vous devenez végétarien.

ROBBINS John, *Se nourrir sans faire souffrir*, Montréal, Stanké, 1990. L'auteur a rassemblé une masse de données à l'encontre de la consommation de produits animaux.

WYNNE-TYSON Jon, *Food for a Future. How World Hunger Could Be Ended by the Twenty-first Century*, nouv. éd., Wellingborough, Northants, Thorsons, 1988. Ce livre développe une argumentation en faveur du végétarisme sur des bases humanitaires et écologiques.

Sur la faune sauvage

AMORY Cleveland, *Man Kind ?*, New York, Dell, 1980. Une critique mordante de la guerre menée contre la faune sauvage.

BOSTOCK Stephen, *Zoos and Animal Rights*, Londres, Routledge, 1993. Sur les questions éthiques soulevées par le fait de laisser les animaux dans des zoos.

MCKENNA Virginia, TRAVERS Will, WRAY Jonathan (dir.), *Beyond the Bars*, Wellingborough, Northants, Thorsons, 1988. Une série d'essais sur les zoos et des questions afférentes, du point de vue surtout de la conservation de la faune sauvage.

PETERSON Dale, *Eating Apes*, Berkeley, CA, University of California Press, 2003. Nos plus proches cousins sont menacés. Avec d'émouvantes photos de Karl Ammann.

REGENSTEIN Lewis, *The Politics of Extinction*, New York, Macmillan, 1975. Ce livre raconte comment nous avons poussé des espèces à disparaître et comment nous continuons de le faire.

REMERCIEMENTS

Il est d'usage pour l'auteur d'un livre de remercier ceux qui lui ont apporté leur aide dans cette tâche ; mais dans le cas présent mes dettes sont d'un genre particulier, qui nécessite pour être indiqué une courte narration.

En automne 1970 j'étais étudiant en maîtrise à l'université d'Oxford. Bien que j'aie choisi comme spécialisation la philosophie morale et sociale, il ne m'était pas venu à l'idée – pas plus qu'à la plupart des gens – que nos relations avec les animaux pussent poser un sérieux problème moral. Je savais, bien sûr, qu'il arrivait qu'ils fussent traités cruellement, mais je supposais qu'il ne s'agissait là que d'abus occasionnels et non de l'indice de quelque vice fondamental dans ces relations.

Ma complaisance fut mise à mal lorsque je rencontrai Richard Keshen, qui était étudiant comme moi à Oxford et végétarien. Lors d'un repas, je lui demandai pourquoi il ne mangeait pas de viande, et il se mit à me parler des conditions dans lesquelles avait vécu cet animal dont j'étais en train de manger le corps. Par Richard et sa femme Mary, ma femme et moi nous liâmes d'amitié avec Roslind et Stanley Godlovitch, eux aussi végétariens et étudiants en philosophie à Oxford. Lors des longues conversations que j'eus avec ces quatre personnes – et particulièrement avec Roslind Godlovitch, qui avait élaboré ses positions éthiques en détail – je me convainquis de ce qu'en mangeant les animaux je participais à une forme systématique d'oppression exercée par ma propre espèce sur les autres. Les idées centrales de ce livre ont leur origine dans ces conversations.

Aboutir à une conclusion théorique est une chose ; sa mise en pratique en est une autre. Sans le soutien et l'encouragement de Renata, ma femme, qui elle-même s'était comme moi convaincue de la justesse de ce que disaient nos amis, je mangerais peut-être encore de la viande, fût-ce avec mauvaise conscience.

L'idée que je pourrais écrire un livre naquit de la réaction enthousiaste que reçut la critique que j'avais écrite dans l'édition du 5 avril 1973 du *New York Review of Books* du livre *Animals, Men and Morals*, collection d'articles rassemblés par Stanley et Roslind Godlovitch et John Harris. Je suis reconnaissant aux rédacteurs de la *New York Review* d'avoir publié cette discussion non sollicitée d'un livre sur un sujet peu à la mode. Cet article ne serait néanmoins jamais devenu livre sans l'encouragement et l'aide des personnes suivantes :

Eleanor Seiling, de la United Action for Animals à New York, mit à ma disposition la collection exceptionnelle de documents possédée par son organisation sur les utilisations expérimentales des animaux ; et les résumés qu'avait faits Alois Acowitz des rapports rédigés par les expérimentateurs me permirent de trouver ce que je cherchais en bien moins de temps qu'il ne m'en aurait autrement fallu.

Richard Ryder eut la générosité de me prêter de la documentation qu'il avait rassemblée pour son propre livre, *Victims of Science*.

Joanne Bower, de la Farm and Food Society à Londres, me fournit des informations sur les conditions de vie des animaux d'élevage en Grande-Bretagne.

Kathleen Jannaway, de la Vegan Society du Royaume-Uni, m'aida à mettre la main sur des rapports concernant le caractère nutritionnellement satisfaisant d'une alimentation végétale.

John Norton, de l'Animal Rescue League de Boston, et Martha Coe, des Argus Archives à New York, me fournirent de la documentation sur le transport et l'abattage des animaux aux États-Unis.

La Scottish Society for the Prévention of Vivisection m'aida à obtenir des photographies d'expériences sur animaux.

Dudley Giehl, d'Animal Liberation Inc., à New York, me permit d'utiliser de la documentation qu'il avait rassemblée sur l'élevage intensif et sur le végétarisme.

Alice Herrington et Joyce Lambert, des Friends of Animals à New York, m'aidèrent de bien des façons, et Jim Mason, de la même organisation, me permit de visiter des élevages intensifs.

Une invitation à occuper une *visiting position* dans le Département de philosophie de l'université de New York au cours de l'année universitaire 1973-1974 me permit de jouir d'une atmosphère propice et d'un lieu de résidence idéal pour la recherche et la rédaction, et aussi des commentaires et critiques de mes collègues et étudiants. J'eus également l'occasion de soumettre mes positions sur les animaux à l'examen critique des étudiants et enseignants des départements de philosophie des universités suivantes : la Brown University, la Fordham University, la Long Island University, la North Carolina State University à Raleigh, la Rutgers University, la State University of New York à Brockport, la State University of New York à Stony Brook, la Tufts University, l'University of California à Berkeley, l'University of Miami, et le Williams Collège ; et aussi au Yale Law School et à une rencontre de la Society for Philosophy and Public Affairs à New York. Les chapitres I et VI de ce livre bénéficièrent grandement des discussions qui suivirent mes présentations.

Enfin, je dois remercier les rédacteurs et éditeurs de la *New York Review of Books* pour le soutien qu'ils apportèrent à ce livre, et tout particulièrement Robert Silvers, dont les conseils réfléchis améliorèrent considérablement le manuscrit original. Il reste seulement à ajouter que je suis seul responsable de toute imperfection qu'on pourra encore y trouver.

P.S., février 1975

REMERCIEMENTS POUR L'ÉDITION RÉVISÉE

Tant de personnes, du monde entier, m'ont aidé à la préparation de cette édition révisée, que je ne peux qu'espérer n'en oublier aucune, ce dont je ne puis que m'excuser. Certaines m'ont aidé en lisant des épreuves, d'autres en me faisant parvenir de la documentation pour me permettre de rester au courant de l'évolution des événements dans de nombreux pays. En voici une liste, sans ordre particulier : Don Barnes et Melinda Moreland de la National Anti-Vivisection Society (des États-Unis), Alex Hershaft du Farm Animal Reform Movement, MacDonald White et Ann St. Laurent de United Action for Animals, Joyce D'Silva et Carol Long de Compassion in World Farming, Clare Druce et Violet Spalding de Chickens' Lib, Henry Spira d'Animal Rights International, Brad Miller de la Humane Farming Association, Kim Stallwood et Carla Bennett de People for the Ethical Treatment of Animals, Peter Hamilton de Lifeforce, Maria Comninou de la Ann Arbor Association for Responsible Animal Treatment, George Cave de Trans-Species Unlimited, Paola Cavalieri de *Etica & Animali* à Milan, Birgitta Carlsson de la Swedish Society Against Painful Experiments on Animals, Detlef Fölsch de l'Institut des sciences animales de l'Institut fédéral suisse de technologie, Charles Magel, John Robbins, Richard Ryder, Clive Hollands et Jim Mason.

Une mention particulière est due à Lori Gruen, qui me servit en quelque sorte de coordinatrice aux États-Unis, en rassemblant de la documentation récente pour m'aider à mettre à jour les chapitres sur l'expérimentation et l'élevage industriel. Elle me fit aussi de nombreuses suggestions de valeur à propos d'une première version du livre entier. Lori à son tour désire remercier, en plus de celles qui sont mentionnées ci-dessus, les personnes suivantes qui lui fournirent des informations : Diane Halverson de l'Animal Welfare Institute ; Avi Magidoff, Jeff Diner et Martin Stephens, dont le travail sur des aspects de l'expérimentation animale aux États-Unis se révéla une ressource inestimable ; et Ken Knowles et Dave Macauley.

Les modifications que j'ai apportées au chapitre sur l'élevage industriel bénéficièrent également du travail accompli en vue d'une déclaration devant un comité sénatorial australien faite par l'Australian and New Zealand Federation of Animal Societies et qui fut préparée avec une énorme diligence et une compétence impeccable par Suzanne Pope et Geoff Russell. Les commentaires que je fais sur les poissons et sur la pêche bénéficièrent d'un autre travail de qualité pour une déclaration devant un organisme gouvernemental, qui fut préparé pour Animal Liberation (Victoria) par Patty Mark.

Enfin, je dois à nouveau beaucoup à la *New York Review of Books* : à Robert Silvers pour le soutien qu'il apporta à l'idée de publier une nouvelle édition et pour ses grandes qualités critiques appliquées au processus de sa révision ; à Rea Hederman, qui dirigea les nombreuses facettes de la publication ; et à Neil Gordon, qui supervisa la typographie avec grand soin et une merveilleuse attention pour les détails.

Concernant la présente édition française, David Olivier, qui en a effectué la relecture, désire remercier ceux qui l'ont aidé, et en particulier Charles Notin et Françoise Blanchon.

P.S., novembre 1989, décembre 1992

TABLE

Achevé d'imprimer en octobre 2012
par Novoprint (Barcelone)

Dépôt légal : octobre 2012

Imprimé en Espagne